# JOHN
GRISHAM

## DER
POLIZIST

# JOHN
## GRISHAM

# DER
# POLIZIST

ROMAN

Aus dem Amerikanischen
von Bea Reiter, Imke Walsh-Araya
und Kristiana Dorn-Ruhl

**HEYNE** ‹

Die Originalausgabe erschien unter dem Titel
*A Time for Mercy*
bei Doubleday, New York

Penguin Random House Verlagsgruppe FSC® N001967

ISBN 978-3-453-27315-3

www.heyne.de

*In Erinnerung an*

SONNY MEHTA,

*Chairman, Cheflektor und Verleger
des Knopf-Verlags*

# 1

Das schäbige kleine Haus lag weit draußen auf dem Land, etwa zehn Kilometer südlich von Clanton an einer alten Bezirksstraße, die irgendwann im Nichts endete. Es war von der Straße aus nicht zu sehen und nur über eine lange, gewundene Schotterzufahrt zu erreichen. Näherte sich nachts ein Auto, strich das Scheinwerferlicht über die Fenster und Türen an der Front, als wollte es die Menschen, die dort wohnten, vorwarnen. Die Abgeschiedenheit machte das, was ihnen bevorstand, noch schlimmer.

An diesem frühen Sonntagmorgen tauchte das Scheinwerferlicht erst lange nach Mitternacht auf. Es tastete sich durch die Räume, warf stumme, bedrohliche Schatten an die Wände und verschwand wieder, während der Wagen auf den letzten Metern durch eine Bodensenke fuhr. Die Menschen im Haus hätten schon seit Stunden schlafen sollen, doch an Schlaf war in diesen furchtbaren Nächten nicht zu denken. Josie, die im Wohnzimmer auf dem Sofa saß, holte tief Luft, sprach ein kurzes Gebet und schlich zum Fenster, um einen Blick auf das Auto zu werfen. Schlingerte es wie üblich hin und her, oder hatte er es unter Kontrolle? War er betrunken, wie immer in diesen Nächten, oder hatte er nicht ganz so viel Alkohol intus wie sonst? Sie trug ein aufreizendes Negligé, um ihn auf sich aufmerksam zu machen und vielleicht davon abzubringen, gewalttätig zu werden. Sie hatte es schon öfter getragen, es hatte ihm gefallen.

Der Wagen hielt neben dem Haus, und Josie sah zu, wie er

ausstieg. Er torkelte und stolperte, und sie machte sich auf das Schlimmste gefasst. Sie ging in die Küche, in der Licht brannte, und wartete. Neben der Tür, etwas versteckt in einer Ecke, stand ein Baseballschläger aus Aluminium, der ihrem Sohn gehörte. Vor einer Stunde hatte sie den Knüppel dort hingestellt, für den Fall, dass er auf ihre Kinder losging. Sie hatte um den Mut gebetet, den Schläger zu benutzen, doch noch immer wurde sie von Zweifeln geplagt. Er ließ sich gegen die Küchentür fallen und rüttelte am Knauf, als wäre sie verriegelt, doch es war alles offen. Schließlich trat er mit dem Fuß gegen die Tür, die aufsprang und gegen den Kühlschrank knallte.

Wenn Stu getrunken hatte, wurde er gewalttätig. Seine blasse irische Haut wurde dunkler, seine Wangen röteten sich, und in seinen Augen glühte ein vom Whiskey entfachtes Feuer, das sie schon zu oft gesehen hatte. Er war vierunddreißig, hatte aber bereits graue Haare und eine Glatze, die er mit einer schlechten Überkämmfrisur zu kaschieren versuchte. Nach der nächtlichen Sauftour hingen ihm ein paar lange Strähnen bis unter die Ohren. Sein Gesicht wies keine Schnittwunden oder Blutergüsse auf, was vielleicht ein gutes Zeichen war. Vielleicht auch nicht. Er prügelte sich gern in den Kneipen, und nach einer harten Nacht leckte er sich für gewöhnlich die Wunden und ging schnurstracks ins Bett. Hatte es keine Schlägerei gegeben, suchte er oft hier Streit.

»Warum zum Teufel bist du noch auf?«, fuhr Stu sie an, während er versuchte, die Tür hinter sich zu schließen.

»Ich warte auf dich, Liebling. Geht's dir gut?«, sagte Josie so gelassen wie möglich.

»Du brauchst nicht auf mich zu warten. Wie spät ist es? Zwei?«

Sie lächelte, als wäre alles in Ordnung. Vor einer Woche hatte sie sich ins Bett gelegt und dort auf ihn gewartet. Er war spät nach Hause gekommen, nach oben gegangen und hatte ihre Kinder bedroht.

»Ungefähr zwei«, bestätigte sie leise. »Lass uns schlafen gehen.«

»Warum trägst du diesen Fummel? Du siehst aus wie ein Flittchen. War heute Abend jemand hier?«

Das vermutete er zurzeit häufig. »Natürlich nicht«, sagte sie. »Ich habe mich nur schon fürs Bett fertig gemacht.«

»Du bist eine Hure.«

»Stu, bitte. Ich bin müde. Lass uns schlafen gehen.«

»Wer ist es?«, herrschte er sie an, während er nach hinten gegen die Tür torkelte.

»Wen meinst du? Es gibt niemanden. Ich bin den ganzen Abend hier gewesen, bei den Kindern.«

»Du Schlampe. Du lügst doch.«

»Nein, tue ich nicht. Lass uns ins Bett gehen. Es ist spät.«

»Heute Abend hat mir jemand erzählt, dass er vor ein paar Tagen John Alberts Pick-up hier draußen gesehen hat.«

»Wer ist John Albert?«

»Wer ist John Albert?, fragt die kleine Schlampe. Du weißt ganz genau, wer John Albert ist.« Er stieß sich von der Tür ab, kam mit unsicheren Schritten auf Josie zu und musste sich an der Arbeitsplatte abstützen. Dann wies er anklagend mit dem Finger auf sie. »Du bist eine Hure und bekommst Besuch von deinen Ex-Freunden. Ich habe dich gewarnt.«

»Stu, ich habe keinen anderen, das habe ich dir schon tausendmal gesagt. Warum glaubst du mir nicht?«

»Weil du eine Lügnerin bist und weil ich dich schon mal beim Lügen erwischt habe. Die Kreditkarte, weißt du noch? Du Miststück.«

»Das war letztes Jahr, und wir haben darüber geredet.«

Er machte einen Satz auf sie zu, packte mit der linken Hand ihren Unterarm und holte mit der anderen aus. Dann schlug er ihr mit der offenen Hand ins Gesicht, ein knallendes, widerwärtiges Geräusch. Schmerz und Schock ließen sie aufschreien. Sie hatte sich geschworen, auf keinen Fall laut zu werden. Ihre Kinder hatten sich oben eingesperrt und hörten alles mit an.

»Stu, hör auf!«, kreischte sie, während sie die Hand auf die Wange drückte und nach Luft rang. »Nicht wieder schlagen! Ich habe dir geschworen, dass ich gehe, und das werde ich auch ganz bestimmt tun!«

Er lachte brüllend. »Ach ja? Und wo willst du hin, du kleine Nutte? Zurück in das Wohnmobil im Wald? Oder willst du wieder in deinem Auto leben?« Er zog sie mit einem Ruck zu sich, drehte sie um und legte ihr seinen muskulösen Unterarm um den Hals. »Du kannst nirgendwohin, du Schlampe, nicht mal mehr in den Trailerpark, in dem du geboren wurdest«, flüsterte er ihr ins Ohr. Der Gestank nach abgestandenem Whiskey schlug ihr entgegen, Speichel sprühte aus seinem Mund.

Josie versuchte sich loszureißen, doch er zerrte ihren Arm hart nach oben. Sie schrie unwillkürlich auf und musste dabei an ihre Kinder denken. »Stu, du brichst mir den Arm! Hör auf! Bitte!«

Er ließ ihren Arm ein wenig sinken, drückte sie aber noch fester an sich. »Wo willst du denn hin?«, zischte er. »Du hast ein Dach über dem Kopf, Essen auf dem Tisch, Zimmer für deine zwei Bälger, und dann redest du davon, mich zu verlassen? Nicht mit mir.«

Sie wehrte sich und wollte sich aus seinem Griff winden, aber er war ein kräftiger Mann und sehr jähzornig. »Stu, du brichst mir den Arm. Lass los! Bitte!«

Doch er zerrte noch einmal mit einem kräftigen Ruck an ihrem Arm, was sie wieder aufschreien ließ. Sie versuchte es mit einem Fußtritt nach hinten und traf Stu mit der nackten Ferse am Schienbein, dann drehte sie sich halb um und rammte ihm ihren linken Ellbogen in die Rippen. Viel ausrichten konnte sie damit nicht, doch er schnappte für einen Moment nach Luft, und es gelang ihr, sich loszureißen. Ein Küchenstuhl fiel zu Boden. Der Lärm würde ihren Kindern noch mehr Angst machen.

Wie ein wilder Stier stürzte er sich auf sie. Er packte sie an der Kehle, drückte sie gegen die Wand und grub die Fingernägel in ihren Hals. Josie konnte nicht schreien, konnte weder schlucken noch atmen, und das irre Leuchten in seinen Augen sagte ihr, dass es ihr letzter Streit war. Dieses Mal würde er sie umbringen. Sie versuchte, Stu zu treten, verfehlte ihn aber. Blitzschnell verpasste er ihr einen rechten Haken, der sie mit voller Wucht am Kinn traf und bewusstlos werden ließ. Sie ging zu Boden und blieb mit gespreizten Beinen auf dem Rücken liegen. Ihr Negligé war verrutscht und entblößte ihre Brüste. Er stand einen Moment da und bewunderte sein Werk.

»Die Schlampe hat zuerst zugeschlagen«, murmelte er. Dann ging er zum Kühlschrank und holte eine Dose Bier heraus. Er öffnete sie, trank einen Schluck, wischte sich mit dem Handrücken über den Mund und wartete, weil er wissen wollte, ob sie vielleicht wieder aufwachte oder die ganze Nacht bewusstlos sein würde. Sie bewegte sich nicht, daher machte er einen Schritt auf sie zu, um sich zu vergewissern, dass sie noch atmete.

Stu prügelte sich schon sein Leben lang durch Kneipen und kannte die wichtigste Regel: Triff sie am Kinn, dann sind sie erledigt.

Im Haus war es ruhig, aber er wusste, dass Josies Kinder sich oben versteckt hatten und warteten.

Drew war zwei Jahre älter als seine Schwester Kiera, aber wie so viele Veränderungen in seinem Leben hatte bei ihm auch die Pubertät spät eingesetzt. Er war sechzehn und klein für sein Alter, was ihn sehr störte, vor allem, wenn er neben seiner Schwester stand, die gerade wieder einen Wachstumsschub erlebte. Die beiden wussten allerdings noch nicht, dass sie verschiedene Väter hatten und dass man ihre körperliche Entwicklung nicht miteinander vergleichen konnte. Trotzdem waren sich die beiden in diesem

Moment so nah wie alle Geschwister und hörten entsetzt mit an, wie ihre Mutter wieder einmal verprügelt wurde.

Die Auseinandersetzungen wurden gewalttätiger, die Misshandlungen häufiger. Sie flehten Josie an, endlich zu gehen, doch alle drei wussten, dass sie nirgendwohin konnten. Ihre Mutter versicherte ihnen, dass alles besser werden würde, dass Stu ein guter Mann sei, wenn er nicht gerade trinke, und sie war fest entschlossen, zu ihm zu halten.

Sie konnten nirgendwohin. Ihr letztes »Zuhause« war ein altes Wohnmobil im Garten eines entfernten Verwandten gewesen, dem ihre Anwesenheit auf seinem Grundstück peinlich war. Alle drei wussten, dass das Leben mit Stu nur deshalb erträglich war, weil er ein richtiges Haus hatte, eines aus Ziegelsteinen und mit einem Blechdach. Sie mussten nicht hungern – erinnerten sich allerdings noch gut an diese furchtbare Zeit – und konnten zur Schule gehen. Im Grunde genommen war die Schule für sie ein Zufluchtsort, denn dort kam er nie hin. Es gab Probleme – Drews schlechte Noten, nicht genug Freunde, abgetragene Kleidung, die Schlangen für das kostenlose Mittagessen –, aber in der Schule waren sie wenigstens vor Stu sicher.

Selbst wenn er nüchtern war, was zum Glück die meiste Zeit über zutraf, war er ein widerlicher Typ, der nur äußerst ungern für Josies Kinder sorgte. Eigene hatte er nicht, weil er nie welche haben wollte und weil seine beiden ersten Ehen ohnehin nicht lange gehalten hatten. Er war ein Tyrann, der sein Haus für seine Burg hielt. Drew und Kiera waren unwillkommene Gäste, ja Eindringlinge, und deshalb sollten sie auch die schmutzige Arbeit erledigen. Für sie gab es eine endlose Liste mit Aufgaben, die getan werden mussten, und die meisten davon sollten die Tatsache verschleiern, dass er selbst ein fauler Hund war. Bei der kleinsten Pflichtverletzung beschimpfte und bedrohte er die beiden. Er kaufte Lebensmittel und Bier für sich selbst und bestand darauf, dass Josies magere Lohnschecks für »ihre« Seite des Tisches ausgegeben wurden.

Doch die viele Arbeit, das schlechte Essen und die Drohungen waren nichts im Vergleich zu der Gewalt.

Josie atmete kaum noch und bewegte sich nicht. Stu stand über ihr, starrte auf ihre Brüste und wünschte wie immer, sie wären größer. Großer Gott, sogar Kiera war besser bestückt. Bei dem Gedanken daran grinste er und beschloss, sich davon zu überzeugen. Er ging durch das kleine Wohnzimmer, das im Dunkeln lag, und stieg die Treppe hinauf, mit so viel Lärm wie möglich, um den beiden Angst zu machen. Auf halbem Weg nach oben rief er mit hoher, fast neckischer Stimme: »Kiera, o Kiera …«

Sie saß im Dunkeln, zitternd vor Angst, und krallte ihre Fingernägel in Drews Arm. Stu kam näher, seine schweren Schritte polterten die Holztreppe hoch.

»Kiera, o Kiera …«

Er stieß die unverschlossene Tür zu Drews Zimmer zuerst auf, dann zog er sie mit einem lauten Knall wieder zu. Als er den Knauf an Kieras Zimmertür drehen wollte, stellte er fest, dass sie verriegelt war. »Sehr witzig, Kiera. Ich weiß, dass du da drin bist. Mach die Tür auf.« Er warf sich mit der Schulter dagegen.

Die beiden saßen nebeneinander am Fußende des schmalen Betts und starrten die Tür an. Sie war mit einer verrosteten Metallstange blockiert, die Drew in der Scheune gefunden hatte. Er hatte sie zwischen die Tür und das Bettgestell geklemmt, ein Provisorium, das hoffentlich halten würde. Als Stu am Knauf rüttelte, stützten sich Drew und Kiera mit ihrem vollen Gewicht auf die Stange, um den Druck zu verstärken. Sie hatten dieses Szenario geübt und waren fast sicher, dass die Tür halten würde. Falls nicht, hatten sie einen Angriff geplant. Kiera würde zu einem alten Tennisschläger greifen, Drew eine kleine Dose Pfefferspray aus der

Tasche ziehen und draufhalten. Josie hatte es den beiden gekauft, nur für den Fall. Stu würde sie vielleicht wieder verprügeln, aber sie würden sich wenigstens wehren können.

Vielleicht würde er die Tür eintreten, wie schon einmal vor einem Monat. Hinterher hatte er ein Riesentheater veranstaltet, weil er hundert Dollar für eine neue bezahlen musste. Zuerst hatte er darauf bestanden, dass Josie die Reparatur übernahm, dann hatte er Geld von Drew und Kiera gefordert, und irgendwann hatte er aufgehört, sich darüber aufzuregen.

Kiera war starr vor Angst und weinte lautlos, trotzdem fiel ihr auf, dass die Situation anders war als sonst. Bis jetzt war sie immer allein zu Hause gewesen, wenn Stu in ihr Zimmer gekommen war. Es hatte keine Zeugen gegeben, und er hatte gedroht, sie umzubringen, falls sie jemandem davon erzählte. Ihre Mutter hatte er bereits zum Schweigen gebracht. Wollte er auch Drew etwas antun? Wollte er ihm drohen?

»O Kiera, o Kiera«, rief er in seinem merkwürdigen Singsang und ließ sich wieder gegen die Tür fallen. Seine Stimme klang leiser, als würde er vielleicht aufgeben.

Sie stützten sich auf die Stange und warteten darauf, dass Stu die Tür aufbrach, doch er verstummte. Dann zog er sich zurück, seine Schritte verhallten auf der Treppe. Alles war ruhig.

Und kein Laut von ihrer Mutter. Sicher lag sie tot oder bewusstlos unten, denn sonst wäre Stu nicht die Treppe hochgekommen, nicht ohne heftige Auseinandersetzung. Josie würde ihm im Schlaf die Augen auskratzen, wenn er ihren Kindern noch einmal etwas zuleide tat.

Sekunden und Minuten verstrichen. Kiera hörte auf zu weinen. Sie setzten sich auf die Bettkante und warteten auf etwas, ein Geräusch, eine Stimme, eine Tür, die zugeschlagen wurde. Doch sie hörten nichts.

»Wir müssen was tun«, flüsterte Drew schließlich.

Kiera war immer noch so verängstigt, dass sie nicht antworten konnte.

»Ich werde nach Mom sehen«, sagte er. »Du bleibst hier und schließt die Tür hinter mir ab. Verstanden?«

»Geh nicht!«

»Ich muss. Mom ist was passiert, sonst wäre sie längst hier oben. Sie ist bestimmt verletzt. Du rührst dich nicht vom Fleck und sperrst ab.«

Drew nahm die Stange weg und öffnete vorsichtig die Tür. Er warf einen Blick die Treppe hinunter, sah aber nichts als Dunkelheit und das gedämpfte Licht einer Lampe vor dem Haus. Kiera beobachtete ihn und schloss dann die Tür hinter ihm. Als er den ersten Schritt die Treppe hinunter machte, die Dose Pfefferspray in der Hand, dachte er daran, wie großartig es wäre, diesem Mistkerl eine Giftwolke ins Gesicht zu blasen, ihm die Augen zu verätzen und ihn vielleicht sogar blind werden zu lassen. Langsam, ein Schritt nach dem anderen, ganz leise.

Im Wohnzimmer blieb er stehen und lauschte. Aus Stus Schlafzimmer am Ende des kurzen Flurs drang ein leises Geräusch. Drew wartete noch einen Moment und hoffte, dass Stu ihre Mutter vielleicht ins Bett gebracht hatte, nachdem er sie verprügelt hatte. In der Küche brannte Licht. Als er durch die offene Tür spähte, sah er ihre nackten Füße, die sich nicht bewegten, dann ihre Beine. Er ließ sich auf die Knie fallen und krabbelte unter dem Tisch bis zu ihr, dann packte er sie am Arm und schüttelte sie heftig, ohne etwas zu sagen. Jedes Geräusch hätte Stu auf ihn aufmerksam machen können. Drew bemerkte ihre entblößten Brüste, doch er hatte solche Angst, dass es ihn nicht in Verlegenheit bringen konnte. Er schüttelte seine Mutter noch einmal und zischte: »Mom, Mom, wach auf!« Aber er bekam keine Antwort. Die linke Seite ihres Gesichts war gerötet und stark geschwollen, und er war sicher, dass sie nicht atmete. Er fuhr sich mit der Hand über die Augen, wich zurück und schlich sich wieder in den Flur.

Die Tür zu Stus Schlafzimmer stand offen, eine kleine Tischlampe verbreitete dämmriges Licht. Als Drew genauer hinsah, bemerkte er ein Paar spitz zulaufende Cowboystiefel aus Schlangenleder, die vom Bett herunterhingen. Stus Lieblingsstiefel. Drew stand auf und ging zum Schlafzimmer, wo Stuart Kofer mit weit ausgebreiteten Armen rücklings und angezogen auf dem Bett lag und wieder einmal seinen Rausch ausschlief. Während Drew ihn mit unbändigem Hass anstarrte, begann der Mann zu schnarchen.

Drew rannte die Treppe hoch, und als Kiera die Tür öffnete, rief er: »Sie ist tot, Kiera, Mom ist tot! Sie liegt in der Küche auf dem Boden und ist tot!«

Kiera schrie auf und klammerte sich an ihren Bruder. Beide weinten, als sie nach unten in die Küche schlichen und sich neben ihre Mutter knieten. »Wach auf, Mom! Bitte wach auf!«, schluchzte Kiera.

Drew nahm behutsam das linke Handgelenk seiner Mutter und versuchte, ihren Puls zu fühlen, war sich aber nicht sicher, ob er es richtig machte. Er fand keinen.

»Wir müssen den Notruf wählen«, sagte er.

»Wo ist Stu?«, fragte Kiera, während sie sich umsah.

»Im Bett. Er schläft. Ich glaube, er hat zu viel getrunken.«

»Ich bleibe bei Mom. Du rufst an.«

Drew ging ins Wohnzimmer und schaltete das Licht ein. Dann griff er zum Telefon und wählte die Nummer des Notrufs. Nach langem Klingeln meldete sich endlich jemand. »Notrufzentrale. Um welche Art von Notfall handelt es sich?«, fragte ein Mann.

»Meine Mutter wurde von Stuart Kofer ermordet. Sie ist tot.«

»Wer ist da?«

»Ich heiße Drew Gamble. Meine Mutter heißt Josie. Sie ist tot.«

»Und wo wohnst du?«

»In Stuart Kofers Haus, draußen an der Bart Road. Vierzehn-vierzehn Bart Road. Bitte schicken Sie jemanden, der uns hilft.«

»Ist bereits unterwegs. Du hast gesagt, sie ist tot. Woher weißt du, dass sie tot ist?«

»Weil sie nicht mehr atmet. Weil Stu sie wieder mal zusammengeschlagen hat, so wie immer.«

»Ist Stuart im Haus?«

»Ja. Es ist sein Haus. Wir wohnen nur hier. Er ist betrunken nach Hause gekommen und hat meine Mutter verprügelt. Er hat sie umgebracht. Wir haben gehört, wie er es getan hat.«

»Wo ist er jetzt?«

»Er liegt auf seinem Bett und schläft. Bitte beeilen Sie sich.«

»Du bleibst in der Leitung, verstanden?«

»Nein. Ich muss nach meiner Mom sehen.«

Drew legte auf und griff sich eine Decke vom Sofa. Kiera hatte Josies Kopf in ihren Schoß gezogen und strich ihr über die Haare, während sie weinte und immer wieder sagte: »Mom, bitte wach auf. Bitte wach auf. Bleib bei uns, Mom.« Drew legte die Decke auf seine Mutter und setzte sich zu ihren Füßen auf den Boden. Er schloss die Augen, kniff sich in die Nase und versuchte zu beten. Im Haus war es völlig ruhig, nur Kieras flehentliches Schluchzen war zu hören. Minuten verstrichen, und Drew zwang sich dazu, seine Tränen zu unterdrücken und etwas zu tun, um sich und seine Schwester zu beschützen. Stu schlief zwar gerade, aber es war durchaus möglich, dass er wach wurde. Wenn er sie dann im Erdgeschoss entdeckte, würde er einen Wutanfall bekommen und sie zusammenschlagen.

Es wäre nicht das erste Mal. Es kam häufig vor, dass er sich betrank, vor Wut ausrastete, sie verprügelte, eine Weile schlief und wieder handgreiflich wurde, wenn er aufwachte.

Als Stu schnaubte und laut stöhnte, befürchtete Drew, dass er gleich aus seinem Rausch aufschreckte. »Kiera, sei leise«, sagte

Drew, aber sie hörte ihn nicht. Sie war wie in Trance und klammerte sich an ihre Mutter, während ihr Tränen über die Wangen liefen.

Er schlich sich vorsichtig weg und verließ die Küche. Im Flur duckte er sich und ging auf Zehenspitzen ins Schlafzimmer. Stu hatte sich nicht bewegt. Seine Cowboystiefel hingen immer noch vom Bett herunter. Sein massiger Körper lag mit weit ausgebreiteten Armen auf der Decke. Sein Mund stand so weit offen, dass er Fliegen hätte fangen können. Drew starrte den Mann an, mit einem unbändigen Hass, der ihn fast blind machte. Der Kerl hatte ihre Mutter getötet, nachdem er es monatelang versucht hatte, und sie beide würde er als Nächstes umbringen. Niemand würde Stu dafür zur Rechenschaft ziehen, denn er hatte gute Verbindungen und kannte wichtige Leute, ein Umstand, mit dem er oft prahlte. Drew und seine Familie waren weißer Abschaum, Ausgestoßene aus den Trailerparks. Stu dagegen hatte Einfluss, weil er Land besaß und für die Polizei arbeitete.

Drew trat einen Schritt zurück und warf einen Blick in den Flur. Er sah seine Mutter, die auf dem Boden in der Küche lag, und seine Schwester, die ihren Kopf festhielt, leise stöhnte und völlig weggetreten war. Dann ging er in eine Ecke des Schlafzimmers, zu einem kleinen Tisch auf Stus Seite des Betts, auf dem er immer seine Pistole und seinen schweren schwarzen Gürtel mit dem Holster und dem sternförmigen Abzeichen hinlegte. Als Drew die Waffe aus dem Holster zog, fiel ihm ein, wie schwer sie war. Die Pistole, eine 9-Millimeter-Glock, gehörte zur Standardausrüstung der Polizei. Es verstieß gegen die Regeln, sie einem Zivilisten in die Hand zu geben. Stu scherte sich wenig um dumme Regeln, und einmal, vor nicht allzu langer Zeit, als er nüchtern und einigermaßen gut gelaunt gewesen war, hatte er Drew auf die Wiese hinterm Haus mitgenommen und ihm gezeigt, wie man mit der Glock umging und damit schoss. Er war mit Waffen groß geworden, Drew nicht, und Stu hatte sich darüber lustig gemacht, dass der Junge keine Ahnung hatte. Er hatte damit geprahlt, seinen ersten Hirsch mit acht Jahren erlegt zu haben.

Drew hatte dreimal abgedrückt und eine Zielscheibe fürs Bogenschießen nicht einmal gestreift. Der Rückstoß und der laute Knall der Pistole hatten ihm Angst gemacht. Stu hatte ihn ausgelacht, dann sechsmal schnell geschossen und immer ins Schwarze getroffen.

Drew hielt die Pistole in der rechten Hand und musterte sie. Er wusste, dass sie geladen war, denn Stus Waffen waren immer schussbereit. Im Schrank standen mehrere Gewehre und Schrotflinten, alle geladen.

Aus der Küche drang Kieras Stöhnen und Schluchzen zu ihm, und vor ihm schnarchte Stu. Bald würde die Polizei ins Haus stürmen und das tun, was sie immer tat: nichts. Nichts, um Drew und Kiera zu beschützen, nicht einmal jetzt, wo ihre Mutter tot auf dem Küchenboden lag. Stuart Kofer hatte sie umgebracht, aber er würde lügen, und die Polizei würde ihm glauben. Ohne ihre Mutter würde die Zukunft von Drew und seiner Schwester noch viel düsterer aussehen.

Drew verließ den Raum, die Glock in der Hand, und ging langsam in die Küche, wo alles noch so war wie vorhin. Er fragte Kiera, ob ihre Mutter atme, doch sie weinte nur und antwortete nicht. Dann ging er ins Wohnzimmer und starrte aus dem Fenster in die Dunkelheit hinaus. Seinen Vater kannte er nicht, und wieder einmal fragte er sich, wo der Mann in der Familie war. Wo war das Oberhaupt, der kluge Mensch, der Rat und Schutz gab? Er und Kiera kannten keine stabilen Familienverhältnisse. Während ihrer Zeit bei Pflegeeltern hatten sie andere Väter und vom Jugendgericht bestellte Anwälte kennengelernt, die zu helfen versucht hatten, aber die Umarmung eines Mannes, dem man vertrauen konnte, hatten sie nie erlebt.

Jetzt musste er, der Älteste, die Verantwortung übernehmen.

Ihre Mutter war tot, und er hatte keine andere Wahl, als sich der Herausforderung zu stellen und erwachsen zu werden. Nur er selbst konnte sie vor einem endlosen Albtraum bewahren.

Als Drew ein Geräusch hörte, schreckte er auf. Aus dem Schlafzimmer drang eine Art Stöhnen oder Prusten zu ihm, und die Matratze quietschte, als würde Stu sich bewegen und gleich aufwachen.

Sie konnten nicht noch mehr ertragen. Der Augenblick war gekommen, es war ihre einzige Chance zu überleben, und Drew musste handeln. Er ging wieder ins Schlafzimmer und starrte Stu an, der immer noch auf dem Rücken lag und tief und fest schlief. Seltsamerweise war ihm einer seiner Cowboystiefel vom Fuß gerutscht und auf dem Boden gelandet. Stu hatte den Tod verdient. Drew zog langsam die Tür hinter sich zu, als wollte er Kiera vor jeglicher Beteiligung schützen. Wie einfach würde es sein? Mit beiden Händen umklammerte er die Pistole. Er hielt die Luft an und ließ die Waffe sinken, bis der Lauf keine drei Zentimeter mehr von Stus linker Schläfe entfernt war.

Er schloss die Augen und drückte ab.

# 2

Kiera sah ihn nicht einmal an. Sie strich ihrer Mutter über die Haare und fragte: »Was hast du gemacht?«

»Ich habe ihn erschossen«, erwiderte Drew. In seiner Stimme lag weder Angst noch Bedauern. Sie klang völlig ausdruckslos. »Ich habe ihn erschossen.«

Sie nickte und sagte nichts mehr. Drew ging ins Wohnzimmer und starrte wieder aus dem Fenster auf die Einfahrt. Wo waren die Streifenwagen? Wo war der Rettungswagen? Du rufst an und meldest, dass deine Mutter ermordet wurde, und niemand kommt. Er schaltete eine Lampe ein und sah auf die Uhr. 2.47 Uhr. Für den Rest seines Lebens würde er sich daran erinnern, um welche Uhrzeit er Stuart Kofer erschossen hatte. Seine Hände zitterten und waren taub, in seinen Ohren klingelte es, aber um 2.47 Uhr bereute er es nicht, den Mann getötet zu haben, der seine Mutter umgebracht hatte. Er ging ins Schlafzimmer zurück und schaltete die Deckenlampe an. Die Pistole lag neben Stus Kopf, der auf der linken Seite ein kleines, hässliches Loch hatte. Stu sah immer noch an die Decke, jetzt mit offenen Augen. Auf der Bettwäsche breitete sich ein Kreis aus hellrotem Blut aus.

Drew ging wieder in die Küche, wo sich nichts geändert hatte. Dann lief er ins Wohnzimmer hinüber, schaltete noch eine Lampe ein, öffnete die Haustür und setzte sich in Stus Fernsehsessel. Stu hatte immer einen Wutanfall bekommen, wenn er jemanden auf seinem Thron erwischt hatte. Der Sessel roch wie er – kalter Zigarettenrauch, getrockneter Schweiß, altes Leder, Whiskey und Bier. Nach ein paar Minuten war Drew klar, dass er den Fernsehsessel hasste, daher schob er einen Stuhl zum Fenster und wartete dort auf die Blinklichter.

Die ersten waren blau, und als der Streifenwagen die letzte Bodensenke hinter sich gebracht hatte, bekam Drew Angst und konnte kaum noch atmen. Sie wollten ihn holen. Sie würden ihm Handschellen anlegen, ihn auf den Rücksitz eines Polizeiautos setzen und von hier wegbringen. Und er konnte nichts tun, um es zu verhindern.

Das zweite Einsatzfahrzeug war ein Rettungswagen mit rotem Blinklicht, das dritte ein weiterer Streifenwagen. Als sich herausstellte, dass es nicht nur ein, sondern zwei Opfer gab, wurde ein zweiter Rettungswagen gerufen, auf den noch mehr Polizeibeamte folgten.

Josie lebte noch und wurde eilig auf eine Trage geschnallt und ins Krankenhaus gefahren. Drew und Keira wurden im Wohnzimmer abgesondert, mit der Anweisung, sich nicht vom Fleck zu rühren. Aber wo hätten sie auch hingehen sollen? Im Haus brannten sämtliche Lampen, und es wimmelte nur so von Polizisten.

Als Sheriff Ozzie Walls eintraf, wurde er vor dem Haus von Moss Junior Tatum, seinem Chief Deputy, in Empfang genommen. »Anscheinend ist Kofer spät nach Hause gekommen, sie haben sich gestritten, er hat sie verprügelt, und dann ist er auf dem Bett eingeschlafen. Der Junge hat sich seine Waffe geschnappt und ihm einmal in den Kopf geschossen. Kofer war sofort tot«, sagte Tatum.

»Haben Sie schon mit dem Jungen geredet?«

»Na klar. Drew Gamble, sechzehn, der Sohn von Kofers Freundin. Hat nicht viel gesagt. Ich glaube, er steht unter Schock. Seine Schwester Kiera, vierzehn, hat mir erzählt, dass sie seit etwa einem Jahr hier wohnen und dass Kofer gewalttätig war und ihre Mutter immer wieder verprügelt hat.«

»Kofer ist tatsächlich tot?«, fragte Ozzie fassungslos.

»Ja, Chef. Stuart Kofer ist tot.«

Ozzie schüttelte ungläubig den Kopf und ging zur Haustür, die weit offen stand. Als er im Flur war, hielt er inne und warf einen Blick auf Drew und Kiera, die nebeneinander auf dem Sofa im Wohnzimmer saßen, ihre Füße anstarrten und versuchten, das Chaos um sich herum zu ignorieren. Ozzie wollte etwas sagen, ließ es dann aber bleiben. Er folgte Tatum ins Schlafzimmer, in dem niemand etwas angerührt hatte. Die Pistole lag auf der Decke, etwa fünfundzwanzig Zentimeter von Kofers Kopf entfernt, und in der Mitte des Betts befand sich eine große, kreisförmige Blutlache. Die Kugel hatte bei ihrem Austritt einen Teil des Schädels zerschmettert, Blut und Hirnmasse waren auf Laken, Kissen, Kopfteil und Wand gespritzt.

Zurzeit hatte Ozzie vierzehn in Vollzeit arbeitende Deputys.

Jetzt waren es nur noch dreizehn. Dazu kamen sieben Teilzeitangestellte und jede Menge Ehrenamtliche, sodass es ihm schon fast zu viel wurde. Vor sieben Jahren, 1983, war er in einem historischen Erdrutschsieg zum Sheriff von Ford County gewählt worden. Historisch deshalb, weil er damals der einzige schwarze Sheriff in Mississippi gewesen war und der erste, der aus einem vorwiegend von Weißen bewohnten County stammte. In den ganzen sieben Jahren war kein einziger seiner Männer ums Leben gekommen. DeWayne Looney hatte bei der Schießerei im Gerichtsgebäude, für die Carl Lee Hailey 1985 angeklagt worden war, ein Bein verloren, war aber immer noch im Dienst.

Jetzt lag sein erster toter Deputy vor ihm. Stuart Kofer, einer seiner besten Männer und mit Sicherheit der Furchtloseste. Er war mausetot, und aus seinem Körper sickerten immer noch diverse Flüssigkeiten.

Ozzie nahm seinen Hut ab, sprach ein kurzes Gebet und trat einen Schritt zurück. Ohne den Blick von Kofer zu nehmen, sagte er: »Mord an einem Polizeibeamten. Verständigen Sie die State Police, sie soll mit den Ermittlungen beginnen. Und fassen Sie nichts an.« Er sah Tatum an. »Haben die beiden noch was anderes gesagt?«

»Nein. Aus dem Jungen habe ich ja nichts rausbekommen. Seine Schwester gibt an, dass er Kofer erschossen hat. Die beiden dachten, ihre Mutter wäre tot.«

Ozzie nickte und überlegte kurz. »Sie werden nicht mehr befragt«, meinte er dann. »Ab jetzt wird alles, was wir tun, von den Anwälten zerpflückt werden. Wir nehmen die beiden in Gewahrsam, reden aber nicht mit ihnen. Und es ist vielleicht besser, wenn wir mit meinem Wagen fahren.«

»Handschellen?«

»Selbstverständlich. Für den Jungen. Haben die beiden Familie hier?«

Deputy Mick Swayze räusperte sich. »Ich glaube nicht, Sheriff«, erwiderte er. »Ich habe Stu ziemlich gut gekannt. Er hat mit der Frau zusammengelebt und gesagt, dass sie es nicht leicht hatte. Eine, vielleicht auch zwei Scheidungen. Ich weiß nicht, wo sie herkommt, aber Stu hat mal erzählt, dass sie nicht von hier ist. Vor ein paar Wochen bin ich hergefahren, weil sie den Notruf gewählt und etwas von einem Streit gesagt hat, aber sie wollte keine Anzeige erstatten.«

»Alles klar. Wir finden es schon noch heraus. Ich werde den Jungen und seine Schwester mitnehmen. Moss, Sie fahren mit mir. Mick, Sie bleiben hier.«

Drew stand auf, als man ihn dazu aufforderte, und streckte die Arme vor sich aus. Tatum legte ihm behutsam Handschellen an und führte den Verdächtigen aus dem Haus zum Wagen des Sheriffs. Kiera ging ihnen nach und wischte sich Tränen aus dem Gesicht. Unzählige Autoscheinwerfer tasteten sich durch die Hügel. Es hatte sich herumgesprochen, dass ein Deputy ums Leben gekommen war, und jeder Cop, der gerade keinen Dienst hatte, wollte es sich ansehen.

Ozzie wich den Polizeiautos und Rettungswagen aus und kämpfte sich durch die Einfahrt bis zur Landstraße. Dort schaltete er das Blaulicht ein und gab Gas.

»Können wir zu unserer Mutter?«, fragte Drew.

»Stellen Sie Ihr Aufnahmegerät an«, sagte Ozzie mit einem Blick auf seinen Deputy.

Tatum zog einen kleinen Rekorder aus der Tasche und drückte auf einen Knopf.

»Ab jetzt zeichnen wir alles auf, was gesagt wird«, erklärte Ozzie. »Ich bin Sheriff Ozzie Walls, heute haben wir den 25. März 1990, es ist jetzt 3.51 Uhr, und ich bin unterwegs zum Ford-County-Gefängnis, im Beisein von Deputy Moss Junior Tatum, der sich neben mir auf dem Vordersitz befindet. Auf der Rückbank haben wir ... Junge, wie heißt du mit vollem Namen?«

»Drew Allen Gamble.«

»Alter?«

»Sechzehn.«

»Und wie heißt die junge Dame?«

»Kiera Gale Gamble. Ich bin vierzehn.«

»Und der Name eurer Mutter?«

»Josie Gamble. Sie ist zweiunddreißig.«

»Okay. Ich rate euch, nicht über das zu sprechen, was heute Nacht passiert ist. Wartet, bis ihr einen Anwalt habt. Habt ihr das verstanden?«

»Ja, Sir.«

»Drew, du hast nach deiner Mutter gefragt, richtig?«

»Ja, Sir. Ist sie am Leben?«

Ozzie sah Tatum an, der mit den Schultern zuckte und in das Aufnahmegerät sprach: »Soweit wir wissen, lebt Josie Gamble. Sie wurde in einem Rettungswagen vom Tatort weggebracht und befindet sich vermutlich schon im Krankenhaus.«

»Können wir sie besuchen?«, wollte Drew wissen.

»Nein, jetzt nicht«, gab Ozzie zurück.

Sie fuhren schweigend weiter. »Sie sind als Erster am Tatort eingetroffen, richtig?«, sagte Ozzie nach einer Weile in Richtung des Aufnahmegeräts.

»Ja«, bestätigte Tatum.

»Haben Sie die beiden gefragt, was passiert ist?«

»Ja, das habe ich. Der Junge, Drew, hat nichts gesagt. Ich habe seine Schwester, Kiera, gefragt, ob sie etwas weiß, und sie hat geantwortet, ihr Bruder habe Kofer erschossen. Danach habe ich ihnen keine weiteren Fragen mehr gestellt. Es war ziemlich klar, was passiert ist.«

Das Funkgerät krächzte und quäkte. Obwohl es noch dunkel

war, schien ganz Ford County wach zu sein. Ozzie drehte die Lautstärke herunter und sagte nichts mehr. Er behielt den Fuß auf dem Gaspedal, und sein großer brauner Ford raste über die Landstraße, immer an der Mittellinie entlang, so laut und schnell, dass sich kein einziges Tier auf den Asphalt wagte.

Er hatte Stuart Kofer vor vier Jahren eingestellt, als Kofer nach einer vorzeitig beendeten Karriere bei der Army nach Ford County zurückgekommen war. Kofer hatte ihm eine einigermaßen plausible Erklärung für seine unehrenhafte Entlassung gegeben – es sei um Spitzfindigkeiten und Missverständnisse und so weiter gegangen. Ozzie hatte Kofer eine Uniform besorgt, ihn für sechs Monate zur Probe eingestellt und auf die Polizeischule in Jackson geschickt, wo er zu den Besten seines Jahrgangs gehörte. War Kofer im Dienst, gab es keinerlei Beschwerden. Er war auf einen Schlag zur Legende geworden, als er ganz allein drei Drogenhändler aus Memphis verhaftete, die sich im ländlichen Ford County verfahren hatten.

War Kofer nicht im Dienst, sah es schon anders aus. Ozzie hatte Kofer mindestens zweimal eine Standpauke gehalten, nachdem ihm Berichte von Saufgelagen und Prügeleien zu Ohren gekommen waren. Kofer hatte sich tränenreich entschuldigt, versprochen, sich zusammenzureißen, und Ozzie und der Polizei Treue geschworen. Seinen Schwur hatte er gehalten.

Ozzie hatte keine Geduld mit Beamten, die Schwierigkeiten machten, und die Problemfälle waren schnell wieder weg. Kofer gehörte zu den allseits beliebten Deputys und meldete sich oft freiwillig für Einsätze in Schulen und Vereinen. Während seiner Zeit bei der Army war er in der Welt herumgekommen, ganz im Gegensatz zu seinen Kollegen, von denen die meisten eher schlichten Gemüts waren und sich nur selten einmal aus Mississippi hinausgewagt hatten. Nach außen war er ein Gewinn für die Polizeitruppe, ein geselliger Beamter, der immer ein Lächeln und einen

Witz parat hatte, sich jeden Namen merkte und gern durch Lowtown ging, dem Schwarzenviertel der Stadt, zu Fuß, ohne Waffe, dafür mit Süßigkeiten für die Kinder.

In seinem Privatleben gab es Probleme, doch seine Kollegen hielten zusammen und versuchten, sie vor Ozzie zu verbergen. Tatum, Swayze und die meisten anderen Deputys kannten Kofers dunkle Seite, aber es war einfacher, sie zu ignorieren und darauf zu hoffen, dass niemand zu Schaden kam.

Ozzie warf einen Blick in den Rückspiegel und musterte Drew. Er hatte den Kopf gesenkt, die Augen geschlossen und gab keinen Mucks von sich. Und obwohl der Sheriff fassungslos und wütend war, konnte er sich nur schwer vorstellen, dass der Junge ein Mörder sein sollte. Schmal, kleiner als seine Schwester, blass, schüchtern und ganz offensichtlich überfordert, hätte er auch als Zwölfjähriger durchgehen können.

Sie erreichten die dunklen Straßen von Clanton und hielten vor dem Gefängnis, das zwei Blocks vom Clanton Square, dem zentralen Stadtplatz, entfernt lag. Vor dem Haupteingang standen ein Deputy und ein Mann mit einem Fotoapparat in der Hand.

»Verdammt«, fluchte Ozzie. »Das ist Dumas Lee, oder?«

»Ja«, bestätigte Tatum. »Es hat sich wohl schon herumgesprochen. Heutzutage hören ja alle den Polizeifunk ab.«

»Ihr bleibt im Wagen.« Ozzie stieg aus und knallte die Autotür hinter sich zu. Dann marschierte er schnurstracks auf den Reporter zu und schüttelte den Kopf. »Dumas, hier gibt es nichts für Sie zu holen«, herrschte er ihn an. »Es geht um einen Minderjährigen, und Sie werden weder seinen Namen noch ein Foto von ihm bekommen. Hauen Sie ab.«

Dumas Lee war einer der beiden Polizeireporter der *Ford County Times* und kannte Ozzie gut. »Sheriff, können Sie bestätigen, dass ein Polizeibeamter getötet wurde?«

»Ich bestätige gar nichts. Sie haben zehn Sekunden, um von hier zu verschwinden, bevor ich Ihnen Handschellen anlege und Sie in das Gebäude vor uns befördere. Machen Sie, dass Sie wegkommen!«

Der Reporter schlich sich davon und war bald in der Dunkelheit verschwunden. Ozzie sah ihm nach, dann holten er und Tatum die beiden Jugendlichen aus dem Auto und führten sie ins Gefängnis.

»Machen wir den Papierkram gleich?«, fragte der Wärter.

»Nein, das erledigen wir später. Wir bringen sie erst mal in die Jugendzelle.«

Mit Tatum als Schlusslicht wurden Drew und Kiera durch eine vergitterte Trennwand und einen schmalen Gang hinunter zu einer dicken Metalltür geführt, in der ein kleines Fenster eingesetzt war. Nachdem der Wärter die Tür geöffnet hatte, betraten sie den leeren Raum. Es gab je zwei Stockbetten an den Wänden und eine schmutzige Toilette in der Ecke.

»Nehmen Sie ihm die Handschellen ab«, befahl Ozzie seinem Deputy. Tatum tat, wie ihm geheißen, und Drew fing an, sich die Handgelenke zu reiben. »Ihr werdet für ein paar Stunden hierbleiben.«

»Ich will zu meiner Mutter«, sagte Drew mit mehr Nachdruck, als Ozzie erwartet hatte.

»Junge, momentan hast du gar nichts zu wollen. Du bist wegen Mord an einem Polizeibeamten festgenommen worden.«

»Er hat meine Mutter umgebracht.«

»Deine Mutter ist zum Glück nicht tot. Ich werde gleich ins Krankenhaus fahren und mich erkundigen, wie es ihr geht. Wenn ich zurück bin, werde ich dir sagen, was ich weiß. Mehr kann ich nicht tun.«

»Warum bin ich im Gefängnis? Ich habe doch nichts verbrochen«, fragte Keira.

»Das weiß ich. Du bist zu deiner eigenen Sicherheit im Gefängnis, wirst aber nicht lange hierbleiben müssen. Wenn wir dich in ein paar Stunden entlassen, wo würdest du dann hingehen?«

Kiera sah Drew an. Es war klar, dass die beiden keinen blassen Schimmer hatten.

»Habt ihr denn keine Verwandten hier in der Gegend? Tanten, Onkel, Großeltern? Irgendjemanden?«, erkundigte sich Ozzie.

Die beiden zögerten und schüttelten schließlich langsam den Kopf. Nein.

»Okay. Kiera, richtig?«

»Ja, Sir.«

»Wenn du jetzt jemanden anrufen müsstest, damit man dich abholt, wer würde das sein?«

Das Mädchen starrte auf seine Füße. »Unseren Prediger, Bruder Charles.«

»Hat Charles auch einen Nachnamen?«

»Charles McGarry. Draußen in Pine Grove.«

Ozzie dachte, er würde alle Prediger in der Gegend kennen, aber vielleicht hatte er einen übersehen. Allerdings gab es dreihundert Kirchen in Ford County. Die meisten bestanden aus kleinen, überall verstreuten Gemeinden, die sich häufig stritten, auflösten und ihre Seelsorger davonjagten. Es war unmöglich, auf dem Laufenden zu bleiben. Der Sheriff sah Tatum an und sagte: »Kenne ich nicht.«

»Ich schon. Guter Mann.«

»Rufen Sie ihn an, und bitten Sie ihn herzukommen.« Ozzie sah die beiden Jugendlichen an. »Hier seid ihr in Sicherheit. Ihr bekommt gleich etwas zu essen und zu trinken. Macht es euch bequem. Ich fahre jetzt ins Krankenhaus.« Der Sheriff holte tief Luft und versuchte, sein Mitgefühl in Zaum zu halten. Er hatte sich vorrangig um einen toten Deputy zu kümmern, und der Mörder stand direkt vor ihm. Aber die beiden wirkten so eingeschüchtert und bedauernswürdig, dass es ihm schwerfiel, an Vergeltung zu denken.

Kiera sah ihn mit Tränen in den Augen an. »Ist er wirklich tot?«

»Ja, er ist tot.«

»Das tut mir leid, aber er hat unsere Mutter so oft verprügelt und uns auch.«

Ozzie hob abwehrend die Hände. »Das reicht. Wir werden euch einen Anwalt besorgen, dem ihr alles erzählen könnt. Aber bis dahin sagt ihr kein Wort mehr.«

»Ja, Sir.«

Ozzie und Tatum verließen die Zelle und knallten die Tür hinter sich zu. Als sie zum Eingang kamen, beendete der Wärter gerade ein Telefongespräch. »Sheriff, das war Earl Kofer«, rief er ihnen entgegen. »Er sagte, er hat gerade gehört, dass sein Sohn getötet wurde. Er klingt sehr mitgenommen. Ich habe so getan, als hätte ich es nicht gewusst, aber Sie müssen ihn unbedingt anrufen.«

Ozzie fluchte leise und murmelte: »Das wollte ich gerade tun. Aber ich muss ins Krankenhaus. Moss, das übernehmen Sie. Kriegen Sie das hin?«

»Nein«, erwiderte Tatum.

»Aber sicher doch. Geben Sie ihm ein paar Fakten, und sagen Sie ihm, dass ich später anrufen werde.«

»Vielen Dank auch.«

»Sie schaffen das schon.« Ozzie verließ das Gebäude durch den Haupteingang und fuhr davon.

Es war fast fünf Uhr morgens, als Ozzie den leeren Parkplatz des Krankenhauses erreichte. Er stellte den Wagen in der Nähe der Notaufnahme ab, eilte hinein und wäre fast mit Dumas Lee zusammengestoßen, der ihm einen Schritt voraus war.

»Kein Kommentar, Dumas, außer dass Sie mir gerade gewaltig auf die Nerven gehen.«

»Das ist mein Job, Sheriff. Ich suche nur nach der Wahrheit.«

»Ich weiß nicht, was die Wahrheit ist.«

»Ist die Frau tot?«

»Ich bin kein Arzt. Und jetzt lassen Sie mich in Ruhe.«

Ozzie drückte auf den Fahrstuhlknopf und ließ den Reporter in der Lobby zurück. Im zweiten Stock warteten zwei Deputys auf ihn, die ihren Chef zum Empfang brachten. Ein junger Arzt sah sie kommen und blieb stehen. Ozzie stellte sich und die beiden Polizisten vor, alle nickten, gaben sich aber nicht die Hand. »Was können Sie uns sagen?«, fragte er.

»Sie ist noch bewusstlos, aber ihr Zustand ist stabil«, erwiderte der Arzt, ohne in eine Patientenakte zu sehen. »Der linke Kiefer ist zertrümmert und muss mit einer Operation wiederhergestellt werden, aber das ist nicht ganz so dringend. Es sieht so aus, als hätte sie nur einen Schlag auf den Kiefer und/oder das Kinn abbekommen und dann das Bewusstsein verloren.«

»Gibt es noch andere Verletzungen?«

»Eigentlich nicht. Vielleicht ein paar Blutergüsse an Handgelenken und Hals, aber nichts, was behandelt werden müsste.«

Ozzie holte tief Luft und dankte Gott, dass er nur in einem Mord ermitteln musste. »Dann wird sie also durchkommen?«

»Ihre Vitalfunktionen sind gut. Zurzeit gibt es keinen Grund, von etwas anderem als einer vollständigen Genesung auszugehen.«

»Wann wird sie aufwachen?«

»Schwer vorhersehbar, aber ich würde sagen, innerhalb der nächsten achtundvierzig Stunden.«

»Okay. Hören Sie, ich bin sicher, dass Sie Ihre Patientenakten mustergültig führen, aber vergessen Sie nicht, dass alles, was Sie bei der Behandlung dieser Patientin tun, vermutlich irgendwann einmal in einem Gerichtssaal begutachtet werden wird. Das sollten Sie berücksichtigen. Und machen Sie auf jeden Fall eine Menge Röntgenaufnahmen und Farbfotos.«

»Alles klar.«

»Ich lasse Ihnen einen meiner Deputys zur Unterstützung hier.«

Ozzie drehte sich um, ging zum Fahrstuhl und verließ das Krankenhaus. Auf der Fahrt zurück ins Gefängnis rief er über Funk Tatum an. Das Gespräch mit Earl Kofer war wie zu erwarten nicht gut verlaufen.

»Chef, Sie sollten ihn anrufen. Er will zum Haus fahren und sich alles selbst ansehen.«

»Okay.« Ozzie unterbrach die Verbindung, als er das Gefängnis erreicht hatte. Er hielt das Mikrofon des Funkgeräts in der Hand und starrte es an. Wie immer in diesen furchtbaren Momenten erinnerte er sich an die anderen Anrufe am späten Abend oder frühen Morgen, grausame Anrufe, die das Leben so vieler Menschen drastisch verändert oder sogar zerstört hatten. Anrufe, die er nur höchst ungern übernahm, die aber zu seinem Job dazugehörten. Ein junger Familienvater, der sich das Gesicht weggeschossen hatte und mit einem Abschiedsbrief neben sich gefunden wurde; zwei betrunkene Teenager, die aus einem Auto geschleudert wurden; ein dementer Großvater, den man nach langer Suche in einem Straßengraben entdeckt hatte. Es war mit Abstand das Schlimmste in seinem Leben.

Earl Kofer war hysterisch und wollte wissen, wer seinen »Jungen« getötet hatte. Ozzie erwiderte geduldig, er könne über Details zurzeit nicht reden, sei aber bereit, sich mit der Familie zu treffen; eine weitere seiner grauenhaften Pflichten, die nicht zu umgehen war. Nein, Earl solle auf keinen Fall zu Stuarts Haus fahren, man würde ihn sowieso nicht hineinlassen. Die Deputys dort warteten auf Ermittler des kriminaltechnischen Labors, und deren Arbeit dauere Stunden. Ozzie schlug vor, dass die Familie sich in Earls Haus versammelte, und versprach, am Vormittag vorbeizukommen. Der Vater schluchzte heftig, als es Ozzie endlich gelang, das Gespräch zu beenden.

Im Gefängnis fragte er Tatum, ob Deputy Marshall Prather verständigt worden sei. Tatum erwiderte, er sei auf dem Weg. Prather, ein erfahrener Polizist, war ein enger Freund von Stuart Kofer gewesen, seit sie zusammen in Clanton auf die Grundschule gegangen waren. Prather kam in Jeans und Sweatshirt und konnte es immer noch nicht glauben. Er folgte Ozzie in dessen Büro, wo sie sich hinsetzten, während Tatum die Tür schloss. Als Ozzie erzählte, was passiert war, konnte Prather seine Gefühle nicht verbergen. Er biss die Zähne zusammen und hielt die Hand vor die Augen, aber es war klar, dass Kofers Tod ihn sehr mitnahm.

Es dauerte eine ganze Weile, bis Prather etwas sagen konnte. »Wir kennen uns seit der dritten Klasse«, stieß er hervor. Die Stimme brach ihm weg, und er ließ den Kopf hängen. Ozzie sah Tatum an, der schnell den Blick abwandte.

»Was wissen Sie über die Frau, Josie Gamble?«, fragte Ozzie schließlich.

Prather schluckte schwer und schüttelte den Kopf, als könnte er so seine Gefühle loswerden. »Ich habe sie ein-, zweimal getroffen, aber gekannt habe ich sie eigentlich nicht. Stu war, glaube ich, seit ungefähr einem Jahr mit ihr zusammen. Sie ist mit ihren Kindern bei ihm eingezogen. Sie schien ganz nett zu sein, hatte aber schon ein paar Beziehungen hinter sich. Und sie war kein unbeschriebenes Blatt.«

»Was meinen Sie damit?«

»Sie hat mal gesessen. Drogen, glaube ich. Ziemlich bewegte Vergangenheit. Stu hat sie in einer Kneipe kennengelernt, was jetzt nicht sehr überraschend ist, und sie haben sich von Anfang an gut verstanden. Er fand es nicht so gut, ihre beiden Kinder im Haus zu haben, aber sie hat ihn überredet. Im Nachhinein kann man wohl sagen, dass sie eine Bleibe brauchte und er ein paar Gästezimmer hatte.«

»Was hat er an ihr gefunden?«

»Sheriff, bitte. Die Frau sieht nicht schlecht aus, eigentlich ist sie sogar recht hübsch. Enge Jeans stehen ihr verdammt gut. Sie kennen doch Stu – immer auf der Jagd, aber komplett beziehungsunfähig.«

»Und die Trinkerei?«

Prather nahm seine verschlissene Baseballkappe ab und kratzte sich am Kopf.

Ozzie machte ein finsteres Gesicht und beugte sich vor. »Ich habe Sie etwas gefragt, Marshall, und ich erwarte eine Antwort. Eine Vertuschung unter Kollegen, bei der Sie wegsehen und sich dumm stellen, kann ich jetzt nicht gebrauchen. Antworten Sie.«

»Ich weiß nicht viel, Chef, das schwöre ich. Ich habe vor drei Jahren mit dem Trinken aufgehört und gehe nicht mehr in Kneipen. Ja, Stu hat zu viel getrunken, und ich glaube, es ist immer schlimmer geworden. Ich habe mit ihm darüber geredet, zweimal. Er sagte, dass er es im Griff hat, aber das sagen alle Säufer. Ein Cousin von mir zieht immer noch um die Häuser, und er hat mir erzählt, dass Stu immer öfter in Prügeleien verwickelt war, was nicht gerade das war, was ich hören wollte. Anscheinend hat er auch viel gezockt, im Huey's, unten am See.«

»Und Sie waren nicht der Meinung, dass ich das wissen sollte?«

»Sheriff, bitte. Ich habe mir Sorgen gemacht. Deshalb habe ich ja mit Stu darüber geredet. Und das wollte ich wieder tun, das schwöre ich.«

»Schwören Sie lieber nicht. Einer meiner Deputys säuft wie ein Loch, prügelt sich durch die Kneipen, sitzt mit zwielichtigen Gestalten am Spieltisch und schlägt nebenbei bemerkt auch noch seine Freundin, und Sie dachten, das geht mich nichts an?«

»Ich dachte, Sie wüssten es.«

»Wir haben es gewusst«, warf Tatum ein.

»Wie bitte?«, fuhr Ozzie ihn an. »Ich höre zum ersten Mal davon.«

»Vor einem Monat gab es einen Bericht dazu. Sie hat mitten in der Nacht den Notruf gewählt und gesagt, dass Stu randaliert. Wir haben einen Wagen mit Pirtle und McCarver zum Haus geschickt, die erst mal für Ruhe gesorgt haben. Die Frau war offensichtlich verprügelt worden, weigerte sich aber, Anzeige zu erstatten.«

Ozzie war außer sich vor Wut. »Davon weiß ich nichts, und den Papierkram habe ich auch nie gesehen. Was ist damit passiert?«

Tatum sah Prather an, der den Blick nicht erwiderte, und zuckte dann mit den Schultern. »Es gab keine Festnahme, nur einen Einsatzbericht. Er ist wohl verlegt worden. Ich weiß es nicht, Sheriff, ich hatte nichts damit zu tun.«

»Ich bin sicher, dass niemand etwas damit zu tun hatte. Wenn ich überall suchen und jedem einzelnen Mann meiner Truppe auf den Zahn fühlen würde, würde ich garantiert niemanden finden, der etwas damit zu tun hatte.«

Prather starrte ihn zornig an. »Dann ist Stu Ihrer Meinung nach selbst schuld daran, dass er erschossen wurde, sehe ich das richtig, Sheriff? Sie geben dem Opfer die Schuld?«

Ozzie lehnte sich zurück und schloss die Augen.


Drew lag zusammengerollt auf dem unteren Stockbett, die Knie an der Brust, den Kopf auf einem alten Kissen, und hatte eine dünne Decke über sich gezogen. Er starrte die dunkle Wand an. Seit Stunden hatte er kein Wort mehr gesagt. Kiera saß am unteren Ende des Betts. Eine Hand lag unter der Decke auf den Füßen ihres Bruders, die andere spielte mit ihren langen Haaren, während sie darauf warteten, was als Nächstes passieren würde. Hin und wieder hörten die beiden Stimmen im Gang, doch sie wurden stets leiser und verschwanden dann.

In der ersten Stunde hatten sie und Drew über das Offensichtliche geredet – den Gesundheitszustand ihrer Mutter und die überraschende Mitteilung, dass sie überlebt hatte, und dann Stus gewaltsames Ende. Beide waren froh, dass er tot war, und hatten Angst, aber keine Schuldgefühle. Stu hatte nicht nur ihre Mutter, sondern auch Drew und Kiera verprügelt und ihnen wiederholt gedroht. Der Albtraum war vorbei. Sie würden nie wieder mit anhören müssen, wie ihre Mutter von einem betrunkenen Schläger misshandelt wurde.

Dass sie in einer Zelle saßen, war jetzt unwichtig. Einen Ersttäter hätten die einfachen, unhygienischen Verhältnisse vielleicht gestört, aber die beiden hatten schon Schlimmeres gesehen. Drew hatte einmal vier Monate in einem anderen Bundesstaat in einer Jugendstrafanstalt gesessen. Und Keira hatte man erst letztes Jahr zwei Tage lang eingesperrt, in einer Art Schutzgewahrsam. Gefängnis konnte man überleben.

Die kleine Familie zog ständig um, und daher stellte sich die Frage, wo sie jetzt hinsollten. Sobald sie wieder mit ihrer Mutter zusammen waren, wollten sie den nächsten Schritt planen. Sie kannten einige von Stus Verwandten, hatten sich aber nie willkommen gefühlt. Stu hatte sich gern damit gebrüstet, dass sein Haus nicht mit einer Hypothek belastet war, da er es von seinem Großvater geerbt hatte. Aber im Grunde genommen war es nichts Besonderes. Es war schmutzig und reparaturbedürftig, und wenn Josie geputzt und aufgeräumt hatte, war das bei Stu immer auf Ablehnung gestoßen. Die beiden waren sicher, dass sie das Haus nicht vermissen würden.

In der zweiten Stunde hatten sie Vermutungen darüber angestellt, wie viel Ärger Drew drohte. Für sie war es schlicht und einfach Notwehr gewesen, eine Frage des Überlebens, Vergeltung. Drew war die Tat in Gedanken noch einmal durchgegangen, Schritt für Schritt, zumindest das, was ihm im Gedächtnis geblieben war. Es war alles so schnell passiert, und er konnte sich nur verschwommen erinnern. Stu, der mit hochrotem Gesicht und offenem Mund auf dem Bett lag und schnarchte, als hätte er sich seinen Schlaf redlich verdient. Stu, der nach Alkohol stank. Stu, der jeden Moment aufwachen und die beiden verprügeln konnte, nur so zum Spaß.

Der stechende Geruch von verbranntem Schießpulver. Ein roter Blitz aus Blut und Gehirnmasse, der Kissen und Wand getroffen hatte. Stus Augen, die sich nach dem Schuss geöffnet hatten.

Nach ein paar Stunden war Drew immer ruhiger geworden. Er hatte die Decke bis zum Kinn gezogen und gesagt, er sei müde und wolle nicht mehr reden. Dann hatte er sich langsam zusammengerollt und wieder die Wand angestarrt.

# 3

Im Gefängnis wimmelte es nur so von Deputys, die gerade keinen Dienst hatten, Beamten der Stadtpolizei von Clanton und diversen anderen Angestellten, von denen einige für die Polizeibehörde arbeiteten, andere nicht. Sie rauchten, tranken Kaffee, verspeisten trocken gewordenes Gebäck und unterhielten sich mit gedämpfter Stimme über ihren toten Kollegen und die Risiken ihres Berufs. Ozzie saß in seinem Büro und telefonierte mit der State Police und der Spurensicherung, damit er sich vor den Anrufen von Reportern, Freunden und Fremden drücken konnte.

Als Reverend Charles McGarry kam, wurde er in das Büro des Sheriffs geführt, wo er Ozzie die Hand schüttelte und sich setzte. Ozzie berichtete ihm die Details und erklärte, Kiera habe um seinen Besuch gebeten. Sie habe angegeben, keine Angehörigen in der Gegend zu haben, und wisse nicht, wo sie unterkommen könne. Sie sei mit ihrem Bruder zusammen in einer Zelle, doch Ozzie gehe nicht davon aus, dass Anklage gegen sie erhoben werde. Es gebe zwei weitere Jugendzellen, aber die seien belegt, außerdem sei es nicht notwendig, das Mädchen noch länger im Gefängnis zu behalten.

Der Prediger war erst sechsundzwanzig und gab sein Bestes für seine ländliche Kirchengemeinde. Ozzie hatte sie während des Wahlkampfs besucht, allerdings hatte sie damals noch unter der Leitung eines anderen Geistlichen gestanden. McGarry schien ein netter junger Mann zu sein, doch die Situation überforderte ihn sichtlich. Er war erst vor vierzehn Monaten von der Good Shepherd Bible Church eingestellt worden, seine erste Stelle nach Abschluss des Priesterseminars. Nachdem Tatum ihm eine Tasse Kaffee gebracht hatte, erzählte er, was er von den Gambles wusste: Josie war mit ihren beiden Kindern vor etwa sechs Monaten zum ersten Mal bei ihm gewesen, nachdem ein Mitglied der Kirchengemeinde ihm gegenüber erwähnt hatte, dass sie vielleicht Hilfe brauchten. Daraufhin war er an einem Abend unter der Woche zu ihrem Haus gefahren und von Stuart Kofer sehr unhöflich behandelt worden. Beim Gehen hatte er Josie zum Sonntagsgottesdienst eingeladen. Sie und ihre Kinder waren ein paarmal gekommen, aber sie hatte ihm zu verstehen gegeben, dass Kofer die Kirchgänge nicht gern sehe. McGarry hatte sie ohne Kofers Wissen zweimal seelsorgerisch beraten und war fassungslos gewesen, als sie ihm von ihrer Vergangenheit erzählt hatte. Josie hatte beide Kinder im Teenageralter bekommen, wegen Drogenbesitz im Gefängnis gesessen und jede Menge Fehler gemacht, aber hoch und heilig versprochen, das alles liege jetzt hinter ihr. Während ihrer Zeit hinter Gittern war eines ihrer Kinder bei Pflegeeltern und das andere in einem Waisenhaus untergebracht gewesen.

»Können Sie das Mädchen irgendwo hinbringen, wo es sicher ist?«, fragte Ozzie.

»Natürlich. Kiera kann fürs Erste bei uns bleiben.«

»Sie haben Familie?«

»Ja. Meine Frau und ich haben ein kleines Kind und erwarten

gerade unser zweites. Wir wohnen im Pfarrhaus neben der Kirche. Es ist nicht groß, aber wir finden schon noch Platz für Kiera.«

»In Ordnung. Sie können sie mitnehmen, aber sie darf die Gegend nicht verlassen. Unser Ermittler wird mit ihr reden wollen.«

»Kein Problem. Wie viel Ärger droht Drew?«

»Eine Menge. Er wird das Gefängnis auf absehbare Zeit nicht verlassen, das kann ich Ihnen jetzt schon sagen. Drew wird in der Jugendzelle bleiben, und ich bin sicher, dass ihm das Gericht in ein oder zwei Tagen einen Anwalt zuweisen wird. Bis dahin werden wir nicht mit ihm reden. Der Fall scheint klar zu sein. Er hat seiner Schwester gegenüber zugegeben, Kofer erschossen zu haben. Weitere Verdächtige gibt es nicht. Er hat eine Menge Ärger, Reverend.«

»Okay, Sheriff. Vielen Dank für Ihr Verständnis.«

»Keine Ursache.«

»Und mein Beileid wegen Ihres Deputys. Es ist schwer zu glauben.«

»Allerdings. Lassen Sie uns in die Zelle rübergehen und das Mädchen holen.«

McGarry folgte Ozzie und Tatum durch den mit Besuchern vollgestopften Empfangsbereich, in dem schlagartig die Gespräche verstummten. Der Prediger wurde feindselig angestarrt, als hätte er sich bereits dem gegnerischen Team angeschlossen. Er war gekommen, um der Familie des Mörders Beistand zu leisten. Doch angesichts der ungewohnten Umgebung und der noch ungewohnteren Situation begriff McGarry nicht, was die Blicke zu bedeuten hatten.

Der Wärter schloss die Tür der Zelle auf, und sie traten ein. Kiera zögerte, als wüsste sie nicht, wie sie reagieren sollte, dann stand sie auf und rannte zu McGarry. Er war das erste vertraute Gesicht seit Stunden. Der Prediger nahm sie in den Arm, strich ihr über die Haare, flüsterte, dass er gekommen sei, um sie mitzunehmen, und dass es ihrer Mutter bald besser gehen werde. Das Mädchen klammerte sich an ihn und begann, laut zu schluchzen. Als die Umarmung nicht enden wollte, warf Ozzie seinem Deputy einen Blick zu.

Junge, jetzt mach schon.

Drew, der immer noch auf dem unteren Stockbett lag, war fast völlig unter seiner Decke verschwunden und hatte sich nicht gerührt, seit die Männer eingetreten waren. Schließlich gelang es McGarry, Kiera ein paar Zentimeter von sich wegzuschieben. Er versuchte, dem Mädchen die Tränen aus dem Gesicht zu wischen, doch sie rollten unablässig über ihre Wangen.

»Ich nehme dich jetzt mit«, sagte McGarry noch einmal, und Kiera versuchte zu lächeln. Er warf einen Blick auf das Stockbett. Von Drew war nicht viel zu erkennen. Der Prediger sah Ozzie an und fragte: »Kann ich kurz mit ihm reden?«

Der Sheriff schüttelte energisch den Kopf. »Wir sollten jetzt besser gehen.«

McGarry nahm Kiera am Arm und schob sie aus der Zelle hinaus auf den Gang. Sie unternahm keinen Versuch, noch einmal mit Drew zu sprechen, der allein in seiner dunklen Welt zurückgelassen wurde, als die Tür ins Schloss fiel. Ozzie führte sie durch einen Nebeneingang auf den Parkplatz. Als McGarry und Kiera in den Wagen des Predigers stiegen, kam Deputy Swayze zu ihnen gelaufen und flüsterte dem Sheriff etwas ins Ohr.

Ozzie nickte. Dann ging er zu McGarrys Auto. »Das Krankenhaus hat gerade angerufen«, sagte er. »Josie Gamble ist aufgewacht und fragt nach ihren Kindern. Ich fahre jetzt rüber. Sie können gern mitkommen und dort warten.«

Ozzie trat das Gaspedal durch und dachte insgeheim, dass er vielleicht den ganzen Tag damit verbringen würde, von einem Brennpunkt zum anderen zu rasen, während diese fürchterliche

Geschichte ihren Lauf nahm. Als er ein Stoppschild ignorierte, fragte Tatum: »Soll *ich* fahren?«

»Ich bin der Sheriff, und die Sache ist wichtig. Wer sollte sich beschweren?«

»Ich nicht. Chef, als Sie vorhin mit dem Prediger geredet haben, habe ich einen Anruf von Looney bekommen, der noch am Tatort ist. Earl Kofer ist dort aufgetaucht, völlig außer sich, sagte, er will seinen Jungen sehen. Looney und Pirtle haben das Haus abgesichert, aber Earl war fest entschlossen, sich Zutritt zu verschaffen. Er hatte zwei seiner Neffen bei sich, junge Kerle, die einen auf cool gemacht und ein ziemliches Theater veranstaltet haben. Ungefähr zur gleichen Zeit sind die Ermittler der State Police mit einem Transporter der Spurensicherung gekommen, und die haben Earl dann klargemacht, dass das gesamte Haus ein Tatort ist und dass er gegen das Gesetz verstößt, wenn er es betritt. Daraufhin hat er seinen Pick-up im Vorgarten geparkt und gewartet, zusammen mit seinen beiden Neffen. Looney hat ihn aufgefordert wegzufahren, aber Earl sagte, das Grundstück gehört ihm. Familienbesitz, wie er es nannte. Ich glaube, er ist immer noch dort.«

»In etwa einer Stunde werde ich mich mit Earl und seiner ganzen Familie treffen. Wollen Sie mitkommen?«

»Großer Gott, nein.«

»Tja, Pech gehabt. Sie kommen mit, das ist ein Befehl. Ich brauche zwei Weiße als Verstärkung, und das werden Sie und Looney sein.«

»Sind Sie von diesen Leuten überhaupt gewählt worden?«

»Moss, ich bin von allen gewählt worden. Haben Sie das nicht gewusst? Wenn man eine Lokalwahl gewinnen will, muss absolut jeder für einen stimmen. Ich habe siebzig Prozent aller Stimmen bekommen, da kann ich mich nicht beschweren, aber bis jetzt habe ich noch nie jemanden aus Ford County getroffen, der nicht für mich gestimmt hat. Und sie sind alle so stolz darauf, dass sie es gar nicht erwarten können, mich noch mal zu wählen.«

»Waren es nicht achtundsechzig Prozent?«

»Es wären siebzig gewesen, wenn sich ein paar mehr von diesen faulen Säcken aus Ihrem Nest ins Wahllokal geschleppt hätten.«

»Faul? Sheriff, meine Leute wählen wie verrückt. Die lassen sich durch nichts und niemanden vom Wählen abhalten. Sie wählen morgens, mittags, den ganzen Tag lang. Sie wählen vorzeitig, per Brief oder spät, mit echten oder gefälschten Stimmzetteln und manchmal auch mit mehreren. Sie lassen Tote wählen, Verrückte, Minderjährige und Schwerverbrecher, die gar nicht wählen dürfen. Sie werden sich nicht daran erinnern – es ist vor ungefähr zwanzig Jahren passiert –, aber mein Onkel Felix ist ins Gefängnis gewandert, weil er Tote für sich stimmen ließ. Für seine Wahl hat er zwei komplette Friedhöfe abgegrast. Es hat trotzdem nicht gereicht, und als sein Gegner mit sechs Stimmen Vorsprung gewann, ist mein Onkel vor Gericht gelandet.«

»Er musste tatsächlich hinter Gitter?«

»Er hat ungefähr drei Monate gesessen und hinterher gesagt, es sei gar nicht so schlimm gewesen. Nach seiner Entlassung wurde er als Held gefeiert, durfte aber nie wieder wählen. Also hat er gelernt, wie man eine Wahl manipuliert. Sheriff, Sie brauchen meine Leute. Wir wissen, wie man jemanden gewinnen lässt.«

Ozzie parkte wieder in der Nähe der Notaufnahme, dann eilten sie hinein. Im zweiten Stock wurde er von denselben zwei Deputys erwartet wie beim ersten Mal. Sie führten ihn den Gang hinunter zum selben jungen Arzt, der gerade mit einer Krankenschwester sprach. Sein Bericht war kurz: Josie Gamble war bei Bewusstsein, stand wegen starker Schmerzen aufgrund der Kieferfraktur jedoch unter dem Einfluss von Medikamenten. Ihre Vitalfunktionen waren normal. Sie wusste nicht, dass Stuart Kofer tot und ihr Sohn Drew im Gefängnis war. Sie hatte nach ihren Kindern gefragt, und der Arzt hatte ihr versichert, es gehe ihnen gut.

Ozzie holte tief Luft, sah Tatum an, der seine Gedanken las und bereits den Kopf schüttelte. »Ihre Sache, Chef«, flüsterte der Deputy.

»Kann sie ein paar schlechte Nachrichten vertragen?«, fragte Ozzie den Arzt.

»Jetzt oder später. Es spielt eigentlich keine Rolle«, erwiderte er mit einem Schulterzucken.

»Na dann los«, sagte Ozzie.

»Ich werde hier warten«, meinte Tatum.

»Nein, das werden Sie nicht. Kommen Sie.«

Fünfzehn Minuten später, als Ozzie und Tatum das Krankenhaus verließen, bemerkten sie McGarry und Kiera, die im Warteraum der Notaufnahme saßen. Ozzie ging zu ihnen und erklärte, dass er gerade mit Josie gesprochen habe und dass sie wach sei und Kiera sehen wolle. Sie sei außer sich wegen Kofers Tod und Drews Verhaftung und wolle unbedingt mit ihrer Tochter sprechen.

Er dankte dem Prediger noch einmal für dessen Hilfe und versprach, ihn später anzurufen.

»Sie fahren«, sagte Ozzie zu Tatum, als sie den Wagen erreicht hatten. Dann ging er zur Beifahrertür.

»Gerne. Und wohin?«

»Ich habe jetzt schon seit mehreren Stunden keine blutige Leiche mehr gesehen. Daher sollten wir einen Blick auf Stuart werfen, möge er in Frieden ruhen.«

»Ich glaube nicht, dass er sich in der Zwischenzeit bewegt hat.«

»Außerdem muss ich mit den Leuten von der State Police reden.«

»Bei so einem Fall werden die wohl kaum etwas falsch machen können.«

»Die Jungs sind in Ordnung.«

»Wenn Sie das sagen, Chef.« Tatum schlug die Tür zu und ließ den Motor an.

»Es ist jetzt acht Uhr dreißig, und ich bin seit drei auf den Beinen«, meinte Ozzie, als sie die Stadtgrenze hinter sich gelassen hatten.

»Geht mir genauso.«

»Und ich habe noch nicht gefrühstückt.«

»Ich bin am Verhungern.«

»Was ist zu dieser unchristlichen Zeit am Sonntagmorgen offen?«

»Na ja, Huey's macht vermutlich gerade zu, außerdem gibt's dort kein Frühstück. Wie wäre es mit dem Sawdust?«

»Das Sawdust?«

»Soweit ich weiß der einzige Laden, der sonntags so früh geöffnet hat, zumindest in diesem Teil des Countys.«

»Tja, ich weiß, dass ich willkommen sein werde, denn sie haben dort eine eigene Tür für mich. Da steht EINGANG FÜR NEGER drauf.«

»Ich habe gehört, dass sie das Schild inzwischen abgenommen haben. Sie sind noch nie dort gewesen?«

»Nein, Deputy Tatum, ich bin noch nie im Sawdust gewesen. In meiner Kindheit hat der Klan da seine Versammlungen abgehalten, die gar nicht einmal so geheim waren. Wir leben zwar im Jahr 1990, aber mit den Leuten, die im Sawdust einkaufen und essen, und denen, die im Winter um den alten Kanonenofen sitzen und Witze über Nigger erzählen, und denen, die auf der Veranda hocken, Tabak kauen und ihn auf den Kies spucken, während sie Stöckchen anspitzen und Dame spielen, möchte ich nicht unbedingt meine Zeit verbringen.«

»Es gibt da großartige Blaubeerpfannkuchen.«

»Meine werden sie vermutlich vergiften.«

»Nein, das werden sie nicht. Sie bestellen einfach das Gleiche wie ich, und dann tauschen wir die Teller. Wenn ich tot vom Stuhl falle, können Kofer und ich gemeinsam beerdigt werden. O Mann, stellen Sie sich doch mal vor, was das für eine tolle Parade um den Clanton Square geben wird.«

»Das möchte ich wirklich nicht.«

»Sie sind zweimal mit überwältigender Mehrheit zum Sheriff von Ford County gewählt worden. Sie sind der Boss hier, und ich kann einfach nicht glauben, dass Sie Hemmungen haben, einen öffentlichen Coffee-Shop zu betreten und dort etwas zu essen. Wenn Sie Angst haben, werde ich Sie beschützen. Versprochen.«

»Ich habe keine Angst.«

»Ich hätte da mal eine Frage, Chef. Um wie viele Geschäfte im Besitz von Weißen haben Sie einen Bogen gemacht, seit Sie sich vor sieben Jahren als Sheriff zur Wahl gestellt haben?«

»Na ja, ich bin nicht in allen weißen Kirchengemeinden gewesen.«

»Das liegt aber nur daran, dass es unmöglich ist, alle zu besuchen. Es sind sicher tausend, und es werden immer mehr. Außerdem habe ich Geschäfte gesagt, nicht Kirchen.«

Ozzie überlegte, während sie an kleinen Farmen und Kiefernwäldern vorbeifuhren. »Mir fällt nur eines ein«, sagte er schließlich.

»Dann fahren wir jetzt zum Sawdust.«

»Weht immer noch eine Konföderiertenflagge davor?«

»Vermutlich.«

»Wem gehört der Laden jetzt?«

»Keine Ahnung. Ich bin schon seit Jahren nicht mehr dort gewesen.«

Sie überquerten einen kleinen Fluss und bogen auf eine andere schmale Landstraße ab. Tatum trat das Gaspedal durch und fuhr auf der Mittellinie. Selbst an Werktagen herrschte hier nur wenig Verkehr, und an einem Sonntagmorgen war so gut wie nichts los.

»Pine Grove. Fünfundneunzig Prozent Weiße, und nur dreißig Prozent haben mich gewählt«, sagte Ozzie.

»Dreißig Prozent?«

»Genau.«

»Habe ich Ihnen schon mal von meinem Großvater mütterlicherseits erzählt? Er wurde von allen nur Grumps genannt und starb, bevor ich geboren wurde, was vermutlich auch ganz gut war. Vor vierzig Jahren hat er in Tyler County als Sheriff kandidiert und acht Prozent der Wählerstimmen bekommen. Dreißig Prozent finde ich da ziemlich beachtlich.«

»Am Wahlabend hat sich das nicht sehr beachtlich angefühlt.«

»Chef, geben Sie's auf. Sie haben haushoch gewonnen. Und jetzt haben Sie die Chance, die weltoffenen Leute zu beeindrucken, die im Sawdust ihr Essen verspeisen.«

»Warum heißt der Laden eigentlich Sawdust?«

»Hier in der Gegend gibt's ein paar Sägewerke und jede Menge Holzfäller. Zähe Burschen. Aber so genau weiß ich es nicht. Wir werden es sicher gleich herausfinden.«

Der Parkplatz war gut gefüllt mit Pick-ups, einige neu, die meisten alt und verbeult, alle kreuz und quer abgestellt, als hätten es die Fahrer sehr eilig gehabt, zum Frühstück zu kommen. Seitlich versetzt ragte ein Fahnenmast auf, dessen Flaggen dem großartigen Bundesstaat Mississippi und der glorreichen Sache der Konföderierten huldigten. In einem Käfig neben dem Gebäude beschnüffelten sich zwei Schwarzbären. Die Holzdielen der Veranda knarrten, als Ozzie und Tatum zum Eingang gingen und einen kleinen Laden betraten, in dem geräuchertes Fleisch von der Decke hing. Es roch nach gebratenem Schinken und brennendem Holz. Hinter der Theke stand eine alte Frau, die zuerst Tatum und dann Ozzie ansah. Sie brachte ein Nicken und ein knappes »Morgen« zustande.

Die beiden erwiderten den Gruß, gingen weiter und betraten

den Coffee-Shop im hinteren Teil des Gebäudes, in dem die Hälfte der Tische mit Männern besetzt war, die ohne Ausnahme weiß waren. Keine einzige Frau. Sie aßen und tranken Kaffee, einige rauchten, und alle unterhielten sich angeregt, bis sie Ozzie bemerkten. Der Geräuschpegel sank merklich, allerdings nur für die ein, zwei Sekunden, bis sie begriffen hatten, dass Ozzie und Tatum Polizisten waren. Dann, wie um zu beweisen, dass sie tolerant waren, führten sie ihre Gespräche noch lauter fort als vorher und bemühten sich nach Kräften, die beiden zu ignorieren.

Tatum deutete auf einen leeren Tisch, und sie setzten sich. Ozzie griff sofort nach der Speisekarte und unterzog sie einer genauen Durchsicht, obwohl das nicht nötig war. Eine Bedienung mit einer Kanne Kaffee in der Hand kam zu ihnen und füllte ihre Tassen.

Als ein Mann am Nebentisch zum zweiten Mal zu ihnen herübersah, nutzte Tatum die Gelegenheit. »Früher gab es hier sensationelle Blaubeerpfannkuchen. Ist das immer noch so?«, fragte er ihn.

»Na klar«, erwiderte der Mann mit einem breiten Grinsen, während er sich über den ausladenden Bauch strich. »Pfannkuchen und Wildbratwurst. Damit halte ich meine Figur.« Das brachte ihm ein paar Lacher ein.

»Wir haben gerade von der Sache mit Stuart Kofer gehört«, sagte ein anderer Mann. Es wurde schlagartig ruhig. »Stimmt es?«

Tatum nickte seinem Chef zu, als wollte er sagen: Jetzt sind Sie dran. Sie sind der Sheriff.

Ozzie hatte sich so hingesetzt, dass er mindestens der Hälfte der Gäste den Rücken zukehrte, daher stand er auf und ließ den Blick durch den Coffee-Shop schweifen. »Ja, es stimmt leider«, verkündete er. »Stuart wurde heute Morgen um drei Uhr erschossen, in seinem Haus. Wir haben einen unserer Besten verloren.«

»Wer hat ihn erschossen?«

»Ich kann zurzeit nicht in Details gehen. Morgen werden wir vielleicht mehr sagen können.«

»Wir haben gehört, dass ein Junge bei ihm gewohnt hat.«

»Wir haben einen sechzehnjährigen Jungen in Gewahrsam genommen. Die Mutter des Jungen war Kofers Freundin. Das ist alles, was ich sagen kann. Die State Police ermittelt gerade am Tatort. Auch dazu kann ich nicht viel sagen. Vielleicht zu einem späteren Zeitpunkt.«

Ozzie wirkte redegewandt und freundlich, und so verlief der Besuch im Sawdust weitaus besser, als er es sich hätte vorstellen können.

»Danke, Sheriff«, sagte ein alter Mann mit schmutzigen Stiefeln, einem ausgebleichten Overall und einer Baseballkappe mit dem Logo eines Futterhandels. Das Eis war gebrochen, und einige andere Männer bedankten sich ebenfalls.

Ozzie setzte sich wieder und bestellte Pfannkuchen und eine Bratwurst. Während sie Kaffee tranken und auf ihr Essen warteten, sagte Tatum: »Kein schlechter Wahlkampfauftritt, finden Sie nicht, Chef?«

»Ich denke nie an Politik.«

Tatum unterdrückte ein Lachen und sah zur Seite. »Sheriff, wenn Sie von jetzt an einmal im Monat hier frühstücken, werden Sie alle Stimmen in diesem Bezirk bekommen.«

»Ich will gar nicht alle Stimmen. Siebzig Prozent reichen.«

Die Kellnerin legte die Sonntagsausgabe der Zeitung aus Jackson auf den Tisch und lächelte Ozzie an. Tatum griff sich den Sportteil, und um sich die Zeit zu vertreiben, las Ozzie die überregionalen Nachrichten. Nach einer Weile begann sein Blick zu wandern und fiel auf die Wand zu seiner Rechten. In der Mitte hingen zwei aktuelle Football-Spielpläne, einer für die Ole Miss, der andere für die Mississippi State, und um die Poster herum prangten Banner für beide Teams und gerahmte Schwarz-Weiß-Fotos der Helden von gestern in verschiedenen Spielposen. Alle weiß, alle aus einer anderen Zeit.

Ozzie war der Star von Clantons Highschool-Mannschaft gewesen und hatte davon geträumt, der erste schwarze Spieler der Ole Miss zu werden, aber er wurde beim Draft nie ausgewählt. Es gab bereits zwei Schwarze im Team der Universität, und Ozzie war davon ausgegangen, dass zwei reichten, damals jedenfalls. Stattdessen ging er an die Alcorn State, spielte dort vier Jahre, wurde in der zehnten Runde ausgewählt und schaffte es in seinem ersten Jahr in den Kader der Los Angeles Rams. Er lief in elf Spielen auf, bevor ihn eine Knieverletzung dazu zwang, nach Mississippi zurückzukehren.

Ozzie starrte die Gesichter der alten Stars an und fragte sich, wie viele von ihnen tatsächlich in der Profiliga gespielt hatten. Zwei andere Spieler aus Ford County, beide schwarz, hatten es in Profimannschaften geschafft, aber ihre Fotos hingen nicht an der Wand.

Er hob die Zeitung ein paar Zentimeter höher und versuchte, einen Artikel zu lesen, konnte sich aber nicht konzentrieren. Die Gespräche an den Nachbartischen drehten sich um das Wetter, einen aufziehenden Sturm, die Beißzeiten für Barsche im Lake Chatulla, den Tod eines alten Farmers, den alle gekannt hatten, und die letzten Eskapaden ihrer Senatoren in Jackson. Der Sheriff hörte aufmerksam zu, während er vorgab, mit seiner Lektüre beschäftigt zu sein, und fragte sich, worüber die Leute wohl geredet hätten, wenn er nicht anwesend gewesen wäre. Wäre es um dieselben Themen gegangen? Vermutlich.

Ozzie wusste, dass das Sawdust in den späten Sechzigern der Treffpunkt von weißen Hitzköpfen gewesen war, die als Folge eines Urteils des Obersten Gerichtshofs der Vereinigten Staaten zur Aufhebung der Rassentrennung in den Schulen eine private Einrichtung gründen wollten. Die Schule war auf einem gespendeten

Grundstück außerhalb von Clanton errichtet worden, ein einfaches Gebäude aus Wellblech mit schlecht bezahlten Lehrern und niedrigen Unterrichtsgebühren, die aber immer noch nicht niedrig genug waren. Nach ein paar Jahren, in denen die Schulden immer weiter wuchsen und massiver Druck ausgeübt wurde, damit die Eltern ihre Kinder auf die öffentlichen Schulen im County schickten, wurde sie wieder geschlossen.

Pfannkuchen und Bratwürste kamen, und die Kellnerin schenkte Kaffee nach.

»Haben Sie schon mal Wildwurst gegessen?«, fragte Tatum. In den etwa vierzig Jahren seines Lebens hatte er Ford County so gut wie nie verlassen, aber er ging häufig davon aus, dass er weitaus mehr wusste als sein Chef, der während seiner Zeit in der Profiliga überall in den Vereinigten Staaten gespielt hatte.

»Meine Großmutter hat früher welche gemacht«, erwiderte Ozzie. »Ich habe ihr dabei zugesehen.« Er nahm einen Bissen und überlegte kurz. »Etwas zu stark gewürzt.«

»Mir ist aufgefallen, dass Sie sich die Fotos an der Wand angesehen haben. Von Ihnen sollte da auch eins hängen.«

»Das ist nicht mein Stammlokal. Ich kann damit leben, wenn hier kein Foto von mir hängt.«

»Abwarten. Ich finde, das ist nicht in Ordnung.«

»Moss, lassen Sie's.«

Sie nahmen die Pfannkuchen in Angriff, die für eine vierköpfige Familie gereicht hätten, und aßen ein paar Bissen. Dann beugte sich Tatum vor. »Was haben Sie sich denn für die Beerdigung und so überlegt?«

»Moss, ich gehöre nicht zur Familie, falls Ihnen das noch nicht aufgefallen sein sollte. Ich nehme an, das werden seine Eltern entscheiden.«

»Ja, aber eine Trauerfeier und dann schnell ins Grab lassen reicht doch nicht, oder? Sheriff, er war Polizist. Haben wir denn nicht Anspruch auf Paraden, Blaskapellen, Drillteams und Ehrensalven? Zu meiner Beerdigung sollen jede Menge Leute kommen, und es soll richtig schön getrauert werden.«

»Das wird es vermutlich nicht geben.« Ozzie legte sein Besteck hin und trank langsam einen Schluck Kaffee. Er sah seinen Deputy an, als wäre er im Kindergarten. »Es gibt da einen kleinen Unterschied, Moss. Unser Kollege Kofer wurde nicht gerade in Ausübung seiner Pflichten getötet. Genau genommen war er gar nicht im Dienst und hatte aller Wahrscheinlichkeit nach gesoffen und gefeiert und wer weiß, was noch alles. Es dürfte ziemlich schwierig werden, eine Parade für seine Beerdigung zu rechtfertigen.«

»Und wenn die Familie auf einer Show besteht?«

»Moss, die Spurentechniker sind immer noch dabei, seine Leiche zu fotografieren. Darüber machen wir uns später Gedanken, okay? Und jetzt essen Sie. Wir müssen gleich zum Tatort.«

Als sie vor Stuarts Haus hielten, waren Earl Kofer und seine Neffen nicht mehr da. Irgendwann hatten sie das Warten sattgehabt, und vermutlich wurden sie von der Familie gebraucht. In der Einfahrt und vor dem Haus standen etliche Streifenwagen und Einsatzfahrzeuge. Zwei Transporter der Spurensicherung, ein Rettungswagen, der darauf wartete, Stuarts Leiche abzutransportieren, ein zweiter mit einem kompletten Team für den Fall, dass medizinische Hilfe gebraucht wurde, sogar zwei Fahrzeuge der unvermeidlichen freiwilligen Feuerwehr trugen dazu bei, dass Ozzie nur mit Mühe durchkam.

Der Sheriff kannte einen der Ermittler von der State Police und bekam ein kurzes Briefing, das er eigentlich nicht brauchte. Sie sahen sich Stuart noch einmal an, der an genau derselben Stelle lag wie vorhin. Der einzige Unterschied bestand darin, dass das Blut auf der Decke dunkler geworden war. Und die blutbespritzten Kissen waren verschwunden. Zwei Techniker in

Schutzanzügen sicherten Spuren von der Wand über dem Kopfteil des Betts.

»Der Fall dürfte klar sein«, sagte der Ermittler. »Aber wir nehmen ihn trotzdem für eine schnelle Obduktion mit. Der Junge ist noch im Gefängnis?«

»Ja«, bestätigte Ozzie. Wo sollte er sonst sein? Wie immer an solchen Tatorten konnte Ozzie die Arroganz der Ermittler von der State Police nur schwer ertragen. Sie spielten sich auf, als wären sie die besseren Polizisten. Von Rechts wegen war der Sheriff nicht verpflichtet, sie an den Tatort zu rufen, aber bei Mordfällen, die zu Mordprozessen führten, hatte er die Erfahrung gemacht, dass die Geschworenen sich von den Spezialisten der State Police mehr beeindrucken ließen. Letztendlich zählten jedoch nur die Urteile.

»Hat man ihm schon Fingerabdrücke abgenommen?«, fragte der Ermittler.

»Nein. Das wollten wir euch überlassen.«

»Gut. Wir fahren im Gefängnis vorbei, nehmen ihm Fingerabdrücke ab und untersuchen ihn auf Schmauchspuren.«

»Er wartet schon auf euch.«

Sie gingen nach draußen, wo Tatum sich eine Zigarette anzündete und Ozzie einen Pappbecher mit Kaffee bekam, von einem Feuerwehrmann, der eine Thermosflasche mitgebracht hatte. Sie trödelten eine Weile herum, denn Ozzie versuchte, den nächsten Halt auf seiner Liste hinauszuzögern. Die Haustür öffnete sich, und einer der Spurentechniker kam heraus, die Hand an einer Trage, auf der Stuart lag, den man in ein großes Tuch gewickelt hatte. Sie rollten ihn über den gepflasterten Weg, hoben ihn in einen der Rettungswagen und schlossen die Tür.

Earl und Janet Kofer wohnten nur ein paar Kilometer entfernt in einem niedrigen Bungalow aus den Sechzigerjahren, in dem sie drei Söhne und eine Tochter großgezogen hatten. Stuart war ihr ältestes Kind, und deshalb hatte er von seinem Großvater ein vier Hektar großes Waldstück und das Haus geerbt, in dem er jetzt gestorben war. Die Kofers waren nicht reich und besaßen nicht viel Land, aber sie hatten immer hart gearbeitet, ein genügsames Leben geführt und versucht, nicht mit dem Gesetz in Konflikt zu geraten. Die Familie war sehr groß, und ihre Mitglieder lebten im südlichen Teil des Countys verstreut.

Nachdem Ozzie 1983 zum ersten Mal für das Amt des Sheriffs kandidiert hatte, war er sich nicht sicher gewesen, wen die Familie gewählt hatte. Doch vier Jahre später, als Stuart eine Uniform trug und einen Streifenwagen fuhr, bekam Ozzie jede Stimme der Familie. Die Kofers stellten seine Wahlkampfschilder in ihren Vorgärten auf und schickten ihm sogar Schecks über kleinere Beträge für seine Kampagne.

Jetzt, an diesem furchtbaren Sonntagmorgen, warteten sie alle auf ihren Sheriff, damit er ihnen sein Beileid aussprach und ihre Fragen beantwortete. Ozzie hatte Verstärkung mitgebracht: Tatum saß am Steuer, ein Streifenwagen mit Looney und McCarver, zwei weiteren weißen Deputys, folgte. Sie waren in Mississippi, und Ozzie wusste inzwischen, wo er besser weiße Deputys einsetzte und wo schwarze.

Wie erwartet war die lange Einfahrt mit Limousinen und Pickups vollgestellt. Auf der Veranda saß eine Gruppe Männer, die rauchten und warteten. Unter einem Sauerbaum ganz in der Nähe befand sich eine zweite Gruppe, die das Gleiche tat. Tatum parkte den Wagen, dann stiegen sie aus und liefen über den Rasen. Angehörige gingen ihnen entgegen und begrüßten sie mit ernster Miene. Ozzie, Tatum, Looney und McCarver arbeiteten sich zum Haus vor, während sie Hände schüttelten, ihr Beileid aussprachen und mit der Familie trauerten. Earl Kofer, der am Eingang stand, kam auf sie zu und bedankte sich bei Ozzie dafür, dass er zu ihnen hinausgefahren war. Seine Augen waren gerötet, und als Ozzie ihm die Hand schüttelte, brach er in lautes Schluchzen aus. Die Männer der Familie scharten sich um den Sheriff und starrten ihn erwartungsvoll an.

Ozzie spürte ihre traurigen, fassungslosen Blicke auf sich. Er nickte und versuchte, genauso betroffen auszusehen. »Eigentlich kann ich dem, was Sie bereits wissen, nicht viel hinzufügen«, sagte er. »Der Anruf ging heute Morgen um zwei Uhr vierzig ein, der Anrufer war Josie Gambles Sohn. Er sagte, seine Mutter sei verprügelt worden, er glaube, sie sei tot. Als wir dort eintrafen, haben wir die Mutter bewusstlos in der Küche liegend gefunden, im Beisein ihrer vierzehnjährigen Tochter. Die Tochter gab an, ihr Bruder habe Stuart erschossen. Dann haben wir Stuart im Schlafzimmer gefunden, auf seinem Bett. Er war durch einen Kopfschuss getötet worden, mit seiner Dienstwaffe, die sich ebenfalls auf dem Bett befand. Der Junge, Drew, wollte nicht reden, daher haben wir ihn mitgenommen. Er sitzt im Gefängnis.«

»Und es besteht kein Zweifel daran, dass es der Junge war?«, wollte jemand wissen.

Ozzie schüttelte den Kopf. Nein, kein Zweifel. »Hören Sie, ich kann zurzeit nicht viel sagen. Wenn ich ehrlich bin, wissen wir nicht viel mehr als das, was ich Ihnen gerade mitgeteilt habe. Ich glaube eigentlich nicht, dass an der Sache noch mehr dran ist. Vielleicht gibt es morgen etwas Neues.«

»Er kommt aber nicht wieder aus dem Gefängnis, oder?«, fragte ein anderer.

»Nein, auf keinen Fall. Ich gehe davon aus, dass das Gericht demnächst einen Anwalt für ihn ernennen wird, und dann übernimmt das System.«

»Wird es einen Prozess geben?«

»Ich habe keine Ahnung.«

»Wie alt ist der Junge?«

»Sechzehn.«

»Wird er wie ein Erwachsener behandelt werden und in der Todeszelle landen?«

»Das entscheidet das Gericht.«

Eine Pause entstand, in der einige der Männer auf ihre Füße starrten, während sich andere mit der Hand über die Augen fuhren. »Wo ist Stuart jetzt?«, fragte Earl leise.

»Sie bringen ihn zur Obduktion nach Jackson, ins Kriminallabor der State Police. Wenn die Leiche zur Bestattung freigegeben ist, können Sie und Mrs. Kofer ihn abholen. Wenn es Ihnen recht ist, würde ich gern mit Ihrer Frau sprechen.«

»Ich weiß nicht, Sheriff«, meinte Earl. »Janet hat sich hingelegt, ihre Schwestern sind bei ihr. Ich glaube nicht, dass sie jetzt jemanden sehen will. Lassen Sie ihr ein bisschen Zeit.«

»Natürlich. Bitte richten Sie ihr mein Beileid aus.«

Zwei weitere Autos fuhren vor das Haus, und ein drittes auf dem Highway war langsamer geworden. Ozzie schlug noch ein paar Minuten mit ungelenkem Small Talk tot und sagte dann, er müsse gehen. Earl und die anderen bedankten sich für sein Kommen. Er versprach, morgen anzurufen und sie auf dem Laufenden zu halten.

# 4

Sechs Tage die Woche, jeden Tag außer Sonntag, ließ sich Jake Brigance zur unchristlichen Zeit von 5.30 Uhr mittels eines lauten Weckers aus dem Schlaf reißen. Sechs Tage die Woche ging er schnurstracks zur Kaffeemaschine, drückte auf einen Knopf und begab sich dann schnell in sein eigenes kleines Bad im Keller, weit weg von Frau und Tochter, die noch selig schlummerten. Dort duschte er fünf Minuten lang und verbrachte weitere fünf mit den übrigen Ritualen seiner Morgentoilette, bevor er die Sachen anzog, die er am Abend vorher herausgelegt hatte. Wenn er fertig war, eilte er nach oben, goss sich einen Becher Kaffee ohne Milch und Zucker ein und schlich sich ins Schlafzimmer, wo er sich mit einem Kuss von seiner Frau verabschiedete. Dann nahm er seinen Kaffee, zog um genau 5.45 Uhr die Küchentür hinter sich zu und verließ das Haus über die Terrasse. Sechs Tage die Woche fuhr er durch die dunklen Straßen zum malerischen Clanton Square mit dem stattlichen Gerichtsgebäude, das eine wichtige Rolle in seinem Leben spielte, parkte vor seiner Kanzlei in der Washington Street und betrat um sechs Uhr morgens den Coffee-Shop, um dort Gerüchte aufzuschnappen oder selbst in die Welt zu setzen und Toast und Maisbrei zum Frühstück zu essen.

Doch am siebten Tag ruhte er. Sonntags blieb der Wecker aus, und Jake und Carla genossen es, später aufzustehen. Erst gegen 7.30 Uhr pflegte er das Bett zu verlassen, mit strikten Anweisungen an seine Frau, noch eine Runde zu schlafen. In der Küche pochierte er Eier und toastete Brot, dann brachte er Carla das Frühstück mit Kaffee und Orangensaft ans Bett. Jedenfalls an einem normalen Sonntag.

Aber an diesem Sonntag sollte nichts normal sein. Um 7.05 Uhr klingelte das Telefon, und da Carla darauf beharrte, dass es auf seinem Nachttisch stand, hatte er keine andere Wahl, als das Gespräch anzunehmen.

»Wenn ich du wäre, würde ich für ein paar Tage die Stadt verlassen.« Es war die tiefe Reibeisenstimme von Harry Rex Vonner, seinem vielleicht besten und manchmal einzigen Freund.

»Guten Morgen, Harry Rex. Gnade dir Gott, wenn's nicht wichtig ist.«

Harry Rex, ein talentierter und gewiefter Scheidungsanwalt,

verkehrte in ein paar zwielichtigen Ecken von Ford County und war enorm stolz darauf, dass er zu den Leuten gehörte, die Neuigkeiten, Schmutz und Gerüchte gleich nach der Polizei erfuhren.

»Stuart Kofer wurde letzte Nacht mit einem Kopfschuss getötet. Ozzie hat den Sohn von Stuarts Freundin verhaftet, einen Sechzehnjährigen, der noch nicht mal Bartflaum hat. Der Junge sitzt jetzt im Gefängnis und wartet auf einen Anwalt. Ich bin sicher, dass Richter Noose Bescheid weiß und sich gerade überlegt, wer dieser Anwalt sein soll.«

Jake setzte sich auf und stopfte sich ein Kissen in den Rücken. »Stuart Kofer ist tot?«

»Toter geht's nicht. Der Junge hat ihm das Gehirn weggepustet, während er geschlafen hat. Jake, ihm droht die Todesstrafe. Polizistenmord bringt einen in diesem Staat in neun von zehn Fällen in die Gaskammer.«

»Hattest du Kofer nicht bei seiner Scheidung vertreten?«

»Bei der ersten, bei der zweiten nicht. Er hat sich über mein Honorar aufgeregt und war sehr unzufrieden. Als er beim zweiten Mal angerufen hat, habe ich zu ihm gesagt, er soll sich verpissen. Seine beiden Ex-Frauen sind ziemlich durchgeknallt, aber er hatte schon immer eine Schwäche für böse Mädchen, vor allem, wenn sie enge Jeans tragen.«

»Kinder?«

»Nicht, dass ich wüsste. Und er wusste auch von keinen.«

Carla erhob sich aus dem Bett und blieb daneben stehen. Sie sah Jake fragend an. Vor drei Wochen hatte Deputy Stuart Kofer vor ihrer sechsten Klasse einen wunderbaren Vortrag über die Gefahren illegaler Drogen gehalten.

»Aber er ist doch erst sechzehn«, meinte Jake, während er sich die Augen rieb.

»Gesprochen wie ein wahrer liberaler Strafverteidiger. Jake, du wirst das Mandat ratzfatz haben. Denk doch mal drüber nach. Wer hat im letzten großen Mordfall in Ford County den Angeklagten vertreten? Du. Carl Lee Hailey.«

»Das war vor fünf Jahren.«

»Macht nichts. Nenn mir irgendeinen anderen Anwalt hier in der Gegend, der auch nur für eine Sekunde in Erwägung ziehen würde, so eine Strafsache zu übernehmen. Es gibt niemanden. Und es gibt auch niemanden im County, der qualifiziert genug ist, um einen Angeklagten zu verteidigen, dem die Todesstrafe droht.«

»Das glaube ich nicht. Was ist mit Jack Walter?«

»Der hängt wieder an der Flasche. Noose hat letzten Monat schon zwei Beschwerden von unzufriedenen Mandanten bekommen, und er steht kurz davor, die Anwaltskammer zu informieren.« Jake staunte immer wieder, woher Harry Rex so etwas wusste.

»Ich dachte, er hätte eine Therapie gemacht.«

»Schon, aber seit er wieder da ist, hat er noch mehr Durst als vorher.«

»Was ist mit Gill Maynard?«

»Hat sich letztes Jahr bei diesem Vergewaltigungsfall die Finger verbrannt. Er hat zu Noose gesagt, dass er eher seine Zulassung zurückgibt, bevor er sich noch mal eine Strafsache aufs Auge drücken lässt. Außerdem ist er nicht gerade der Hellste. Bei der Verhandlung war Noose schwer genervt von dem Typ. Der nächste Name bitte.«

»Ist ja gut. Lass mich kurz überlegen.«

»Zeitverschwendung. Noose wird dich heute noch anrufen. Kannst du für ein oder zwei Wochen das Land verlassen?«

»Mach dich nicht lächerlich, Harry Rex. Dienstag um zehn haben wir eine Verhandlung bei Noose, in Sachen *Smallwood,* falls dir das etwas sagt. Nicht, dass es wichtig wäre.«

»Verdammt. Ich dachte, das ist nächste Woche.«

»Gut, dass ich für den Fall zuständig bin. Und von solchen Nebensächlichkeiten wie Carlas Job und Hannas Schulunterricht fange ich gar nicht erst an. Wie kommst du eigentlich auf die dumme Idee, dass wir einfach so verschwinden können? Ich werde nicht davonlaufen.«

»Du wirst dir noch wünschen, du hättest die Flucht ergriffen. Die Sache wird nichts als Ärger machen, das kannst du mir glauben.«

»Wenn Noose anruft, werde ich mit ihm reden und erklären, warum ich den Fall nicht annehmen kann. Ich werde ihm vorschlagen, jemanden aus einem anderen County zu bestellen. Er hält doch so große Stücke auf diese beiden Jungs in Oxford, die alles übernehmen. Sie haben schon mal ein Mandat von ihm bekommen.«

»Soweit ich weiß, stecken die beiden bis über beide Ohren in Revisionsverfahren von Todesurteilen. Außerdem verlieren sie immer. Dann dauert es ewig, bis sämtliche Rechtsmittel eingelegt sind. Jake, hör auf mich, du willst keinen Fall, in dem es um einen toten Polizisten geht. Die Fakten sind gegen dich. Die öffentliche Meinung ist gegen dich. Du hast nicht den Hauch einer Chance darauf, dass die Geschworenen Verständnis für den Angeklagten zeigen.«

»Ja, ich hab's verstanden, Harry Rex. Lass mich einen Kaffee trinken und mit Carla reden.«

»Steht sie gerade unter der Dusche?«

»Ähm, nein.«

»Das ist meine Lieblingsfantasie.«

»Bis später, Harry Rex.« Jake legte auf und folgte Carla in die Küche, wo sie Kaffee kochten. Der Frühlingsmorgen war so warm, dass sie fast auf der Terrasse gefrühstückt hätten, aber nur fast. Stattdessen setzten sie sich an den kleinen Tisch in der Küche, mit Blick in den Garten, in dem die rosafarbenen und weißen Azaleen gerade in voller Blüte standen. Der Hund kam aus der Gästetoilette gerannt und starrte die Tür zur Terrasse an. Sie hatten ihn vor Kurzem aus dem Tierheim geholt und Mully genannt, doch bis jetzt reagierte er nur auf Futter. Jake ließ ihn nach draußen und goss zwei Tassen Kaffee ein.

Während sie Kaffee tranken, wiederholte Jake, was Harry Rex gesagt hatte, mit Ausnahme seiner letzten Bemerkung über Carla unter der Dusche. Dann sprachen sie über die unangenehme Möglichkeit, in den Fall hineingezogen zu werden. Jake war wie Carla der Meinung, dass der Ehrenwerte Omar Noose, sein Freund und Mentor, wohl kaum einen anderen Vertreter der Anwaltschaft in Ford County mit dem Fall betrauen würde. Geschworenenprozesse scheuten sie fast bis auf den letzten Mann, besser gesagt, bis auf die letzte Person, da es inzwischen auch eine Anwältin gab. Sie beschäftigten sich lieber mit den Schreibarbeiten, die in ihren ruhigen kleinen Kanzleien an der Tagesordnung waren. Harry Rex war immer für ein anständiges Gefecht im Gerichtssaal zu haben, allerdings nur in Ehe- und Familiensachen, die vor Richtern und ohne Jury verhandelt wurden. Geschworene mied er wie die Pest. Neunundneunzig Prozent der Strafsachen in Ford County wurden durch Absprachen mit dem Staatsanwalt beigelegt, sodass es gar nicht erst zum Prozess kam. Kleinere Schadenersatzklagen – Autounfälle, Stürze, Hundebisse – wurden direkt mit den Versicherungen abgewickelt. Wenn ein Anwalt aus dem County das Mandat für eine große Zivilsache an Land zog, fuhr er sofort nach Tupelo oder Oxford und suchte sich dort einen richtigen Prozessanwalt als Partner, der sich mit Gerichtsverfahren auskannte und keine Angst vor Geschworenen hatte.

Jake träumte immer noch davon, das zu ändern, und mit seinen siebenunddreißig Jahren versuchte er, sich einen Namen zu machen als Anwalt, der kein Risiko scheute und Urteile erzwang. Seine Sternstunde war ohne Zweifel der Freispruch für Carl Lee Hailey vor fünf Jahren gewesen. Nach dem Prozess war er sicher gewesen, dass seine kleine Kanzlei die großen Fälle an Land ziehen würde. Doch es war alles beim Alten geblieben. Jake drohte immer noch damit, jeden Konflikt vor Gericht zu bringen, was auch gut funktionierte, aber die Honorare waren armselig geblieben.

Der Fall *Smallwood* war anders. Er besaß das Potenzial, das größte Zivilverfahren in der Geschichte des Countys zu werden, und Jake war der Hauptanwalt. Er hatte die Klage vor dreizehn Monaten eingereicht und seitdem die Hälfte seiner Arbeitszeit dafür aufgewendet. Der Prozess konnte losgehen, und Jake ging den Anwälten der Gegenseite auf die Nerven, weil er einen Termin für die Verhandlung festlegen wollte.

Den in Teilzeit arbeitenden Pflichtverteidiger des Countys hatte Harry Rex mit keinem Wort erwähnt, und das aus gutem Grund. Der aktuelle Pflichtverteidiger war ein schüchterner Anfänger, dessen Beliebtheitsgrad nicht mehr tiefer sinken konnte. Er hatte den Job nur angenommen, weil niemand anders ihn haben wollte, die Stelle ein Jahr lang unbesetzt gewesen war und das County sich schließlich widerstrebend bereit erklärt hatte, das Gehalt auf zweitausendfünfhundert Dollar im Monat zu erhöhen. Niemand rechnete damit, dass er ein weiteres Jahr überleben würde. Bis jetzt hatte der Teilzeit-Pflichtverteidiger noch keinen einzigen Fall vor eine Jury gebracht, und er schien auch keinerlei Interesse daran zu haben. Außerdem – und das war der wichtigste Punkt – war er nicht einmal als Zuschauer bei einem Mordprozess dabei gewesen.

Carla schlug sich sofort auf die Seite der Frau, was keine Überraschung war. Sie hatte Stuart Kofer gemocht, wusste aber auch, dass sich manche Polizisten genauso schlecht wie alle anderen Menschen benehmen konnten, wenn sie nicht im Dienst waren. Falls tatsächlich häusliche Gewalt im Spiel gewesen war, würde alles noch komplizierter werden.

Doch sie hatte ihre Zweifel, denn es ging wieder um einen kontroversen Fall, der für viel Aufmerksamkeit sorgen würde. Noch drei Jahre nach dem Prozess von Carl Lee Hailey hatten die

Brigances es hinnehmen müssen, dass nachts ein Streifenwagen mit einem Deputy vor ihrem Haus parkte, wüste Drohanrufe eingingen und Fremde ihnen beim Einkaufen finstere Blicke zuwarfen. Jetzt, in ihrem schönen neuen Haus und mit noch mehr Abstand zu dem Fall, gewöhnten sie sich langsam an ein normales Leben. Jake hatte immer noch eine Waffe im Auto, was Carla sehr missfiel, aber der Polizeischutz war eingestellt worden. Sie waren fest entschlossen, die Gegenwart zu genießen, die Zukunft zu planen und die Vergangenheit zu vergessen. Ein Fall, der Schlagzeilen machte, war das Letzte, was Carla gebrauchen konnte.

Während sie sich leise unterhielten, kam Hanna im Pyjama in die Küche, mit müden Augen und ihrem Lieblingsstofftier im Arm, ohne das sie nicht schlafen konnte. Das Löwenjunge war schon ganz abgenutzt und hatte seinen Zweck mehr als erfüllt, zudem war Hanna neun Jahre alt und längst kein Baby mehr. Aber eine ernste Diskussion darüber wurde immer wieder verschoben. Sie setzte sich auf den Schoß ihres Vaters und schloss die Augen. Wie ihre Mutter bevorzugte sie einen langsamen Start in den Tag mit so wenig Unruhe wie möglich.

Ihre Eltern hörten auf, über den Fall zu sprechen, und machten mit der Lektion für Hannas Sonntagsschule weiter, die sie noch nicht kannte. Carla holte das Buch, und Jake fing an, die Geschichte von Jona und dem Wal vorzulesen, die nicht gerade zu seinen Lieblingsstellen in der Bibel gehörte. Auch Hanna war nicht sonderlich beeindruckt und schien einzuschlafen. Carla machte inzwischen Frühstück – Haferbrei für Hanna, pochierte Eier und Toast für die Erwachsenen.

Sie nahmen das Frühstück ein, ohne viel zu reden, und genossen die ruhigen Momente miteinander. Zeichentrickfilme im Fernsehen waren am Sonntag in der Regel verboten, und Hanna fragte erst gar nicht. Sie aß wenig, wie immer, und verließ nur widerstrebend den Tisch, um ein Bad zu nehmen.

Um 9.45 Uhr standen alle in Sonntagskleidung im Flur und machten sich auf den Weg zum Gottesdienst der First Presbyterian Church. Als sie im Wagen saßen, konnte Jake seine Sonnenbrille nicht finden. Er rannte ins Haus und schaltete beim Betreten die Alarmanlage aus, die wie immer scharf gestellt war.

Das Telefon in der Küche begann zu klingeln. Auf dem Display wurde eine Nummer angezeigt, deren Vorwahl Jake irgendwie bekannt vorkam. Es konnte jemand aus Van Buren County sein, das gleich nebenan lag. Kein Name, Anrufer unbekannt, aber er hatte so eine Ahnung. Er sah das Telefon an, brachte es jedoch nicht über sich, den Hörer abzunehmen, weil eine innere Stimme ihm befahl, es nicht zu tun. Wer außer Harry Rex würde es wagen, an einem Sonntagmorgen anzurufen? Lucien Wilbanks vielleicht, aber es war nicht seine Nummer. Es musste wichtig sein, und es bedeutete Ärger. Sekundenlang stand er nur da und starrte wie hypnotisiert auf das Telefon. Nachdem es achtmal geklingelt hatte, wartete Jake, bis das rote Lämpchen des Anrufbeantworters blinkte, und drückte auf eine Taste. Eine Stimme, die er kannte, sagte: »Guten Morgen, Jake, hier ist Richter Noose. Ich bin gerade zu Hause in Chester und auf dem Weg zur Kirche. Sie vermutlich auch, und es tut mir leid, Sie zu stören, aber es ist dringend. Es geht um die Sache in Clanton, von der Sie sicher schon gehört haben. Bitte rufen Sie mich so schnell wie möglich zurück.« Dann war die Leitung tot.

Jake sollte dieser Moment noch sehr lange im Gedächtnis bleiben – wie er in seiner Küche stand, in einem dunklen Anzug, der eigentlich Selbstvertrauen signalisierte, und das Telefon anstarrte, weil er zu viel Angst davor hatte, den Hörer abzunehmen. Er konnte sich nicht daran erinnern, sich jemals in seinem Leben so feige vorgekommen zu sein, und schwor sich, dass es nie wieder passieren würde.

Er stellte die Alarmanlage wieder scharf und schloss die Haustür ab. Dann ging er mit einem breiten vorgetäuschten Lächeln für seine beiden Frauen zum Auto und stieg ein. »Daddy, wo ist deine Sonnenbrille?«, fragte Hanna, als er rückwärts aus der Einfahrt rollte.

»Ich habe sie nicht finden können.«

»Sie liegt auf der Arbeitsplatte in der Küche, neben der Post«, sagte Carla.

Er schüttelte den Kopf, als wäre es nicht wichtig. »Ich habe sie nicht gesehen, und wir sind schon spät dran.«

In der Bibelstunde für Männer wäre es wieder um den Brief des Paulus an die Galater gegangen, aber dazu kamen sie nicht. Ein Polizist war ermordet worden, ein Einheimischer, dessen Eltern und Großeltern aus dem County stammten wie andere Familienangehörige, die in der Gegend wohnten. Die Diskussion drehte sich vor allem um Verbrechen und Strafe, und die meisten Männer sprachen sich dafür aus, den Mörder rasch zu verurteilen, unabhängig davon, wie jung er sein mochte. Spielte es wirklich eine Rolle, ob er sechzehn oder sechzig war? Für Stuart Kofer sicher nicht, dessen Beliebtheit von Minute zu Minute stieg. Ein krimineller Junge mit einer Waffe in der Hand konnte genauso viel Schaden anrichten wie ein Serienmörder. In der Bibelstunde saßen drei Anwälte, und zwei von ihnen hielten mit ihrer Meinung nicht hinter dem Berg. Jake beteiligte sich kaum an dem Gespräch. Er war tief in Gedanken versunken und versuchte, sich nicht anmerken zu lassen, dass er beunruhigt war.

Seine presbyterianischen Glaubensbrüder galten gemeinhin als etwas toleranter als die Fundamentalisten die Straße hinunter – Baptisten und Pfingstler, die für die Todesstrafe waren. Doch angesichts des Rachedursts in dem kleinen Raum befürchtete Jake, dass der Junge, der Stuart Kofer getötet hatte, schnurstracks auf die Gaskammer von Parchman zusteuerte.

Er versuchte, nicht daran zu denken, denn mit diesem Problem würde sich jemand anders beschäftigen müssen. Richtig?

Um 10.45 Uhr, als die Orgelpfeifen zu dröhnen begannen und die Gläubigen zum Gottesdienst riefen, gingen Jake und Carla durch das Kirchenschiff zur vierten Bank von vorn, rechte Seite, setzten sich und warteten darauf, dass Hanna aus der Sonntagsschule kam. Jake unterhielt sich mit alten Freunden und Bekannten, von denen er die meisten nur selten außerhalb der Kirchengemeinde traf. Carla sagte zu zwei ihrer Schüler Hallo. Den Morgengottesdienst der First Presbyterian besuchten im Schnitt etwa zweihundertfünfzig Gläubige, und im Moment sah es so aus, als würden fast alle von ihnen herumlaufen und sich begrüßen. Viele hatten graue Haare, und Jake wusste, dass der Pastor sich Sorgen machte, weil Gottesdienste bei jüngeren Familien keinen hohen Stellenwert mehr hatten.

Mr. Cavanaugh, der notorisch schlechte Laune hatte und von den meisten Menschen gemieden wurde, aber mehr Geld spendete als jedes andere Kirchenmitglied, packte Jake am Arm und sagte viel zu laut: »Sie werden doch wohl nicht den Jungen vertreten, der unseren Deputy getötet hat, oder?«

Jake fielen eine Menge Antworten ein, die er dem Alten gern an den Kopf geworfen hätte. Erstens: Warum kümmerst du dich nicht um deine eigenen Angelegenheiten, du griesgrämiger alter Arsch? Zweitens: Ich habe dich und deine Familie noch keine einzige Minute in einer juristischen Sache vertreten. Warum befasst du dich jetzt mit meiner Kanzlei? Drittens: Was hat dieser Fall mit dir zu tun?

Stattdessen sah Jake ihm fest in die Augen und erwiderte ohne den Anflug eines Lächelns: »Welchen Deputy meinen Sie?«

Mr. Cavanaugh war sprachlos und zögerte gerade so lange, dass Jake sich losreißen konnte. »Oh, haben Sie es denn noch nicht gehört?«, stieß er schließlich hervor.

»Was denn?«

Der Chor begann zu singen, es war Zeit, Platz zu nehmen. Hanna kam zur Bank gelaufen und zwängte sich zwischen ihre Eltern. Jake lächelte ihr zu und fragte sich nicht zum ersten Mal, wie lange es wohl noch so sein würde. Sie würde bald anfangen, ihnen damit in den Ohren zu liegen, dass sie während des »Gottesdienstes für die Großen« bei ihren Freunden sitzen wollte, und dann würde es nicht mehr lange dauern, bis Jungs auftauchten. Such nicht nach Ärger, ermahnte sich Jake. Genieße einfach den Moment.

Was allerdings nicht so einfach war. Kurz nach den Ankündigungen und dem ersten gemeinsamen Lied bestieg Dr. Eli Proctor die Kanzel und verkündete die traurige Nachricht, von der sowieso schon alle wussten. Mit ein bisschen zu viel Pathos – jedenfalls Jakes Meinung nach – schilderte der Pastor den tragischen Verlust von Deputy Stuart Kofer, als würde ihn dessen Tod irgendwie direkt betreffen. Jake war von dieser Angewohnheit genervt, und hin und wieder machte er Carla darauf aufmerksam, die allerdings kein Verständnis für ihn hatte. Proctor brach fast in Tränen aus, wenn er von Taifunen im Südpazifik oder Hungersnöten in Afrika sprach, Katastrophen, die zweifellos die Gebete aller Christen verdient hatten, aber am anderen Ende der Welt stattfanden. Die einzige Verbindung des Pastors zu diesen Ereignissen waren die Nachrichten im Kabelfernsehen, die auch den Rest des Landes erreichten. Doch er brachte es stets fertig, erheblich ergriffener zu wirken.

Proctor betete lange und inbrünstig für Gerechtigkeit und Heilung, vernachlässigte aber ein wenig die Barmherzigkeit.

Der Jugendchor sang zwei Lieder, dann nahm der Gottesdienst seinen gewohnten Gang. Als die Predigt begann, Jakes Uhr zufolge um genau 11.32 Uhr, versuchte er tapfer, sich auf die einleitenden Sätze zu konzentrieren, verlor sich aber bald in den nahezu schwindelerregenden Szenarien, die sich künftig vielleicht abspielen würden.

Er würde Noose nach dem Mittagessen anrufen, so viel war sicher. Jake hatte großen Respekt vor dem Richter und bewunderte ihn, und Noose hielt ebenfalls große Stücke auf ihn. Als junger Anwalt war Noose in die Politik gegangen und auf Irrwege geraten. In seiner Zeit als Senator von Mississippi war er einer Anklage nur um Haaresbreite entkommen und dann nicht wiedergewählt worden. Zu Jake hatte er einmal gesagt, dass er die ersten Jahre seiner Anwaltskarriere vergeudet habe und sich seine Fähigkeiten als Prozessanwalt nie richtig hätten entwickeln können. Deshalb hatte er auch voller Stolz verfolgt, wie Jake immer mehr Erfahrung im Gerichtssaal gewonnen hatte, und war immer noch begeistert von dem Freispruch, den Jake im Hailey-Prozess erreicht hatte.

Jake wusste, dass es so gut wie unmöglich sein würde, ihm seine Bitte abzuschlagen.

Und wenn er zustimmte, den Jungen zu vertreten? Den Jungen, der drüben im Gefängnis saß, in der Jugendzelle, die Jake schon so oft besucht hatte? Was würden die netten Leute hier, diese gottesfürchtigen Presbyterianer, dann von ihm halten? Wie viele von ihnen hatten jemals ein Gefängnis von innen gesehen? Wie viele hatten eine Ahnung davon, wie das Justizsystem funktionierte?

Und wie viele dieser anständigen, gesetzestreuen Bürger glaubten, dass jeder Angeklagte das Recht auf einen fairen Prozess hatte? Das Wort »fair« bedeutete auch, den Beistand eines guten Anwalts zu garantieren.

Jake wurde oft gefragt, wie er einen Mann vertreten könne, der eines schweren Verbrechens schuldig sei. Und fast immer antwortete er: Wenn man Ihren Vater oder Sohn eines schweren Verbrechens beschuldigen würde, hätten Sie dann lieber einen aggressiven Anwalt oder eine Niete?

Jake ertappte sich wieder einmal dabei, dass er sich Sorgen

darüber machte, was die Leute denken würden. Ein schwerer Fehler für jeden Anwalt, zumindest dem großen Lucien Wilbanks zufolge, der sich noch nie darum geschert hatte, was andere von ihm hielten.

Nachdem Jake das Jurastudium beendet und unter dem wachsamen Auge Luciens in der Kanzlei Wilbanks angefangen hatte, hatte ihm sein Chef alle möglichen Ratschläge mit auf den Weg gegeben, unter anderem: »Die Idioten vom Rotary Club, der Kirchengemeinde und dem Coffee-Shop machen keinen Anwalt aus Ihnen, und Sie werden keinen einzigen Cent an denen verdienen.« Und: »Wenn Sie ein richtiger Anwalt sein wollen, müssen Sie sich zuerst eine dicke Haut zulegen und dann allen Leuten mit Ausnahme Ihrer Mandanten sagen, dass sie sich zum Teufel scheren sollen.« Und: »Ein richtiger Anwalt hat keine Angst vor unpopulären Fällen.«

Das hatte denn auch Jakes erste Schritte als Anwalt geprägt. Bevor Lucien wegen ungebührlichen Verhaltens die Zulassung entzogen wurde, war er ein erfolgreicher Anwalt gewesen, der sich einen Namen damit gemacht hatte, Außenseiter und Verlierer zu vertreten – Minderheiten, Gewerkschaften, arme Schulbezirke, verwahrloste Kinder, Obdachlose. Doch aufgrund seiner respektlosen Art und seines überbordenden Selbstbewusstseins war es ihm häufig nicht gelungen, einen Draht zu den Geschworenen zu finden.

Jake schreckte hoch und fragte sich, warum er ausgerechnet jetzt an Lucien dachte.

Weil Lucien – wenn er noch eine Zulassung als Anwalt gehabt hätte – Richter Noose angerufen und darauf bestanden hätte, dass er, Lucien, zum Anwalt des Jungen bestellt wurde. Und da alle anderen Anwälte in Ford County den Fall scheuten wie der Teufel das Weihwasser, hätte Noose ihm das Mandat auch gegeben, und alle wären zufrieden gewesen.

*»Jake, nehmen Sie den verdammten Fall an!«,* konnte er Lucien brüllen hören.

*»Jeder hat das Recht auf einen Anwalt!«*

*»Man kann sich seine Mandanten nicht immer aussuchen!«*

Carla bemerkte, dass er mit seinen Gedanken woanders war, und warf ihm einen missbilligenden Blick zu. Er lächelte und tätschelte Hannas Knie, doch sie schob schnell seine Hand weg. Schließlich war sie schon neun Jahre alt.

Im Bibelgürtel des amerikanischen Südens gab es zahllose Wörter und Ausdrücke, die jene im Glauben für die Menschen gebrauchten, die vom Glauben abgefallen waren. Am weniger wohlgesinnten Ende des Spektrums bezeichnete man die verlorenen Schafe als Heiden, Gottlose, Unreine, verdammte Seelen oder ganz altmodisch als Sünder. Bei Christen mit höflicheren Umgangsformen hießen sie Atheisten, Freidenker, Rückfällige oder – der Favorit – Kirchenferne.

Wie auch immer man es nennen wollte, man konnte getrost sagen, dass die Kofers schon seit Jahrzehnten kirchenfern waren. Einige entfernte Cousins waren zwar Mitglieder von Kirchengemeinden, aber die Familie an sich konnte mit dem Wort Gottes nichts anfangen. Sie waren keine schlechten Menschen, sie hatten einfach nie das Bedürfnis gehabt, den Weg des Glaubens zu gehen. Nicht, dass sie keine Gelegenheit dazu gehabt hätten. Dutzende wohlmeinender Seelsorger hatten versucht, sie zu bekehren, vergebens. Es war nichts Ungewöhnliches, dass die Kofers ins Visier von Wanderpredigern gerieten, die sie in ihren leidenschaftlichen Predigten sogar namentlich erwähnten. Mehr als ein Mal waren sie die Ersten gewesen, die in den Fürbitten genannt wurden, und immer wieder hatte es Hausbesuche von Geistlichen bei ihnen gegeben. In der ganzen Zeit hatten sie allen Bekehrungsversuchen widerstanden und es vorgezogen, in Ruhe gelassen zu werden.

Doch an jenem düsteren Morgen brauchten sie den Trost und die Anteilnahme ihrer Nachbarn. Sie brauchten die überschwängliche Liebe und das Mitgefühl der Menschen, die Gott näher waren. Aber es blieb ihnen verwehrt. Stattdessen versammelten sie sich bei Earl und versuchten, mit dem Unvorstellbaren fertigzuwerden. Die Frauen saßen im Haus und vergossen Tränen mit Janet, Stuarts Mutter, während sich die Männer draußen auf der Veranda und unter den Bäumen aufhielten, wo sie rauchten, leise fluchten und von Rache sprachen.

Die Good Shepherd Bible Church hielt ihre Gottesdienste in einer pittoresken, weiß gestrichenen Holzkirche ab, die über einen hohen Turm und einen gepflegten Friedhof verfügte. Das Gebäude war hundertsechzig Jahre alt und von Methodisten errichtet, dann aber von Baptisten übernommen worden, deren Gemeinde sich irgendwann aufgelöst hatte. Danach hatte es dreißig Jahre lang leer gestanden. Die Gründer von Good Shepherd waren eine unabhängige Gruppe gewesen, die nichts von den konfessionellen Etiketten, dem um sich greifenden Fundamentalismus und den politischen Tendenzen hielt, von denen der Süden in den Siebzigerjahren überschwemmt wurde. Die aus etwa hundert Mitgliedern bestehende Gemeinschaft hatte das Gebäude bei einer Zwangsversteigerung gekauft, mit viel Aufwand renoviert und liberale Seelen aufgenommen, die von der herrschenden Glaubenslehre genug hatten. Als Älteste wurden auch Frauen gewählt, eine radikale Entscheidung, die zu Gerüchten führte, nach denen Good Shepherd eine »Sekte« sei. Schwarze und Angehörige von Minderheiten waren willkommen, doch die hatten aus anderen Gründen bereits eigene Gemeinden.

An diesem Sonntagmorgen waren etwas mehr Gläubige als sonst gekommen, da die Gemeinde die neuesten Details über den Mord hören wollte. Sobald Pastor Charles McGarry verkündet hatte, dass der Beschuldigte, der junge Drew Gamble, praktisch einer der Ihren sei und dass seine Mutter, Josie, im Krankenhaus liege, schwer verletzt, nachdem sie brutal zusammengeschlagen worden sei, scharten sich die Gläubigen um die kleine Familie und nahmen sie mit offenen Armen auf. Kiera, die immer noch die Jeans und die Turnschuhe der letzten Nacht trug, besuchte mit einigen anderen jungen Mädchen die Sonntagsschule. Sie versuchte zu verstehen, wo sie jetzt war. Ihre Mutter lag im Krankenhaus, ihr Bruder saß im Gefängnis, und man hatte ihr bereits gesagt, dass sie nicht wieder ins Haus könne, um ihre Sachen zu holen. Sie wollte auf keinen Fall weinen, aber irgendwann kamen ihr doch die Tränen. Beim Gottesdienst saß sie in der ersten Reihe, mit der Frau des Pastors, die ihr immer wieder über den Arm strich, auf der einen Seite und einem Mädchen, das sie von der Schule kannte, auf der anderen. Es gelang ihr, die Tränen zu unterdrücken, doch sie konnte nicht klar denken. Als gesungen wurde – alte Lieder, die sie nicht kannte –, stand sie auf, dann kniff sie die Augen zusammen und versuchte, mit Pastor Charles zu beten. Sie lauschte seiner Predigt, doch kein Wort davon drang zu ihr durch. Seit Stunden hatte sie nichts mehr in den Magen bekommen, aber sie wollte nichts essen. Da sie sich nicht vorstellen konnte, morgen zur Schule zu gehen, beschloss sie, sich nicht dazu zwingen zu lassen.

Kiera wollte jetzt nur im Krankenhaus bei ihrer Mutter sein, an ihrem Bett sitzen, mit ihrem Bruder auf der anderen Seite, und die Arme um sie legen.

# 5

Das Mittagessen bestand aus einem kleinen Salat und Suppe, das Übliche am Sonntag, es sei denn, Jakes Mutter lud zu einem üppigen Mahl ein, was etwa einmal im Monat vorkam. Heute jedoch nicht. Nach dem Essen half Jake Carla beim Wegräumen des

Geschirrs und spielte mit dem Gedanken, ein Nickerchen zu halten, doch Hanna hatte andere Pläne. Sie wollte mit Mully einen Spaziergang im Stadtpark machen, und Carla hatte Jake bereits als Begleiter auserkoren. Er hatte nichts dagegen. Ihm war alles recht, wenn er nur Zeit schinden und den Anruf bei Richter Noose hinauszögern konnte. Um zwei Uhr waren sie zurück, und Hanna ging auf ihr Zimmer. Carla setzte Wasser auf und bereitete grünen Tee zu, den sie an dem kleinen Tisch in der Küche tranken.

»Er kann dich doch nicht zwingen, den Fall zu übernehmen, oder?«, fragte sie.

»Keine Ahnung. Ich habe schon den ganzen Morgen darüber nachgedacht, kann mich aber an keinen Fall erinnern, für den ein Gericht einen bestimmten Anwalt bestellen wollte und der sich geweigert hat. Richter an den Circuit Courts haben sehr viel Macht, und ich vermute, dass Noose mir das Leben ziemlich schwer machen könnte, wenn ich Nein sagen würde. Genau deshalb lehnt man so etwas nicht ab. Ein Kleinstadtanwalt ist erledigt, wenn er seine Richter vor den Kopf stößt.«

»Machst du dir Sorgen wegen *Smallwood*?«

»Natürlich mache ich mir Sorgen. Die Offenlegung der Beweismittel ist fast abgeschlossen, und ich gehe Noose auf die Nerven, weil ich einen Verhandlungstermin haben will. Die Anwälte der Gegenseite wollen wie immer Zeit schinden, aber ich glaube, wir haben sie am Haken. Harry Rex hält es für möglich, dass sie über einen Vergleich reden wollen, aber erst, wenn wir sie mit einem festen Termin konfrontieren. Wir müssen Noose bei Laune halten.«

»Willst du damit etwa sagen, dass er dir gegenüber nachtragend sein könnte?«

»Omar Noose ist ein wunderbarer alter Richter, der seine Sache fast immer gut macht, aber man kann ihn auch reizen. Er ist ein Mensch und macht Fehler, außerdem ist er es gewohnt, seinen Willen durchzusetzen, zumindest in seinem Gerichtssaal.«

»Dann würde er also zulassen, dass ein Fall Einfluss auf einen anderen hat?«

»Ja. Es wäre nicht das erste Mal.«

»Aber er mag dich doch, Jake.«

»Er sieht sich als meinen Mentor und will, dass ich Großes vollbringe. Das ist der Hauptgrund, warum ich den alten Herrn nicht verärgern sollte.«

»Habe ich bei der Sache auch etwas zu sagen?«

»Natürlich.«

»Okay. Dieses Mal ist es anders als bei Hailey. Es gibt keine Rassenkonflikte. Soweit ich das mitbekommen habe, sind alle Beteiligten weiß, richtig?«

»Bis jetzt.«

»Dann werden der Klan und diese anderen Geisteskranken nicht auftauchen. Du wirst zwar ein paar Leuten auf die Füße treten, die den Jungen am liebsten gleich am nächsten Baum aufhängen wollen und es jedem Anwalt übel nehmen, dass er ihn vertritt, aber fällt das nicht unter Berufsrisiko? Du bist Anwalt, meiner Meinung nach der beste, und drüben im Gefängnis sitzt ein sechzehnjähriger Junge, der Hilfe braucht.«

»Es gibt noch andere Anwälte in Clanton.«

»Und welchen von ihnen würdest du als Anwalt haben wollen, wenn dir die Todesstrafe drohen würde?«

Jake zögerte etwas zu lange.

»Siehst du«, meinte Carla.

»Tom Motley ist ein vielversprechender Prozessanwalt.«

»Und jemand, der sich mit Strafsachen nicht die Hände schmutzig machen will. Du hast dich mehr als ein Mal darüber aufgeregt.«

»Bo Landis ist nicht schlecht.«

»Wer? Ich bin sicher, dass er ganz großartig ist, aber sein Name sagt mir überhaupt nichts.«

»Er ist jung.«

»Und du würdest ihm dein Leben anvertrauen?«

»Das habe ich nicht gesagt. Carla, ich bin nicht der einzige Anwalt in der Stadt, und ich bin sicher, dass Noose jemand anderen dazu überreden kann. Bei heiklen Fällen ist es nicht ungewöhnlich, dass ein Anwalt aus einem anderen County bestellt wird. Kannst du dich noch an diese furchtbare Vergewaltigung vor drei oder vier Jahren erinnern, drüben in Box Hill?«

»Natürlich.«

»Wir haben das Mandat abgelehnt, und Noose hat uns abgesichert und einen Anwalt aus Tupelo geholt. Niemand hier kannte ihn, und er hat seine Sache den Umständen entsprechend gut gemacht. Der Sachverhalt war komplex.«

»Der Prozess war nach einem Deal mit dem Staatsanwalt zu Ende, richtig?«

»Ja. Dreißig Jahre hinter Gittern.«

»Das war nicht genug. Wie stehen die Chancen für eine Absprache in diesem Fall?«

»Wer weiß? Wir reden über einen Minderjährigen, daher ist Noose vielleicht nicht ganz so streng. Aber es wird viele geben, die Blut sehen wollen. Die Todesstrafe. Die Familie des Opfers wird Druck machen. Ozzie wird einen großen Prozess haben wollen, schließlich geht es um einen seiner Deputys. Nächstes Jahr stehen mehrere Wahlen an, das ist der ideale Moment, um hart gegen Verbrechen durchzugreifen.«

»Man kann doch einen Sechzehnjährigen nicht in die Todeszelle schicken.«

»Sag das mal den Kofers. Ich kenne sie nicht, aber ich würde wetten, dass sie ihn in der Gaskammer sehen wollen. Wenn jemand Hanna etwas antun würde, wäre dir sein Alter doch auch egal, oder?«

»Wahrscheinlich.«

Sie holten tief Luft und mussten diesen ernüchternden Gedanken erst einmal verarbeiten.

»Ich dachte, du hättest schon eine Meinung dazu«, sagte Jake schließlich.

»Ich weiß es wirklich nicht, Jake. Es ist eine schwierige Entscheidung, aber wenn Richter Noose darauf besteht, glaube ich nicht, dass du ablehnen kannst.«

Das Telefon klingelte, sie starrten es an. Jake ging hinüber und warf einen Blick auf die Rufnummernanzeige. Er lächelte Carla an. »Das ist er.« Jake nahm den Hörer ab, meldete sich und zog die Kordel durch die halbe Küche, damit er sich wieder an den Tisch zu seiner Frau setzen konnte.

Sie arbeiteten sich durch den Small Talk. Den Familien ging es gut. Das Wetter sollte sich bald ändern. Ganz schrecklich, was mit Stuart Kofer passiert war. Beide lobten die Arbeit der Polizei. Noose hatte mit Ozzie gesprochen, und Ozzie hatte dafür gesorgt, dass der Junge ins Gefängnis kam, wo er in Sicherheit war. Der gute alte Sheriff. Die meisten Sheriffs, mit denen Noose zu tun hatte, hätten den Teenager durch den Fleischwolf gedreht und ein zehnseitiges Geständnis aus ihm herausgepresst.

Und damit waren sie beim Thema. »Jake, ich möchte, dass Sie den Jungen bis zum ersten Gerichtstermin vertreten«, sagte der Richter. »Ich weiß nicht, ob es zu einem Prozess kommen wird, aber die Möglichkeit besteht natürlich. Niemand sonst in Clanton hatte in letzter Zeit mit einem Mord zu tun, auf den die Todesstrafe steht, und ich weiß, dass ich mich auf Sie verlassen kann. Falls die Sache tatsächlich verhandelt wird, werde ich noch mal auf das Mandat zurückkommen und versuchen, jemand anderen zu finden.«

Jake schloss die Augen und nickte. »Sie und ich wissen, dass der Fall vermutlich bis zum Schluss an mir hängen bleiben wird, wenn ich jetzt zusage«, warf er ein.

»Nicht unbedingt. Ich habe gerade mit Roy Browning drüben in Oxford gesprochen. Ein sehr guter Anwalt. Kennen Sie ihn?«

»Jeder kennt Roy.«

»Er hat dieses Jahr schon zwei Mordprozesse übernommen und sehr viel zu tun, aber er hat einen jungen Partner, auf den er große Stücke hält. Er hat mir versprochen, dass sie sich den Fall ansehen werden, wenn es zum Prozess kommt. Aber im Moment brauche ich jemanden, der mit dem Jungen redet und ihn vor der Polizei schützt. Ich will mich nicht mit einem falschen Geständnis oder einem Gefängnisspitzel herumschlagen müssen.«

»Ich habe vollstes Vertrauen in Ozzie.«

»Ich auch, Jake, aber es geht um einen toten Polizisten, und Sie wissen, wie sehr sich seine Kollegen in etwas hineinsteigern können. Mir wäre wohler, wenn der Junge einen Rechtsbeistand hätte. Ich werde das Mandat auf dreißig Tage beschränken. Sie gehen rüber ins Gefängnis, reden mit dem Jungen, und dann treffen wir uns am Dienstag um neun Uhr vor Beginn der Sitzung. Von Ihnen sind ja, glaube ich, noch ein paar Anträge im Fall *Smallwood* anhängig.«

»Aber ich habe das Opfer gekannt.«

»Na und? Clanton ist eine kleine Stadt. Hier kennt jeder jeden.«

»Richter Noose, Sie setzen mich ziemlich unter Druck.«

»Das tut mir leid, Jake, und es tut mir auch leid, dass ich Sie an einem Sonntag stören muss. Aber die Lage könnte brenzlig werden, daher braucht es jetzt eine ruhige Hand. Jake, ich vertraue Ihnen, und deshalb bitte ich Sie, den Fall zu übernehmen. Als junger Anwalt habe ich gelernt, dass wir uns unsere Mandanten nicht immer aussuchen können.«

Und warum ist das so?, fragte sich Jake insgeheim. »Ich würde gern mit meiner Frau darüber sprechen. Wie Sie wissen, haben wir vor fünf Jahren eine Menge wegen Hailey durchgemacht, und ich glaube, sie hat auch etwas dazu zu sagen.«

»Jake, das ist etwas ganz anderes als der Fall Hailey.«

»Mag sein, aber das Opfer ist Polizist, und jeder Anwalt, der den mutmaßlichen Mörder vertritt, muss mit einer heftigen Reaktion der Bevölkerung rechnen. Sie sagten es ja schon, Richter Noose: Clanton ist eine kleine Stadt.«

»Jake, Sie müssen diesen Fall übernehmen.«

»Ich werde mit Carla darüber reden und Dienstagmorgen zu Ihnen ins Gericht kommen, wenn Ihnen das recht ist.«

»Der Junge braucht sofort einen Anwalt. Soweit ich gehört habe, hat er keinen Vater, und seine Mutter liegt im Krankenhaus. Andere Angehörige hier in der Gegend gibt es nicht. Er hat die Tat bereits gestanden, daher muss er jetzt unbedingt den Mund halten. Ja, wir trauen Ozzie beide, aber ich bin sicher, dass es ein paar Hitzköpfe im Gefängnis gibt, denen man nicht trauen kann. Sprechen Sie mit Ihrer Frau, und rufen Sie mich in zwei Stunden wieder an.«

Ein lautes Klicken, dann war die Leitung tot. Richter Noose hatte gerade einen Befehl erteilt und dann aufgelegt.

Am späten Nachmittag frischte der Märzwind auf, und es wurde kühler. Carla und Hanna hatten sich vor den Fernseher im Wohnzimmer gesetzt und sahen sich einen alten Film an. Jake verließ das Haus und machte einen langen Spaziergang durch die leeren Straßen von Clanton. Sonntags ging er häufig für ein oder zwei Stunden in die Kanzlei, wo er Akten durcharbeitete, für die er unter der Woche keine Zeit gehabt hatte, und alles aussortierte, was nicht ganz so dringend war. Zurzeit hatte er achtzig offene Fälle, doch nur eine Handvoll brachte ihm ein anständiges Honorar ein. Das war das Los eines Anwalts in einer kleinen, armen Stadt.

Im Moment drehte sich alles um den Fall *Smallwood*, und die meisten anderen Angelegenheiten wurden ignoriert.

Die Fakten waren so einfach wie kompliziert. Taylor Smallwood, seine Frau Sarah und zwei ihrer drei Kinder waren ums Leben gekommen, als ihr kleines Auto an einem gefährlichen Bahnübergang in der Nähe der Grenze zu Polk County mit einem

Güterzug zusammengestoßen war. Der Unfall ereignete sich an einem Freitagabend gegen 22.30 Uhr. Ein Zeuge in einem Pick-up hundert Meter hinter der Familie sagte aus, die roten Blinklichter am Bahnübergang hätten zum Zeitpunkt des Zusammenstoßes nicht funktioniert. Der Lokführer und der Bremser des Zuges schworen, sie seien in ordnungsgemäßem Zustand gewesen. Der Bahnübergang lag am Fuß eines steilen Hügels, der knapp einen Kilometer weiter ein Gefälle von fünfzig Grad aufwies.

Zwei Monate vorher hatte Sarah ihr drittes Kind, Grace, geboren. Zum Zeitpunkt des Unfalls war das Baby bei Taylors Schwester, die in Clanton lebte.

In der Regel versetzte ein schwerer Unfall die örtliche Anwaltschaft in wilde Aufregung, da sämtliche Kanzleien in der Stadt versuchten, das Mandat an Land zu ziehen. Jake hatte noch nie von der Familie gehört und war von vornherein chancenlos. Harry Rex dagegen hatte Sarahs Schwester bei ihrer Scheidung vertreten, und das zur vollsten Zufriedenheit seiner Mandantin. Während die Geier am Himmel kreisten, schlug er zu und ließ sich von diversen Familienmitgliedern einen Vertrag unterschreiben. Dann fuhr er zum Gericht, beantragte die Vormundschaft für Grace, die Alleinerbin und Klägerin, und verklagte die Eisenbahn, Central & Southern, auf zehn Millionen Dollar Schadenersatz.

Harry Rex kannte seine Grenzen, und ihm war klar, dass er vielleicht nicht der Richtige war, um eine Jury zu beeindrucken. Er hatte einen viel besseren Plan. Er bot Jake die Hälfte seines Honorars an, wenn dieser den Fall als Hauptanwalt übernahm, den größten Teil der Arbeit erledigte und auf einen Prozess drängte. Harry Rex hatte selbst erlebt, wie Jake im Hailey-Prozess ein Wunder vollbracht hatte. Wie alle anderen hatte er fasziniert verfolgt, wie sein Freund die Geschworenen in seinen Bann gezogen hatte. Wenn es Jake gelang, die richtigen Fälle zu bekommen, würde er eines Tages eine Menge Geld im Gerichtssaal verdienen können.

Die beiden vereinbarten den Deal mit Handschlag. Jake würde eine aggressive Rolle einnehmen und darauf vertrauen, dass Richter Noose das Verfahren beschleunigte. Harry Rex würde sich im Hintergrund halten und die Offenlegung der Beweismittel übernehmen, Sachverständige beauftragen, die Anwälte der Versicherungsgesellschaft einschüchtern und – das Wichtigste – die Geschworenen auswählen. Sie arbeiteten gut zusammen, vor allem, weil sie sich gegenseitig jede Menge Freiraum ließen.

Die Eisenbahngesellschaft versuchte, den Fall an einem Bundesgericht verhandeln zu lassen, das in der Regel weniger wohlwollende Entscheidungen traf, doch Jake blockierte die Verlegung mit einer Reihe von Anträgen, denen Noose stattgab. Bis jetzt hatte der Richter wenig Verständnis für die Anwälte der Gegenseite und deren übliche Verzögerungstaktiken gezeigt.

Die Strategie war ganz einfach: Sie mussten lediglich beweisen, dass der Bahnübergang gefährlich, schlecht konstruiert, nicht ordnungsgemäß gewartet und für Beinahezusammenstöße berüchtigt war und dass die Blinklichter am Abend des Unglücks nicht funktioniert hatten. Die Gegenseite hatte es genauso einfach: Taylor Smallwood war in den vierzehnten Güterwagen gefahren, ohne auch nur für einen Moment auf die Bremse getreten zu haben. Wie kann es sein – egal ob nachts oder am helllichten Tag –, dass jemand einen Eisenbahnwaggon übersieht, der viereinhalb Meter hoch und zwölf Meter lang und mit knallgelben reflektierenden Warnschildern versehen ist?

Die Klägerin hatte gute Argumente, weil der Schaden immens war. Die Gegenseite hatte gute Argumente, weil die Fakten unübersehbar waren.

Seit fast einem Jahr weigerten sich die Anwälte der Versicherung der Eisenbahngesellschaft, über einen Vergleich zu sprechen. Doch jetzt, wo der Richter dabei war, einen Verhandlungstermin festzulegen, war Harry Rex fest davon überzeugt, dass bald Geld auf dem Tisch liegen würde. Er kannte einen der gegnerischen Anwälte vom Jurastudium und war mit ihm durch die Kneipen gezogen.

Jake war es am liebsten, wenn er niemanden in der Kanzlei antraf, was zurzeit eher selten der Fall war. Portia Lang, seine Sekretärin, war sechsundzwanzig und hatte sechs Jahre in der Army gedient, bevor sie bei ihm angefangen hatte. In sechs Monaten würde sie mit dem Jurastudium an der Ole Miss beginnen. Ihre Mutter, Lettie, hatte vor zwei Jahren ein kleines Vermögen geerbt, und Jake hatte es mit einer ganzen Horde von Anwälten aufgenommen, um das angefochtene Testament durchzusetzen. Portia war von dem Fall so beeindruckt gewesen, dass sie beschlossen hatte, Jura zu studieren. Sie träumte davon, die erste schwarze Anwältin in Ford County zu werden, und war auch auf dem besten Weg dazu. Denn Portia nahm nicht nur Telefonanrufe entgegen und kümmerte sich um Mandanten und sonstige Besucher, damit Jake den Rücken frei hatte, sie lernte auch, wie man juristische Recherchen durchführte und einfache Schriftsätze verfasste. Sie und Jake waren gerade dabei, eine Vereinbarung auszuhandeln, nach der sie in Teilzeit weiterarbeiten würde, doch beide wussten, dass das im ersten Jahr so gut wie unmöglich sein würde.

Um ihr Leben noch komplizierter zu machen, hatte es sich Lucien Wilbanks, Eigentümer des Gebäudes und ehemaliger Chef der Kanzlei, angewöhnt, an mindestens drei Vormittagen in der Woche vorbeizukommen und ihnen auf die Nerven zu gehen. Da Lucien vor Jahren die Zulassung verloren hatte, konnte er keine Fälle übernehmen und auch keine Mandanten vertreten, weshalb er viel zu viel Zeit damit verbrachte, seine Nase in Jakes Angelegenheiten zu stecken und ungefragt Ratschläge zu erteilen. Er behauptete oft, für die Zulassungsprüfung zu lernen, was für einen alten Mann, der nach jahrelangem Alkoholkonsum den größten

Teil seiner intellektuellen Leistungsfähigkeit verloren hatte, eine monumentale Herausforderung darstellte. Lucien versicherte, dass er die Finger von dem Barschrank bei sich zu Hause ließ, wenn er regelmäßige Arbeitszeiten in der Kanzlei hatte, doch es dauerte nicht lange, bis er an seinem Schreibtisch zu trinken begann. Er hatte einen kleinen Konferenzraum im Erdgeschoss in Beschlag genommen, weit weg von Jake, aber entschieden zu nah bei Portia, und verbrachte die Nachmittage in der Regel damit, die Füße auf den Schreibtisch zu legen und sein in flüssiger Form zu sich genommenes Mittagessen wegzuschnarchen.

Lucien hatte Portia gegenüber ein einziges Mal eine anzügliche Bemerkung gemacht, woraufhin sie gedroht hatte, ihm das Genick zu brechen. Seitdem war nichts mehr vorgefallen, doch ihr war es lieber, wenn er nicht da war.

Schließlich gab es noch Beverly, eine ehemalige Mandantin, die zwanzig Stunden die Woche in die Kanzlei kam und die meisten Schreibarbeiten erledigte. Beverly war eine ausgesprochen liebenswürdige Dame mittleren Alters, deren Leben sich ausschließlich um Zigaretten drehte. Sie rauchte Kette, wusste, dass ihre Angewohnheit sie irgendwann ins Grab bringen würde, und hatte jede nur erdenkliche Methode ausprobiert, um damit aufzuhören. Ihre Sucht machte eine Vollzeitstelle und einen Ehemann unmöglich. Jake gab ihr ein Büro hinter der Küche, in dem sie alle Fenster und Türen offen lassen und umgeben von blauem Dunst in die Tasten hauen konnte. Trotzdem roch alles, was Beverly berührte, nach kaltem Rauch, und Jake fragte sich, wie lange sie durchhalten würde. Portia gegenüber stellte er Vermutungen an, dass Beverly an Lungenkrebs sterben könnte, bevor er ihr kündigen musste. Doch Portia beschwerte sich nicht, genauso wenig wie Lucien, der immer noch Zigarren auf seiner Veranda rauchte und häufig selbst wie ein Aschenbecher stank.

Jake ging nach oben in sein großzügiges Büro, schaltete aber nicht das Licht ein, damit niemand auf ihn aufmerksam wurde. Selbst an Sonntagnachmittagen war es schon vorgekommen, dass Leute unten an die Tür klopften. Allerdings nicht oft. Nicht oft genug. An manchen Tagen fragte er sich, wo seine nächsten Mandanten herkommen sollten. An anderen dagegen wollte er sie alle zusammen wieder loswerden.

Im Halbdunkel streckte er sich auf dem alten Ledersofa aus, das die Wilbanks-Brüder vor Jahrzehnten gekauft hatten, starrte den verstaubten Deckenventilator an und fragte sich, wie lange er wohl schon dort hing. Wie sehr hatte sich der Beruf des Anwalts im Lauf der Jahre geändert? Mit welchen ethischen Konflikten hatten die Anwälte damals zu kämpfen gehabt? Hatten sie Angst vor Repressalien gehabt, wenn sie einen Mörder vertreten hatten?

Jake musste lächeln, als er an die Geschichten dachte, die er über Lucien gehört hatte. Der Anwalt war der erste und viele Jahre der einzige Weiße im Ortsverband der schwarzen Bürgerrechtsorganisation NAACP gewesen. Das Gleiche später bei der amerikanischen Bürgerrechtsunion ACLU. Er hatte Gewerkschaften vertreten, was im ländlichen Norden Mississippis Seltenheitswert hatte. Er hatte den Staat wegen der Todesstrafe verklagt. Er hatte die Stadt verklagt, weil sie sich weigerte, die Straßen in Lowtown zu asphaltieren. Lucien Wilbanks war bis zum Entzug seiner Zulassung ein furchtloser Anwalt gewesen, der keine Sekunde zögerte, vor Gericht zu gehen, wenn er es für notwendig hielt, und keinen Mandanten im Stich ließ, der ungerecht behandelt wurde.

Lucien war jetzt schon seit elf Jahren zum Nichtstun verdammt, aber immer noch ein guter Freund, der sich über Jakes Erfolg freute. Wenn Jake ihn gefragt hätte, dann hätte Lucien ihm zweifellos geraten, nicht nur die Verteidigung des jungen Drew Gamble zu übernehmen, sondern dies auch mit möglichst viel Aufsehen zu tun. Verkünden Sie seine Unschuld! Verlangen Sie einen schnellen Prozess! Lucien war immer der Meinung gewesen, dass jeder, der einer schweren Straftat angeklagt war, einen guten Anwalt verdient hatte. Und er hatte während seiner ganzen schillernden Karriere kein einziges Mal die Aufmerksamkeit gescheut, die ein umstrittener Mandant verursachen konnte.

Jakes anderer enger Freund, Harry Rex, hatte ihm bereits gesagt, was er von der Sache hielt, und es gab keinen Grund, ihn erneut darauf anzusprechen. Carla war immer noch unschlüssig. Noose wartete auf seinen Anruf.

Wegen der Kofers machte er sich keine Gedanken. Er kannte sie nicht und vermutete, dass sie im südlichen Teil des Countys wohnten. Jake war siebenunddreißig und seit zwölf Jahren als Anwalt tätig, und das ohne diese Familie als Mandanten. Er würde auch in Zukunft erfolgreich sein, ohne ihre Bekanntschaft gemacht zu haben.

Er musste an die Cops denken – die Beamten der städtischen Polizeibehörde, Ozzie, dessen Deputys. Sechs Tage die Woche frühstückte Jake vier Häuser weiter im Coffee-Shop, und häufig wartete dort bereits Marshall Prather mit der ersten scherzhaft gemeinten Beleidigung des Tages auf ihn. Jake hatte viele Polizisten juristisch beraten und wusste, dass er ihr Lieblingsanwalt war. DeWayne Looney hatte damals gegen Carl Lee Hailey ausgesagt und die Geschworenen überrascht, als er zugegeben hatte, den Mann zu bewundern, der ihm das Bein weggeschossen hatte. Mick Swayze hatte einen durchgeknallten Cousin, den Jake per Gerichtsbeschluss in eine psychiatrische Anstalt einweisen ließ, ohne dem Deputy etwas dafür zu berechnen.

Allerdings war es nicht gerade viel – Testamente, Urkunden und Kleinkram, für den Jake nur wenig in Rechnung stellte. Und häufig verlangte er gar nichts.

Während er den Deckenventilator anstarrte, musste er sich eingestehen, dass ihm bis jetzt noch kein einziger Polizist einen anständigen Fall gebracht hatte. Würden sie es denn nicht verstehen, wenn er Drew vertrat? Sicher, sie waren schockiert, weil einer ihrer Kollegen ermordet worden war, aber ihnen war doch bestimmt klar, dass irgendjemand, irgendein Anwalt den Beschuldigten vertreten musste. Vielleicht ging es ihnen besser, wenn Jake dieser Anwalt war, ein Freund, dem sie vertrauten.

War er im Begriff, eine mutige Entscheidung zu treffen oder den größten Fehler seiner Karriere zu begehen?

Schließlich stand er auf und ging zu seinem Schreibtisch. Er nahm den Telefonhörer ab und rief Carla an.

Und dann wählte er die Nummer von Richter Noose.

# 6

Es war dunkel, als Jake die Kanzlei verließ, und noch dunkler, als er den menschenleeren Clanton Square umrundete. Fast acht Uhr an einem Sonntagabend, und alle Geschäfte und Coffee-Shops waren geschlossen. Vor dem Gefängnis herrschte allerdings Hochbetrieb. Während er die Straße hinunterging, sah er die willkürlich vor den Gebäuden geparkten Polizeiautos, die Übertragungswagen der Nachrichtensender – einer aus Tupelo, einer aus Jackson – und die vielen Männer, die sich vor dem Gefängnis herumdrückten, rauchten und leise miteinander redeten. Er spürte ein scharfes Stechen in der Magengegend und hatte das Gefühl, als würde er direkt in feindliches Gebiet laufen.

Jake kannte sich in der Anlage aus und beschloss, den weitläufigen Bürokomplex durch eine Hintertür in einer Seitenstraße zu betreten. Die einzelnen Gebäude waren im Laufe der Zeit erweitert und renoviert worden, allerdings hatte es nie einen genauen Plan darüber gegeben, was man vielleicht als Nächstes errichten würde. Außer etwa zwanzig Arrestzellen, dem Aufnahmebereich und diversen anderen Räumlichkeiten waren in dem Komplex auch das Sheriff's Department am einen Ende und die Stadtpolizei von Clanton am anderen untergebracht. Der Einfachheit halber nannte man das ganze Gebäude »Gefängnis«.

An diesem dunklen Abend war jeder zum Gefängnis gekommen, der auch nur im Entferntesten mit Polizeiarbeit zu tun hatte. Es war tatsächlich so etwas wie eine Familie; das tröstliche Gefühl, mit anderen zusammen zu sein, die ebenfalls eine Polizeimarke trugen.

Ein Wärter informierte Jake, Ozzie sei in seinem Büro, habe aber die Tür verriegelt. Jake bat ihn, dem Sheriff zu sagen, dass er ihn sprechen müsse und draußen in der Nähe des Hofs warte – einer eingezäunten Fläche, auf der die Häftlinge häufig Basketball und Dame spielten. Bei gutem Wetter setzten sich Jake und die anderen Anwälte der Stadt an einen alten Picknicktisch unter einem Baum und unterhielten sich durch den Maschendraht hindurch mit ihren Mandanten. Abends lag der Hof jedoch im Dunkeln, und die Häftlinge waren hinter Schloss und Riegel. Die kleinen Fenster der Zellen wurden durch Gitter aus dicken Eisenstäben gesichert.

Zurzeit hatte Jake keine Mandanten, die im Gefängnis saßen, bis auf seinen neuesten. Zwei Männer, die er vertreten hatte, verbüßten ihre Strafe im Staatsgefängnis in Parchman, beide wegen Drogenhandels. Einer von ihnen hatte eine Mutter mit einer großen Klappe, die Jake die Schuld am Niedergang ihrer Familie gab.

Eine Tür öffnete sich, und Ozzie trat heraus, allein. Er kam herüber, langsam, ohne Eile, als lastete ein Gewicht auf seinen Schultern oder als hätte er seit Tagen nicht geschlafen. Statt Jake die Hand hinzuhalten, ließ er seine Finger knacken und starrte auf den Gefängnishof.

»Harter Tag«, meinte Jake.

Ozzie nickte. »Der schlimmste bis jetzt«, sagte er. »Den Anruf habe ich heute Morgen um drei bekommen, und danach ging es Schlag auf Schlag. Es ist schwer, einen Deputy zu verlieren.«

»Mein Beileid, Ozzie. Ich habe Stuart gekannt und ihn gemocht. Ich kann mir nicht vorstellen, was ihr gerade durchmachen müsst.«

»Er war ein toller Kerl, und über seine Witze haben wir uns manchmal vor Lachen gekrümmt. Vielleicht hatte er auch eine dunkle Seite, aber darüber können wir nicht reden.«

»Bist du schon bei seiner Familie gewesen?«

Ozzie holte tief Luft und schüttelte den Kopf. »Ich bin zum Haus rausgefahren und habe mein Beileid ausgesprochen. Die Kofers sind nicht gerade das, was ich als psychisch stabil bezeichnen würde. Sie haben am Nachmittag hier angerufen und nach dem Jungen gefragt. Zwei von ihnen sind im Krankenhaus aufgetaucht und wollten mit der Mutter des Jungen reden. Solche Sachen. Ich habe einen Deputy abgestellt, der jetzt vor ihrem Zimmer sitzt. Jake, vor diesen Leuten solltest du dich besser in Acht nehmen.«

Genau das, was die Brigances brauchten. Noch mehr Verrückte, vor denen sie Angst haben mussten.

Ozzie räusperte sich und spuckte auf den Boden. »Ich habe gerade mit Noose gesprochen.«

»Ich auch«, erwiderte Jake. »Ein Nein wollte er nicht akzeptieren.«

»Er hat gesagt, dass er ziemlich Druck auf dich ausgeübt hat, weil du nichts damit zu tun haben wolltest.«

»Wer will mit diesem Fall etwas zu tun haben? Ganz bestimmt niemand von hier. Noose hat mir versprochen, dass er versuchen wird, einen Anwalt aus einem anderen County zu finden. Ich vertrete den Jungen nur bis zum ersten Gerichtstermin. Das ist zumindest der Plan.«

»Du hörst dich an, als wärst du dir nicht so sicher.«

»Bin ich auch nicht. Solche Fälle wird man nur schwer wieder los, vor allem, wenn der Rest der Kollegen untertaucht und nicht ans Telefon geht, wenn der Richter anruft. Das Mandat wird wahrscheinlich an mir kleben bleiben.«

»Warum hast du nicht einfach Nein gesagt?«

»Weil Noose mir das Messer an die Kehle gesetzt hat und weil es niemand anderen dafür gibt, zumindest jetzt nicht. Ozzie, zu jemandem wie Noose sagt man nicht einfach so Nein.«

»Kann ich mir denken.«

»Er hat mich ziemlich unter Druck gesetzt.«

»Ja, hat er gesagt. Jake, in dieser Sache stehen wir, glaube ich, nicht auf derselben Seite.«

»Wir stehen nie auf einer Seite. Du bringst sie ins Gefängnis, ich versuche, sie rauszuholen. Wir machen beide unseren Job.«

»Ich weiß nicht. Das ist irgendwie anders. Ich habe noch nie einen Deputy begraben müssen. Und es wird einen Prozess geben, einen großen, und du wirst tun, was gute Anwälte tun sollen. Du wirst den Jungen rausholen, richtig?«

»Bis dahin wird noch viel Zeit vergehen, Ozzie. Zurzeit denke ich nicht über einen Prozess nach.«

»Versuch mal, über eine Beerdigung nachzudenken.«

»Tut mir leid, Ozzie.«

»Schon gut. Die Woche wird bestimmt lustig.«

»Ich muss mit dem Jungen reden.«

Ozzie nickte in Richtung der Fenster, die auf der Rückseite des neuesten Anbaus lagen. »Da drüben.«

»Danke. Ozzie, du musst mir einen Gefallen tun. Ich kenne Marshall, Moss und DeWayne ganz gut. Das hier wird ihnen überhaupt nicht gefallen.«

»Da hast du recht.«

»Sei ehrlich und sag ihnen, dass Noose mir das Mandat aufgedrückt hat und dass ich mich nicht um den Fall gerissen habe.«

»Mache ich.«

Der Wärter öffnete die Tür und schaltete eine trübe Funzel ein. Jake folgte ihm, während seine Augen versuchten, sich an das Halbdunkel zu gewöhnen. Er war schon oft in der Jugendzelle gewesen.

Das normale Vorgehen wäre gewesen, dem Häftling Handschellen anzulegen und ihn den Gang hinunter zu einem Vernehmungsraum zu bringen, wo er mit seinem Anwalt sprechen konnte, während ein Wärter vor der Tür Wache hielt. Niemand konnte sich daran erinnern, dass jemals ein Anwalt von seinem Mandanten im Gefängnis angegriffen worden war, trotzdem war man vorsichtig. Es gab für alles ein erstes Mal, und die Kundschaft war nicht immer die beste.

Doch Ozzie und dem Wärter war klar, dass dieser Häftling keinerlei Bedrohung darstellte. Drew war völlig in sich gekehrt und weigerte sich zu essen. Seit seine Schwester vor zwölf Stunden gegangen war, hatte er kein einziges Wort gesagt.

»Soll ich vorsichtshalber die Tür offen lassen?«, flüsterte der Wärter.

Jake schüttelte den Kopf. Der Wärter verließ die Zelle und schloss die Tür hinter sich. Drew lag immer noch auf dem unteren Stockbett und versuchte, so wenig Platz wie möglich einzunehmen. Er hatte sich mit dem Rücken zur Tür unter einer dünnen Decke zusammengerollt und die Knie an die Brust gezogen, warm eingehüllt in seinen eigenen kleinen Kokon. Jake nahm sich einen Plastikstuhl und setzte sich, wobei er so viel Lärm wie möglich machte. Der Junge zuckte nicht einmal zusammen, er tat nichts, womit er seinem Besucher zu verstehen gab, dass er ihn bemerkt hatte.

Jake ließ die Stille auf sich wirken. Dann hustete er und sagte: »Hallo, Drew. Ich heiße Jake und würde gern mit dir reden.«

Nichts.

»Ich bin Anwalt, und der Richter hat mir deinen Fall zugeteilt.

Ich wette, dass ich nicht der erste Anwalt bin, den du kennenlernst, stimmt's?«

Nichts.

»Okay. Du und ich müssen Freunde sein, denn du wirst eine Menge Zeit mit mir, dem Richter und dem Justizsystem verbringen. Drew, bist du schon mal in einem Gerichtssaal gewesen?«

Nichts.

»Aus irgendeinem Grund bin ich mir sicher, dass du schon mal vor Gericht gestanden hast.«

Nichts.

»Drew, ich bin einer von den Guten. Ich bin auf deiner Seite.«

Nichts. Eine Minute verstrich, dann zwei. Die Decke hob und senkte sich leicht, wenn der Junge atmete. Jake konnte nicht erkennen, ob seine Augen offen waren.

Eine Minute verging. »Können wir über deine Mutter reden?«, fragte Jake schließlich. »Josie Gamble. Du weißt, dass es ihr gut geht, richtig?«

Nichts. Dann eine kleine Bewegung unter der Decke, als der Junge langsam die Beine ausstreckte.

»Und über deine Schwester, Kiera. Reden wir über Josie und Kiera. Sie sind beide in Sicherheit. Ich möchte, dass du das weißt.«

Nichts.

»Drew, so wird das nichts. Dreh dich um und sieh mich an. Das ist das Mindeste, was du tun kannst. Roll dich herum, sag Hallo und unterhalte dich mit mir.«

»Nein«, stieß der Junge hervor.

»Großartig, wir machen Fortschritte. Du kannst reden. Stell mir eine Frage zu deiner Mutter, okay? Irgendwas.«

»Wo ist sie?«, fragte Drew leise.

»Dreh dich um, setz dich auf und sieh mich an, wenn du mit mir sprichst.«

Drew rollte sich herum und setzte sich auf, wobei er achtgeben musste, nicht mit dem Kopf an den Rahmen des oberen Stockbetts zu stoßen. Dann zog er die Decke eng um den Hals, als könnte sie ihn beschützen, und beugte sich vor, während seine Füße vom Bettrand herunterbaumelten. Schmutzige Socken, die Schuhe standen neben der Toilette. Er starrte vor sich auf den Boden und kuschelte sich in die Decke.

Jake musterte das Gesicht und war sicher, dass hier ein Irrtum vorlag. Drews Augen waren gerötet und geschwollen, nachdem er den ganzen Tag unter der Decke gelegen und vermutlich mehr als nur ein Mal geweint hatte. Seine zerzausten blonden Haare hätten einen Schnitt gut gebrauchen können. Und er war sehr klein.

Mit sechzehn war Jake Quarterback an der Highschool von Karaway gewesen, das sechzehn Kilometer von Clanton entfernt lag. Außerdem hatte er Basketball und Baseball gespielt, sich rasiert, war Auto gefahren und mit jedem hübschen Mädchen ausgegangen, das Ja gesagt hatte. Der Junge vor ihm gehörte auf ein Fahrrad mit Stützrädern.

Small Talk war wichtig, daher sagte Jake: »Den Unterlagen nach bist du sechzehn Jahre alt, richtig?«

Keine Antwort.

»Wann hast du Geburtstag?«

Er starrte reglos auf den Boden.

»Drew, komm schon, du wirst doch wohl wissen, wann du Geburtstag hast.«

»Wo ist meine Mutter?«

»Sie ist im Krankenhaus, und dort wird sie auch noch ein paar Tage bleiben. Sie hat einen gebrochenen Kiefer, und ich glaube, die Ärzte wollen operieren. Ich werde morgen hinfahren und mit ihr reden, und ich würde ihr gern sagen, dass es dir gut geht. Den Umständen entsprechend.«

»Sie ist nicht tot?«

»Nein, Drew, deine Mutter ist nicht tot. Was soll ich ihr von dir ausrichten?«

»Ich dachte, sie wäre tot. Kiera hat das auch geglaubt. Wir dachten beide, dass Stu sie umgebracht hat. Deshalb habe ich ihn ja erschossen. Wie heißen Sie?«

»Jake. Ich bin dein Anwalt.«

»Der letzte Anwalt hat mich angelogen.«

»Das tut mir leid, aber ich lüge nicht. Ich schwöre, dass ich dich nicht anlügen werde. Frag mich etwas, irgendetwas, und ich verspreche, dass ich dir eine ehrliche Antwort geben und nicht lügen werde. Versuch's.«

»Wie lange muss ich im Gefängnis bleiben?«

Jake zögerte. »Ich weiß es nicht, und das ist keine Lüge«, sagte er schließlich. »Es ist die Wahrheit, denn im Moment weiß niemand, wie lange du im Gefängnis bleiben wirst. Eine einigermaßen zutreffende Antwort wäre ›lange‹. Man wird dich anklagen, Stuart Kofer getötet zu haben, und Mord ist das schwerste Verbrechen überhaupt.«

Der Junge sah Jake mit geröteten, in Tränen schwimmenden Augen an. »Aber ich dachte, er hätte meine Mutter umgebracht.«

»Das verstehe ich, doch die Wahrheit ist, dass er es nicht getan hat.«

»Ich bin trotzdem froh, dass ich ihn erschossen habe.«

»Ich wünschte, du hättest es nicht getan.«

»Es ist mir egal, wenn ich für immer im Gefängnis bleiben muss. Jetzt kann er meiner Mutter nie wieder wehtun. Und Kiera und mir auch nicht. Er hat bekommen, was er verdient hat, Mr. Jake.«

»Einfach nur ›Jake‹, okay? Drew und Jake. Anwalt und Mandant.«

Drew wischte sich mit dem Handrücken über die Wangen. Er kniff die Augen zusammen und begann zu zittern, als hätte er Schüttelfrost bekommen. Jake zog eine dünne Decke vom oberen

Stockbett und legte sie ihm um die Schultern. Drew schluchzte jetzt heftig, und Tränen liefen ihm über das Gesicht. Er weinte lange, ein bedauernswerter, verängstigter kleiner Junge, der ganz allein auf der Welt war. Eher ein kleiner Junge als ein Teenager, dachte Jake mehr als ein Mal.

Als das Zittern aufhörte, zog sich Drew wieder in seine Welt zurück und wollte weder etwas sagen noch Jake ansehen. Er wickelte sich in die Decken, legte sich hin und starrte auf den Lattenrost über sich.

Jake kam wieder auf die Mutter des Jungen zu sprechen, aber es funktionierte nicht mehr. Er fragte, ob Drew etwas zu essen oder einen Softdrink wolle, bekam jedoch keine Antwort. Zehn Minuten verstrichen, dann zwanzig. Als klar wurde, dass Drew nicht antworten würde, sagte Jake: »Drew, wir machen jetzt Schluss. Morgen fahre ich zu deiner Mutter und sage ihr, dass es dir ganz großartig geht. Während ich weg bin, wirst du mit niemandem reden. Mit keinem Wärter, keinem Polizisten, keinem Ermittler, niemandem, hast du verstanden? Für dich dürfte das kein Problem sein. Sag einfach nichts, bis ich wiederkomme.«

Jake ließ den Jungen so zurück, wie er ihn vorgefunden hatte: Wie in Trance auf dem Bett liegend, mit starrem, leerem Blick.

Er zog die Tür hinter sich zu. Am Empfang trug er sich aus der Besucherliste aus, ging ein paar vertrauten Gesichtern aus dem Weg und verließ das Gefängnis zu Fuß. Dann machte er sich auf den langen Weg nach Hause.

Aus Neugier legte er in der Nähe des Clanton Square einen kleinen Umweg ein und sah wie erwartet Licht in einem Bürogebäude brennen. Harry Rex arbeitete häufig spätabends, vor allem sonntags, um das zu erledigen, was unter der Woche liegen geblieben war. An fast allen Werktagen drängten sich miteinander verfeindete Ehepaare und andere unzufriedene Mandanten im tristen

Warteraum seiner Kanzlei, und er verbrachte mehr Zeit damit, als Schiedsrichter zu fungieren, als damit, Streitigkeiten beizulegen. Dazu kam noch, dass es mit seiner vierten Ehe bergab ging, weshalb er die spätabendliche Ruhe in der Kanzlei der gespannten Atmosphäre bei sich zu Hause vorzog.

Jake klopfte an ein Fenster und betrat das Gebäude durch die Hintertür. Harry Rex wartete in der kleinen Teeküche auf ihn, wo er zwei Dosen Bier aus dem Kühlschrank geholt hatte. Sie setzten sich in einen unaufgeräumten Arbeitsraum neben seinem Büro. »Warum bist du noch so spät unterwegs?«, fragte Harry Rex.

»Ich war im Gefängnis«, erwiderte Jake.

Harry Rex nickte, als wäre das keine große Überraschung für ihn. »Lass mich raten: Noose hat dir den Fall aufs Auge gedrückt.«

»Stimmt. Er sagte, es sei nur für dreißig Tage, so lange, bis der Junge seinen ersten Gerichtstermin hinter sich hat.«

»Quatsch. Den Fall wirst du nie wieder los, schon allein deshalb, weil ihn niemand übernehmen wird. Ich habe dich gewarnt.«

»Das hast du, aber Noose etwas abzuschlagen ist ziemlich schwierig. Wann hast du Noose das letzte Mal ins Gesicht gesehen und Nein zu ihm gesagt?«

»Ich gehe Noose aus dem Weg, und seinen Gerichtssaal betrete ich nur, wenn es unbedingt sein muss. Der Chancery Court ist mir lieber. Dort gibt es keine Geschworenen, und die Richter haben Angst vor mir.«

»Chancellor Reuben Atlee hat vor niemandem Angst.«

Harry Rex trank einen Schluck und sah Jake ungläubig an. Dann führte er die Dose noch einmal zum Mund und schob sich in dem alten Drehstuhl aus Holz ein Stück nach hinten. Im letzten Jahr hatte er zweiundzwanzig Kilo abgenommen, inzwischen jedoch mindestens genauso viel wieder zugenommen, sodass er wegen seiner Körperfülle Mühe hatte, die Füße auf den Tisch zu heben. Schließlich lagen sie dann doch an Ort und Stelle, in ausgelatschten alten Laufschuhen. Jake hätte schwören können, dass er die Treter schon seit mindestens einem Jahrzehnt besaß. »Wie kann man nur so blöd sein«, sagte Harry Rex schließlich, Füße in Position, kaltes Bier in der Hand.

»Das Bier nehme ich gerne, auf die Beleidigung kann ich verzichten.«

»Mein Telefon hat den ganzen Tag geklingelt. Die Gerüchteküche kocht, mich haben Leute angerufen, von denen ich dachte, sie wären schon längst tot, jedenfalls habe ich das von den meisten gehofft«, fuhr Harry Rex fort, als hätte er ihn nicht gehört. »Aber jetzt mal im Ernst: Mord an einem Deputy? Das ist im County noch nie passiert und zurzeit das einzige Gesprächsthema in der Stadt. Morgen und übermorgen und den Rest der Woche über wird es genauso sein. Und jeder wird behaupten, Stuart Kofer sehr geschätzt zu haben. Selbst die Scherzkekse, die ihn so gut wie gar nicht gekannt haben, werden plötzlich tiefe Bewunderung für den Kerl empfinden. Und erst die Beerdigung oder die Trauerfeier oder was auch immer Ozzie mit der Familie auf die Beine stellen wird. Großer Gott, du weißt doch selbst, dass Cops Paraden, Trauerzüge und Beerdigungen mit Gewehren und Kanonen lieben. Es wird ein ziemliches Gedränge geben, wenn die ganze Stadt versucht, bei dem Spektakel dabei zu sein. Und wenn die Leute nicht damit beschäftigt sind, um Kofer zu trauern, werden sie seinen Mörder verunglimpfen. Ein sechzehnjähriger Punk hat ihn mit seiner eigenen Waffe in seinem eigenen Bett erschossen. Kaltblütiger Mord. Wir sollten ihn am besten gleich aufhängen. Und wie immer wird die Schuld auf den Anwalt abfärben, auf dich, Jake. Du wirst dein Bestes tun, um deinen Mandanten zu vertreten, und dafür werden sie dich hassen. Es war ein Fehler, Jake, ein großer Fehler. Diesen Fall wirst du noch lange bereuen.«

»Harry Rex, du stellst zu viele Vermutungen an. Noose hat mir versichert, dass es nur vorübergehend ist. Ich habe am Dienstag einen Termin bei ihm, dann werde ich vorschlagen, ein paar Kinderschutzorganisationen anzurufen, damit sie Unterstützung herschicken. Der Richter weiß, dass der Fall nicht gut für mich ist.«

»Hast du mit ihm über *Smallwood* gesprochen?«

»Natürlich nicht. Das wäre höchst unangebracht gewesen.«

Harry Rex schnaubte und trank noch einen Schluck

Es verstieß gegen die Standesregeln, mit dem vorsitzenden Richter über einen strittigen Fall zu sprechen, wenn die Anwälte der Gegenseite nichts davon wussten. Von solchen Formalitäten hatte sich Harry Rex allerdings noch nie beeindrucken lassen.

»Jake, ich werde dir jetzt mal sagen, was passieren könnte, und das macht mir am meisten Sorgen«, gab er zurück. »Die Scheißkerle von der Gegenseite werden gerade ziemlich nervös. Ich habe Doby davon überzeugt, dass sie sich besser nicht in einem Gerichtssaal mit uns anlegen, und schon gar nicht vor Geschworenen aus Ford County. Du bist gut, aber bei Weitem nicht so gut, wie ich das behauptet habe. Ich habe ihm ziemlich viel Zucker in den Arsch geblasen, und er ist sowieso kein guter Prozessanwalt. Sein Partner ist besser, aber die beiden sind aus Jackson, und das ist sehr weit weg. Sullivan wird mit ihnen zusammen am Tisch sitzen, aber der ist kein Faktor. Wir reden hier über einen Verhandlungstermin für *Smallwood,* und ich habe da so eine Ahnung, dass die Eisenbahngesellschaft in Kürze damit anfangen wird, Bemerkungen über einen Vergleich fallen zu lassen. Aber.« Ein großer Schluck Bier, dann war die Dose leer. »Gestern warst du der Goldjunge mit tadellosem Ruf, was sich ab heute jedoch ändern wird. Am Ende der Woche wird dein guter Name nichts mehr wert sein, weil du versuchst, den Jungen freizubekommen, der unseren Deputy ermordet hat.«

»Ich bin mir nicht sicher, ob es Mord war.«

»Jake, du bist verrückt. Ich glaube, du hast wieder zu viel Zeit mit Lucien verbracht.«

»Nein, heute nicht. Es könnte Schuldunfähigkeit sein. Oder gerechtfertigte Tötung.«

»Könnte sein. Ich will dir mal sagen, was es ist. Für dich und deine Kanzlei in dieser kleinen, nachtragenden Stadt ist es Selbstmord. Selbst wenn du Noose bei Laune hältst, wird dieser Fall das Ende von *Smallwood* sein. Begreifst du das denn nicht?«

»Du reagierst schon wieder übertrieben, Harry Rex. In Ford County wohnen zweiunddreißigtausend Menschen, und ich bin mir sicher, dass wir zwölf Leute finden werden, die noch nie von mir oder Stuart Kofer gehört haben. Die Anwälte der Eisenbahngesellschaft können nicht im Gerichtssaal auf mich zeigen und sagen: ›Hey, dieser Kerl verteidigt Polizistenmörder.‹ Das können sie nicht machen, und Noose wird dafür sorgen, dass sie es gar nicht erst versuchen.«

Harry Rex nahm die Füße vom Tisch und stand auf, als hätte er genug. Er ging in die Küche, holte zwei weitere Bier und stellte sie auf den Tisch. Er öffnete eine der Dosen und fing an, am Ende des Tisches hin- und herzugehen. »Jake, du hast ein Problem. Du willst im Mittelpunkt des Interesses stehen. Deshalb hast du auch so um den Hailey-Fall gekämpft, obwohl alle schwarzen Prediger und Bürgerrechtler und Fundamentalisten Carl Lee gesagt haben, er soll den weißen Jungen feuern, bevor die Geschworenen seinen schwarzen Arsch nach Parchman schicken. Du hast darum gekämpft, den Fall zu behalten, und dann hast du für Carl Lee einen Freispruch erreicht. Du liebst das, Jake. Ich erwarte nicht, dass du es zugibst, aber du liebst den großen Fall, den großen Prozess, das große Urteil. Du liebst es, in der Mitte der Arena zu stehen, während alle Augen auf dich gerichtet sind.«

Jake ignorierte die zweite Dose und trank einen Schluck aus seiner ersten.

»Was meint Carla dazu?«, fragte Harry Rex.

»Gemischte Gefühle. Sie ist es leid, dass ich eine Waffe mit mir herumtrage.«

Harry Rex trank wieder von seinem Bier, setzte die Dose ab und starrte ein Regal mit dicken, in Leder gebundenen juristischen Abhandlungen an, die seit Jahrzehnten niemand mehr aus seiner Kanzlei angefasst hatte. Nicht einmal zum Abstauben. »Hast du gerade ›gerechtfertigte Tötung‹ gesagt?«, fragte er, ohne Jake anzusehen.

»Ja, habe ich.«

»Du bist doch schon beim Prozess, habe ich recht, Jake?«

»Nein, ich denke nur laut nach. Reine Gewohnheit.«

»Quatsch. Du bist schon beim Prozess und planst die Verteidigung. Hat Kofer die Frau geschlagen?«

»Sie liegt mit einem gebrochenen Kiefer im Krankenhaus, der operiert werden muss.«

»Hat er die Kinder der Frau geschlagen?«

»Das weiß ich nicht.«

»Kofer kommt also regelmäßig samstagabends besoffen nach Hause und verprügelt alle. Und du wirst deine Verteidigung darauf ausrichten, dass du im Grunde genommen ihn vor Gericht stellst. Du wirst ihn verleumden und alle seine Sünden und schlechten Angewohnheiten ausposaunen.«

»Wenn es stimmt, ist es keine Verleumdung.«

»Jake, das könnte ein sehr hässlicher Prozess werden.«

»Tut mir leid, dass ich damit angefangen habe, Harry Rex. Aber ich habe nicht vor, auch nur in der Nähe des Gerichtssaals zu sein, falls es dazu kommen sollte.«

»Jetzt lügst du.«

»Nein. Ich denke über Prozesse nach, weil ich Anwalt bin, aber diesen hier muss jemand anders machen. Wenn ich den ersten Gerichtstermin hinter mir habe, werde ich den Jungen abgeben.«

»Das bezweifle ich, und zwar ganz gehörig, Jake. Ich hoffe nur, dass du *Smallwood* nicht vermasselst. Stuart Kofer, seine Freundinnen oder Leute, die ich nicht kenne, gehen mir so was von am Arsch vorbei, aber *Smallwood* ist mir nicht egal. Dieser Fall könnte der größte Zahltag unserer beschissenen kleinen Karrieren sein.«

»Ich weiß nicht. Für den Hailey-Fall habe ich tausend Dollar bekommen.«

»Mehr wirst du für den Flop jetzt auch nicht kriegen.«

»Na ja, wenigstens steht Noose auf unserer Seite.«

»Fürs Erste. Ich traue ihm genauso wenig wie du.«

»Hast du schon mal einen Richter getroffen, dem du traust?«

»Nein. Und einen Anwalt auch nicht.«

»Ich werde jetzt gehen. Harry Rex, du musst mir einen Gefallen tun.«

»Einen Gefallen? Im Augenblick würde ich dich gern erwürgen.«

»Ja, aber das wirst du nicht tun. Morgen früh um sechs werde ich den Coffee-Shop betreten und Marshall Prather einen guten Morgen wünschen. So wie immer. Vielleicht sitzen auch noch ein oder zwei andere Deputys mit ihm am Tisch. Ich brauche Unterstützung.«

»Du hast den Verstand verloren.«

»Jetzt sag schon Ja. Denk dran, was für verrücktes Zeug ich schon alles für dich getan habe.«

»Auf keinen Fall. Da musst du allein durch. Morgen früh wirst du mal wieder am eigenen Leib erfahren, was es heißt, Strafverteidiger in einer Kleinstadt zu sein.«

»Hast du Angst davor, mit mir zusammen gesehen zu werden?«

»Nein. Ich habe Angst davor, so früh aufstehen zu müssen. Hau ab, Jake. Du triffst deine Entscheidungen selbst, ohne Rücksicht auf andere. Ich bin stocksauer und habe vor, das noch eine ganze Weile zu bleiben.«

»Das hast du schon mal gesagt.«

»Dieses Mal ist es mir ernst damit. Wenn du den liberalen Anwalt spielen willst, kannst du ja deinen Kumpel Lucien bitten, dich zu begleiten. Mal sehen, wie die Einheimischen auf ihn reagieren.«

»Er kann nicht so früh aufstehen.«

»Und wir wissen beide, warum.«

Hanna war schlafen gegangen, Jake noch unterwegs, daher setzte sich Carla vor den Fernseher und wartete auf die Zehn-Uhr-Nachrichten. Sie schaltete zuerst einen Lokalsender aus Tupelo ein, bei dem der Mord an Stuart Kofer wie zu erwarten der Aufmacher war, mit einem großen Farbfoto des Deputy in gestärktem Uniformhemd als Hintergrund. Details wurden immer noch zurückgehalten. Ein Verdächtiger, minderjährig, Name wurde nicht genannt, befinde sich in Gewahrsam. Es gab Filmmaterial eines Rettungswagens, der vom Haus Kofers wegfuhr, vermutlich mit einer Leiche, die aber nicht zu sehen war. Kein Kommentar des Sheriffs oder eines anderen offiziellen Vertreters. Kein Kommentar von irgendjemandem, trotzdem gelang es der unerschrockenen Reporterin am Tatort, ganze fünf Minuten über den Mord zu berichten und so gut wie keine Informationen zu geben. Als Füller wurden Live-Aufnahmen des Gerichtsgebäudes und sogar des Gefängnisses in Clanton gesendet, vor dem ein paar ankommende und wegfahrende Streifenwagen gefilmt wurden. Carla wechselte zu einem Sender aus Memphis und erfuhr sogar noch weniger, allerdings enthielt der Bericht vage Andeutungen über »häusliche Gewalt« und spekulierte, dass Kofer zum Schauplatz des Geschehens gerufen worden und irgendwie zwischen die Fronten geraten sei. Es war kein Reporter vor Ort, der mehr hätte herausfinden können. Anscheinend war die Nachrichtenredaktion am Wochenende nur mit einem Praktikanten besetzt, der sich etwas aus den Fingern gesogen hatte. Ein anderer Sender aus Memphis begann seine Reportage mit einer Aufzählung darüber, wie viele

Menschen an diesem Tag bei Einbrüchen, Bandenkriegen und Morden in der Stadt ums Leben gekommen waren. Als es dann endlich um die echten Nachrichten und Kofer ging, wurde es noch schlimmer. Angeblich war er der erste »in Ausübung seiner Pflichten« getötete Polizeibeamte in Ford County, seit ein Schwarzbrenner dort 1922 zwei Deputys erschossen hatte. Es war dann auch keine große Überraschung mehr, dass der Reporter den Eindruck entstehen ließ, illegaler Whiskey, Drogen und andere Gesetzlosigkeiten seien im County immer noch an der Tagesordnung, ganz im Gegensatz zu den sicheren Straßen von Memphis.

Während der letzten Reportage kam Jake nach Hause. Carla schaltete den Fernseher aus und gab ihm eine Zusammenfassung der Nachrichten. Er wollte einen koffeinfreien Kaffee haben. Sie kochte eine Kanne voll, dann setzten sie sich mit ihren Tassen an den Frühstückstisch, an dem ihr langer Tag begonnen hatte.

Jake erzählte ihr von den Gesprächen mit Ozzie, Drew und Harry Rex und gestand, dass ihm vor der nächsten Woche graute. Carla bedauerte ihren Mann, war aber sichtlich beunruhigt. Ihr wäre es am liebsten gewesen, wenn sich der Fall einfach in Luft aufgelöst hätte.

# 7

Nach dem Abendgottesdienst am Sonntag berief Reverend McGarry eine Sondersitzung des Ältestenrats ein. Sieben der zwölf Mitglieder, vier Frauen und drei Männer, versammelten sich bei Kaffee und Keksen im Gemeindesaal. Kiera war nebenan in dem kleinen Pfarrhaus, zusammen mit Meg McGarry, der Frau des Pastors, und aß ein Sandwich.

Der junge Prediger erklärte, da Kiera im Moment keine andere Bleibe habe, werde sie bei ihnen wohnen, bis – bis was? Bis ein

Verwandter auftauchte, der sie mitnahm, was aber nicht sehr wahrscheinlich war? Bis irgendwo irgendein Gericht einen Beschluss erließ? Bis ihre Mutter aus dem Krankenhaus entlassen wurde und die Stadt mit ihr zusammen verlassen konnte? Ungeachtet dessen sei Kiera jetzt inoffizielles Mündel der Kirche. Außerdem sei sie traumatisiert und brauche professionelle Hilfe. Den ganzen Nachmittag über habe sie von nichts anderem als ihrer Mutter und ihrem Bruder gesprochen und davon, dass sie die beiden unbedingt sehen wolle.

Meg hatte im Krankenhaus angerufen und mit einem Mitarbeiter gesprochen, der ihr versichert hatte, dass man ein Klappbett für das Mädchen bereitstellen werde, damit es bei seiner Mutter bleiben könne. Zwei der weiblichen Ältesten erboten sich, die Nacht im Wartezimmer am Ende des Flurs zu verbringen. Es gab Diskussionen über Essen, Kleidung und Schule.

Charles war fest davon überzeugt, dass Kiera zumindest für ein paar Tage nicht zur Schule gehen sollte. Sie sei viel zu labil, außerdem könne man davon ausgehen, dass einer der Schüler etwas Verletzendes zu ihr sagen werde. Schließlich wurde vereinbart, das Thema Schule jeden Tag neu zu bewerten. Ein Gemeindemitglied unterrichtete Mathematik an der Mittelstufe der Schule und versprach, mit dem Direktor zu reden. Ein anderes Mitglied hatte eine Cousine, die Kinder- und Jugendpsychologin war, und wollte sich nach Therapiemöglichkeiten erkundigen.

Nachdem die Ältesten das weitere Vorgehen abgesprochen hatten, fuhren sie Kiera um zweiundzwanzig Uhr ins Krankenhaus, wo man bereits ein Bett im Zimmer ihrer Mutter aufgestellt hatte. Josies Vitalwerte waren normal, und sie sagte, es gehe ihr gut. Ihr geschwollenes, dick verbundenes Gesicht ließ allerdings das Gegenteil vermuten. Eine Schwester brachte Kiera einen Patientenkittel, und als das Licht ausgeschaltet wurde, saß das Mädchen zu Füßen seiner Mutter.

Um 5.30 Uhr begann Jakes Wecker zu piepsen. Er brachte ihn zum Schweigen und zog die Decke wieder bis zum Hals. Da er nur wenig geschlafen hatte, war er noch nicht bereit, den Tag zu beginnen. Seine tastende Hand fand Carlas warmen Körper, doch als er sich anschmiegen wollte, stieß sie ihn weg. Jake rollte sich wieder auf seine Seite, öffnete die Augen und dachte an seinen neuen Mandanten, der im Gefängnis saß. Als er sich einen Ruck geben und aufstehen wollte, hörte er es in einiger Entfernung donnern. Der Wetterbericht hatte eine Kaltfront vorhergesagt, die schwere Stürme mit sich bringen konnte, und vielleicht war es gefährlich, das Haus zu verlassen. Ein weiterer Grund dafür, noch eine Weile liegen zu bleiben, war der dringende Wunsch, an diesem düsteren Tag nicht im Coffee-Shop zu frühstücken, wo sich sämtliche Gespräche und Gerüchte um den armen Stu Kofer und seinen jugendlichen Mörder drehen würden.

Außerdem hatte Jake den ganzen Tag keine Termine, weder bei Gericht noch sonst wo. Es wurden immer mehr Gründe, die über ihn hereinbrachen und ihn zu erdrücken drohten, und irgendwann fielen ihm die Augen wieder zu.

Carla weckte ihn mit einem Kuss auf die Wange und einer Tasse Kaffee, dann verließ sie das Schlafzimmer, um Hanna für die Schule fertig zu machen. Nachdem Jake einen Schluck getrunken hatte, fielen ihm die Zeitungen ein, und er sprang aus dem Bett. Er zog eine alte Jeans an, suchte den Hund, legte ihn an die Leine und ging vor die Tür. Die Frühausgaben der Blätter aus Tupelo, Jackson und Memphis lagen in der Einfahrt, und er warf einen schnellen Blick darauf. Alle brachten den Mord an Kofer auf der Titelseite. Jake klemmte sie sich unter den Arm, drehte eine Runde um den Block und ging dann in die Küche, wo er sich noch einen Kaffee eingoss und die Zeitungen vor sich auf dem Tisch ausbreitete.

Die Maulkörbe hatten funktioniert; niemand hatte geredet. Ozzie wollte nicht einmal bestätigen, dass er der Sheriff war. Reporter waren vom Tatort, dem Gefängnis, dem Haus von Earl und Janet Kofer und dem Krankenhaus weggescheucht worden. Deputy Kofer war dreiunddreißig, Army-Veteran, ledig, keine Kinder, seit vier Jahren bei der Polizei. Die spärlichen Details seiner Biografie wurden gehörig ausgewalzt. In der Zeitung aus Memphis stand die Geschichte mit den Drogenhändlern, denen Kofer vor drei Jahren auf einer Landstraße in der Nähe von Karaway über den Weg gelaufen war. Bei der anschließenden Schießerei kamen die bösen Jungs um Leben, Kofer wurde leicht verletzt. Eine Kugel hatte ihn am Arm gestreift, doch er weigerte sich, im Krankenhaus zu bleiben, und fehlte keinen einzigen Tag im Dienst.

Jake hatte es plötzlich eilig. Er duschte, ließ sein Frühstück stehen, verabschiedete sich mit einem Kuss von seinen beiden Frauen und fuhr in die Kanzlei. Er musste ins Krankenhaus, zu Josie, und unbedingt noch einmal mit Drew sprechen. Jake war fest davon überzeugt, dass der Junge traumatisiert war und Hilfe brauchte, sowohl medizinische als auch juristische, aber für die nächste Beratung mit seinem Mandanten wollte er den richtigen Moment abwarten.

Allerdings waren wohl nicht alle dieser Meinung. Portia stand hinter ihrem Schreibtisch, den Telefonhörer in der Hand, und sah verblüfft aus. Im Gegensatz zu sonst lächelte sie nicht, als Jake die Kanzlei betrat.

»Der Mann hat mich gerade angebrüllt«, sagte sie anstelle einer Begrüßung.

»Wer war das?«

Sie legte den Hörer auf, griff zu der Zeitung aus Tupelo und deutete auf ein Schwarz-Weiß-Foto von Stuart Kofer. »Er sagte, er sei sein Vater«, erwiderte sie. »Sein Junge sei gestern erschossen worden, und Sie seien der Anwalt des Teenagers, der ihn erschossen habe. Jake, das müssen Sie mir erklären.«

Jake ließ seinen Aktenkoffer auf einen Stuhl fallen. »Earl Kofer?«

»Genau der. Hörte sich ziemlich durchgeknallt an. Er sagte, der Junge, Drew und irgendwie weiter, habe keinen Anwalt verdient, und ähnlich verrücktes Zeug. Um was geht es eigentlich?«

»Setzen Sie sich erst mal. Haben wir Kaffee?«

»Läuft gerade durch.«

»Noose hat mir den Fall gestern zugeteilt. Ich habe den Jungen am Abend im Gefängnis besucht. Es stimmt. Unsere kleine Kanzlei vertritt einen Sechzehnjährigen, der vermutlich wegen Mord angeklagt werden wird.«

»Was ist mit dem Pflichtverteidiger?«

»Der könnte nicht mal einen mobbenden Knirps im Kindergarten verteidigen, was auch alle wissen, vor allem Noose. Der Richter hat rumtelefoniert und konnte niemand anderen finden. Er glaubt, dass ich weiß, was ich tue.«

Portia setzte sich und legte die Zeitung aus der Hand. »Das gefällt mir. Dann ist hier endlich mal was los. Kaum neun Uhr an einem Montagmorgen, und wir hatten schon unseren ersten Drohanruf.«

»Es wird vermutlich noch mehr solcher Anrufe geben.«

»Weiß Lucien von der Sache?«

»Ich habe es ihm noch nicht gesagt. Noose hat mir versprochen, dass er mich in dreißig Tagen durch jemand anderen ersetzen wird. Ich soll das Mandat nur vorübergehend übernehmen.«

»Hat der Junge ihn tatsächlich erschossen?«

»Er hat nicht viel gesagt. Genau genommen hat er eisern geschwiegen und schien irgendwie weggetreten zu sein. Ich glaube, er braucht Hilfe. Nach dem, was Ozzie mir erzählt hat, hat er Kofer einmal in den Kopf geschossen, mit dessen eigener Waffe.«

»Kennen Sie … Haben Sie Kofer gekannt?«

»Ich kenne alle Cops, und einige recht gut. Kofer scheint in Ordnung gewesen zu sein, ein netter Typ. Letzten Monat hat er vor Carlas sechster Klasse einen Vortrag über Drogen gehalten, und sie meinte, dass er das ganz wunderbar gemacht hat.«

»Für einen Weißen hat er gar nicht mal schlecht ausgesehen.«

»Ich werde in einer Stunde ins Krankenhaus fahren und die Mutter des Jungen besuchen. Es sieht so aus, als hätte sich Kofer vor seinem dramatischen Abgang durch ein paar Betten geschlafen. Wollen Sie mitkommen?«

Das entlockte Portia endlich ein Lächeln. »Gern. Ich hole Ihnen einen Kaffee.«

»Sie sind eine gute Sekretärin.«

»Ich bin Anwaltsassistentin Schrägstrich juristische Hilfskraft, und in Kürze werde ich auch noch Jurastudentin sein. Und dann wird es nicht mehr lange dauern, bis ich in diesem Laden Partnerin bin und Sie *mir* einen Kaffee holen. Milch, zwei Stück Zucker.«

»Das schreibe ich mir auf.« Jake ging nach oben in sein Büro und zog sein Jackett aus. Er hatte sich gerade in seinen Ledersessel gesetzt, als Lucien hereinplatzte, noch vor dem Kaffee.

»Ich habe gehört, Sie haben einen neuen Fall«, sagte er lächelnd und ließ sich in einen Sessel fallen, der immer noch ihm gehörte, so wie das übrige Mobiliar und das Gebäude selbst. Jakes Büro, das größte und schönste von allen, war das von Lucien gewesen, bevor dieser 1979 seine Zulassung als Anwalt verloren hatte. Davor hatte Luciens Vater darin gearbeitet, der 1965 bei einem Flugzeugabsturz ums Leben gekommen war, und davor sein Großvater, der die Kanzlei Wilbanks zu einer führenden Sozietät gemacht hatte, bis Lucien alles übernommen und sämtliche zahlenden Mandanten vertrieben hatte.

Jake hätte überrascht sein sollen, dass Lucien bereits von dem neuen Mandanten wusste, aber es wunderte ihn überhaupt nicht. Wie Harry Rex schien Lucien brandaktuelle Neuigkeiten immer sofort zu erfahren, obwohl die beiden völlig unterschiedliche Quellen hatten.

»Noose hat mir den Fall zugeteilt«, erklärte Jake. »Ich wollte ihn nicht haben. Ich will ihn immer noch nicht haben.«

»Und warum nicht? Ich brauche einen Kaffee.«

In der Regel machte sich Lucien montagmorgens nicht die Mühe, sich aus dem Bett zu quälen, zu duschen, sich zu rasieren und halbwegs ordentliche Sachen anzuziehen. Da er nicht als Anwalt praktizieren durfte, verbrachte er die Montage normalerweise auf der Veranda seines Hauses, wo er versuchte, seinen Wochenendkater mit Alkohol zu bekämpfen. Die Tatsache, dass er um diese Uhrzeit wach war und einigermaßen vorzeigbar aussah, bedeutete, dass er Details haben wollte.

»Kommt gleich«, meinte Jake. »Wer hat es Ihnen gesagt?« Eine nutzlose Frage, auf die er noch nie eine Antwort bekommen hatte.

»Ich habe meine Quellen, Jake. Warum wollen Sie den Fall nicht haben?«

»Harry Rex hat Angst, dass er den Vergleich im Fall *Smallwood* gefährden könnte.«

»Was für ein Vergleich?«

»Er glaubt, dass die Gegenseite so weit ist und Geld auf den Tisch legen wird. Und er ist der Meinung, dass der Mord meinem herausragenden Ruf als weit über die Grenzen des Countys hinaus bekannter Prozessanwalt schaden wird. Außerdem ist er fest davon überzeugt, dass die Öffentlichkeit sich gegen mich stellen wird und wir daher nicht in der Lage sein werden, faire und unvoreingenommene Geschworene zu finden.«

»Seit wann ist Harry Rex so ein ausgewiesener Jury-Kenner?«

»Er hält sich für einen hervorragenden Menschenkenner.«

»Ich würde ihn nicht in die Nähe meiner Geschworenen lassen.«

»Die Jury übernehme ich. Ich habe das Charisma dafür.«

»Und das Ego, und im Moment gaukelt Ihnen dieses Ego vor, dass Sie weitaus bekannter sind als in der Realität. Wenn Sie den Jungen verteidigen, wird das keinen Einfluss auf den Eisenbahnfall haben.«

»Da bin ich mir nicht so sicher. Harry Rex ist anderer Meinung.«

»Harry Rex kann sich irren.«

»Er ist ein brillanter Anwalt, der zufällig mein Kollege bei einer Sache ist, die vielleicht der größte Fall unserer ins Stocken geratenen Karrieren sein könnte. Sie teilen seine Ansicht nicht?«

»Das tue ich selten. Sie werden natürlich ein bisschen Gegenwind abbekommen, weil Sie einen unpopulären Mandanten verteidigen, aber das kann Ihnen egal sein. Die meisten meiner Mandanten waren unpopulär, aber das hieß noch lange nicht, dass es auch schlechte Menschen waren. Es hat mich nie interessiert, was diese Landeier über mich oder sie gedacht haben. Ich hatte einen Job zu erledigen, und der hatte absolut nichts mit dem Tratsch zu tun, der in den Coffee-Shops und Kirchen die Runde gemacht hat. Die Leute werden hinter Ihrem Rücken über Sie reden, aber wenn sie in Schwierigkeiten geraten, wollen sie einen Anwalt haben, der weiß, wie man kämpft, und wenn es sein muss, auch mit schmutzigen Tricks. Wann kommt der junge Mann vor Gericht?«

»Keine Ahnung. Ich werde nachher mit dem Bezirksstaatsanwalt und Richter Noose sprechen. Und dann hätten wir ja noch das Thema Jugendgericht.«

»Der Fall ist keine Sache für das Jugendgericht, jedenfalls nicht in diesem rückständigen Staat.«

»Lucien, ich kenne das Gesetz.«

»Bei einer Anklage wegen Mord ist eine Zuständigkeit des Jugendgerichts automatisch ausgeschlossen.«

»Wie gesagt: Ich kenne das Gesetz.«

Portia öffnete die Tür und kam mit einem Tablett herein, auf dem eine Kaffeekanne und Tassen standen.

Lucien setzte seine Vorlesung fort. »Und es spielt auch keine Rolle, wie alt der Junge ist. Vor zwanzig Jahren haben sie in Polk County einem Dreizehnjährigen wegen Mord den Prozess gemacht. Ich kenne seinen Verteidiger.«

»Guten Morgen, Lucien«, sagte Portia höflich, während sie Kaffee für ihn eingoss.

»Morgen«, erwiderte er, ohne Portia anzusehen. Als sie in der Kanzlei angefangen hatte, hatte er sie mit langen, lüsternen Blicken bedacht. Ein paarmal hatte er sie auch berührt, am Arm und an der Schulter, nur kleine, harmlose Tätscheleien, die nichts zu bedeuten hatten. Nach einigen ernsten Warnungen seitens Jake und der Androhung körperlicher Gewalt seitens Portia hatte er es sein lassen. Inzwischen brachte er der jungen Frau sogar Bewunderung entgegen.

»Jake, wir hatten noch einen Anruf, vor etwa fünf Minuten«, sagte sie. »Anonym. Irgendein Hinterwäldler sagte, wenn Sie versuchen, den Jungen freizubekommen, so wie damals bei dem Hailey-Nigger, werden Sie dafür bezahlen.«

Jake war fassungslos. »Tut mir leid, dass Sie das hören mussten«, entschuldigte er sich.

»Schon okay. Es ist nicht das erste Mal, dass ich so etwas höre, und es wird auch nicht das letzte Mal sein.«

»Mir tut es auch leid, Portia«, meinte Lucien leise.

Jake deutete auf den Holzstuhl neben Lucien, und Portia setzte sich. Dann tranken sie ihren Kaffee und dachten über das N-Wort nach. Vor zwölf Jahren, als Jake gerade mit dem Studium fertig gewesen war und seine erste Stelle in Clanton angetreten hatte, wurde das Wort für gewöhnlich von weißen Anwälten und Richtern gebraucht, wenn sie sich Gerüchte erzählten und Witze machten oder ihren Aufgaben ohne Publikum nachgingen. Inzwischen jedoch, 1990, fand es kaum noch Verwendung und galt als unschicklich, ja vulgär. Jakes Mutter hasste das Wort und hatte nie zugelassen, dass es in ihrer Gegenwart ausgesprochen wurde, doch Jake, der in Karaway aufgewachsen war, wusste, dass sein Elternhaus in dieser Hinsicht anders war.

Er sah Portia an, die erheblich weniger schockiert schien als die beiden Männer. »Ich entschuldige mich dafür, dass Sie das in dieser Kanzlei gehört haben«, sagte er.

»Kein Problem. Ich höre dieses Wort schon mein ganzes Leben lang. Ich habe es in der Army gehört. Ich werde es wieder hören. Ich kann damit umgehen, Jake. Aber eines würde mich schon interessieren: Alle Beteiligten sind weiß. Richtig?«

»Richtig.«

»Dann ist es also nicht sehr wahrscheinlich, dass der Ku-Klux-Klan und solche Typen hier auftauchen werden, wie damals bei Hailey, oder?«

»Wer weiß?«, meinte Lucien. »Da draußen laufen eine Menge Verrückte rum.«

»Stimmt. Montagmorgen, noch nicht einmal neun Uhr, und wir hatten schon zwei Anrufe. Zwei Drohanrufe.«

»Wer war der Erste?«, wollte Lucien wissen.

»Der Vater des Opfers, ein Mann namens Earl Kofer«, erwiderte Jake. »Ich kenne ihn nicht, aber es sieht so aus, als könnte sich das schnell ändern.«

»Der Vater des Opfers ruft den Anwalt der Person an, die für den Mord verhaftet wurde?«

Jake und Portia nickten. Lucien schüttelte den Kopf. »Großartig«, sagte er lächelnd. »Ich wünschte, ich könnte wieder praktizieren.«

Das Telefon auf dem Schreibtisch klingelte. Jake starrte es an. Leitung drei blinkte, was in der Regel bedeutete, dass Carla anrief. Er nahm den Hörer ab, meldete sich und hörte zu. Sie war in der Schule, in ihrem Klassenzimmer, erste Stunde. Die Sekretärin des Direktors hatte gerade einen Anruf bekommen, und ein Mann, der seinen Namen nicht nennen wollte, hatte gefragt, ob Jake Brigances Frau dort unterrichte. Er hatte gesagt, er sei ein guter Freund von Stuart Kofer, und Kofer habe eine Menge Freunde, die gerade sehr wütend seien, weil der Anwalt von Carl Lee Hailey versuche, den Jungen aus dem Gefängnis zu holen. Der Junge sei nur deshalb noch am Leben, weil er im Gefängnis sitze. Als sie den Anrufer ein zweites Mal nach seinem Namen gefragt hatte, hatte er aufgelegt.

Die Sekretärin hatte den Direktor informiert, der Carla davon erzählt und dann bei der Stadtpolizei angerufen hatte.

Als Jake die Schule erreichte, parkte er sein Auto hinter zwei Streifenwagen. Am Eingang stand ein Polizist namens Step Lemon, den Jake vor einiger Zeit bei einer Insolvenzsache vertreten hatte. Er begrüßte Jake wie einen alten Freund. »Der Anruf kam aus einer Telefonzelle vor Parkers Laden, unten am See«, sagte er. »Mehr haben wir nicht herausfinden können. Ich werde den Sheriff bitten, im Laden herumzufragen, aber ich glaube, das ist Zeitverschwendung.«

Jake bedankte sich und betrat das Gebäude, in dem der Direktor und Carla auf ihn warteten. Seine Frau schien der Telefonanruf nicht im Geringsten nervös gemacht zu haben. Sie und Jake gingen ein Stück den Gang hinunter, um unter vier Augen miteinander reden zu können. »Hanna geht es gut«, flüsterte Carla. »Sie haben sofort nach ihr gesehen, und sie hat nichts davon mitbekommen.«

»Dieses Arschloch hat die Schule angerufen, in der du arbeitest«, gab Jake leise zurück.

»Jake, bitte nicht diese Ausdrucksweise. Es ist doch nur irgendein Verrückter.«

»Das weiß ich. Aber Verrückte machen manchmal Dummheiten. Wir hatten bereits zwei ähnliche Anrufe in der Kanzlei.«

»Glaubst du, es legt sich wieder?«

»Nein. In nächster Zeit werden zu viele wichtige Ereignisse stattfinden. Der erste Gerichtstermin des Jungen. Kofers Beerdigung. Noch mehr Termine vor dem Richter, und eines Tages vielleicht ein Prozess.«

»Aber du hast das Mandat doch nur vorübergehend, richtig?«

»Ja. Ich habe morgen eine Besprechung mit Noose, dann erzähle ich ihm, was passiert ist. Er soll sich einen anderen Anwalt suchen, der nicht von hier ist. Alles in Ordnung mit dir?«

»Mir geht es gut. Du hättest nicht herkommen müssen.«

»Doch, musste ich.«

Jake verließ das Gebäude in Begleitung von Officer Lemon. Er schüttelte dem Polizisten die Hand, bedankte sich noch einmal und stieg in seinen Wagen. Instinktiv öffnete er das Ablagefach in der Mittelkonsole, um sicher zu sein, dass die Automatikpistole dort lag. Als er sie sah, fluchte er innerlich. Mit einem genervten Kopfschütteln fuhr er los.

In den letzten zwei Jahren hatte er sich mindestens tausendmal geschworen, seine Schusswaffen wegzusperren und nur zur Jagd hervorzuholen. Doch es gab überall Waffennarren, die fanatischer waren als je zuvor. Man konnte getrost davon ausgehen, dass im ländlichen Süden jeder eine Knarre in seinem Wagen spazieren fuhr. Nach der alten Gesetzgebung war es verboten gewesen, sie offen zu zeigen, doch inzwischen gab es neue Vorschriften. Man brauchte sich nur eine Genehmigung zu holen, und schon durfte man Gewehre vor die Heckscheibe seines Wagens hängen und sich einen Revolver um die Hüfte schnallen. Jake verabscheute die Vorstellung, Waffen in seinem Auto, seinem Schreibtisch in der Kanzlei und seinem Nachttisch neben dem Bett zu deponieren, doch nachdem man auf ihn geschossen, sein Haus angezündet und seine Familie bedroht hatte, hatte sein Selbsterhaltungstrieb ungeahnte Ausmaße angenommen.

# 8

Im Wartezimmer im zweiten Stock stellten sich eine Mrs. Whitaker und eine Mrs. Huff vor und fragten, ob Jake und Portia etwas zu essen haben wollten. Die Good Shepherd Bible Church war im Begriff, das Krankenhaus zu übernehmen. Auf sämtlichen Beistelltischen und freien Flächen standen Schüsseln und Platten, und mehr Essen war unterwegs. Mrs. Huff erklärte ihnen, dass die weiblichen Gemeindemitglieder inzwischen in Schichten arbeiteten und ein wachsames Auge auf Josie Gamble hätten, vor deren Zimmer ein gelangweilter Deputy in einem Schaukelstuhl saß. Während Mrs. Huff sprach, schob Mrs. Whitaker zwei große Stücke einer Schokoladentorte auf Pappteller und reichte einen davon Portia und den anderen Jake. Da die beiden den Kuchen schon in der Hand hatten, konnten sie ihn nicht mehr ablehnen, und so aßen sie ihn mit einer Plastikgabel, während Mrs. Huff die Ergebnisse von Josies letzten medizinischen Untersuchungen mit ihnen durchging, ohne Rücksicht auf deren Privatsphäre.

Als Jake endlich zu Wort kam, erklärte er ihnen, dass er Drews vom Gericht ernannter Anwalt sei. Die beiden Damen waren sichtlich beeindruckt und boten Kaffee an. Jake stellte Portia als seine Anwaltsassistentin vor, war sich aber nicht sicher, ob klar war, was das bedeutete. Mrs. Whitaker sagte, ihr Neffe sei Anwalt in Arkansas, und Mrs. Huff, die sich nicht ausstechen lassen wollte, warf ein, ihr Bruder habe einmal in einer Anklagejury gesessen.

Die Torte schmeckte hervorragend. Jake bat um ein zweites, kleineres Stück und ließ sich eine Tasse Kaffee geben, um es hinunterzuspülen. Als er auf die Uhr sah, sagte Mrs. Whitaker, Josies Tür sei geschlossen, weil sie gerade von den Ärzten untersucht werde. Es werde nicht lange dauern, versicherte sie, als würde sie sich inzwischen bestens mit Krankenhausabläufen auskennen.

Da es Jake nicht gelang, den Redefluss der beiden Damen zu stoppen, stellte er Fragen zu den Gambles. Mrs. Whitaker kam ihrer Rivalin zuvor und erklärte, die Mutter und die Kinder hätten seit einigen Monaten den Gottesdienst der Good Shepherd besucht. Einer der Ältesten, Mr. Herman Vest, so glaubten die beiden jedenfalls, habe Josie an ihrem Arbeitsplatz, der Autowaschanlage in Clanton, getroffen und sei mit ihr ins Gespräch gekommen, was typisch für ihn sei. Mr. Vest, falls er es denn tatsächlich gewesen sei, habe Josies Namen an ihren Pastor, Bruder Charles, weitergegeben, und dieser habe dann einen Hausbesuch gemacht, der Berichten zufolge aber nicht sehr gut verlaufen sei, denn der Hausherr, Officer Stuart Kofer, möge er in Frieden ruhen, sei äußerst unhöflich zu ihrem Pastor gewesen.

Außerdem sei offensichtlich, dass Josie mit diesem Mann ohne den Segen der Kirche zusammengelebt habe, in Sünde also, für die Kirchengemeinde ein weiterer Anlass, die kleine Familie in die Fürbitten aufzunehmen.

Trotz des rüden Empfangs des Pastors seien Josie und die Kinder dann zu einem Sonntagsgottesdienst gekommen. Die Gemeinde sei sehr stolz darauf, Besucher immer herzlich willkommen zu heißen. Auch deshalb habe sich die Mitgliederzahl der Kirche seit der Ankunft von Bruder Charles fast verdoppelt. Eine große, glückliche Familie.

In diesem Moment platzte Mrs. Huff dazwischen, weil sie etwas Besonderes beitragen konnte. Kiera war erst dreizehn gewesen – inzwischen war sie vierzehn –, als sie zum ersten Mal den Gottesdienst besucht hatte, und Mrs. Huff unterrichtete die jungen Mädchen in der Sonntagsschule. Nachdem Mrs. Huff und den übrigen Gemeindemitgliedern klar geworden war, dass Josie und ihre beiden Kinder Schlimmes durchgemacht hatten, kümmerten sie sich intensiver um die Familie. Mrs. Huff nahm Kiera unter ihre Fittiche, die anfänglich sehr schüchtern und in sich gekehrt war. Etwa einmal im Monat lud Mrs. Huff ihre Klasse zu sich nach Hause ein, zu Pizza, Eis und einem Gruselfilm mit anschließender Übernachtung, und sie hatte so lange auf Kiera eingeredet, bis diese auch einmal gekommen war. Die anderen Mädchen waren sehr nett zu ihr, und einige von ihnen kannte Kiera auch von der Schule, doch es fiel ihr schwer, bei der kleinen Party Spaß zu haben.

Portia hatte ihren Kuchenteller abgestellt und machte sich Notizen. Als Mrs. Huff eine kleine Pause einlegte, um für den nächsten Satz Luft zu holen, nutzte Portia die Gelegenheit. »Sie sagten, die Familie hat Schlimmes durchgemacht. Was meinen Sie damit? Könnten Sie uns mehr dazu erzählen?«, fragte sie.

Die beiden Damen würden alles erzählen, wenn man sie reden ließe. Doch jetzt warfen sie sich einen schnellen Blick zu, als würden sie denken, es wäre vielleicht besser, nicht ganz so mitteilsam zu sein. »Nun ja, als die Kinder jünger waren, hat man sie einmal voneinander getrennt«, sagte Mrs. Huff schließlich. »Ich weiß nicht genau, wie oder warum, aber ich glaube, Josie, die ja so ein netter Mensch ist, musste für eine Weile weg, vielleicht, weil sie in Schwierigkeiten geraten ist. Die Kinder hat man dann woanders hingeschickt. So was in der Richtung.«

»Drews Lehrer hat mir erzählt, sie hätten im Unterricht Briefe an Kinder in Waisenhäusern geschrieben«, fügte Mrs. Whitaker hinzu, »und da hat Drew wohl gesagt, er war schon einmal in einem Waisenhaus, und offen darüber geredet. Anscheinend ist er nicht ganz so verschlossen wie seine Schwester.«

»Gibt es Angehörige in der Gegend?«, wollte Jake wissen.

Beide Damen schüttelten den Kopf. Nein. »Ich weiß wirklich nicht, warum Josie sich mit diesem Kofer eingelassen hat«, meinte Mrs. Huff. »Er hatte einen sehr schlechten Ruf.«

»Inwiefern?«, erkundigte sich Portia.

»Es gab viele Gerüchte. Er war zwar Polizist, aber er hatte eine dunkle Seite.«

Jake wollte sich gerade nach dieser dunklen Seite erkundigen, als ein Arzt hereinkam. Die Damen stellten ihm den Anwalt der Familie und dessen Anwaltsassistentin vor. Wie in den meisten Krankenhäusern war der Arzt in Anwesenheit eines Anwalts etwas einsilbig. Er versicherte ihnen, dass es der Patientin gut gehe. Sie habe noch Schmerzen, werde aber zunehmend ungeduldiger. Sobald die Schwellung nachgelassen habe, würden sie eine Operation durchführen, um die gebrochenen Wangen- und Kieferknochen zu richten.

»Kann sie reden?«, fragte Jake.

»Ein wenig. Es fällt ihr schwer, aber sie möchte reden.«

»Können wir sie besuchen?«

»Natürlich, aber strengen Sie sie bitte nicht zu sehr an.«

Jake und Portia beeilten sich, das Wartezimmer zu verlassen, während Mrs. Whitaker und Mrs. Huff den Arzt zu einigen Töpfen und Schüsseln manövrierten und etwas von Mittagessen sagten. Es war 10.20 Uhr.

Vor Josies Zimmer saß Deputy Lyman Price, vermutlich das älteste Mitglied von Ozzies Truppe und mit Sicherheit der Polizist, der am wenigsten dazu geeignet war, Drogenhändler aufzuspüren und Verbrechern hinterherzujagen. Wenn er nicht gerade Papierkram an seinem Schreibtisch im Gefängnis erledigte, arbeitete er im Gericht, wo er während der Sitzungen für Ordnung sorgte. Ein paar Stunden vor einem Krankenhauszimmer totzuschlagen war der ideale Job für den alten Lyman.

Er begrüßte Jake etwas schroff, wie immer, ließ sich wegen der Sache mit Kofer aber nichts anmerken.

Jake klopfte an die Tür, öffnete sie und lächelte Kiera an, die auf einem Stuhl saß und in einer Teeniezeitschrift blätterte. Josie hatte sich im Bett aufgesetzt und war wach. Jake stellte sich und Portia

vor und grüßte Kiera, die ihr Magazin weglegte und an das Fußende des Betts trat.

Jake sagte, sie würden nicht lange bleiben. Er sei am Abend vorher bei Drew gewesen und habe ihm versprochen, seine Mutter zu
besuchen. Josie griff nach seiner Hand, drückte sie und murmelte
etwas durch den Verband hindurch, das nach »Wie geht's ihm?«
klang.

»Soweit ganz gut. Auf dem Rückweg zur Kanzlei werden wir im
Gefängnis vorbeifahren und nach ihm sehen.«

Kiera hatte sich auf die Bettkante gesetzt. Sie weinte, und als sie
sich die Tränen aus dem Gesicht wischte, fiel Jake auf, dass sie erheblich größer war als ihr Bruder, obwohl sie zwei Jahre jünger
war. Drew hätte man für einen kleinen Jungen halten können, der
noch nicht einmal die Pubertät erreicht hatte. Kiera dagegen war
für ihr Alter schon voll entwickelt.

»Wie lange Gefängnis?«, fragte Josie undeutlich.

»Lange, Josie. Es wird Wochen oder Monate dauern, bis wir ihn
rausholen können. Er wird wegen Mord angeklagt und vor Gericht gestellt, und das wird sehr lange dauern.«

Kiera beugte sich vor, wischte ihrer Mutter mit einem Taschentuch die Tränen aus dem Gesicht und musste dann auch die eigenen trocknen. Eine lange Pause entstand, in der nur das Piepsen
eines Monitors und das Lachen der Krankenschwestern im Flur
die Stille durchdrangen. Jake hatte es plötzlich eilig. Er drückte
Josies Hand und sagte: »Ich komme wieder. Und wir werden jetzt
gleich nach Drew sehen.«

Sie versuchte zu nicken, was ihr aber starke Schmerzen bereitete. Jake trat vom Bett zurück, gab Kiera seine Visitenkarte und
flüsterte: »Da steht meine Telefonnummer drauf.« An der Tür
drehte er sich noch einmal um und warf einen letzten Blick zurück. Die beiden klammerten sich aneinander und weinten, vermutlich aus Angst vor dem, was da auf sie zukommen würde.

Es war ein herzzerreißender Anblick, den Jake nie vergessen würde. Zwei Menschen, die den ganzen Zorn des Systems zu spüren bekamen, Mutter und Tochter, die nichts Unrechtes getan hatten, aber unsäglich litten. Sie hatten keine Stimme, niemanden, der sie beschützte. Niemanden außer Jake. Aus irgendeinem Grund wusste er plötzlich, dass die beiden und Drew noch viele Jahre zu seinem Leben gehören würden.

Der Chefankläger für den 22. Gerichtsbezirk – die Countys Polk, Ford, Tyler, Milburn und Van Buren – war Bezirksstaatsanwalt Lowell Dyer aus der noch kleineren Stadt Gretna, die fünfundsechzig Kilometer nördlich von Clanton lag. Vor drei Jahren hatte Dyer den großen Rufus Buckley herausgefordert, der dreimal zum Bezirksstaatsanwalt gewählt worden war und nach Ansicht vieler eines Tages Gouverneur sein würde oder es zumindest versuchen würde. Buckley hatte fünf Jahre vorher Carl Lee Hailey mit beispiellos viel Tamtam, Publicity, Selbstdarstellung und Trickserei angeklagt und die Geschworenen fast angefleht, ihn zum Tod zu verurteilen. Jake hatte sie umgestimmt und Buckley dessen größte Niederlage beschert. Die Wähler sorgten dann für die zweite, und er verkroch sich in seiner Heimatstadt Smithfield, wo er eine kleine Kanzlei eröffnete. Jake und so gut wie alle anderen Anwälte im Bezirk hatten Lowell Dyer ohne viel Aufhebens unterstützt, der sich als ruhige Hand in einem ziemlich langweiligen Job bewährt hatte.

Der Montagmorgen war alles andere als langweilig. Dyer hatte am späten Sonntagabend einen Anruf von Richter Noose bekommen, und die beiden hatten über den Fall Kofer gesprochen. Ozzie rief sehr früh am Montagmorgen an, und um neun Uhr traf sich Dyer mit seinem Stellvertreter, D. R. Musgrove, und informierte ihn über den Fall. Von Anfang an bestand kaum Zweifel daran, dass die Staatsanwaltschaft Anklage wegen Mord erheben und die

Todesstrafe verlangen würde. Ein Gesetzeshüter war in seinem eigenen Bett ermordet worden, mit seiner eigenen Waffe, kaltblütig. Der Mörder hatte gestanden und befand sich in Gewahrsam, und obwohl er erst sechzehn war, so war er doch gewiss alt genug, um zwischen Recht und Unrecht unterscheiden zu können und zu wissen, was für eine schändliche Tat er begangen hatte. In Dyers Welt galt die Bibel, in der *Auge um Auge, Zahn um Zahn, die Rache ist mein, spricht der Herr* stand. Oder so ähnlich. Der genaue Wortlaut war eigentlich nicht so wichtig, denn die überwiegende Mehrheit der Bevölkerung war immer noch für die Todesstrafe, vor allem diejenigen, denen sie so wichtig war, dass sie zur Wahlurne gingen. Prognosen und Meinungsumfragen fielen im ländlichen Süden nicht ins Gewicht, weil das Thema schon seit Langem entschieden war und die öffentliche Meinung sich nicht geändert hatte. Während seines Wahlkampfs hatte Dyer mehrmals gesagt, das Problem mit der Gaskammer sei, dass sie nicht oft genug zum Einsatz komme. Das hatte seinen Zuhörern gefallen, zumindest den weißen. Bei Veranstaltungen in schwarzen Kirchengemeinden hatte er das Thema mit keinem Wort erwähnt.

Geltendes Gesetz schrieb vor, dass Mord nicht in die Zuständigkeit eines Jugendgerichts fiel, wenn der Angeklagte mindestens dreizehn Jahre alt war. Es war nicht zulässig, einen Zwölfjährigen vor einem Circuit Court anzuklagen, der für die strafrechtliche Verfolgung solcher Taten zuständig war. In keinem anderen Bundesstaat lag die Strafmündigkeit so niedrig. In den meisten anderen musste der Angeklagte mindestens sechzehn sein, damit Erwachsenenrecht zur Anwendung kam. Im Norden hatten einige Bundesstaaten die Altersgrenze angehoben, im Süden jedoch nicht.

Der Ernst der Situation dämpfte Dyers Begeisterung zwar etwas, doch insgeheim war er froh darüber, dass endlich einmal ein wichtiger Fall auf seinem Schreibtisch gelandet war. In den drei

Jahren seiner Amtszeit hatte er noch kein einziges Mal Anklage wegen Mord erhoben, und als Staatsanwalt, der sich als Hardliner sah, war eine derart nichtssagende Prozessliste mehr als enttäuschend. Wären Drogenproduktion und -handel und die verdeckten Ermittlungen des FBI in der örtlichen Glücksspielszene nicht gewesen, hätte er nicht viel zu tun gehabt. In Polk County hatte er einen betrunkenen Autofahrer wegen fahrlässiger Tötung im Straßenverkehr für zwanzig Jahre hinter Gitter gebracht. In Milburn County hatte er in zwei Banküberfällen gewonnen, ein und derselbe Angeklagte, doch der Mann war getürmt und immer noch auf der Flucht. Vermutlich raubte er nach wie vor Banken aus.

Vor dem Mord an Kofer hatte Dyer viel Zeit damit verbracht, mit anderen Staatsanwälten eine Arbeitsgruppe aufzubauen, die gegen die Kokainplage kämpfte.

Jetzt stand Dyer plötzlich im Mittelpunkt des Interesses. Im Gegensatz zu seinem Vorgänger, Rufus Buckley, der schon mindestens zwei Pressekonferenzen angesetzt hätte, ging Lowell den Reportern am Montagmorgen aus dem Weg und machte seinen Job. Er sprach noch einmal mit Ozzie, dann mit Noose und versuchte, Jake Brigance zu erreichen, bekam aber nur den Anrufbeantworter. Anstandshalber rief er Earl Kofer an, sprach ihm sein Beileid aus und versprach, mit der ganzen Härte des Gesetzes zu reagieren. Er schickte seinen Ermittler nach Clanton, damit dieser anfing, sich umzuhören.

Und er bekam einen Anruf vom Rechtsmediziner des staatlichen Kriminallabors. Die Obduktion hatte ergeben, dass Kofer durch einen einzelnen Schuss in den Kopf gestorben war, Eintritt linke Schläfe, Austritt rechtes Ohr. Was nicht gerade ungewöhnlich war, wenn da nicht der Blutalkoholspiegel von 3,6 Promille gewesen wäre. Drei Komma sechs Promille! Das war dreieinhalbmal so viel wie die in Mississippi im Straßenverkehr zulässigen

1,0 Promille. Kofer war eins fünfundachtzig groß und wog neunzig Kilo. Ein derart schwerer Mann mit so viel Alkohol im Blut hätte sich nur mit Mühe bewegen können – gehen, Auto fahren, sogar das Atmen wären ihm schwergefallen.

Lowell, ein Kleinstadtanwalt mit fünfzehn Jahren Berufserfahrung, hatte noch nie einen Fall mit einem so hohen Alkoholspiegel auf dem Schreibtisch gehabt und auch noch nie davon gehört. Da er es einfach nicht glauben konnte, rief er den Rechtsmediziner zurück und bat ihn, das Blut noch einmal zu testen. Lowell würde den Obduktionsbericht lesen, sobald er ihn erhalten hatte, und ihn dann zu gegebener Zeit an den Verteidiger weitergeben. Es würde keine Möglichkeit geben, die Tatsache zu verheimlichen, dass Stuart Kofer zum Zeitpunkt seines Todes sternhagelvoll gewesen war.

Kein Sachverhalt war perfekt. Jede Anklage und jede Verteidigung hatte Fehler in ihrer Argumentation. Doch wenn ein Deputy um zwei Uhr morgens derart betrunken war, warf das eine Menge Fragen auf. Nur Stunden nachdem Lowell Dyer den Fall seines Lebens an Land gezogen hatte, kamen ihm die ersten Zweifel.

Jake setzte Portia am Clanton Square ab und fuhr zum Gefängnis. Dort war immer noch mehr los als sonst, und am liebsten hätte er einen Rückzieher gemacht, um den Blicken der Deputys zu entgehen. Doch als er den Wagen parkte, sagte er sich: Stell dich nicht so an. Wenn du einen Polizistenmörder verteidigst, kannst du nicht davon ausgehen, dass die Polizisten dich weiterhin mögen.

Wenn sie etwas dagegen hatten, dass Jake seinen Job machte – ein Job, den niemand sonst haben wollte –, war das nicht sein Problem. Er betrat den Empfangsbereich, wo die Deputys ihre Pausen verbrachten, in denen sie die neuesten Gerüchte weitergaben und literweise Kaffee tranken, und grüßte Marshall Prather und Moss Junior Tatum. Die beiden nickten, aber nur, weil sie mussten. Jake war sofort klar, dass die Frontlinien gezogen waren.

»Ist Ozzie da?«, fragte er Tatum, der mit den Schultern zuckte, als hätte er keine Ahnung. Jake ging weiter und blieb vor Doreens Schreibtisch stehen. Sie war Ozzies Sekretärin und bewachte dessen Tür wie ein Dobermann. Doreen trug Uniform und Waffe, obwohl alle wussten, dass sie nie auf der Polizeischule gewesen war und von Rechts wegen niemanden verhaften durfte. Ihre Kollegen gingen davon aus, dass sie mit der Pistole umgehen konnte, doch bis jetzt hatte es niemand gewagt, das zu überprüfen.

»Er ist in einer Besprechung«, sagte sie frostig.

»Ich habe vor einer halben Stunde angerufen und einen Termin für zehn Uhr dreißig vereinbart«, erwiderte Jake so höflich wie möglich. »Jetzt ist es zehn Uhr dreißig.«

»Ich werde nachfragen, aber heute ist viel los.«

»Danke.«

Jake trat an ein Fenster, das auf eine Seitenstraße hinausging. Von hier aus konnte man die Bürogebäude auf der Südseite des Stadtplatzes sehen, hinter denen die Kuppel des Gerichts aufragte, die höher war als die modernen Bauten und die riesigen, zweihundert Jahre alten Eichen. Während er nach draußen starrte, fiel ihm auf, dass die sonst übliche Geräuschkulisse hinter ihm fehlte und niemand mehr redete. Die Deputys waren noch da, der Strafverteidiger aber auch.

»Jake«, rief Ozzie, der die Tür öffnete und ihn in sein Büro bat.

»Wir haben bereits zwei Drohanrufe in der Kanzlei bekommen«, begann Jake, nachdem er eingetreten war, »und in Carlas Schule hat jemand angerufen und nach ihr gefragt. Seinen Namen hat er natürlich nicht genannt, das machen sie ja nie.«

»Über den Anruf in der Schule weiß ich Bescheid. Jake, was soll ich machen? Soll ich den Leuten sagen, dass sie nicht mehr bei dir in der Kanzlei anrufen dürfen?«

»Hast du mit Earl Kofer gesprochen?«

»Ja, zweimal. Gestern persönlich, auf seiner Farm, und heute

Morgen am Telefon. Wir versuchen gerade, die Details der Beerdigung abzusprechen, falls du nichts dagegen hast.«

»Mir geht es nicht um die Beerdigung. Könntest du Mr. Kofer bitte höflich darauf hinweisen, dass er seine Leute, wer auch immer sie sind, darauf hinweisen soll, dass sie uns in Ruhe lassen möchten?«

»Dann bist du dir also sicher, dass es Stuarts Familie ist?«

»Wer sonst? Anscheinend sind ein paar Hitzköpfe darunter, die nach dem Mord ziemlich wütend sind. Was ich gut verstehen kann. Sorg einfach dafür, dass die Drohungen aufhören, okay, Ozzie?«

»Ich glaube, du bist auch wütend. Vielleicht solltest du dich erst mal beruhigen. Bis auf Stuart Kofer ist niemand zu Schaden gekommen.« Ozzie holte tief Luft und ließ sich langsam auf seinem Stuhl nieder. Er nickte, und Jake setzte sich ebenfalls.

»Nimm die Anrufe auf und bring sie mir«, schlug Ozzie vor.

»Ich werde sehen, was ich tun kann. Willst du wieder Polizeischutz haben?«

»Nein. Das haben wir inzwischen satt. Ich werde die Typen einfach erschießen.«

»Ich glaube nicht, dass du dir Sorgen machen musst. Die Kofers sind wütend, aber nicht verrückt. Wenn wir die Beerdigung hinter uns haben, wird sich vielleicht alles beruhigen. Du bist den Fall bald wieder los, richtig?«

»Ich weiß es nicht. Ich hoffe es. Warst du heute Morgen schon bei Drew?«

»Ich habe mit dem Wärter geredet. Der Junge ist völlig weggetreten.«

»Hat er etwas gegessen?«

»Ein paar Kartoffelchips vielleicht. Und er hat eine Cola getrunken.«

»Ich bin kein Experte, aber ich glaube, der Junge ist traumatisiert und braucht Hilfe. Vielleicht steckt er ja mitten in einer Art Zusammenbruch.«

»Sieh es mir nach, Jake, aber mein Mitgefühl hält sich in Grenzen.«

»Das verstehe ich. Ich treffe mich morgen früh vor Sitzungsbeginn mit Noose. Dann werde ich ihn bitten, den Jungen zur Untersuchung nach Whitfield zu schicken. Dafür brauche ich deine Hilfe.«

»Meine Hilfe?«

»Ja. Noose hält große Stücke auf dich, und wenn du der Meinung bist, dass Drew professionelle Hilfe nötig hat, ist er vielleicht einverstanden. Der Junge ist in deiner Obhut, und im Moment weißt du mehr über seinen Zustand als jeder andere. Bring den Wärter mit ins Gericht, und wir treffen uns im Richterzimmer mit Noose. Inoffiziell. Du wirst keine Aussage oder so machen müssen. Für Minderjährige gelten andere Regeln.«

Ozzie lachte sarkastisch und sah zur Seite. »Lass mich das klarstellen. Dieser Junge hat, ungeachtet seines Alters, meinen Deputy ermordet, dessen Trauerfeier oder Beerdigung, oder wie auch immer ihr Weiße diese Veranstaltungen nennt, noch nicht einmal geplant ist, und ich sitze hier mit seinem Anwalt, der mich bittet, bei seiner Verteidigung mitzuhelfen. Verstehe ich das richtig, Jake?«

»Ich bitte dich, das zu tun, was in diesem Fall das Richtige ist. Mehr nicht.«

»Die Antwort ist Nein. Ich habe den Jungen nicht einmal gesehen, seit ich ihn hergebracht habe. Übertreib's nicht, Jake.«

Ozzie starrte ihn wütend an, während er diese Warnung aussprach. Jake begriff sofort, wie es gemeint war. »Okay. Ich würde jetzt gern meinen Mandanten sehen«, sagte er und stand auf.

Jake nahm eine Dose Limonade und ein Päckchen Erdnüsse mit in die Zelle, und nach ein paar Minuten gelang es ihm, Drew unter seiner Decke hervorzulocken. Der Junge setzte sich auf die Bett-kante und öffnete das Getränk.

»Ich habe vorhin deine Mutter im Krankenhaus besucht«, sagte Jake. »Es geht ihr gut. Kiera ist bei ihr, und ein paar Leute von der Kirche kümmern sich um die beiden.«

Drew starrte auf seine Füße und nickte. Seine blonden Haare waren verfilzt und schmutzig, er brauchte dringend eine Dusche. Der Wärter hatte ihm noch nicht den eigentlich vorgeschriebenen orangefarbenen Gefängnisoverall gegeben, der im Vergleich zu den billigen, zerknitterten Sachen, die der Junge gerade trug, eine Verbesserung sein würde.

Drew nickte immer noch. »Was für eine Kirche?«, fragte er.

»Ich glaube, sie heißt Good Shepherd Bible Church. Der Pastor ist Charles McGarry. Kennst du ihn?«

»Ich glaube schon. Stu wollte nicht, dass wir in die Kirche gehen. Ist er wirklich tot?«

»Ja, er ist tot.«

»Und ich habe ihn erschossen?«

»Sieht so aus. Du erinnerst dich nicht mehr daran?«

»Manchmal ja, manchmal nein. Manchmal denke ich, ich träume, wissen Sie? So wie jetzt gerade. Sind Sie wirklich hier und reden mit mir? Wie heißen Sie eigentlich?«

»Jake. Wir haben uns gestern kennengelernt, als ich hier war. Erinnerst du dich daran?«

Langes Schweigen. Drew trank einen Schluck und versuchte, die Erdnusspackung zu öffnen. Als es ihm nicht gelingen wollte, nahm Jake ihm die Tüte aus der Hand, riss sie auf und gab sie ihm wieder.

»Drew, das ist kein Traum«, sagte er schließlich. »Ich bin dein Anwalt. Ich habe mit deiner Mutter und deiner Schwester gesprochen, und deshalb vertrete ich jetzt deine ganze Familie. Es ist wichtig, dass du mir vertraust und mit mir redest.«

»Worüber?

»Worüber? Hm. Reden wir über das Haus, in dem du mit Kiera und deiner Mutter und Stuart Kofer gelebt hast. Seit wann wohnt ihr dort?«

Drew schwieg wieder und starrte auf den Boden, als hätte er Jake nicht gehört.

»Seit wann, Drew? Seit wann wohnt ihr bei Stuart Kofer?«

»Das habe ich vergessen. Ist er wirklich tot?«

»Ja.«

Die Dose entglitt Drews Hand und fiel auf den Boden, Schaum spritzte in die Nähe von Jakes Füßen. Sie rollte ein Stück weiter, kam dann aber zum Stehen. Limonade strömte heraus. Drew reagierte nicht, und Jake bemühte sich, die Dose ebenfalls zu ignorieren, während die Pfütze immer größer wurde und auf seine Schuhe zukroch. Der Junge schloss die Augen und begann zu summen, ein leises, schmerzerfülltes Stöhnen, das seinen Ursprung irgendwo tief in seinem Innern hatte. Seine Lippen bewegten sich, als würde er etwas murmeln. Nach einer Weile hätte Jake fast etwas gesagt, um ihn zu unterbrechen, aber er beschloss zu warten. Drew hätte ein Mönch in tiefer, tranceartiger Meditation sein können oder ein Verrückter, dessen Geist sich immer mehr in die Dunkelheit zurückzog.

Doch Drew war ein traumatisiertes Kind, das Hilfe brauchte. Hilfe, die Jake ihm nicht geben konnte.

# 9

Gegen Mittag hatte der Sheriff die Nase voll von den Menschenmengen und dem Lärm, den Männern, die keinen Dienst hatten, aber trotzdem gekommen waren, um mit den Kollegen über die neuesten Gerüchte zu reden, den Polizisten, die bereits im

Ruhestand waren, aber bei ihrer »Familie« sein wollten, den nutzlosen Reservisten, die nur Platz wegnahmen, den Reportern, den naseweisen alten Damen aus der Stadt, die mit Brownies und Donuts vorbeikamen, als würden große Mengen Zucker irgendwie helfen, den Neugierigen, die keinen erkennbaren Grund für ihre Anwesenheit hatten, den Politikern, die hofften, ihr Kommen würde die Wähler daran erinnern, dass sie an Recht und Ordnung glaubten, und den Freunden der Kofers, die der Meinung waren, sie könnten etwas ausrichten, indem sie den Jungs in Uniform lautstark ihre Unterstützung zusicherten. Ozzie ordnete an, dass jeder, der nicht im Dienst war, das Gebäude verlassen musste.

Seit über dreißig Stunden hatte er sich bemüht, den Eindruck eines hartgesottenen Sheriffs zu vermitteln, den die Tragödie unberührt ließ, doch inzwischen brach die Müdigkeit wie eine Welle über ihn herein. Er hatte sogar Doreen angeschnauzt, die ihm allerdings kräftig Kontra gegeben hatte. Die Spannung war mit Händen zu greifen.

Ozzie rief sein A-Team zu sich ins Büro und bat Doreen sehr höflich darum, die Tür zu bewachen und keine Anrufe durchzustellen. Moss Junior Tatum, Marshall Prather und Willie Hastings. Alle in Zivil, auch der Sheriff. Er ließ ein paar Unterlagen herumgehen und bat die Deputys, einen Blick darauf zu werfen. »3,6 Promille«, sagte er schließlich. »Kann sich einer von euch erinnern, schon mal einen betrunkenen Autofahrer mit 3,6 Promille erwischt zu haben?«

Die drei hatten schon alles gesehen, zumindest glaubten sie das. »Ich hatte bis jetzt zwei mit 3,0 Promille, aber keinen, der darüberlag«, meinte Prather.

Tatum schüttelte ungläubig den Kopf. »Nicht in diesem County.«

»Der Junge von Butch Vango hatte mal 3,5. Ich glaube, das ist der Rekord für Ford County«, sagte Hastings.

»Er ist gestorben«, ergänzte Prather.

»Am nächsten Tag im Krankenhaus. Ich habe ihn nicht verhaftet, deshalb habe ich den Test auch nicht gemacht.«

»Es gab keinen Test«, wurde er von Prather korrigiert. »Er saß ja nicht am Steuer. Er lag mitten auf der Craft Road, als man ihn am frühen Morgen gefunden hat. Alkoholvergiftung, wie es hieß.«

»Okay, okay«, sagte Ozzie. »Die Sache ist die: Unser gefallener Bruder hatte so viel Alkohol intus, dass die meisten Männer in seinem Zustand tot umgefallen wären. Stuart hat gesoffen. Er konnte es nicht mehr kontrollieren, und wir wissen nicht, wie schlimm es war, oder?«

»Sheriff, darüber haben wir doch gestern schon geredet«, gab Prather zurück. »Sie werfen uns vor, dass wir unseren Kollegen nicht verpfiffen haben.«

»Das ist nicht wahr! Aber ich glaube, es soll etwas vertuscht werden. Es wurden mindestens zwei Einsatzberichte verfasst, nachdem Stuarts Freundin uns geholt hat, weil sie mal wieder von ihm verprügelt worden war. Ich habe die Berichte nie gesehen, und jetzt kann ich sie nicht finden. Wir haben den ganzen Morgen danach gesucht.«

Ozzie war der Sheriff, gewählt und wiedergewählt von den Menschen in Ford County, und der Einzige im Raum, der sich alle vier Jahre den Wählern stellen musste. Die anderen drei waren seine besten Deputys und hatten ihre Gehaltsschecks und Karrieren ihm zu verdanken. Sie begriffen die Zusammenhänge, die Probleme, die Politik. Es war unerlässlich, dass sie ihn nach besten Kräften in Schutz nahmen. Die Deputys waren sich nicht sicher, ob Ozzie die Berichte gelesen hatte oder nicht, und sie konnten nicht abschätzen, wie viel er wusste, aber sie würden alles bestätigen, was ihr Chef an die Öffentlichkeit weitergab.

»Vor einem Monat haben Pirtle und McCarver einen dieser Berichte geschrieben«, fuhr Ozzie fort, »nachdem Stuarts Freundin spätabends den Notruf gewählt hatte. Da sie keine Anzeige erstatten wollte, ist nichts weiter passiert. Die beiden schwören, dass sie den Bericht vorschriftsmäßig abgegeben haben, aber er ist nicht mehr auffindbar. Und dann stellt sich heraus, dass die Freundin vor vier Monaten schon einmal hier angerufen hat, wegen derselben Scheiße. Stuart kam stockbesoffen nach Hause und hat sie verprügelt. Officer Swayze ist zum Haus gefahren, aber sie wollte auch da keine Anzeige erstatten. Er hat den Bericht geschrieben, der jetzt verschwunden ist. Ich habe ihn nie gesehen, und den anderen auch nicht. Das Problem ist folgendes: Vor einer Stunde ist Jake hier gewesen. Er wurde von Noose zum Anwalt des Jungen bestellt und behauptet, er will den Fall gar nicht haben. Er sagt, Noose wird so schnell wie möglich jemand anderen finden. Wir wissen nicht, ob das stimmt, und haben auch keinen Einfluss darauf. Im Moment ist Jake der Anwalt, und er wird ungefähr fünf Minuten brauchen, bis er merkt, dass Unterlagen fehlen. Nicht sofort, aber irgendwann später, wenn diese Sache vor Gericht geht. Ich kenne Jake gut, wir kennen ihn alle gut, er wird uns immer einen Schritt voraus sein.«

»Warum hat Jake überhaupt mit dem Fall zu tun?«, fragte Prather.

»Wie ich schon sagte – weil Noose ihm die Sache aufs Auge gedrückt hat. Der Junge muss einen Anwalt bekommen, und offenbar hat der Richter niemand anderen dafür gefunden.«

»Ich dachte, wir hätten einen Pflichtverteidiger«, erwiderte Hastings. »Ich mag Jake, und mir gefällt es nicht, dass er auf der anderen Seite steht.« Willie Hastings war ein Cousin von Gwen Hailey, Tonyas Mutter und Carl Lees Frau. Er und seine ganze Familie waren fest davon überzeugt, dass Jake Brigance übers Wasser gehen konnte.

»Unser Pflichtverteidiger ist ein blutiger Anfänger, der noch nie etwas mit einer Strafsache zu tun hatte. Ich habe gehört, dass

Noose ihn nicht mag. Omar Noose ist der Richter am Circuit Court, und das schon ziemlich lange. Man kann von ihm halten, was man will, er hat das Sagen. Er entscheidet über die Karriere eines Anwalts, und er hält große Stücke auf Jake. Jake konnte nicht Nein sagen.«

»Aber ich dachte, Jake wird den Jungen nur so lange vertreten, bis Noose jemand anderen gefunden hat?«, wunderte sich Prather.

»Wer weiß? Bis zum Prozess kann noch eine Menge passieren. Vielleicht findet sich niemand, der den Fall haben will. Außerdem ist Jake ein ehrgeiziger Anwalt, der gern im Mittelpunkt steht. Ihr dürft nicht vergessen, dass er von Lucien Wilbanks eingestellt und ausgebildet wurde, der seinerzeit ein Radikaler war und jeden verteidigt hat.«

»Ich kann's einfach nicht glauben«, meinte Tatum. »Letztes Jahr hat Jake meinen Onkel bei einem Landverkauf vertreten.«

»Jake hat gesagt, dass er bereits Anrufe bekommt, Drohanrufe«, informierte Ozzie seine Deputys. »Ich werde noch einmal zu Earl Kofer rausfahren, um mit ihm über die Beerdigung zu sprechen, und dafür sorgen, dass er und seine Leute keine Dummheiten machen.«

»Die Kofers sind in Ordnung«, erklärte Prather. »Ich kenne ein paar von ihnen. Im Augenblick stehen sie einfach nur unter Schock.«

»Trifft das nicht auf uns alle zu?«, fragte Ozzie. Er klappte die Akte zu, holte tief Luft und sah seine drei Deputys an. Sein Blick blieb an Prather hängen. »Okay, raus damit«, sagte er schließlich.

Prather warf die Unterlagen hin und zündete sich eine Zigarette an. Dann ging er zum Fenster, öffnete es einen Spaltbreit, um frische Luft hereinzulassen, und lehnte sich an die Wand. »Ich habe mit meinem Cousin geredet. Samstagabend war er nicht mit Stu unterwegs. Aber er hat rumtelefoniert und ein paar Details rausgekriegt. Anscheinend hat Stu mit ein paar anderen in Dog

Hickmans Hütte am See Karten gespielt. Poker, niedrige Einsätze, keine Leute mit viel Geld, aber irgendwann ist ein unbekannter Spieler dazugekommen, der Schwarzgebrannten dabei hatte, mit Pfirsichgeschmack, frisch aus der Brennerei, und da ging es dann mit der Sauferei los. Alle waren betrunken. Drei sind aus den Latschen gekippt und einfach dort geblieben. Sie können sich nicht mehr so richtig erinnern. Stu kam auf die glorreiche Idee, nach Hause zu fahren, und irgendwie hat er es geschafft.«

»Hört sich für mich so an, als wäre es Gary Garvers Brennerei gewesen«, wurde er von Ozzie unterbrochen.

Prather nahm einen Zug aus seiner Zigarette und sah den Sheriff an. »Ich habe nicht nach Namen gefragt, Chef, und es wurden auch keine erwähnt, bis auf Stuart Kofer und Dog Hickman. Stu ist tot, und die anderen vier haben inzwischen ziemlich Schiss.«

»Warum?«

»Ich weiß es nicht. Vielleicht glauben sie, dass sie nicht ganz unschuldig an der Sache sind. Sie haben Poker gespielt und Schwarzgebrannten gesoffen. Und jetzt ist ihr Kumpel tot.«

»Sie haben sich ziemlich dumm benommen.«

»Das habe ich nicht bestritten.«

»Wenn wir anfangen würden, Razzien bei Würfel- und Pokerspielen durchzuführen, müssten wir ein neues Gefängnis bauen. Beschaffen Sie mir die Namen der Männer, und sagen Sie ihnen, dass sie nichts zu befürchten haben.«

»Ich werd's versuchen.«

»Marshall, beschaffen Sie die Namen, denn Sie können darauf wetten, dass Harry Rex Vonner bis morgen weiß, wer die Männer sind, und dass Jake als Erster mit ihnen reden wird.«

»Sie haben doch nichts Unrechtes getan«, wandte Tatum ein.

»Was soll das Theater? Die einzige Straftat hier ist der Mord, und den Killer haben wir, richtig?«

»So einfach ist das nicht«, meinte Ozzie. »Wenn diese Sache vor Gericht geht, könnt ihr euren Arsch darauf verwetten, dass der Verteidiger, wer immer es auch sein wird, Stuarts mieses Verhalten gehörig ausschlachten wird.«

»Das kann er doch nicht machen«, empörte sich Prather. »Stu ist tot.«

»Und warum ist er tot? Ist er tot, weil er betrunken nach Hause gekommen und eingeschlafen ist und dieser dumme Junge dachte, es wäre irgendwie lustig, ihm das Gehirn rauszublasen? Nein. Ist er tot, weil seine Freundin an sein Geld wollte? Nein, Marshall. Er ist tot, weil er die schlechte Angewohnheit hatte, sich bis zur Besinnungslosigkeit zu besaufen und seine Freundin zusammen-zuschlagen, und weil ihr Sohn versucht hat, sie zu beschützen. Der Prozess wird hässlich werden, darauf könnt ihr euch schon mal gefasst machen. Und deshalb ist es unbedingt notwendig, dass wir alles wissen, was passiert ist. Fangt mit Dog Hickman an. Wer kann mit ihm reden?«

»Swayze kennt ihn ganz gut«, erwiderte Hastings.

»Okay. Sagt Swayze, dass er ihn so schnell wie möglich auftrei-ben soll. Und macht diesen Clowns klar, dass wir nicht hinter ihnen her sind.«

»Alles klar, Chef.«

Da Carla unterrichtete und abends fast immer ihre Stunden vor-bereitete, Klassenarbeiten korrigierte und zudem noch versuchte, Hanna bei den Hausaufgaben zu beaufsichtigen, hatten sie nur wenig Zeit zum Kochen. Die drei aßen fast immer gemeinsam zu Abend, um genau sieben Uhr. Manchmal blieb Jake länger in der Kanzlei oder war geschäftlich unterwegs, aber die Arbeit eines Kleinstadtanwalts war nicht mit vielen Reisen verbunden. Es kam immer etwas Schnelles, Gesundes auf den Tisch, viel Huhn und Gemüse, Fisch aus dem Backofen, wenig Brot und Getreide.

Rotes Fleisch und Lebensmittel mit Zuckerzusatz gab es nie. Nach dem Essen räumten sie schnell das Geschirr ab, machten die Küche sauber und widmeten sich dann angenehmeren Dingen wie Fernsehen, Lesen oder Brettspielen, wenn Hanna mit ihren Hausaufgaben fertig war.

An idealen Abenden machten Jake und Carla Spaziergänge in ihrem Viertel, kurze kleine Ausflüge, nachdem sie alle Türen verriegelt hatten und Hanna in ihr Zimmer gegangen war. Sie weigerte sich, ihre Eltern zu begleiten, schließlich war es viel cooler und erwachsener, allein zu Hause zu bleiben. Sie machte es sich dann gern mit Mully, dem Hund, gemütlich und las ein Buch, während es im Haus still wurde. Ihre Eltern waren nie länger als zehn Minuten weg.

Nach einem der längsten Montage der letzten Zeit schlossen Jake und Carla die Türen ab und gingen ein Stück die Straße hinunter, wo sie neben dem Hartriegel stehen blieben und an den Blüten rochen. Ihr Haus, das von allen nur Hocutt House genannt wurde, war eines von zwanzig in einer baumbestandenen alten Straße acht Blocks vom Clanton Square entfernt. Die meisten der prächtigen Bauten gehörten älteren Ruheständlern, die mit Reparaturen und Instandsetzung gar nicht mehr hinterherkamen, doch einige waren von jüngeren Familien gekauft worden. Zwei Häuser weiter lebte ein junger Arzt aus Pakistan, der anfänglich nicht gerade wohlwollend aufgenommen worden war, weil niemand seinen Namen aussprechen konnte und seine Haut dunkler war, doch nach drei Jahren und Tausenden Sprechstunden kannte er mehr Geheimnisse als jeder andere in der Stadt und wurde von allen sehr geschätzt. Gegenüber von ihm und seiner netten Frau wohnte ein junges Ehepaar mit fünf Kindern, das keiner geregelten Arbeit nachging. Er behauptete, den Holzhandel seiner Familie zu leiten, den sein Großvater gegründet und weitervererbt habe, wurde aber nur selten außerhalb des Country Club gesehen. Sie spielte Golf und Bridge und war die meiste Zeit damit beschäftigt, das Personal zu beaufsichtigen, von dem ihre Kinder großgezogen wurden.

Nur in diesen beiden Häusern und in Hocutt House brannte Licht. Der Rest der Straße lag im Dunkeln, da die älteren Leute früh zu Bett gingen.

Plötzlich blieb Carla stehen und zerrte an Jakes Hand. »Hanna ist allein zu Hause«, sagte sie.

»Na und?«

»Ich mache mir Sorgen«

»Carla, ihr kann nichts passieren.«

Trotzdem drehten sie um und gingen zurück. »Jake, ich kann das nicht noch mal durchmachen. Wir haben uns gerade an ein normales Leben gewöhnt. Ich will wirklich nicht wieder anfangen, mir ständig Sorgen zu machen«, sagte Carla nach ein paar Schritten.

»Es gibt keinen Grund, weshalb du dir Sorgen machen müsstest.«

»Ach ja?«

»Okay, es gibt einen, aber die Gefahrenstufe ist nicht sehr hoch. Ein paar seltsame Anrufe von Leuten, die zu feige sind, ihren Namen zu nennen, und immer Telefonzellen benutzen.«

»Ich glaube, das habe ich schon mal gehört, kurz bevor sie unser Haus angezündet haben.«

Sie gingen weiter, immer noch Hand in Hand. »Kannst du den Fall wieder abgeben?«, fragte sie.

»Ich habe ihn erst gestern bekommen.«

»Ich weiß. Ich erinnere mich daran. Und du hast morgen einen Termin bei Richter Noose?«

»In aller Frühe. Anträge im Fall *Smallwood*.«

»Werdet ihr auch über diesen Fall reden?«

»Mit Sicherheit. Drew braucht jetzt erst einmal professionelle

Hilfe, zumindest einen Termin bei einem Therapeuten. Wenn ich Gelegenheit dazu bekomme, werde ich Noose danach fragen. Und wenn er inzwischen einen anderen Anwalt gefunden hat, wird er mir das bestimmt sagen.«

»Aber das ist unwahrscheinlich, richtig?«

»Ja, so schnell ist das unwahrscheinlich. Ich werde die Angelegenheiten im Vorfeld des Verfahrens übernehmen, dafür sorgen, dass der Junge seine Rechte wahrnehmen kann, versuchen, Hilfe für ihn zu bekommen, und so weiter. In ein paar Wochen werde ich Druck auf Noose machen, damit er einen Ersatz für mich sucht.«

»Versprich es mir.«

»Ich verspreche es. Zweifelst du an mir?«

»Irgendwie schon, ja.«

»Warum?«

»Weil dir deine Fälle nicht egal sind und weil ich das Gefühl habe, dass du dir Sorgen um den Jungen und seine Familie machst und sie beschützen willst. Und wenn Richter Noose Schwierigkeiten hat, einen anderen Anwalt zu finden, wird er dich vermutlich noch einmal unter Druck setzen. Du hast den Fall schon. Die Familie vertraut dir. Und sei ehrlich, Jake, es gefällt dir, im Mittelpunkt zu stehen.«

Als sie ihre schmale Einfahrt betraten, bewunderten sie ihr schönes Haus, das still vor ihnen lag.

»Ich dachte, du bist dafür, dass ich den Jungen vertrete«, sagte Jake.

»Das dachte ich auch, aber das war, bevor wir die Anrufe bekommen haben.«

»Carla, das waren nur Telefonanrufe. Es zählt erst, wenn sie anfangen zu schießen.«

»Das tröstet mich ungemein.«

Laut Earl Kofers Anwalt hatten Haus und Grundstück Stuart allein gehört, nachdem er es vor zwölf Jahren von seinem Großvater geerbt hatte. Die beiden Ex-Frauen waren schon lange weg, und ihre Namen hatten nie in der Besitzurkunde für das Grundstück gestanden. Stuart hatte keine Kinder gezeugt, jedenfalls wusste man von keinen. Er war ohne Testament gestorben, und nach den Gesetzen des Staates Mississippi erbten in diesem Fall zu gleichen Teilen seine Eltern, Earl und Janet, und seine jüngeren Geschwister.

Nach dem Abendessen am Montag fuhr Earl mit seinen beiden Söhnen Barry und Cecil zum Haus, das erst am Nachmittag von den Ermittlern der State Police freigegeben worden war. Er hätte es lieber nicht getan, aber es musste sein. Als Earl hinter Stuarts Pick-up parkte und das Licht ausschaltete, blieben sie sitzen und starrten das dunkle Haus an, das sie schon ewig kannten. Barry und Cecil fragten ihren Vater, ob sie im Wagen bleiben könnten. Earl erlaubte es nicht, es sei wichtig für sie, den Ort zu sehen, an dem ihr Bruder gestorben sei. Barry, der hinten saß, versuchte, das Schluchzen zu unterdrücken. Schließlich stiegen sie aus und gingen zur Haustür, die nicht verschlossen war.

Earl holte tief Luft und ging als Erster ins Schlafzimmer. Die Matratze war abgezogen worden, und in der Mitte prangte ein großer, hässlicher Fleck aus getrocknetem Blut. Earl ließ sich auf den einzigen Stuhl im Raum fallen und schlug die Hände vors Gesicht. Barry und Cecil standen in der Tür und starrten das Bett an, auf dem ihr Bruder seinen letzten Atemzug getan hatte. An der Wand über dem Kopfteil befanden sich Blutflecken und Hunderte kleiner Vertiefungen, an denen die Techniker Material entfernt hatten, wofür auch immer. Es roch nach Tod und Unheil, und ein stechender Geruch, der an ein überfahrenes Tier erinnerte, wurde immer stärker, je öfter sie Luft holten.

Ozzie hatte gesagt, dass sie die Matratze verbrennen könnten.

Die Kofers schleppten sie durch die Küche und über die kleine Holzterrasse nach draußen in den Garten. Kopfteil, Bettgestell und Lattenrost folgten. In Stuarts Bett würde nie wieder jemand schlafen. In einem kleinen Schrank im Flur entdeckten sie Josies Kleidung und Schuhe, und nachdem Earl sich alles angesehen hatte, sagte er: »Verbrennt das Zeug.« In einer Kommode fanden sie ihre Unterwäsche, Schlafanzüge, Socken und so weiter. Ihre Handtasche stand auf der Arbeitsplatte in der Küche, daneben lagen die Autoschlüssel. Die Schlüssel rührte Cecil nicht an, die Handtasche warf er ungeöffnet auf die Matratze zu ihren anderen Sachen.

Earl goss Feuerzeugbenzin auf den Haufen und zündete ein Streichholz an. Sie sahen zu, wie die Flammen rasch größer wurden, und traten dann einen Schritt zurück. »Holt die Sachen der Kinder«, befahl Earl seinen Söhnen. »Sie werden nie wieder herkommen.«

Die beiden rannten nach oben in das Zimmer des Jungen und griffen sich alles, was brennen konnte – Bettzeug, Kleidung, Schuhe, Bücher, ein billiger DVD-Player, Poster an der Wand. Barry räumte das Zimmer des Mädchens aus. Sie hatte mehr Sachen als ihr Bruder, unter anderem mehrere Teddybären und andere Plüschtiere. In ihrem Schrank fanden sie einen Karton mit alten Puppen und anderem Spielzeug, den sie aus dem Haus schleppten und auf das lodernde Feuer warfen. Dann wichen sie Zentimeter für Zentimeter zurück und sahen fasziniert zu, wie es immer größer wurde, bis es schließlich irgendwann zu erlöschen begann.

»Was ist mit ihrem Auto?«, fragte Barry seinen Vater.

Earl starrte den alten Mazda an, der neben dem Haus stand, und spielte kurz mit dem Gedanken, ihn ebenfalls in Brand zu setzen. Doch da sagte Barry: »Ich glaube, er ist noch nicht abbezahlt.«

»Dann lassen wir besser die Finger davon«, meinte Earl.

Sie hatten überlegt, ob sie Stuarts persönliche Sachen – Waffen, Kleidung und so weiter – mitnehmen sollten, doch Earl hatte entschieden, dass es nicht sofort sein musste. Das Haus war seit Langem in Familienbesitz und sicher. Er würde morgen die Schlösser austauschen und jeden Tag herfahren, um nach dem Rechten zu sehen. Und er würde über Ozzie verbreiten lassen, dass es keinen Grund für diese Frau, ihre Kinder oder irgendeinen ihrer Freunde gab, jemals wieder einen Fuß auf das Land der Kofers zu setzen. Um ihren Wagen sollte sich Ozzie kümmern.

Dog Hickman führte das einzige Motorradgeschäft in der Stadt und verkaufte neue und gebrauchte Fahrzeuge. Illegale Aktivitäten waren bei ihm an der Tagesordnung, doch bis jetzt war er klug genug gewesen, sich nicht erwischen zu lassen. Vorstrafen hatte er keine bis auf eine alte Verurteilung wegen Alkohol am Steuer. Für die Polizei war er kein Unbekannter, da aber niemand zu Schaden kam, wurde er in Ruhe gelassen. Dogs Gesetzesverstöße bestanden im Wesentlichen aus Glücksspiel, Schwarzbrennen und Handel mit Marihuana.

Mick Swayze hatte mehrere Motorräder bei Dog gekauft und war mit ihm befreundet. Am Montag fuhr er nach Einbruch der Dunkelheit zu Dogs Geschäft und ließ sich ein Bier von ihm geben, nachdem er beteuert hatte, nicht im Dienst zu sein. Swayze kam gleich zur Sache und versicherte Dog, dass Ozzie nicht nach den Männern suche, um sie vor Gericht zu bringen. Der Sheriff wolle einfach nur wissen, was am Samstagabend passiert sei.

»Wegen Ozzie mache ich mir keine Gedanken«, behauptete Dog selbstbewusst. Sie standen vor dem Geschäft, lehnten an seinem Mustang und rauchten. »Ich habe nichts verbrochen. Es wäre vielleicht besser gewesen, wenn ich nicht so viel getrunken hätte, dann hätte ich Stu vielleicht bremsen können, damit er nicht derart säuft. Ja, ich hätte ihn bremsen sollen, aber ich habe nichts Unrechtes getan.«

»Das wissen wir«, gab Swayze zurück. »Und wir wissen auch, dass fünf Männer in der Hütte waren und kräftig gebechert haben. Wer waren die anderen drei?«

»Ich verpfeife niemanden.«

»Du verpfeifst doch niemanden. Es liegt keine Straftat vor.«

»Wenn es keine Straftat gibt, warum bist du dann hier und stellst Fragen?«

»Ozzie will es eben wissen, das ist alles. Stu war einer von uns, und Ozzie hat ihn gemocht. Alle haben Stu gemocht. Guter Cop. Toller Typ. Außerdem war er sternhagelvoll. 3,6 Promille.«

Dog schüttelte ungläubig den Kopf, als er das hörte, und spuckte auf den Boden. »Okay, dann sag ich dir jetzt mal, wie es war. Als ich gestern Morgen aufgewacht bin, habe ich mich gefühlt, als hätte ich 5,5 Promille im Blut. Ich bin den ganzen Tag im Bett geblieben, und heute Morgen hatte ich immer noch Schwierigkeiten rauszukommen. Das Zeug war echt übel.«

»Was war es denn?«

»Neue Charge von Gary Garver. Mit Pfirsichgeschmack.«

»Das wären drei. Wer waren die beiden anderen?«

»Das ist jetzt streng vertraulich, verstanden? Du darfst es niemandem sagen.«

»Geht klar.«

»Calvin Marr und Wayne Agnor. Wir haben mit einem Kasten Bier angefangen und Poker in meiner Hütte gespielt, es war nichts weiter geplant. Dann tauchte plötzlich Gary mit drei Flaschen von seinem Stoff auf. Wir waren alle sternhagelvoll. Irgendwann bin ich umgekippt. Zum ersten Mal seit Langem, und es war so furchtbar, dass ich ernsthaft darüber nachdenke, mit dem Trinken aufzuhören.«

»Wann ist Stu gegangen?«

»Das weiß ich nicht. Als er weg ist, war ich nicht mehr wach.«

»Wer war denn noch wach?«

»Keine Ahnung, Mick. Ich schwöre es. Ich glaube, wir sind alle aus den Latschen gekippt. Ich kann mich kaum an etwas erinnern. Irgendwann in der Nacht, ich habe keinen blassen Schimmer, wann, sind Stu und Gary gegangen. Als ich am späten Sonntagmorgen aufgewacht bin, waren Calvin und Wayne noch da. Den beiden ging's auch richtig schlecht. Wir sind aufgestanden, haben ein paar Bierchen gegen den Kater getrunken, dann klingelt plötzlich das Telefon, und mein Bruder sagt, Stu ist tot. In den Kopf geschossen von einem Jungen. Großer Gott, er war doch gerade eben noch da, hat mit uns am Kartentisch gesessen, Poker gespielt und Pfirsichwhiskey aus einer Kaffeetasse getrunken.«

»Hast du viel mit Stu unternommen?«

»Keine Ahnung. Was für eine Frage ist das denn?«

»Eine ganz einfache.«

»Seit einem Jahr habe ich ihn nicht mehr so oft gesehen. Er war dabei, die Kontrolle zu verlieren, Mick. Wir haben einmal im Monat Poker zusammen gespielt, fast immer in der Hütte, und man konnte darauf wetten, dass Stu es übertreibt und zu viel trinkt. *Ich* konnte da wohl schlecht was sagen. Aber es gab eine Menge Gerede über ihn. Ein paar von seinen Freunden haben sich Sorgen gemacht. Großer Gott, wir trinken alle zu viel, aber manchmal sind es die Säufer, die wissen, wie der Hase läuft. Wir dachten, Ozzie weiß es und drückt ein Auge zu.«

»Das glaube ich nicht. Stu ist jeden Tag zum Dienst erschienen und hat seine Arbeit gemacht. Er war einer von Ozzies Lieblings-Deputys.«

»Geht mir genauso. Alle mochten Stu.«

»Wirst du mit Ozzie reden?«

»Na ja, ehrlich gesagt würde ich das lieber nicht tun.«

»Hat keine Eile. Er will sich wirklich nur mit dir unterhalten. Vielleicht nach der Beerdigung.«

»Habe ich eine Wahl?«

»Eigentlich nicht.«

# 10

Wie bei den meisten Gerüchten, die im Gericht die Runde machten, war der Ursprung auch diesmal nicht festzustellen. Enthielt es einen Funken Wahrheit, oder hatte sich jemand im Archiv des Grundstückregisters im Erdgeschoss einen schlechten Scherz erlaubt? Hatte sich ein gelangweilter Anwalt etwas ausgedacht, weil er wissen wollte, wie lange es dauerte, bis die Geschichte die Runde machte und wieder bei ihm landete? Die Menschen im Gericht, genau genommen die ganze Stadt, gierten nach Details über den Mord, daher glaubten sie ohne Weiteres, dass irgendjemand von irgendeiner Behörde, vielleicht ein Deputy oder ein Gerichtsdiener, so etwas gesagt haben könnte wie »Ja, wir bringen den Jungen heute rüber«.

Jedenfalls konnte am Dienstagvormittag die Hälfte des Countys beschwören, dass der Junge, der Stuart Kofer getötet hatte, an diesem Tag seinen ersten Gerichtstermin hatte. Als Zugabe wurde das Gerücht nach kurzer Zeit um den sensationellen Sachverhalt ergänzt, dass man ihn vermutlich freilassen würde! Das hatte wohl etwas mit seinem Alter zu tun.

An einem normalen Tag konnte die Prozessliste nur ein paar Anwälte mit anhängigen Schriftsätzen ins Gericht locken, aber nie viele Zuschauer. Doch am Dienstag war die Galerie im großen Gerichtssaal zur Hälfte besetzt, und unten im Hauptbereich versammelten sich Dutzende Interessierte, die dabei sein wollten, wenn sich dieser unglaubliche Justizirrtum ereignete. Die Gerichtsangestellten überprüften die Prozessliste mehrmals, um herauszufinden, ob sie etwas übersehen hatten. Richter Noose wurde erst gegen zehn Uhr erwartet, um über einige Anträge zu entscheiden. Als Jake um 9.30 Uhr hereinkam, dachte er zuerst, er hätte sich im Datum vertan. Er sprach eine Angestellte an und erfuhr von dem Gerücht.

»Komisch«, flüsterte er ihr zu, während er die verkniffenen Gesichter um sich herum musterte. »Ich müsste doch am besten wissen, ob mein Mandant vor Gericht erscheint oder nicht.«

»Normalerweise läuft es ja auch so«, flüsterte die Angestellte zurück.

Harry Rex rauschte herein und fing sofort damit an, einen Anwalt der Versicherungsgesellschaft zu beleidigen. Einige andere Anwälte drückten sich im Gerichtssaal herum, starrten die voll besetzten Zuschauerbänke an und fragten sich, was hier los war. Gerichtsdiener und Deputys steckten die Köpfe zusammen und wunderten sich, warum nicht angeordnet worden war, den Beschuldigten aus dem Gefängnis herüberzubringen.

Lowell Dyer kam durch einen Nebeneingang und begrüßte Jake. Sie vereinbarten, so schnell wie möglich mit Noose zu sprechen. Um zehn Uhr rief der Richter die beiden in sein Zimmer und bot ihnen Kaffee an, während er die zweite Runde seiner täglichen Medikamente vor sich aufreihte. »Wie geht es dem Beschuldigten?«, fragte er. Noose war groß und schlaksig und schon immer sehr dünn gewesen und hatte eine spitze Nase, die häufig gerötet war und so gar nicht zu seiner ansonsten sehr blassen Haut passen wollte. Er hatte nie einen ausgesprochen gesunden Eindruck gemacht, und während die Anwälte zusahen, wie der Richter eine beachtliche Sammlung von Tabletten hinunterschluckte, fragten sie sich, wie krank er war. Allerdings wagten sie es nicht, nach dem Grund seiner Beschwerden zu fragen.

Nachdem Jake Kaffee in zwei Pappbecher gegossen hatte, setzten er und Dyer sich dem Richter gegenüber. »Dem Jungen geht es nicht sehr gut«, erwiderte Jake. »Ich habe ihn heute Morgen zum dritten Mal besucht, und er zieht sich immer mehr in sich zurück. Ich glaube, er ist traumatisiert und hat eine Art Nervenzusammenbruch. Können wir ihn von einem Psychiater untersuchen und eventuell behandeln lassen? Wir haben es vielleicht mit einem kranken kleinen Jungen zu tun.«

»Junge?«, wunderte sich Dyer. »Sagen Sie das mal den Kofers.«

»Jake, er ist sechzehn«, meinte Richter Noose. »Da kann man wohl kaum von einem Jungen sprechen.«

»Warten Sie, bis Sie ihn sehen.«

»Wo wollen Sie ihn denn untersuchen lassen?«, fragte Dyer.

»Die Profis von der psychiatrischen Klinik in Whitfield wären mir am liebsten.«

»Lowell?«

»Die Staatsanwaltschaft legt Einspruch ein, zumindest im Moment.«

»Ich glaube nicht, dass Sie das Recht haben, Einspruch einzulegen«, sagte Jake. »Wir haben noch keinen Fall. Sollten Sie nicht besser warten, bis Anklage erhoben ist?«

»Vermutlich.«

»Das Problem ist folgendes«, fuhr Jake fort. »Der Junge braucht Hilfe, und zwar jetzt. Heute. In diesem Moment. Er leidet an einer Art Trauma, und sein Zustand wird nicht besser, wenn er drüben im Gefängnis sitzt. Er muss von einem Arzt oder einem Psychiater untersucht werden, also jemandem, der erheblich klüger ist als wir. Wenn das nicht passiert, wird es ihm vielleicht immer schlechter gehen. Manchmal weigert er sich, mit mir zu reden. Er kann sich von einem Tag auf den anderen nicht mehr an mich erinnern. Er will nicht essen. Er hat verrückte Träume und Halluzinationen. Manchmal sitzt er nur da, starrt vor sich ins Leere und summt so merkwürdig, als hätte er den Verstand verloren. Sie wollen doch einen gesunden Angeklagten haben, Lowell, oder nicht? Wenn der Junge geisteskrank ist, können Sie ihn nicht vor Gericht stellen. Es kann nicht schaden, wenn er von einem Experten untersucht wird.«

Dyer sah Noose an. Der Richter kaute auf einer Tablette herum, die anscheinend sehr bitter schmeckte.

»Straftat, Tatverdächtiger, Festnahme, Gefängnis«, meinte Noose. »Für mich sieht das so aus, als wäre es Zeit für den ersten Gerichtstermin.«

»Darauf verzichten wir«, sagte Jake. »Es bringt doch nichts, wenn wir den Jungen in einen Streifenwagen verfrachten und in den Gerichtssaal zerren. Im Moment ist das zu viel für ihn. Ehrlich gesagt glaube ich nicht, dass er überhaupt mitbekommt, was um ihn herum passiert.«

Dyer lächelte und schüttelte den Kopf, als hätte er Zweifel. »Für mich hört sich das so an, als hätten Sie vor, auf Schuldunfähigkeit zu plädieren.«

»Das werde ich schon deshalb nicht tun, weil Richter Noose mir versprochen hat, dass er nach einem anderen Anwalt sucht, der den Prozess übernehmen wird – falls es denn einen Prozess geben wird.«

»Oh, es wird mit Sicherheit einen Prozess geben, Jake, das verspreche ich Ihnen«, erwiderte Dyer. »Man kann nicht kaltblütig einen Mann töten und kommt dann ungestraft davon.«

»Hier kommt niemand ungestraft davon. Ich mache mir nur Sorgen um den Jungen. Er hat sich völlig von der Realität gelöst. Was ist so schlimm daran, ihn untersuchen zu lassen?«

Noose spülte die letzte seiner Tabletten mit einem Glas Wasser hinunter. Er sah Jake an und fragte: »An wen haben Sie gedacht?«

»Die staatliche Gesundheitsfürsorge hat ein Regionalbüro in Oxford. Vielleicht können wir den Jungen dort hinbringen.«

»Kann denn nicht jemand herkommen?«, wollte Noose wissen. »Es gefällt mir gar nicht, dass der Beschuldigte das Gefängnis so schnell wieder verlassen soll.«

»Der Meinung bin ich auch«, warf Dyer ein. »Das Opfer ist noch nicht einmal unter der Erde. Ich bin mir nicht sicher, ob der Junge außerhalb des Gefängnisses sicher wäre.«

»In Ordnung«, gab Jake nach. »Wie wir es machen, ist mir egal.«

Noose hob die Hand. »Meine Herren, wir sollten uns auf einen Plan einigen. Lowell, ich nehme an, dass Sie Anklage wegen Mord erheben wollen, richtig?«

»Na ja, es ist ein bisschen früh, aber mit Stand heute tendiere ich schon dazu. Ich habe den Eindruck, als würden die Fakten eine solche Anklage verlangen.«

»Und wann würden Sie den Fall Ihrer Anklagejury vorlegen?«

»Der nächste Termin wäre in zwei Wochen, aber ich kann die Sitzung natürlich vorziehen, wenn Sie das möchten.«

»Nein. Die Anklagejury geht mich nun wirklich nichts an. Jake, wie werden die nächsten Wochen Ihrer Meinung nach aussehen?«

»Da mein Mandant noch so jung ist, habe ich keine andere Wahl, als Sie darum zu bitten, den Fall an das Jugendgericht abzugeben.«

Lowell Dyer biss sich auf die Zunge und wartete, was Noose dazu sagen würde. Doch als der Richter ihn mit hochgezogenen Augenbrauen ansah, meinte er: »Gegen diesen Antrag wird die Staatsanwaltschaft natürlich Einspruch einlegen. Wir sind der Ansicht, dass der Fall an dieses Gericht gehört und dass Erwachsenenrecht zur Anwendung kommen sollte.«

Jake reagierte nicht. Er trank einen Schluck Kaffee und warf einen Blick auf seinen Notizblock, als hätte er gewusst, was der Bezirksstaatsanwalt erwidern würde. Dem war auch so, denn der Ehrenwerte Omar Noose würde dem Jugendgericht von Ford County mit Sicherheit nicht erlauben, eine derart schwere Straftat zu verhandeln. Von Teenagern begangene geringere Vergehen wie Autodiebstahl, Drogendelikte, kleinere Diebstähle und Einbrüche wurden meist an das Jugendgericht verwiesen, und der Richter dort war bekannt dafür, dass er sehr überlegt und besonnen mit diesen Fällen umging. Doch für schwere Straftaten, bei denen es um Körperverletzung ging, und natürlich Mord galt diese Regelung nicht.

Die meisten Weißen in den Südstaaten waren der Ansicht, dass ein Sechzehnjähriger wie Drew Gamble, der einen Mann in dessen eigenem Bett erschossen hatte, nach Erwachsenenrecht zur Rechenschaft gezogen werden musste und ein hartes Urteil, wenn nicht gar die Todesstrafe, verdient hatte. Eine kleine Minderheit war anderer Meinung. Jake war sich noch nicht sicher, wie er dazu stand, doch inzwischen bezweifelte er, dass Drew intellektuell in der Lage war, juristische Fachbegriffe wie »Vorsatz« zu verstehen.

Zudem kannte Jake die politischen Tatsachen. Im nächsten Jahr, 1991, standen sowohl Omar Noose als auch Lowell Dyer vor der Wiederwahl – Dyer zum ersten Mal, Noose zum fünften Mal. Der Richter war fast siebzig und schluckte jede Menge Medikamente, doch es gab keine Anzeichen dafür, dass er in den Ruhestand gehen wollte. Er schätzte den Job, das Prestige, das Gehalt. Bis jetzt hatte er keine ernst zu nehmende Konkurrenz – es gab nicht viele Anwälte, die gegen einen seit Langem amtierenden Richter kandidierten. Doch es bestand immer die Chance, dass eine Wahl aus dem Ruder lief, wenn ein Außenseiter Begeisterungsstürme hervorrief und die Wähler ein neues Gesicht auf der Richterbank sehen wollten. Vor drei Jahren war Noose von einem inkompetenten Anwalt aus Milburn County herausgefordert worden, der wilde Anschuldigungen hinsichtlich zu milder Urteile in Strafverfahren erhoben hatte. Der Mann hatte ein Drittel der Stimmen bekommen, was für einen völlig Unbekannten mit wenig Glaubwürdigkeit sehr beeindruckend war.

Jetzt drohte noch mehr Unheil. Jake hatte die Gerüchte gehört, und er war sicher, dass sie auch bis zu Noose vorgedrungen waren. Rufus Buckley, der ehemalige Bezirksstaatsanwalt, der Angeber, den Dyer in einem Kopf-an-Kopf-Rennen besiegt hatte, sorgte für Aufregung, weil er offenbar andeutete, dass er Noose' Platz auf der Richterbank haben wollte. Buckley war aufs Abstellgleis verbannt worden und fristete seine Tage in einer kleinen Kanzlei in Smithfield, wo er Urkunden und Schriftstücke aufsetzte, vor Wut schäumte und sein Comeback plante. Er würde Noose bis ans Ende seines Lebens für den Freispruch von Carl Lee Hailey verantwortlich machen. Und natürlich Jake. Und alle anderen, die auch nur entfernt mit dem Fall zu tun gehabt hatten. Alle, nur sich selbst nicht.

»Stellen Sie den Antrag rechtzeitig«, sagte Noose, als hätte er seine Entscheidung schon getroffen.

»Ja, Sir. Und was ist mit der psychiatrischen Untersuchung?«

Noose stand auf, stöhnte und ging zu seinem Schreibtisch. Er nahm eine Pfeife aus dem Aschenbecher und steckte sie sich zwischen die nikotinverfärbten Zähne. »Sie sind der Meinung, es ist dringend?«

»Ja, Richter Noose. Ich fürchte, der Zustand des Jungen wird sich immer mehr verschlimmern.«

»Hat Ozzie den Beschuldigten gesehen?«

»Sicher, schließlich sitzt mein Mandant im Gefängnis. Aber der Sheriff ist kein Seelenklempner.«

»Und Ihre Haltung dazu?«, fragte Noose mit einem Blick auf Dyer.

»Die Staatsanwaltschaft hat nichts gegen eine Untersuchung einzuwenden, allerdings darf der Junge das Gefängnis auf keinen Fall verlassen.«

»Verstanden. Gut, ich werde die Anordnung unterschreiben. Gibt es sonst noch etwas?«

»Nein, Sir«, erwiderte Dyer.

»Dann können Sie jetzt gehen, Lowell.«

Die Neugierigen strömten immer noch in den Gerichtssaal. Die Minuten verstrichen, doch Richter Noose erschien nicht. In der Nähe des Geschworenenbereichs saß Walter Sullivan mit seinem Kollegen, Sean Gilder, einem Anwalt der Versicherungsgesellschaft aus Jackson, der die Eisenbahn im Fall *Smallwood* vertrat. Sie sprachen mit leiser Stimme über dies und jenes, vor allem Juristisches, doch als immer mehr Zuschauer hereinkamen, wurde Sullivan langsam etwas klar.

Harry Rex hatte den richtigen Riecher gehabt. Die Anwälte der Eisenbahn und ihrer Versicherungsgesellschaft waren endlich übereingekommen, Jake erste Gespräche über einen Vergleich vorzuschlagen. Allerdings war geplant, äußerst vorsichtig vorzugehen. Einerseits war der Fall gefährlich, da der Schaden sehr hoch war – vier tote Angehörige – und Jake versuchen würde, die Sache in Ford County zu verhandeln, genauer gesagt in dem Gerichtssaal, in dem sie gerade saßen und den Jake mit dem freigesprochenen Carl Lee Hailey zusammen verlassen hatte. Andererseits waren die Eisenbahn und die Anwälte der Versicherung immer noch zuversichtlich, dass sie gewinnen konnten, weil es Haftungsfragen gab. Ihr Gutachter schätzte die Geschwindigkeit von Taylors Auto auf einhundertzehn Stundenkilometer. Jakes Gutachter war der Meinung, es seien eher fünfundneunzig Stundenkilometer gewesen. Die zulässige Höchstgeschwindigkeit auf diesem einsamen Teil der Straße betrug lediglich neunzig Stundenkilometer.

Es gab weitere Probleme, die ihnen Sorgen machten. Der Bahnübergang war in der Vergangenheit immer nur schlecht gewartet worden, und Jake hatte Fotos und Unterlagen, mit denen er das beweisen konnte. Es hatte häufig Unfälle gegeben. Jake hatte die Berichte darüber vergrößern lassen, um sie den Geschworenen zu zeigen. Der einzige bekannte Augenzeuge war ein nicht sehr vertrauenswürdiger Zimmermann, der dem Wagen der Smallwoods in etwa hundert Meter Entfernung gefolgt war und in seiner schriftlichen Aussage darauf bestand, dass die roten Blinklichter nicht funktioniert hatten. Unbestätigten Gerüchten zufolge war der Mann vorher in einer Kneipe gewesen, wo er kräftig gebechert hatte.

Das alles kam auf sie zu, falls der Prozess in Ford County stattfand. Jake Brigance war ein aufrechter junger Anwalt mit makellosem Ruf, von dem man erwarten konnte, dass er nach den Regeln spielte. Zu seiner Clique gehörten jedoch Harry Rex, der auch der zweite Anwalt bei dem Fall war, und der unerträgliche Lucien Wilbanks, und keiner der beiden scherte sich viel um die Standespflichten ihrer Zunft.

Es bestand also durchaus die Möglichkeit, dass Schadenersatz in beträchtlicher Höhe gezahlt werden musste. Doch die Geschworenen konnten genauso gut Taylor Smallwood die Schuld geben und zugunsten der Eisenbahn entscheiden. Angesichts der vielen Unbekannten wollte die Versicherungsgesellschaft die Option eines Vergleichs ausloten. Wenn Jake mehrere Millionen haben wollte, würden die Verhandlungen nicht lange dauern. Wenn er mit einem angemesseneren Betrag ins Rennen ging, konnten sie vielleicht zueinanderfinden und alle Beteiligten zufriedenstellen.

Sullivan verhandelte nur wenige Fälle persönlich, stattdessen zog er es vor, der Mann vor Ort zu sein, wenn die Großkanzleien aus Jackson und Memphis anrückten und jemanden aus der Gegend brauchten. Er bekam ein bescheidenes Honorar dafür, dass er im Grunde genommen wenig mehr tat, als seine Verbindungen zu nutzen und auf potenzielle Probleme bei der Auswahl der Geschworenen hinzuweisen.

Während die Zuschauer im Gerichtssaal mit gedämpfter Stimme Gerüchte und Spekulationen austauschten, begriff Sullivan, dass

Jake gerade dabei war, der unbeliebteste Anwalt der Stadt zu werden. Die Leute, die dicht gedrängt auf den Bänken saßen, waren ganz bestimmt nicht gekommen, um Drew Gamble und dessen Familie – falls er eine hatte – zu unterstützen. Sie waren gekommen, um einen hasserfüllten Blick auf den Killer zu werfen und insgeheim gegen die himmelschreiende Ungerechtigkeit zu wettern, dass er mit Mitgefühl behandelt wurde. Und falls es Mr. Brigance gelang, auch jetzt wieder ein Wunder zu vollbringen und den Jungen freizubekommen, würde es vielleicht Tumulte auf der Straße geben.

Sullivan beugte sich zu seinem Kollegen. »Wir gehen jetzt erst einmal die Anträge durch und sprechen einen Vergleich nicht an, jedenfalls nicht heute.«

»Und warum nicht?«

»Das erkläre ich später. Wir haben jede Menge Zeit.«

Harry Rex, der auf der anderen Seite des Gerichtssaals saß, kaute auf dem zerfledderten Ende einer nicht angezündeten Zigarre herum und tat so, als würde er dem schlechten Witz eines Gerichtsdieners zuhören, während er den Blick über die Zuschauer gleiten ließ. Er entdeckte ein Mädchen, mit dem er auf die Highschool gegangen war, konnte sich aber nicht mehr daran erinnern, wie sie damals mit Nachnamen geheißen hatte. Doch er wusste, dass sie einen Kofer geheiratet hatte. Wie viele dieser Leute waren mit dem Opfer verwandt? Wie viele hatten etwas gegen Jake Brigance?

Während die Minuten verstrichen und immer mehr Menschen hereinkamen, sah sich Harry Rex in dem bestätigt, was er von Anfang an befürchtet hatte. Sein Freund Jake hatte einen Fall übernommen, für den er nur ein besseres Trinkgeld bekommen würde, und gefährdete dadurch einen Fall, der vielleicht eine Goldgrube war.

# 11

Am späten Dienstagmorgen fuhren Pastor Charles McGarry, seine Frau Meg und Kiera zum Krankenhaus und gingen ins Wartezimmer im zweiten Stock, wo sie kurz mit dem Team der Kirchengemeinde sprachen. Die Damen hatten alles unter Kontrolle und verköstigten inzwischen die Hälfte des Klinikpersonals und dazu einige Patienten.

Für Leute vom Land gab es kaum etwas Aufregenderes als einen Aufenthalt im Krankenhaus, sei es als Besucher oder als Patient, und die Mitglieder der kleinen Kirchengemeinde kümmerten sich mit viel Sympathie und großer Begeisterung um die Gambles. Zumindest um Josie und Kiera. Drew, der mutmaßliche Killer, saß hinter Gittern und ging sie nichts an, was auch ganz in ihrem Sinne war. Doch Mutter und Schwester hatten nichts Unrechtes getan und bedurften ihres Mitgefühls.

In Josies Zimmer waren einige Krankenschwestern dabei, sie für die Verlegung in eine andere Klinik fertig zu machen. Kiera umarmte ihrer Mutter und ging dann zu Charles, der in einer Ecke stand und wartete. Josies Ärzte waren der Meinung, dass der plastische Chirurg in dem größeren Krankenhaus von Tupelo besser sei als der Kollege vor Ort, sodass ihre Operation dort für den frühen Mittwochvormittag geplant war.

Josie schaffte es, die Beine vom Bett zu heben und ohne Hilfe aufzustehen. Dann ging sie drei Schritte zu einer Trage und legte sich hin, während die Schwestern sich um die diversen Kabel und Schläuche kümmerten. Sie versuchte, Kiera anzulächeln, doch ihr Gesicht war immer noch stark geschwollen und mit Mullbinden umwickelt.

Sie folgten Josie den Flur hinunter, wo sie an den ergriffenen Vertretern der Kirchengemeinde vorbeikamen, bis zum Lastenaufzug und hinunter in den Keller, wo bereits ein Rettungswagen wartete. Dann fuhren sie dem Rettungswagen hinterher aus der Stadt und aufs Land. Tupelo war nur eine Stunde entfernt.

Als Jake versuchte, sich durch eine Hintertür aus dem Gerichtsgebäude zu schleichen, rief jemand seinen Namen. Es war Ozzie, der die geheimen Gänge und Räume wie seine Westentasche kannte. »Hast du kurz Zeit?«, fragte er. Sie blieben neben zwei Verkaufsautomaten stehen. Ozzie zog es vor, bemerkt zu werden, wenn er bei Gericht zu tun hatte. Er schüttelte Hände, klopfte auf Rücken, lachte schallend, ein Mann mit einem starken Selbstbewusstsein und ganz der Politiker, der seine Basis ausbaute. Wenn er sich jetzt in den Schatten herumdrückte, konnte das nur bedeuten, dass er nicht mit Jake zusammen gesehen werden wollte.

»Klar«, erwiderte Jake, als ob er oder irgendjemand sonst in Ford County Ozzie etwas abschlagen könnte.

Der Sheriff drückte Jake einen quadratischen Umschlag mit der Aufschrift SHERIFF'S DEPARTMENT in die Hand. »Earl Kofer hat heute Morgen angerufen und das von seinem Neffen ins Gefängnis bringen lassen. Die Schlüssel von Ms. Gambles Wagen. Wir sind rausgefahren und haben das Auto geholt. Es parkt jetzt neben dem Gefängnis. Nur, damit du Bescheid weißt.«

»Mir war gar nicht bewusst, dass ich Josie Gamble vertrete.«

»Ab jetzt schon, zumindest glauben das alle. Earl hat sich unmissverständlich ausgedrückt. Sie darf nie wieder einen Fuß auf das Grundstück setzen, und wenn die Kofers sie sehen, werden sie vermutlich auf sie schießen. Sie und ihre Kinder hatten nicht viel Kleidung und so, und jetzt ist alles weg. Earl hat damit geprahlt, dass er ihre Sachen zusammen mit der blutigen Matratze verbrannt hat. Das Auto wollte er wohl auch anzünden, aber dann fiel ihm ein, dass es noch nicht abbezahlt ist.«

»Sag Earl, er soll sich in Acht nehmen, okay?«

»Ich würde Earl gern für ein paar Tage aus dem Weg gehen.«

»War er heute im Gerichtssaal?«

»Ich glaube, ja. Es stört ihn ganz gewaltig, dass du den Jungen vertrittst, der seinen Sohn getötet hat.«

»Ich kenne Earl Kofer nicht, und es gibt keinen Grund, warum meine Kanzlei ihn irgendetwas angehen könnte.«

»In dem Umschlag ist auch ein Lohnscheck.«

»Ah, gute Neuigkeiten.«

»Freu dich nicht zu früh. Offenbar hat Josie in der Autowaschanlage nördlich der Stadt gearbeitet, und sie waren ihr das Geld für die letzte Woche schuldig. Es ist vermutlich nicht viel. Der Scheck wurde im Gefängnis abgegeben.«

»Soll das heißen, sie wurde gefeuert?«

»Sieht ganz so aus. Jemand sagte, dass sie auch in dem kleinen Supermarkt drüben bei der Highschool gearbeitet hat. Hast du die Frau eigentlich überprüft?«

»Nein, aber ich bin sicher, dass du es getan hast.«

»Sie wurde in Oregon geboren, vor dreiunddreißig Jahren. Ihr Vater war in der Air Force, aber nicht als Pilot, und die Familie ist häufig umgezogen. Sie ist auf der Militärbasis in Biloxi aufgewachsen. Ihr Vater kam bei einer Explosion ums Leben. Mit sechzehn hat sie die Schule abgebrochen und Drew bekommen. Der stolze Vater war irgendein Weiberheld namens Barber, aber er hat sich schnell aus dem Staub gemacht. Zwei Jahre später bekam sie das Mädchen, anderer Daddy, irgendein Kerl namens Mabry. Vermutlich weiß er es nicht mal. Sie hat öfter den Wohnort gewechselt, Genaueres lässt sich nicht feststellen. Mit sechsundzwanzig hat sie einen Mann namens Kolston geheiratet, aber mit der Liebe war es vorbei, als er für dreißig Jahre hinter Gitter musste. Drogen. Scheidung. Sie hat zwei Jahre in Texas gesessen, Drogenbesitz und -handel. Keine Ahnung, was damals mit den Kindern war, die Akten des Familiengerichts sind, wie du weißt, nicht zugänglich. Ich brauche wohl nicht zu sagen, dass sie schwere Zeiten hinter sich haben. Und es dürfte noch schlimmer werden.«

»Das würde ich auch so sehen. Die Familie ist obdachlos. Josie hat keine Arbeit mehr, wird morgen operiert und weiß nicht, wo sie hinsoll, wenn sie aus dem Krankenhaus entlassen wird. Ihre Tochter wohnt bei einem Prediger. Ihr Sohn sitzt im Gefängnis.«

»Soll ich etwa Mitleid mit ihr haben?«

Jake holte tief Luft und musterte seinen Freund. »Nein.«

Ozzie machte Anstalten zu gehen. »Bei Gelegenheit kannst du den Jungen ja mal fragen, warum er abgedrückt hat.«

»Er dachte, seine Mutter wäre tot.«

»Da hat er sich geirrt, was?«

»Ja. Und deshalb sollten wir ihn auch umbringen.«

Jake sah dem Sheriff hinterher, der hinter einer Ecke verschwand.

Jahrelange Erfahrung hatte Jake zum Experten für den Andrang in den Geschäften am Clanton Square gemacht, und er wusste, dass um 16.30 Uhr keine Gäste mehr im Coffee-Shop sein würden. Dell würde hinter der Theke stehen, billiges Besteck in Papierservietten wickeln und darauf warten, dass die Uhr fünf anzeigte, damit sie Feierabend machen konnte. Während des Frühstücks und des Mittagessens überwachte sie die Gerüchteküche; sie fachte den Klatsch an, wenn er zu erlöschen drohte, und erstickte ihn, wenn er zu bösartig wurde. Sie hörte aufmerksam zu, verpasste nichts und war sofort zur Stelle, wenn ein Anekdotenerzähler, der vom Manuskript abwich, zurechtgewiesen werden musste. Unflätige Ausdrücke waren verboten. Ein schmutziger Witz konnte dazu führen, dass man hinausgeworfen wurde. Wenn ein Gast beleidigt werden musste, war sie mit einer spöttischen

Bemerkung zur Stelle, und dass er vielleicht nie wieder kam, war ihr egal. Ihr Gedächtnis war legendär, und man hatte ihr schon oft vorgeworfen, sich Notizen zu machen, damit wichtige Gerüchte nicht in Vergessenheit gerieten. Als Jake die Wahrheit wissen wollte, wagte er sich um 16.30 Uhr hinüber und setzte sich an die Theke.

Dell goss Kaffee für ihn ein und meinte: »Wir haben Sie gestern und vorgestern vermisst.«

»Deshalb bin ich hier. Was sagen die Leute?«

»Es wird über nichts anderes geredet. Der erste Mord in fünf Jahren, seit Hailey. Und Stu war beliebt, ein guter Deputy, hin und wieder war er auch mal zum Mittagessen hier. Ich fand ihn sympathisch. Den Jungen kennt niemand.«

»Sie sind nicht von hier. Die Mutter hat Stuart kennengelernt, ist bei ihm eingezogen. Eigentlich sind sie eine bedauernswerte kleine Familie.«

»Das habe ich auch schon gehört.«

»Bin ich immer noch der beliebteste Anwalt?«

»Na ja, wenn ich in der Nähe bin, redet natürlich niemand über Sie. Prather sagte, ihm wäre es am liebsten, wenn man einen anderen Anwalt finden würde, und dass Noose Ihnen den Jungen aufs Auge gedrückt hat. Looney glaubt, dass Sie keine andere Wahl gehabt haben und dass Noose Sie später durch einen anderen ersetzen wird. Solche Sachen eben. Bis jetzt kam noch keine Kritik. Machen Sie sich deshalb Sorgen?«

»Na klar. Die Jungs kenne ich gut. Ozzie und ich sind schon seit Ewigkeiten befreundet. Es ist kein beruhigendes Gefühl, zu wissen, dass sie angepisst sind.«

»Jake, Ihre Ausdrucksweise! Ich glaube, die Deputys können damit leben, aber Sie sollten morgen herkommen und herausfinden, wie sie reagieren.«

»Das habe ich vor.«

Dell sah sich in dem leeren Café um. Dann beugte sie sich vor und fragte: »Warum hat der Junge ihn erschossen? Er war es doch, oder?«

»Daran besteht kein Zweifel. Ich werde nicht zulassen, dass der Junge verhört wird, aber das ist auch gar nicht notwendig. Seine Schwester hat Moss gesagt, dass er Stuart erschossen hat. Das lässt mir nicht viel Spielraum.«

»Und was war das Motiv?«

»Ich weiß es nicht, und ich habe mich auch nicht damit beschäftigt. Noose hat angeordnet, dass ich dem Jungen im ersten Monat die Hand halte, bis er jemand anderen gefunden hat. Wenn es einen Prozess gibt, werden sie ein Motiv finden. Oder auch nicht.«

»Gehen Sie zur Beerdigung?«

»Ich weiß noch nichts von der Beerdigung.«

»Samstagnachmittag, im Depot der Nationalgarde. Ich habe es gerade erfahren.«

»Ich glaube nicht, dass ich eingeladen werde. Gehen Sie hin?«

Sie lachte. »Natürlich. Nennen Sie mir eine Beerdigung, die ich verpasst habe.«

Jake fiel keine ein. Dell war bekannt dafür, dass sie zu zwei, manchmal auch drei Beerdigungen pro Woche ging und über jede minutiös Bericht erstattete, wenn sie den Leuten das Frühstück servierte. Seit Jahren hörte Jake Geschichten über offene Särge, geschlossene Särge, lange Predigten, schluchzende Witwen, verschmähte Kinder, Familienstreitigkeiten, ergreifende Kirchenlieder und grauenhafte Orgeldarbietungen.

»Wird bestimmt großartig werden«, meinte er. »Es ist Jahrzehnte her, seit wir das letzte Mal einen Polizisten zu Grabe getragen haben.«

»Wollen Sie ein bisschen Klatsch hören?«, fragte Dell, nachdem sie sich wieder im Café umgesehen hatte.

»Immer.«

»Man erzählt sich, dass seine Familie Schwierigkeiten hat, einen Geistlichen zu bekommen. Sie gehen nicht in die Kirche, haben es auch nie getan, und sämtliche Prediger, die sie im Lauf der Jahre vor den Kopf gestoßen haben, lehnen jetzt dankend ab. Kann man ihnen nicht verdenken, oder? Es will sich doch keiner auf die Kanzel stellen und die übliche Lobrede auf einen Mann halten, der nichts mit Gott am Hut hatte.«

»Und wer hält dann die Trauerfeier?«

»Keine Ahnung. Ich glaube, sie suchen immer noch jemanden. Kommen Sie morgen früh wieder, dann weiß ich vielleicht mehr.«

»Ich werde da sein.«


Der Tisch in der Mitte von Luciens Arbeitszimmer im Erdgeschoss war mit dicken juristischen Fachbüchern, Notizblöcken und zusammengeknülltem Papier übersät, als hätten die beiden Nichtanwälte seit Tagen recherchiert. Beide wollten Anwälte sein, und Portia war auf dem besten Weg dazu. Luciens glorreiche Zeiten waren schon lange vorbei, doch manchmal fand er die Rechtswissenschaften immer noch faszinierend.

Jake kam herein, bewunderte das Durcheinander und zog einen der nicht zueinander passenden Stühle zu sich. »Dann erläutert mir mal eure brillanten juristischen Strategien.«

»Wir finden keine«, gab Lucien zurück. »Wir sind am Arsch.«

»Wir haben jeden einzelnen Fall am Jugendgericht während der letzten vierzig Jahre überprüft«, sagte Portia. »Die Gesetzeslage ist eindeutig. Wenn ein Jugendlicher, also jemand, der noch keine achtzehn ist, einen Mord, eine Vergewaltigung oder einen bewaffneten Banküberfall begeht, ist nicht das Jugendgericht, sondern der Circuit Court dafür zuständig.«

»Was ist mit einem Achtjährigen?«, erkundigte sich Jake.

»In dem Alter vergewaltigen sie noch nicht so oft«, murmelte Lucien.

»1952 erschoss ein Elfjähriger in Tishomingo County einen älteren Jungen aus der Nachbarschaft«, berichtete Portia. »Ihm wurde am Circuit Court der Prozess gemacht. Er wurde verurteilt und nach Parchman geschickt. Ist das zu fassen? Ein Jahr später entschied der Oberste Gerichtshof von Mississippi, der Junge sei zu jung, und verwies den Fall an das Jugendgericht. Danach wurde ein Gesetz erlassen, das als Grenze dreizehn und älter festlegt.«

»Das spielt keine Rolle«, wandte Jake ein. »Für Drew gilt diese Grenze nicht, jedenfalls nicht, wenn es um sein Alter geht. Seine emotionale Reife würde ich mit dreizehn einschätzen, aber ich bin kein Experte.«

»Haben Sie einen Psychiater gefunden?«, fragte Portia.

»Ich suche noch.«

»Was bezwecken Sie mit dem Psychiater, Jake?«, wollte Lucien wissen. »Selbst wenn er Ihnen Brief und Siegel gibt, dass der Junge durchgeknallt ist, wird Noose den Fall nicht hergeben. Und das wissen Sie. Kann man es ihm verdenken? Es geht um einen toten Polizisten, dessen Mörder bekannt ist. Ginge der Fall ans Jugend-gericht, würde man den Jungen schuldig sprechen und ins Jugend-gefängnis stecken. An dem Tag, an dem er achtzehn wird, endet die Zuständigkeit des Jugendgerichts. Ratet mal, was dann pas-siert.«

»Er kommt frei«, sagte Portia.

»Er kommt frei«, meinte Jake.

»Man kann es Noose also nicht verübeln, dass er den Fall behal-ten will.«

»Lucien, ich versuche nicht, Schuldunfähigkeit ins Spiel zu brin-gen, jedenfalls noch nicht jetzt. Aber mit dem Jungen stimmt etwas nicht, und er braucht professionelle Hilfe. Er isst nicht, er duscht nicht, er redet kaum und sitzt stundenlang da, starrt vor sich ins Leere und summt, als würde er innerlich sterben. Ehrlich gesagt, glaube ich, dass er in das psychiatrische Krankenhaus verlegt werden und Medikamente bekommen sollte.«

Das Telefon klingelte. Alle drei starrten es an. »Wo ist Bev?«, fragte Jake.

»Schon weg. Es ist fast fünf«, sagte Portia.

»Zigaretten kaufen«, meinte Lucien.

Portia nahm langsam den Hörer ab und meldete sich mit: »Kanzlei Jake Brigance.« Sie lächelte, hörte eine Sekunde zu und fragte: »Wer spricht, bitte?« Nach einer kurzen Pause schloss sie die Augen und schien zu überlegen. »Und das bezieht sich auf welchen Fall?« Ein Lächeln, dann: »Es tut mir leid, aber Mr. Brigance hat heute Nachmittag bei Gericht zu tun.«

Jake hatte immer bei Gericht zu tun, so das eherne Gesetz der Kanzlei. War der Anrufer ein potenzieller Mandant oder ein anderer Fremder, bekam er den Eindruck, dass Mr. Brigance praktisch im Gerichtssaal wohnte und ein Termin für eine Beratung schwer zu bekommen war und vermutlich auch teuer sein würde. Eine Praxis, die unter den gelangweilten Advokaten der Stadt nicht unüblich war. Auf der anderen Seite des Clanton Square hatte ein völlig unfähiger Anwalt namens F. Frank Mulveney seine in Teilzeit arbeitende Sekretärin darauf trainiert, noch einen Schritt weiter zu gehen und allen Anrufern mit dem gebührenden Ernst in der Stimme zu eröffnen: »Mr. Mulveney hat beim *Bundesgericht* zu tun.« Nein, F. Frank hatte keine Fälle beim örtlichen Gericht. Er spielte bei den Großen mit.

»Eine Scheidung«, sagte Portia, nachdem sie aufgelegt hatte.

»Danke. Haben heute schon ein paar Spinner angerufen?«

»Nicht, dass ich wüsste.«

Lucien starrte auf seine Armbanduhr, als würde er auf einen Alarm warten. Dann stand er auf und verkündete: »Es ist fünf Uhr. Wer möchte einen Drink?«

Jake und Portia scheuchten ihn aus dem Zimmer. Als er weg war, fragte sie leise: »Wann hat er angefangen, in der Kanzlei zu trinken?«

»Wann hat er damit aufgehört?«

# 12

Die einzige Kinder- und Jugendpsychologin, die im nördlichen Teil Mississippis für den Staat arbeitete, war so beschäftigt, dass sie nicht zurückrief. Daher ging Jake davon aus, dass die Bitte, alles liegen und stehen zu lassen und zum Gefängnis in Clanton zu kommen, nicht sonderlich gut aufgenommen werden würde. Spezialisten dieser Art mit einer Privatpraxis gab es in Ford County nicht, und auch nirgendwo sonst im 22. Gerichtsbezirk. Portia musste zwei Stunden lang herumtelefonieren, bis sie endlich einen in Oxford ausfindig gemacht hatte, eine Stunde Fahrt nach Westen.

Am Mittwochmorgen sprach Jake kurz mit ihm, dann sagte der Psychiater, er könne Drew in zwei Wochen untersuchen, allerdings in seiner Praxis, nicht im Gefängnis. Er mache keine Hausbesuche. Die beiden anderen Experten in Tupelo auch nicht, obwohl der zweite Kontakt, eine Dr. Christina Rooker, etwas mehr Interesse aufbrachte, als ihr klar wurde, wer der potenzielle Patient war. Sie hatte von dem Mord an dem Polizeibeamten gelesen und war fasziniert von dem, was Jake ihr am Telefon erzählte. Er beschrieb Drews Verfassung, Aussehen, Verhalten und seinen fast schon katatonischen Zustand. Dr. Rooker war ebenfalls der Meinung, dass es dringend sei, und einverstanden, den Jungen am nächsten Tag, Donnerstag, in ihrer Praxis in Tupelo zu untersuchen, nicht jedoch im Gefängnis in Clanton.

Lowell Dyer protestierte dagegen, dass Drew das Gefängnis

verlassen sollte, Ozzie ebenfalls. Richter Noose war gerade in einer Sitzung am Gericht von Polk County in Smithfield. Jake fuhr fünfundvierzig Minuten nach Süden, marschierte in den Gerichtssaal und wartete, bis ein paar äußerst redselige Anwälte ihr Wortgefecht beendet hatten und der Richter ein paar Minuten Zeit für ihn hatte. Im Richterzimmer schilderte Jake noch einmal den Zustand seines Mandanten und erklärte, dass Dr. Rooker der Meinung sei, die Angelegenheit dulde keinen Aufschub, und darauf bestehe, den Jungen bei sich in der Praxis zu untersuchen. Er stelle kein Sicherheitsrisiko dar, es bestehe auch keine Fluchtgefahr. Großer Gott, er sei ja kaum in der Lage, etwas zu essen. Schließlich gelang es Jake, den Richter davon zu überzeugen, dass der Gerechtigkeit Genüge getan wurde, wenn der Beschuldigte sofort medizinische Hilfe bekam.

»Ihr Honorar beträgt fünfhundert Dollar«, fügte Jake auf dem Weg zur Tür hinzu.

»Für eine zweistündige Sitzung?«

»Das hat sie gesagt. Ich habe ihr versprochen, dass wir, der Staat, dafür aufkommen werden, schließlich werden Sie und ich ja von ihm bezahlt. Was mich zur Frage *meines* Honorars bringt.«

»Darüber unterhalten wir uns später, Jake. Da draußen warten ein paar Anwälte auf mich.«

»Danke, Richter. Ich werde Lowell und Ozzie anrufen. Die beiden werden rummeckern und schimpfen und vermutlich heulend zu Ihnen gerannt kommen.«

»Das gehört zu meinem Job. Um die beiden mache ich mir keine Gedanken.«

»Ich werde Ozzie sagen, Sie hätten angeordnet, dass er den Jungen nach Tupelo fährt. Das wird ihm gefallen.«

»Meinetwegen.«

»Und ich werde beantragen, den Fall an das Jugendgericht abzugeben.«

»Damit warten Sie bitte, bis Anklage erhoben wurde.«

»Okay.«

»Verschwenden Sie nicht viel Zeit für den Antrag.«

»Weil Sie nicht vorhaben, viel Zeit dafür zu verschwenden?«

»Ganz genau, Jake.«

»Danke für Ihre Offenheit.«

»Immer gern.«

Donnerstagmorgen um acht Uhr wurde Drew Gamble in einen kleinen dunklen Raum geführt und von einem Wärter zum Duschen aufgefordert. Bis jetzt hatte er sich immer geweigert, und inzwischen hatte er Wasser und Seife dringend nötig. Er bekam ein Stück Seife und ein Handtuch und wurde angehalten, sich zu beeilen, wegen der Beschränkung auf fünfundzwanzig Minuten, und gewarnt, dass heißes Wasser, wenn überhaupt, nur für die ersten zwei Minuten fließen würde. Der Junge schloss die Tür, zog sich aus und warf seine schmutzigen Sachen in den Flur, wo sie von einem Wärter aufgesammelt und in die Wäscherei gebracht wurden. Als Drew fertig war, bekam er einen orangefarbenen Overall in der kleinsten verfügbaren Größe und ein Paar abgetragene Badelatschen aus Gummi, die ebenfalls orange waren. Dann brachte man ihn wieder in seine Zelle, wo er einen Teller mit Spiegeleiern und Speck ablehnte. Stattdessen aß er eine Packung Erdnüsse und trank eine Dose Limonade. Wie immer sagte er kein Wort zu den Wärtern, selbst wenn diese ihn ansprachen. Anfangs hatten sie den Jungen für verstockt gehalten, doch bald war ihnen klar geworden, dass er nicht gerade der Hellste war. »Außer Stroh ist da nicht viel in seinem Kopf«, flüsterte einer der Wärter seinem Kollegen zu.

Jake kam kurz vor neun Uhr, bewaffnet mit zwei Dutzend frischen Donuts, mit denen er im Gefängnis herumging, um bei alten Freunden, die ihn jetzt als Feind betrachteten, Bonuspunkte zu sammeln. Einige nahmen dankend an, doch die meisten lehnten ab. Er stellte einen der Kartons am Empfang ab und ging in den Zellentrakt. Als er mit Drew allein war, bot er seinem Mandanten einen Donut an, und zu seiner Überraschung aß der Junge gleich zwei. Der Zucker schien eine aufputschende Wirkung zu haben, denn er fragte: »Ist heute was Besonderes los, Jake?«

»Ja. Wir fahren nach Tupelo zu einer Ärztin.«

»Ich bin doch nicht krank, oder?«

»Das soll die Ärztin entscheiden. Sie wird dir eine Menge Fragen stellen, über dich, deine Familie, wo du gelebt hast und so, und du musst ihr die Wahrheit sagen und antworten, so gut du kannst.«

»Ist sie so was wie ein Seelenklempner?«

Jake war überrascht, dass Drew das Wort »Seelenklempner« benutzte. »Sie ist Psychiaterin.«

»Also Seelenklempner. Ich kenne ein oder zwei von der Sorte.«

»Ach ja? Woher?«

»Ich war mal im Gefängnis, in einer Jugendstrafanstalt, und da musste ich einmal in der Woche zu so einem Seelenklempner. Reine Zeitverschwendung.«

»Ich habe dich zweimal gefragt, ob du jemals vor einem Jugendgericht gestanden hast, und du hast Nein gesagt.«

»Ich kann mich nicht erinnern, dass Sie mich das gefragt haben. Tut mir leid.«

»Warum warst du in der Jugendstrafanstalt?«

Drew biss in seinen Donut und dachte über die Frage nach. »Sie sind mein Anwalt, richtig?«

»Ich komme jetzt den fünften Tag hintereinander ins Gefängnis, um mit dir zu reden. Das würde doch nur dein Anwalt machen, oder?«

»Ich würde wirklich gern meine Mom besuchen.«

Jake holte tief Luft und ermahnte sich zur Geduld, was er bei jedem Besuch tat. »Deine Mutter wurde gestern operiert, sie haben ihren Kiefer wiederhergestellt, und es geht ihr gut. Du kannst sie jetzt nicht besuchen, aber ich bin sicher, dass man ihr erlauben wird herzukommen.«

»Ich dachte, sie wäre tot.«

»Ich weiß, Drew.« Jake hörte Stimmen im Flur und sah auf die Uhr. »Wir machen jetzt Folgendes: Der Sheriff wird dich nach Tupelo fahren. Du wirst hinten sitzen, vermutlich allein, und du wirst mit niemandem im Wagen sprechen. Kein einziges Wort. Verstanden?«

»Sie kommen nicht mit?«

»Ich bin im Auto hinter euch, und ich werde dabei sein, wenn du die Ärztin kennenlernst. Aber du darfst kein Wort mit dem Sheriff oder den Deputys reden, okay?«

»Werden sie etwas zu mir sagen?«

»Ich glaube nicht.«

Die Tür ging auf, und Ozzie stürmte herein, mit Moss Junior im Schlepptau. Jake stand auf und begrüßte die beiden mit einem knappen »Guten Morgen«, doch sie nickten nur. Moss Junior löste die Handschellen von seinem Gürtel. »Steh auf«, sagte er zu Drew.

»Muss er denn unbedingt Handschellen tragen?«, protestierte Jake. »Fluchtgefahr besteht ja wohl nicht.«

»Wir wissen, was wir zu tun haben, Jake. Genau wie du«, gab der Sheriff wie ein echter Klugscheißer zurück.

»Warum kann er nichts Normales anziehen? Ozzie, er soll zu einer psychiatrischen Untersuchung. Wenn er dort in einem orangefarbenen Overall auftaucht, wird das der Sache nicht gerade dienlich sein.«

»Lass gut sein, Jake.«

»Auf keinen Fall. Ich werde Richter Noose anrufen.«

»Tu dir keinen Zwang an.«

»Er hat nichts anderes«, warf der Wärter ein. »Nur die Sachen, die er bei seiner Festnahme getragen hat, aber die sind jetzt in der Wäscherei.«

Jake starrte den Wärter an. »Soll das heißen, dass der Junge keine Kleidung zum Wechseln hier haben darf?«

»Jake, er ist kein Junge«, meinte Ozzie. »Soweit ich informiert bin, wird Erwachsenenrecht zur Anwendung kommen.«

»Sie haben alle seine Sachen verbrannt. Und die von seiner Mutter und seiner Schwester auch«, sagte Moss Junior zu allem Überfluss.

Drew zuckte zusammen und holte tief Luft.

Jake sah den Jungen an, dann warf er Moss Junior einen wütenden Blick zu. »Musste das jetzt sein?«

»Sie haben nach Kleidung zum Wechseln gefragt. Er hat keine.«

»Los jetzt«, befahl Ozzie.

Es gab immer eine undichte Stelle, und Ozzie war schon öfter von der Presse überrascht worden. Ein Foto auf der Titelseite sämtlicher Zeitungen, auf dem zu sehen war, wie er den mutmaßlichen Mörder für einen Termin bei einem Psychiater aus dem Gefängnis schmuggelte, war das Letzte, was er gebrauchen konnte. Sein Dienstwagen, den er hinter dem Gefängnis geparkt hatte, wurde von Looney und Swayze bewacht. Die beiden würden jeden Reporter erschießen, der sich in die Nähe wagte. Die Flucht gelang ohne Zwischenfälle, und Jake musste sich beeilen, um mit seinem Saab hinterherzukommen. Auf der Rückbank des Streifenwagens konnte er gerade noch Drews blonden Haarschopf erkennen.

Dr. Rookers Praxis befand sich in einem großen Bürogebäude nicht weit vom Stadtzentrum Tupelos entfernt. Wie besprochen fuhr Ozzie zu einem Lieferanteneingang hinter dem Komplex, wo er von zwei Streifenwagen des Sheriff's Department von Lee

County erwartet wurde. Er parkte, stieg aus, ließ Moss Junior im Wagen, der den Beschuldigten bewachen sollte, und ging mit seinen Kollegen zusammen in das Gebäude, um sich die Räumlichkeiten anzusehen. Jake blieb in seinem Auto sitzen, das er in der Nähe von Ozzies Streifenwagen abgestellt hatte, und wartete. Was hätte er sonst tun können? Auf der Fahrt nach Tupelo hatte er Portia angerufen, die das Krankenhaus kontaktiert und sich nach Josie Gambles Zustand erkundigt hatte. Portia hatte jedoch nichts in Erfahrung bringen können und wartete auf den Rückruf einer Krankenschwester.

Eine halbe Stunde verging. Schließlich stieg Moss Junior aus und zündete sich eine Zigarette an. Jake ging zu ihm, um ein wenig mit dem Deputy zu plaudern. Er warf einen Blick in den Fond des Streifenwagens und sah Drew zusammengekauert daliegen, die Knie zur Brust gezogen.

»Hat er etwas gesagt?«, fragte er, während er auf den Rücksitz deutete.

»Kein Wort, aber wir haben gar nicht erst versucht, mit ihm zu reden. Jake, der Junge ist nicht in Ordnung.«

»Was meinen Sie damit?«

»Haben Sie dieses Summen gehört? Er sitzt einfach nur da, mit geschlossenen Augen, und summt und stöhnt so merkwürdig, als wäre er ganz woanders.«

»Ja, das kenne ich.«

Moss Junior blies eine Rauchwolke gen Himmel und trat von einem Fuß auf den anderen. »Wird er davonkommen, weil er verrückt ist?«

»Macht das gerade die Runde?«

»Ja. Die Leute denken, Sie werden ihn freibekommen wie damals Carl Lee, indem Sie behaupten, dass er verrückt ist.«

»Na ja, irgendwas müssen die Leute ja sagen.«

»Stimmt. Aber das wäre nicht recht.« Er räusperte sich und

spuckte in der Nähe der Stoßstange aus, als würde ihn etwas anwidern. »Das wird den Leuten nicht gefallen, und ich würde es nicht gut finden, wenn Sie den Kopf dafür hinhalten müssen.«

»Moss, ich vertrete den Jungen nur vorübergehend. Noose hat versprochen, jemand anderen zu finden, falls es einen Prozess gibt.«

»Wird es denn so weit kommen?«

»Ich weiß es nicht. Ich übernehme den Fall, bis Anklage erhoben wird und der Termin für einen Prozess feststeht, dann bin ich weg.«

»Freut mich zu hören. Die Sache könnte übel werden, bevor alles vorbei ist.«

»Sie ist schon übel.«

Ozzie und die Deputys kamen zurück. Er sprach kurz mit Moss Junior, der die hintere Tür des Streifenwagens öffnete und den Jungen zum Aussteigen aufforderte. Die Männer führten Drew in das Gebäude, Jake folgte ihnen.

Dr. Rooker erwartete sie in einem kleinen Konferenzraum und stellte sich Jake vor, mit dem sie bereits mehrmals am Telefon gesprochen hatte. Die Psychiaterin war groß und schlank, hatte knallrote Haare, die vermutlich gefärbt waren, und trug eine Lesebrille mit einem bunten Gestell, die ihr auf die Nasenspitze gerutscht war. Sie war ungefähr fünfzig, damit älter als die anwesenden Männer, und ließ sich nicht im Geringsten von ihnen beeindrucken. Es war ihre Praxis und ihre Show.

Als Ozzie der Meinung war, dass der Beschuldigte keine Möglichkeit zur Flucht hatte, entschuldigte er sich und sagte, er und Moss Junior würden draußen im Flur warten. Dr. Rooker missfiel es sichtlich, dass die bewaffneten Männer in den Praxisräumen bleiben wollten, doch angesichts der Umstände protestierte sie nicht. Schließlich redete sie nicht jeden Tag mit einem Mann – oder einem Jungen –, der des Mordes beschuldigt wurde.

Drew wirkte in dem Gefängnisoverall, der lose an ihm herabhing, noch kleiner. Die Badelatschen sahen lächerlich aus und waren ihm ebenfalls mehrere Nummern zu groß. Er kam kaum mit den Füßen auf den Boden, als er mit im Schoß gefalteten Händen auf einem Stuhl saß, das Kinn auf die Brust gedrückt, den Blick starr nach unten gerichtet, als hätte er Angst davor, die Menschen um ihn herum anzublicken.

»Drew, das ist Dr. Rooker. Sie will dir helfen«, sagte Jake.

Drew nickte der Psychiaterin kurz zu, sah dann aber sofort wieder zu Boden.

»Ich bleibe noch kurz, aber dann muss ich gehen«, erklärte Jake. »Du wirst ihr jetzt aufmerksam zuhören und ihre Fragen beantworten. Sie ist auf deiner Seite. Hast du das verstanden, Drew?«

Er nickte und hob langsam den Kopf. Sein Blick wanderte zu einer Stelle an der Wand über Jakes Kopf, als hätte er von dort etwas gehört, was ihm nicht behagte. Ein langes, trauriges Stöhnen drang aus seinem Mund, doch er sagte kein Wort. So beängstigend es auch war, Jake wollte, dass der Junge wieder mit dem Summen anfing. Dr. Rooker musste es hören und beurteilen, falls das überhaupt möglich war.

»Drew, wie alt bist du?«, fragte sie.

»Sechzehn.«

»Und wann hast du Geburtstag?«

»Am 10. Februar.«

»Das war letzten Monat. Hattest du eine Geburtstagsparty?«

»Nein.«

»Hattest du einen Geburtstagskuchen?«

»Nein.«

»Haben deine Freunde in der Schule gewusst, dass du Geburtstag hattest?«

»Ich glaube nicht.«

»Wie heißt deine Mutter?«

»Josie.«

»Du hast eine Schwester, oder?«

»Richtig. Kiera.«

»Und sonst gibt es niemanden in deiner Familie?«

Der Junge schüttelte den Kopf.

»Keine Großeltern, Tanten, Onkel, Cousins?«

Er schüttelte immer noch den Kopf.

»Was ist mit deinem Vater?«

Plötzlich schossen Drew Tränen in die Augen, die er mit dem Ärmel des Overalls wegwischte. »Den kenne ich nicht.«

»Weißt du, wer dein Vater ist?«

Er schüttelte wieder den Kopf.

Dr. Rooker schätzte die Größe des Jungen auf einen Meter fünfzig, sein Gewicht auf fünfundvierzig Kilo. Keine Anzeichen für Muskelaufbau. Seine Stimme war hoch und weich, fast kindlich. Keine Gesichtsbehaarung, keine Akne, nichts, was darauf hinweisen würde, dass er mitten in der Pubertät steckte.

Drew schloss wieder die Augen und fing an, mit dem Oberkörper vor und zurück zu schaukeln, langsam, aus der Hüfte heraus.

Die Psychiaterin legte ihm die Hand auf das Knie. »Drew, hast du jetzt gerade Angst vor etwas?«

Der Junge begann zu summen, es war genau der Laut, den er immer von sich gab, und der sich manchmal eher wie ein leises Knurren anhörte. Dr. Rooker und Jake hörten ihm einen Moment zu. »Drew, warum machst du das?«, fragte sie dann.

Die einzige Antwort war das Summen. Sie zog ihre Hand weg, warf einen Blick auf die Uhr und entspannte sich, als könnte es eine Weile dauern. Eine Minute verstrich, dann zwei. Nach fünf Minuten nickte sie Jake zu, der sich leise aus dem Raum schlich.

Das Krankenhaus war nicht weit entfernt. Josie Gamble lag im ersten Stock in einem Zweibettzimmer, das sie sich offenbar mit einer Leiche teilte. Bei genauerem Hinsehen war es ein Sechsundneunzigjähriger, der gerade eine neue Niere bekommen hatte. Mit sechsundneunzig?

Kiera hatte auf einem schmalen Klappbett geschlafen, das neben dem ihrer Mutter stand. Sie hatten zwei Nächte im Krankenhaus verbracht und würden es am Nachmittag verlassen können. Wohin die beiden gehen würden, war immer noch nicht klar.

Josie sah furchtbar aus mit ihrem geschwollenen, blutunterlaufenen Gesicht, doch sie war guter Laune und behauptete, keine Schmerzen zu haben. Die Operation war bestens verlaufen, sämtliche Knochen waren wieder dort, wo sie hingehörten, und den nächsten Termin bei ihrem Arzt hatte sie erst in einer Woche.

Jake setzte sich auf einen Stuhl am Fußende des Betts und fragte, ob die beiden mit ihm reden wollten. Was hätten sie sonst bis zu Josies Entlassung tun können? Eine Krankenschwester brachte ihm eine Tasse mit wässrigem Kaffee und zog den Vorhang zu, damit die Leiche sie nicht hören konnte. Sie unterhielten sich leise, und Jake erklärte, wo Drew gerade war und was jetzt vor sich ging. Josie wollte ihn sehen, da er ganz in der Nähe war, doch dann wurde ihr klar, dass keiner von beiden in der Verfassung für einen Besuch war. Außerdem würde der Sheriff es nicht erlauben, und Drew würde bald wieder ins Gefängnis gefahren werden.

»Ich weiß nicht, wie lange ich Ihr Anwalt sein werde«, sagte Jake. »Ich habe Ihnen ja schon erklärt, dass der Richter mich nur vorübergehend ernannt hat, damit ich mich um die Angelegenheiten im Vorfeld des Verfahrens kümmere, und vorhat, später jemand anderen zu suchen.«

»Warum können Sie denn nicht unser Anwalt sein?«, fragte Josie. Sie hatte Schwierigkeiten beim Sprechen, war aber so gut zu verstehen, dass eine Unterhaltung möglich war.

»Das bin ich ja, zumindest fürs Erste. Wir werden sehen, was später passiert.«

»Mr. Callison von der Kirche hat gesagt, Sie sind der beste

Anwalt im County, und dass wir Glück haben, Sie bekommen zu haben«, meinte Kiera, die sehr schüchtern war und nur mit Mühe Blickkontakt halten konnte.

Jake hatte nicht damit gerechnet, von seinen Mandanten in die Enge getrieben zu werden und erklären zu müssen, warum er sie nicht haben wollte. Er konnte und wollte nicht zugeben, dass Drews Fall so geschäftsschädigend war, dass er sich um seinen guten Ruf Sorgen machte. Aller Wahrscheinlichkeit nach würde er für den Rest seines Lebens in Clanton wohnen und sich dort seinen Lebensunterhalt verdienen. Die Gambles dagegen würden vermutlich in ein paar Monaten aus der Stadt wegziehen. Aber wie sollte er das Josie und ihrer Tochter erklären, die in einem Krankenhaus übernachteten, kein Zuhause, keine Kleidung, kein Geld hatten und damit rechnen mussten, dass ihr Sohn und Bruder zum Tod verurteilt wurde? Zurzeit war Jake der Einzige, der sie schützen konnte. Die Mitglieder der Kirchengemeinde sorgten für Mahlzeiten und tröstende Worte, doch das war alles nur vorübergehend.

»Mr. Callison ist ein sehr netter Mann, aber es gibt viele gute Anwälte in der Gegend. Der Richter wird vermutlich jemanden aussuchen, der Erfahrung mit dem Jugendgericht hat«, versuchte er, sich herauszureden.

Jake hatte ein schlechtes Gewissen, weil er ihnen Blödsinn erzählte. Es war kein Fall für das Jugendgericht und würde auch nie einer werden, und im nördlichen Teil Mississippis gab es nur eine Handvoll Anwälte, die Erfahrung mit Strafprozessen hatte, bei denen dem Angeklagten die Todesstrafe drohte. Und Jake wusste, dass sie alle in den nächsten Tagen nicht ans Telefon gehen würden. In einer Kleinstadt wollte niemand einen Fall haben, bei dem es um einen toten Polizisten ging. Harry Rex hatte recht. Der Fall war jetzt schon eine Belastung, und es würde alles nur noch schlimmer werden.

Jake, der sich mit einem Notizblock bewaffnet hatte, gelang es, vom Thema abzulenken und das Gespräch auf die Familie selbst zu bringen. Ohne direkt nach Josies Vergangenheit zu fragen, erkundigte er sich nach anderen Adressen, anderen Wohnungen, anderen Städten. Wie hatte es sie ins ländliche Ford County verschlagen? Wo hatten sie vorher gelebt, und wo davor?

Manchmal konnte sich Kiera an Details erinnern, dann wieder schweifte sie ab und schien das Interesse zu verlieren. Eben beteiligte sie sich noch am Gespräch, im nächsten Moment wirkte sie verängstigt und verschlossen. Sie war ein hübsches Mädchen, groß für ihr Alter, mit braunen Augen und langen dunklen Haaren. Ihrem Bruder sah sie überhaupt nicht ähnlich, und niemand hätte vermutet, dass sie zwei Jahre jünger war als er.

Je länger Jake mit ihr sprach, desto mehr bekam er den Eindruck, dass auch Kiera traumatisiert war. Vielleicht nicht durch Stuart Kofer, sondern durch andere, die in den letzten Jahren Gelegenheit dazu gehabt hatten. Das Mädchen hatte bei Verwandten, zwei Pflegefamilien, in einem Waisenhaus, in einem Wohnmobil, unter einer Brücke und in einer Obdachlosenunterkunft gelebt. Je tiefer er grub, desto trauriger wurde die Geschichte der kleinen Familie, und nach einer Stunde konnte er nicht mehr.

Er verabschiedete sich mit dem Versprechen, nach Drew zu sehen und die beiden so bald wie möglich wieder zu besuchen.

# 13

Mittagessen an einem Donnerstag bedeutete einen schnellen Besuch in der Cafeteria der Schule, wo die Eltern einmal in der Woche Gelegenheit hatten, sich ein Tablett zu nehmen und für zwei Dollar entweder gegrillte Hühnerbrust oder Spaghetti mit

Fleischklößchen zu essen. Jake konnte beidem nicht viel abgewinnen, doch das Essen war Nebensache, denn er saß neben Hanna und einigen ihrer Freundinnen aus der vierten Klasse, die sich pausenlos miteinander unterhielten. Inzwischen ging es bei ihren Gesprächen immer öfter um Jungs, und er hatte vor, diese Entwicklung zu stoppen, wusste aber noch nicht, wie er das anstellen sollte. Carla kam in der Regel auch, allerdings nur kurz, da ihre Sechstklässler einen anderen Stundenplan hatten.

Mandy Bakers Mutter, Helen, war ein gelegentlicher Gast. Jake kannte die Familie, war aber nicht mit ihr befreundet. Sie saßen sich auf den niedrigen Hockern gegenüber und hörten belustigt zu, während die Mädchen alle gleichzeitig redeten. Nach kurzer Zeit hatten sie vergessen, dass ihre Eltern dabei waren, und wurden noch lauter. Als sie völlig in ihre Unterhaltung vertieft waren, sagte Helen: »Ich kann einfach nicht glauben, was mit Stuart Kofer passiert ist.«

»Eine Tragödie«, erwiderte Jake, während er auf einem Stück Huhn herumkaute. Die Familie von Helens Mann besaß eine Kette von SB-Tankstellen und hatte Gerüchten zufolge eine Menge Geld. Sie wohnten auf dem Gelände des Country Club, und solchen Leuten ging Jake aus dem Weg. Sie spielten sich auf und sahen von oben herab auf andere, wofür er kein Verständnis hatte.

Helen kam etwa einmal im Monat zum Mittagessen in die Schule, und Jake ging davon aus, dass sie diesen Tag gewählt hatte, um ihm ihre Meinung zu sagen. Deshalb war er vorbereitet, als es dann tatsächlich so weit war. Sie beugte sich noch etwas mehr zu ihm. »Jake, ich verstehe nicht, warum Sie diesen Killer vertreten. Ich dachte, Sie wären einer von uns.«

Zumindest hatte er gedacht, vorbereitet zu sein. Doch das »einer von uns« erwischte ihn kalt. Ihm fielen ein paar bissige Antworten ein, die alles nur noch schlimmer machen würden. »Helen, der Junge muss einen Anwalt haben«, sagte er stattdessen. »Wenn er keinen Anwalt hat, kann man ihn nicht in die Gaskammer schicken. Das ist Ihnen hoffentlich klar.«

»Ja, schon. Aber es gibt so viele Anwälte hier. Warum müssen das ausgerechnet Sie machen?«

»Wer soll es denn Ihrer Meinung nach machen?«

»Keine Ahnung. Vielleicht jemand von der ACLU in Memphis oder in Jackson. Sie wissen schon, diese Gutmenschen. Ich kann mir nicht vorstellen, mit so etwas mein Geld zu verdienen und Mörder, Kinderschänder und solche Typen zu vertreten.«

»Wissen Sie, was in der Verfassung steht?«, fragte er etwas schärfer als beabsichtigt.

»Jake, bitte. Kommen Sie mir nicht mit juristischen Spitzfindigkeiten.«

»Die Verfassung in der Auslegung des Obersten Gerichtshofs der Vereinigten Staaten schreibt vor, dass jeder, der einer schweren Straftat angeklagt wird, einen Anwalt haben muss. Das ist geltendes Recht.«

»Mag ja sein. Aber ich verstehe einfach nicht, warum Sie den Fall übernommen haben.«

Jake biss sich auf die Zunge und unterließ es, Helen darauf hinzuweisen, dass weder sie noch ihr Mann, noch irgendein Angehöriger ihrer Familien je seinen Rat oder rechtlichen Beistand gesucht hatte. Warum machte sie sich plötzlich Gedanken um seine Kanzlei?

Sie war ein Klatschmaul, und jetzt konnte sie ihren Freunden berichten, dass sie zufällig Jake Brigance getroffen und ihn in aller Öffentlichkeit dafür zur Schnecke gemacht hatte, dass er einen verabscheuungswürdigen Killer vertrat. Die Geschichte würde mit Sicherheit weiter ausgeschmückt werden, den ganzen nächsten Monat die Runde machen und ihr die Bewunderung sämtlicher Bekannten einbringen.

Zum Glück kam Carla und setzte sich auf den Kinderstuhl neben Jake. Sie begrüßte Helen und fragte, wie es ihrer Tante Euna seit deren Sturz gehe. Der Mord geriet sofort in Vergessenheit, als die Rede auf den bevorstehenden Talentwettbewerb der vierten Klasse kam.

Da Josies Kiefer verdrahtet war, konnte sie keine feste Nahrung zu sich nehmen, und ihr letztes Mittagessen im Krankenhaus war wieder ein Schokoladen-Milchshake, den sie mit einem Strohhalm trank. Danach musste sie sich in einen Rollstuhl setzen, in dem sie aus dem Zimmer und den Flur hinunter gerollt wurde. Sie, Kiera und zwei Pfleger verließen das Gebäude durch den Vordereingang, an dem sie von Mrs. Carol Huff erwartet wurden, die den Transport übernehmen würde, da sie einen großen Pontiac mit vier Türen besaß. Pastor Charles McGarry und seine Frau, Meg, waren ebenfalls gekommen und folgten Mrs. Huff in ihrem kleinen Auto aus Tupelo heraus und zurück nach Ford County.

Die Kirche der Gemeinde besaß einen schmalen, zeitlos schönen Altarraum. Jahre nach dem Bau hatte eine der vielen Glaubensgemeinschaften einen zweistöckigen Flügel auf der Rückseite hinzugefügt, einen hässlichen Anbau mit Räumen der Sonntagsschule oben und einem kleinen Gemeindesaal mit Küche im Erdgeschoss, neben dem Büro, in dem Pastor McGarry seine Predigten verfasste und seinen Schäfchen mit guten Ratschlägen beistand. Er hatte beschlossen, dass Josie und Kiera vorübergehend in einem der Räume im Obergeschoss wohnen konnten, mit Zugang zu Toilette und Küche im Erdgeschoss. Er und die Ältesten hatten sich seit Montag dreimal zu Sondersitzungen zusammengefunden und versucht, eine Wohnung für die kleine Familie zu finden, aber etwas Besseres als einen der Räume im Anbau hinter der Kirche hatten sie in der kurzen Zeit nicht auftreiben können. Eines der Kirchenmitglieder vermietete ein Haus, das in ungefähr einem

Monat vielleicht frei werden würde, doch der Mann war auf die Mieteinnahmen daraus angewiesen. Ein Farmer besaß eine Scheune, die als Gästehaus genutzt wurde, aber renoviert werden müsste. Jemand bot ein Wohnmobil an, doch McGarry winkte ab. Josie und die Kinder hatte erst vor Kurzem ein Jahr lang in einem solchen Fahrzeug gewohnt.

Die Kirchengemeinde hatte keine wohlhabenden Mitglieder von der Art, die gleich mehrere Häuser ihr Eigen nannten. Sie bestand aus Rentnern, kleinen Farmern und Berufstätigen aus der Mittelschicht, die ihr Geld zusammenhalten mussten. Bis auf Liebe und warmes Essen hatten sie nicht viel zu geben.

Josie und Kiera hatten keine andere Bleibe und keine Angehörigen, bei denen sie unterkommen konnten. Die Gegend zu verlassen kam nicht infrage, wegen Drew und seiner Probleme. Josie hatte kein Bankkonto und benutzte seit Jahren nur Bargeld, das immer knapp gewesen war. Kofer hatte zweihundert Dollar für Miete und Lebensmittel verlangt, mit denen sie immer in Verzug gewesen war. Die ursprüngliche Vereinbarung hatte viel Sex und Gesellschaft im Tausch gegen Essen und ein Dach über dem Kopf vorgesehen, aber nicht lange Bestand gehabt. Sie hatte keine Kreditkarten und keine Bonität. Ihr letzter Lohnscheck von der Autowaschanlage war auf einundfünfzig Dollar ausgestellt, und der kleine Supermarkt, in dem sie gearbeitet hatte, schuldete ihr noch vierzig Dollar. Sie wusste nicht, wie sie an das Geld kommen sollte, und war nicht einmal sicher, ob sie den Job dort überhaupt noch hatte, ging aber vom Schlimmsten aus. Mindestens zwei ihrer drei Teilzeitstellen waren weg, und ihr Arzt hatte gesagt, sie solle sich mindestens zwei Wochen lang nicht nach einer neuen Arbeit umsehen. Josie hatte Verwandte im südlichen Teil Mississippis und in Louisiana, doch diese hatten schon vor Jahren damit aufgehört, auf ihre Telefonanrufe zu reagieren.

Charles zeigte ihnen ihre neue Unterkunft. Es roch nach frisch geschnittenem Holz und neuer Farbe. Über den Stockbetten waren einige Regale montiert worden, und auf dem untersten stand ein Fernseher. Auf dem Boden lag ein Teppich, das Fenster war mit einem Ventilator ausgestattet. Im Schrank hingen getragene Hemden, Hosen, Jeans, Blusen und zwei Jacken, die Gemeindemitglieder gesammelt, gewaschen und gebügelt hatten. Es gab einen kleinen Kühlschrank mit kaltem Wasser und Fruchtsaft. In einer billigen Kommode waren neue Unterwäsche, Socken, T-Shirts und Schlafanzüge verstaut.

In der Küche unten zeigte ihnen Mrs. Huff den größeren Kühlschrank, der mit Lebensmitteln und Flaschen mit Wasser und Tee gefüllt war, dann erklärte sie ihnen die Kaffeemaschine. Charles gab Josie einen Schlüssel zur Hintertür und äußerte die Hoffnung, dass sie und Kiera sich hier wohlfühlen würden. Die Ältesten hatten beschlossen, dass jede Nacht zwei oder drei Männer die Runde machen und dafür sorgen würden, dass die beiden sicher waren. Die Damen hatten bereits einen Essensplan für die nächste Woche aufgestellt. Eine pensionierte Lehrerin, Mrs. Golden, hatte sich erboten, dem Mädchen mehrere Stunden am Tag Nachhilfe zu geben, bis es den Unterrichtsstoff nachgeholt hatte und sie – wer auch immer »sie« sein mochten – entschieden hatten, dass es wieder zur Schule gehen sollte. Die Hälfte der Ältesten war der Meinung, Kiera sollte in die Highschool von Clanton zurückkehren. Die andere Hälfte glaubte, das würde zu traumatisch für sie sein, und sprach sich dafür aus, sie in den Räumen der Kirche zu unterrichten. Josie war noch nicht gefragt worden.

Mrs. Golden nutzte ihre Kontakte und beschaffte Ersatz für Kieras Schulbücher, die entweder von Earl Kofer verbrannt worden waren, wie dieser behauptete, oder sich im Haus befanden und nicht herausgeholt werden konnten. Kiera hätte eigentlich die neunte Klasse besuchen sollen, ging aber in die achte und hatte immer noch Mühe, mit ihren Klassenkameraden mitzuhalten. Ihre Lehrer hielten sie für intelligent, doch wegen ihres chaotischen Familienlebens und ihrer unsteten Vergangenheit hatte sie zu viel Unterricht versäumt.

Drew war in der neunten Klasse und lag damit gleich zwei Jahre zurück, doch seine schulischen Leistungen wurden einfach nicht besser. Er hasste es, der älteste Schüler in seiner Klasse zu sein, und weigerte sich oft, sein richtiges Alter anzugeben. Ihm war nicht klar, dass er Glück gehabt hatte und durch das späte Einsetzen der Pubertät nicht älter als die anderen Jungen aussah. Mrs. Golden war in der Highschool gewesen und hatte mit dem Direktor über Drews Schuldilemma gesprochen. Eine Teilnahme am regulären Unterricht war natürlich völlig unmöglich, aber einen Privatlehrer konnte die Schule nicht zur Verfügung stellen. Sämtliche Maßnahmen zur Lösung des Problems würden einen Gerichtsbeschluss erfordern. Sie vereinbarten, diese Angelegenheit den Anwälten zu überlassen. Mrs. Golden fiel allerdings auf, dass der Direktor bei allem zögerte, was dem Jungen helfen könnte.

Als Charles und Meg die Kirche verließen, versprachen sie, Josie und Kiera am nächsten Morgen um neun Uhr in die Stadt zu fahren. Die beiden wollten Josies Wagen holen und Drew besuchen.

Josie und Kiera bedankten sich überschwänglich und verabschiedeten sich. Dann gingen sie zu einem Picknicktisch neben dem Friedhof und setzten sich. Wieder einmal war ihre kleine Familie auseinandergerissen worden und stand kurz davor, obdachlos zu werden. Ohne die Hilfe der Kirchengemeinde würden sie jetzt Hunger leiden und im Auto schlafen müssen.

Jake saß an seinem Schreibtisch und starrte den Stapel rosafarbener Telefonnotizen an, die Portia und Bev den Vormittag über aufgenommen hatten. Bis jetzt war er etwa achtzehn Stunden lang im

Fall Drew Gamble tätig gewesen. Er rechnete fast nie nach Stunden ab, da seine Mandanten Arbeiter oder mittellose Leute waren, die nicht zahlen konnten, selbst wenn er nur sehr wenig verlangte. Doch wie fast alle Anwälte hatte er gelernt, wie wichtig es war, seine Arbeitszeiten in irgendeiner Form zu erfassen.

Nicht lange nachdem Jake für Lucien zu arbeiten begonnen hatte, vertrat ein Anwalt auf der anderen Seite des Clanton Square, ein sympathischer Mann namens Mack Stafford, einen Teenager, der bei einem Autounfall verletzt worden war. Der Fall war nicht kompliziert, und Mack machte sich nicht die Mühe, seine Stunden zu erfassen, da der Vertrag ein Erfolgshonorar in Höhe von einem Drittel der Entschädigungssumme vorsah. Die Versicherungsgesellschaft stimmte einem Vergleich zu und erklärte sich bereit, einhundertzwanzigtausend Dollar als Schadenersatz zu zahlen. Mack wollte schon eine Rechnung über sein Honorar von vierzigtausend Dollar schreiben, eine Summe, die nicht nur für Ford County, sondern für den ganzen ländlichen Süden Seltenheitswert hatte. Da sein Mandant jedoch minderjährig war, musste der Vergleich vom Chancery Court genehmigt werden. Richter Reuben Atlee forderte Mack im Gerichtssaal auf, ein derart großzügiges Honorar für einen ziemlich einfachen Fall zu begründen. Mack hatte sich seine Arbeitsstunden nicht notiert und versagte kläglich bei dem Versuch, den Richter davon zu überzeugen, dass er sich das Geld redlich verdient hatte. Sie feilschten eine Weile, und Atlee gab Mack schließlich eine Woche, um seine Arbeitszeitnachweise zu rekonstruieren und einzureichen. Inzwischen war der Richter jedoch misstrauisch geworden. Mack behauptete, seinem Mandanten einhundert Dollar pro Stunde in Rechnung zu stellen und vierhundert Stunden für den Fall aufgewendet zu haben. Beide Zahlen waren überhöht. Atlee halbierte die Angaben und sprach dem Anwalt zwanzigtausend Dollar zu. Mack war so wütend, dass er beim Obersten Gerichtshof von Mississippi Berufung einlegte und mit neun zu null Stimmen verlor, weil das Gericht seit Jahrzehnten entschied, dass die Richter an den Chancery Courts bei so gut wie allem einen uneingeschränkten Ermessensspielraum hatten. Am Ende nahm Mack das Geld und wechselte nie wieder ein Wort mit Richter Atlee.

Fünf Jahre später, in einem legendären Akt kriminellen und standeswidrigen Fehlverhaltens, stahl Mack eine halbe Million Dollar von vier Mandanten und verschwand aus der Stadt. Soweit Jake wusste, hatte niemand, nicht einmal Macks Ex-Frau und seine beiden Töchter, je wieder etwas von ihm gehört. An richtig schlechten Tagen träumte Jake – wie die meisten Anwälte der Stadt – davon, Mack zu sein und irgendwo an einem Strand mit einem kalten Drink in der Hand in der Sonne zu liegen.

Jedenfalls hatten die Mitglieder der örtlichen Anwaltskammer ihre Lektion gelernt, und fast alle führten inzwischen ordentlich Buch über ihre Stunden. Für den Fall *Smallwood* hatte Jake in den vierzehn Monaten, seit Harry Rex den Fall übernommen und ihn als Hauptanwalt hinzugezogen hatte, über tausend Stunden aufgewendet. Das war fast die Hälfte seiner gesamten Arbeitszeit, und er ging davon aus, ordentlich dafür entschädigt zu werden. Drews Fall dagegen würde vielleicht einen enormen Zeitaufwand von ihm erfordern, ohne dass er jemals ein anständiges Honorar dafür zu sehen bekam. Noch ein Grund dafür, ihn loszuwerden.

Das Telefon klingelte wieder, und Jake wartete darauf, dass jemand anders den Hörer abnahm. Es war fast siebzehn Uhr, und er spielte kurz mit dem Gedanken, zu einem Drink mit Lucien nach unten zu gehen, ließ es dann aber sein. Carla sah es nicht gern, wenn er Alkohol trank, und unter der Woche kam es erst recht nicht infrage. Seine Gedanken wanderten von Hochprozentigem zu Mack Stafford, der Rum-Cocktails schlürfte, Mädchen in Bikinis hinterhersah und sich nicht mit nörgelnden Mandanten und schlecht gelaunten Richtern herumschlagen musste. Es war immer der gleiche Tagtraum.

Die Gegensprechanlage knackte. »Jake, Dr. Rooker in Tupelo für Sie«, sagte Portia.

»Danke.« Jake warf die Telefonnotizen in den Papierkorb und nahm den Hörer ab. »Hallo, Dr. Rooker. Nochmals vielen Dank dafür, dass Sie Drew heute untersucht haben.«

»Das ist mein Job, Mr. Brigance. Sind Sie in der Nähe eines Faxgeräts?«

»Das lässt sich einrichten.«

»Gut. Ich faxe Ihnen gleich einen an Richter Noose und in Kopie an Sie adressierten Brief zu. Werfen Sie bitte einen Blick darauf, und wenn Sie mit allem einverstanden sind, werde ich ihn sofort an den Richter weiterleiten.«

»Hört sich dringend an.«

»Meiner Meinung nach ist es das auch.«

Jake eilte nach unten, wo Portia bereits neben dem Faxgerät stand. Das Schreiben hatte folgenden Wortlaut:

AN DEN EHRENWERTEN OMAR NOOSE
CIRCUIT COURT – 22. GERICHTSBEZIRK

*Sehr geehrter Richter Noose,*
*auf Bitten von Mr. Jake Brigance habe ich heute Nachmittag den sech-*
*zehnjährigen Drew Allen Gamble untersucht. Er wurde in Handschellen*
*in meine Praxis in Tupelo gebracht und trug einen orangefarbenen Overall,*
*den er anscheinend vom Gefängnis in Ford County erhalten hat. Anders*
*ausgedrückt, er war für einen Arztbesuch höchst unpassend gekleidet.*
*Alles, was ich bei seiner Ankunft miterleben musste, deutet meiner Ein-*
*schätzung nach darauf hin, dass das Kind wie ein Erwachsener behandelt*
*und für schuldig gehalten wird.*
*Ich habe einen Jungen im Teenageralter beurteilt, der für sein Alter sehr*

*klein ist und ohne Weiteres für ein um mehrere Jahre jüngeres Kind gehalten werden könnte. Eine körperliche Untersuchung habe ich nicht durchgeführt – dies wurde auch nicht von mir erwartet –, aber ich habe keinerlei Anzeichen für Stadium drei oder Stadium vier der pubertären Entwicklung erkennen können.*

*Ich habe folgende Feststellungen gemacht, die sämtlich höchst ungewöhnlich für einen Sechzehnjährigen sind: (1) geringe Körpergröße und kein Muskelaufbau, (2) keine Anzeichen für Gesichtsbehaarung, (3) keine Anzeichen für Akne, (4) kindliche Stimme ohne Vertiefung.*

*In der ersten Stunde der insgesamt zweistündigen Untersuchung verhielt sich Drew unkooperativ und sagte nur wenig. Mr. Brigance hatte einige Angaben zur Vorgeschichte gemacht, und mithilfe dieser Informationen gelang es mir schließlich, ein Gespräch mit Drew zu führen, das ich nur als stockend und angestrengt bezeichnen kann. Er war nicht in der Lage, selbst einfachsten Gedankengängen zu folgen, beispielsweise in einem Gefängnis untergebracht zu sein und es nicht nach Belieben wieder verlassen zu können. Er gab an, sich manchmal an Ereignisse erinnern zu können, dieselben Vorkommnisse aber auch wieder zu vergessen. Er fragte mich mindestens dreimal, ob Stuart Kofer wirklich tot sei, worauf ich ihm aber keine Antwort gab. Er reagierte gereizt und sagte im Verlauf unseres Gesprächs zweimal in einem befehlenden, nicht bittenden Ton zu mir, ich solle still sein. Er war aber zu keiner Zeit aggressiv oder wütend und weinte oft, wenn er eine Frage nicht beantworten konnte. Zweimal sagte er, er wolle sterben, und gab zu, oft an Selbstmord zu denken.*

*Ich habe in Erfahrung bringen können, dass Drew und seine Schwester vernachlässigt und körperlich und psychisch misshandelt wurden und Gewalt in der Familie erfahren haben. Ich kann keine Angaben dazu machen, wer dafür verantwortlich ist, da er es mir schlicht nicht sagen wollte. Ich nehme stark an, dass ein Missbrauch in erheblichem Umfang stattgefunden hat und dass Drew und höchstwahrscheinlich auch seine Schwester von mehreren Personen misshandelt wurden.*

*Der plötzliche und/oder mit Gewalt einhergehende Verlust eines Nahestehenden kann bei Kindern ein Trigger für traumatischen Stress sein. Drew und seine Schwester wurden von Mr. Kofer misshandelt. Sie glaubten aus gutem Grund, dass er ihre Mutter getötet hatte und dass er ihnen wieder wehtun würde. Das ist mehr als genug, um traumatischen Stress auszulösen.*

*Bei Kindern kann ein Trauma zu einer großen Bandbreite von Reaktionen führen, unter anderem zu erheblichen Stimmungsschwankungen, depressiven Phasen, innerer Unruhe, Angst, Unfähigkeit zu essen oder zu schlafen, Albträumen, schlechten schulischen Leistungen und vielen anderen Problemen, auf die ich in meinem vollständigen Gutachten näher eingehen werde.*

*Falls Drew nicht therapeutisch behandelt wird, wird er sich noch mehr in sich selbst zurückziehen, und die entstandenen Schäden könnten unter Umständen nicht wiedergutzumachen sein. Ein Gefängnis für Erwachsene ist derzeit der denkbar schlechteste Ort für ihn.*

*Ich empfehle daher dringend, Drew sofort in die staatliche psychiatrische Klinik in Whitfield zu verlegen, die über eine geschlossene Abteilung für Jugendliche verfügt, um ihn dort gründlich zu untersuchen und langfristig zu therapieren.*

*Das vollständige Gutachten werde ich Ihnen morgen per Fax zukommen lassen.*

*Mit freundlichen Grüßen,*
DR. CHRISTINA A. ROOKER
*Tupelo, Mississippi*

Eine Stunde später saß Jake immer noch an seinem Schreibtisch, ignorierte das Klingeln des Telefons und wollte nach Hause gehen. Portia, Lucien und ihre Teilzeitkraft Bev hatten die Kanzlei bereits verlassen. Als er das vertraute Rattern des Faxgeräts im Erdgeschoss hörte, fragte er sich mit einem Blick auf die Uhr, wer um fünf Minuten nach sechs an einem Donnerstagabend noch arbeitete. Er griff sich Jackett und Aktenkoffer, schaltete das Licht aus und ging nach unten zum Faxgerät. Im Auswurfschacht lag ein einzelnes Blatt Papier mit dem Briefkopf *Circuit Court Ford County*

*Mississippi.* Direkt darunter las er *Bundesstaat Mississippi gegen Drew Allen Gamble.* Eine Aktennummer gab es nicht, da der Beschuldigte noch nicht dem Richter vorgeführt und noch keine Anklage erhoben worden war. Jemand, vermutlich Richter Noose selbst, hatte getippt: »Das Gericht weist hiermit den Sheriff von Ford County an, den oben genannten Beschuldigten schnellstmöglich, vorzugsweise am Freitag, den 30. März 1990, zur staatlichen psychiatrischen Klinik in Whitfield zu bringen und ihn dort persönlich an Mr. Rupert Easley, Sicherheitschef, zu übergeben, wo er bis auf weiteren Beschluss dieses Gerichts zu verbleiben hat. Beschlossen und verkündet, gezeichnet, Richter Omar Noose.«

Jake lächelte und legte den Beschluss auf Portias Schreibtisch. Er hatte seine Arbeit getan und die Interessen seines Mandanten gewahrt. Er konnte fast hören, wie die Gerüchteküche im Gericht brodelte, die Gäste in den Coffee-Shops sich empörten und die Deputys zu fluchen begannen.

Er sagte sich, dass es ihm inzwischen egal war.


# 14


Das Wetter war perfekt für eine Beerdigung, die Kulisse ließ jedoch zu wünschen übrig. Am Samstag, dem letzten Tag im März, war der Himmel dunkel und bedrohlich, der Wind kalt und beißend. Eine Woche vorher, am letzten Tag seines Lebens, war Stuart Kofer an einem wolkenlosen, warmen Nachmittag mit Freunden zusammen zum Angeln gefahren. Sie hatten T-Shirts und Shorts getragen und kaltes Bier in der Sonne getrunken, als wäre der Sommer zu früh gekommen. Inzwischen hatte sich vieles geändert, und jetzt, am Tag seiner Beerdigung, fegten raue Winde über das Land und verstärkten die düstere Stimmung noch.

Die Trauerfeier fand im Depot der Nationalgarde statt, einem nichtssagenden, nüchternen Zweckbau im Stil der Fünfzigerjahre, der für Truppenversammlungen und Gemeindeveranstaltungen errichtet worden war, aber nicht für Begräbnisse. Er fasste dreihundert Personen, und die Familie ging davon aus, dass die Trauergäste in Massen kommen würden. Die Kofers gehörten zwar keiner Kirchengemeinde an, lebten aber seit hundert Jahren im County und kannten Unmengen von Leuten. Stuart war ein beliebter Polizist gewesen, und seine Freunde, Bekannten und Kollegen hatten alle Familie. Begräbnisse waren für die Öffentlichkeit zugänglich, und tragische Todesfälle zogen Neugierige an, die wenig anderes zu tun hatten und darauf brannten, noch mehr Details zu erfahren. Um dreizehn Uhr, eine Stunde vor Beginn der Trauerfeier, kam der erste Übertragungswagen eines Nachrichtensenders und wurde angewiesen, in einem eigens dafür reservierten Bereich zu parken. Überall standen Polizisten in Uniform, die auf die Presse, den Pomp und die Zeremonie warteten. Ein zweiter Übertragungswagen fuhr vor und begann mit Filmaufnahmen. Einigen Reportern mit Kameras wurde gestattet, sich in der Nähe des Flaggenmastes zu versammeln.

Im Inneren des Depots waren dreihundert gemietete Stühle im Halbkreis um eine behelfsmäßige Bühne mit einem Podium aufgestellt worden. Die Wand dahinter war mit Dutzenden Blumengestecken geschmückt, weitere waren an den Wänden aufgereiht. Auf einem Stativ an einer Seite der Bühne stand ein großes Farbfoto von Stuart Kofer. Um 13.30 Uhr war die Halle fast voll, und einige Frauen begannen zu schluchzen. Anstelle der Kirchenlieder, die richtige Christen für Anlässe dieser Art auswählten, hatte jemand aus der Familie eine Liste getragener Melodien von irgendeinem Countrysänger zusammengestellt, dessen schwermütiger Gesang aus zwei billigen Lautsprechern dröhnte. Zum Glück war die Stereoanlage nicht laut aufgedreht, doch es reichte, um die Atmosphäre noch bedrückender wirken zu lassen.

Die Massen strömten herein, und nach kurzer Zeit waren alle Stühle besetzt. Gäste, die danach kamen, wurden gebeten, sich an den Wänden entlang aufzustellen. Um 13.45 Uhr war die Halle voll, und allen, die dann noch versuchten hineinzugelangen, wurde gesagt, die Trauerfeier werde über Lautsprecher ins Freie übertragen.

Die Familie versammelte sich in einem kleinen Anbau mit Büroräumen und wartete auf die Ankunft des Leichenwagens vom Beerdigungsinstitut Megargel, dem letzten noch verbliebenen Bestatter für Weiße in Ford County. Es gab zwei für die Schwarzen, die ihre eigenen Friedhöfe hatten. Bei den Weißen war es genauso, und selbst 1990 waren die Friedhöfe streng getrennt. Niemand war je auf dem falschen Friedhof begraben worden.

Da es eine große Beerdigung mit zahlreichen Trauergästen war und die Chance auf eine Berichterstattung in der Presse bestand, hatte Mr. Megargel Geschäftsfreunde bekniet und sich ein paar schönere Autos geliehen. Als er den großen schwarzen Leichenwagen auf die Einfahrt neben dem Depot lenkte, fuhren sechs identische schwarze Limousinen hinter ihm her. Im Augenblick waren sie noch leer und parkten in einer ordentlichen Reihe hinter dem Gebäude. Mr. Megargel stieg aus, zusammen mit seinen Angestellten, die alle dunkle Anzüge trugen, und begann, Anweisungen zu erteilen. Er öffnete die Hecktür des Leichenwagens und ließ die acht Sargträger vortreten. Langsam zogen die Männer den Sarg heraus und stellten ihn auf eine mit Samt verkleidete Bahre. Die Familie verließ den kleinen Büroraum und stellte sich hinter die Sargträger. Mit Megargel an der Spitze bewegte sich die kleine Parade um das Gebäude herum zur Vorderseite, wo sie von einem beeindruckenden Bataillon aus uniformierten Männern erwartet wurde.

Ozzie hatte die Woche über fast ununterbrochen telefoniert und war überall auf offene Ohren für seine Vorschläge gestoßen. Polizeitruppen aus einem Dutzend Countys, dazu Abordnungen der State Police und Beamte der Stadtpolizei aus mehreren Orten standen in Reih und Glied da, als der Sarg an ihnen vorbeirollte. Kameras klickten deutlich hörbar in der Stille.

In der Menge, die sich vor dem Gebäude versammelt hatte, befand sich auch Harry Rex. Als er Jake später die Szene beschrieb, sagte er: »Großer Gott, man hätte denken können, Kofer wäre bei einem Einsatz getötet worden, bei dem er wie ein richtiger Cop gegen das Verbrechen gekämpft hat. Nicht, während er seinen Rausch ausschlief, nachdem er seine Freundin verprügelt hat.«

Die Menschenmenge teilte sich, während die Sargträger die Bahre in die Halle und durch das kleine Foyer schoben. Als sie den Mittelgang erreichten, rief der Pastor auf der Bühne mit lauter Stimme: »Bitte erheben Sie sich.« Die Trauergäste standen lärmend auf, doch als der Sarg langsam durch den Gang gerollt wurde, mit Earl und Janet Kofer direkt dahinter, herrschte Totenstille. Ihnen folgten etwa vierzig Angehörige.

Die Familie hatte eine Woche lang darüber gestritten, ob der Sarg geschlossen bleiben sollte. Es kam häufig vor, dass er während der Trauerfeier geöffnet wurde, damit Angehörige, Freunde und Gäste den Verstorbenen noch einmal sehen konnten. Das sorgte für zusätzliche Dramatik und maximierte den Schmerz, was natürlich Sinn und Zweck der Sache war, obwohl das niemand zugeben wollte. Prediger auf dem Land bevorzugten offene Särge, weil es dann leichter war, die Gefühle hochkochen zu lassen und die Leute dazu zu bringen, über ihre Sünden und ihren eigenen Tod nachzudenken. Es war auch nicht unüblich, einige Bemerkungen direkt an den Leichnam zu richten, ganz so, als könnte er sich jeden Moment im Sarg aufrichten und brüllen: »Tut Buße!«

Earls Eltern und einer seiner Brüder waren bereits tot, und bei ihren Trauerfeiern war der Sarg offen gewesen, obwohl die Geistlichen die Verstorbenen kaum gekannt hatten. Doch Janet Kofer wusste, dass die Beisetzung auch dann herzzerreißend sein würde, wenn sie ihren toten Sohn nicht ansehen musste. Sie setzte sich schließlich durch, und der Sarg blieb zu.

Als er an seinem Platz stand, wurde eine große amerikanische Flagge entfaltet und darübergelegt. Harry Rex würde später zu Jake sagen: »Der Scheißkerl wurde unehrenhaft aus der Armee entlassen, und trotzdem haben sie ihn mit allen militärischen Ehren begraben.«

Während die Familie zu ihren mit dicken Samtseilen abgeteilten Plätzen in den ersten Reihen ging, bedeutete der Prediger den Gästen, sich zu setzen. Dann nickte er einem Typ mit Gitarre zu, der einen bordeauxfarbenen Anzug, einen schwarzen Cowboyhut und Stiefel in der gleichen Farbe trug. Er ging zu einem Mikrofonständer, schlug ein paar Akkorde an und wartete, bis alle Platz genommen hatten. Als alles ruhig war, begann er, die erste Strophe von »The Old Rugged Cross« zu singen. Der Mann hatte eine angenehme Baritonstimme und konnte hervorragend Gitarre spielen. Er hatte früher mit Cecil Kofer in einer Bluegrass-Band gespielt, dessen verstorbenen Bruder allerdings nie kennengelernt.

Stuart Kofer hatte den alten Gospelsong vermutlich nie gehört. Die meisten seiner trauernden Angehörigen kannten ihn nicht, aber er passte zu dem traurigen Anlass und sorgte für Ergriffenheit. Als der Sänger die dritte Strophe beendet hatte, nickte er kurz und kehrte an seinen Platz zurück.

Den Geistlichen hatte die Familie zwei Tage zuvor kennengelernt. Zu den schwierigeren Aufgaben während dieser entsetzlichen Woche hatte es gehört, einen Mann Gottes zu finden, der bereit war, eine Trauerfeier für jemanden durchzuführen, der ihm völlig fremd war. Sämtliche Prediger aus dem County fanden es heuchlerisch, mit Menschen zu tun zu haben, die alle Kirchen ablehnten. Schließlich bestach ein Cousin einen arbeitslosen Laienprediger der Pfingstler mit dreihundert Dollar, damit dieser den Job übernahm. Er hieß Hubert Wyfong und stammte aus Smithfield in Polk County. Reverend Wyfong brauchte das Geld, aber er sah auch die Chance, vor vielen Zuschauern aufzutreten. Vielleicht konnte er jemanden beeindrucken, der eine Kirchengemeinde mit Bedarf für einen Teilzeit-Prediger kannte.

Wyfong setzte zu einem langen, mit Floskeln gespickten Gebet an, dann nickte er einem hübschen Mädchen im Teenageralter zu, das mit der Bibel in der Hand ans Mikrofon trat und Psalm 23 vorlas.

Ozzie saß neben seiner Frau, hörte zu und wunderte sich darüber, wie unterschiedlich weiße und schwarze Beerdigungen waren. Er und seine Truppe mit ihren Frauen saßen zusammen in drei Reihen links neben der Familie, alle in ihrer besten Uniform, mit frisch geputzten Schuhen und glänzenden Dienstabzeichen. Im Bereich hinter ihnen hatten Polizeibeamte aus dem nördlichen Teil Mississippis Platz genommen, alles Weiße.

Mit Willie Hastings, Scooter Gifford, Elton Frye, Parnell Johnson und ihm selbst, dazu ihren Frauen, befanden sich genau zehn schwarze Gesichter unter den Trauergästen. Ozzie wusste, dass sie nur deshalb willkommen waren, weil er der Sheriff war.

Wyfong sprach noch ein Gebet, das dieses Mal etwas kürzer ausfiel, und setzte sich, während Stuarts zwölf Jahre alter Cousin mit einem Blatt Papier in der Hand zum Mikrofon ging. Er stellte es auf die richtige Höhe ein, warf einen nervösen Blick in die Menge und begann, ein von ihm verfasstes Gedicht über einen Angelausflug mit seinem »Lieblingsonkel Stu« vorzutragen.

Ozzie hörte einen Moment zu, dann schweiften seine Gedanken ab. Am Tag vorher war er mit Drew im Auto drei Stunden lang nach Süden gefahren, zur staatlichen psychiatrischen Klinik in Whitfield, und hatte ihn dort der zuständigen Behörde übergeben.

Kaum saß er wieder in seinem Büro in Clanton, wussten alle im County Bescheid. Der Junge war schon aus dem Gefängnis und tat so, als wäre er verrückt. Jake Brigance verarschte sie schon wieder, so wie vor fünf Jahren, als er den Geschworenen eingeredet hatte, Carl Lee Hailey wäre zeitweise geisteskrank gewesen. Hailey hatte kaltblütig zwei Menschen erschossen, noch dazu vor dem Gerichtsgebäude, und war freigesprochen worden. Er hatte den Gerichtssaal als freier Mann verlassen. Am späten Freitagnachmittag war Earl Kofer zum Gefängnis gefahren und hatte Ozzie zur Rede gestellt. Der Sheriff hatte ihm eine Kopie des Gerichtsbeschlusses gezeigt, unterschrieben von Richter Noose. Kofer hatte geflucht und geschworen, sich zu rächen, dann war er gegangen.

Im Augenblick betrauerte die Menge einen tragischen Tod, doch viele der Leute, die um Ozzie herumsaßen, kochten vor Wut.

Der junge Dichter hatte Talent und erntete sogar Gelächter für seine Bemühungen. Der Kehrreim lautete »Aber nicht mit Onkel Stu. Aber nicht mit Onkel Stu«. Als das Gedicht zu Ende war, brach der Junge in Tränen aus und verließ laut weinend die Bühne. Es war ansteckend, auch einige der Trauergäste fingen an zu schluchzen.

Wyfong stand auf, die Bibel in der Hand, und begann seine Predigt. Er las aus dem Buch der Psalmen vor und sprach von Gottes tröstenden Worten angesichts eines Todesfalls. Ozzie hörte kurz zu, dann schweiften seine Gedanken wieder ab. Am Vormittag hatte er Jake angerufen, ihm die neuesten Details zur Beerdigung mitgeteilt und Bescheid gegeben, dass die Kofers und ihre Freunde verärgert waren. Jake hatte geantwortet, er habe bereits mit Harry Rex gesprochen, der am späten Freitagabend angerufen und gesagt habe, die Gerüchteküche sei heftig am Brodeln.

Ozzie würde nur sich selbst und seiner Frau gegenüber zugeben, dass der Junge in keiner guten Verfassung war. Während der langen Fahrt nach Whitfield hatte Drew weder mit Ozzie noch mit

Moss Junior geredet. Anfangs hatten sie versucht, ein wenig mit ihm zu plaudern, doch er hatte kein einziges Wort herausgebracht. Was nicht daran gelegen hatte, dass er sie bewusst ignoriert hätte. Das, was sie zu ihm gesagt hatten, war einfach nicht zu ihm durchgedrungen. Drew, der mit Handschellen gefesselt war, hatte sich hingelegt und die Knie zur Brust gezogen. Und dann hatte er wieder mit diesem verdammten Summen angefangen. Über zwei Stunden lang hatte der Junge gesummt und gestöhnt, und manchmal hatte es sich so angehört, als würde er fauchen. »Alles in Ordnung mit dir?«, hatte Moss Junior gefragt, als Drew lauter geworden war. Er hatte sich beruhigt, aber nicht geantwortet. Als sie ohne den Jungen nach Clanton zurückgefahren waren, hatte Moss Junior gedacht, es wäre lustig, ihn nachzumachen, und angefangen zu summen. Ozzie hatte zu ihm gesagt, wenn er nicht sofort damit aufhöre, werde er umdrehen und ihn auch in die Klinik bringen. Dann hatten beide gelacht, was auch dringend notwendig gewesen war.

»Fassen Sie sich kurz«, war Earl Kofers einziger Wunsch an den Prediger gewesen. Wyfong erfüllte ihn und hielt eine fünfzehnminütige Predigt, die erstaunlich wenig auf die Tränendrüsen drückte, dafür aber viele tröstende Worte enthielt. Er endete mit einem weiteren Gebet, dann nickte er dem Sänger zu, der noch einmal auf die Bühne kam. Sein letztes Lied war ein Countrysong über einen einsamen Cowboy, der die gewünschte Wirkung hatte. Einige der Frauen begannen wieder zu schluchzen, es war Zeit zu gehen. Die Sargträger stellten sich neben der Bahre auf, und aus den Lautsprechern drang leise »You'll Never Walk Alone«. Als die Familie dem Sarg durch den Gang zwischen den Stühlen folgte, musste Earl seine Frau stützen, die hemmungslos weinte. Während der Zug sich langsam nach draußen bewegte, drehte jemand die Lautstärke an der Anlage hoch.

Vor der Halle standen Polizeibeamte in Uniform Spalier bis

zum Leichenwagen, dessen Hecktür bereits offen stand. Die Träger hoben den Sarg von der Bahre und schoben ihn hinein. Megargel und seine Männer dirigierten die Angehörigen zu den schwarzen Limousinen. Hinter ihnen bildete sich eine Parade, und als alle an ihrem Platz standen, fuhr der Leichenwagen langsam an, gefolgt von den Limousinen mit der Familie. Ihnen schlossen sich die Polizisten an, zu Fuß, mit der Truppe aus Ford County an der Spitze. Dahinter gingen sämtliche Freunde, Verwandten und Fremde, die den Sarg zum Friedhof begleiten wollten. Die Prozession bewegte sich langsam vom Depot weg und dann die Wilson Street hinunter, auf der Absperrungen errichtet worden waren, an denen Kinder standen. Die Einheimischen hatten sich auf den Gehsteigen oder vor ihren Häusern versammelt, um dem gefallenen Helden die letzte Ehre zu erweisen.

Jake hasste Beerdigungen und ignorierte sie nach Möglichkeit. Er hielt sie für eine Verschwendung von Zeit, Geld und vor allem Gefühlen. Eine große Trauerfeier brachte einem nichts, außer vielleicht der Gelegenheit, von der trauernden Familie gesehen zu werden. Nutzte das irgendjemandem? Nachdem Jake während des Hailey-Prozesses angeschossen worden war, hatte er ein neues Testament verfasst und schriftlich Anweisungen hinterlassen, ihn nach seinem Tod so schnell wie möglich zu verbrennen und in seiner Heimatstadt Karaway zu begraben, mit seiner Familie als einzigen Trauergästen. In Ford County war so etwas eine radikale Idee, und Carla gefiel sie überhaupt nicht. Für sie waren die sozialen Aspekte eines schönen Begräbnisses wichtiger.

Am Samstagnachmittag verließ er die Kanzlei, fuhr quer durch die Stadt und parkte an einem Naherholungsgebiet. Er ging einen Wanderweg entlang, stieg einen kleinen Hügel hinauf und gelangte über einen Trampelpfad zu einer Lichtung, wo er sich an einen Picknicktisch mit Blick auf den Friedhof setzte. Im Schutz der Bäume beobachtete er, wie der Leichenwagen vor einem Meer aus alten Grabsteinen hielt. Die Trauergäste strömten zu einem violetten Zeltpavillon, auf dem Megargels knallgelbes Logo aufgedruckt war. Seine Angestellten schleppten den Sarg mindestens hundert Meter weit zwischen die Gräber, gefolgt von der Familie.

Jake musste an die Geschichte eines Anwalts aus Jackson denken, der Geld von einigen Mandanten unterschlagen, seinen Tod vorgetäuscht und dann in einem Baum sitzend seine eigene Beerdigung beobachtet hatte. Nachdem er gefasst und wieder nach Jackson gebracht worden war, hatte er sich geweigert, mit Freunden zu reden, die nicht zu seinem Begräbnis gekommen waren.

Wie wütend waren die Massen da unten? Im Augenblick war das vorherrschende Gefühl Trauer, doch wie schnell würde es in Feindseligkeit umschlagen?

Harry Rex, der offenbar beschlossen hatte, nicht mit auf den Friedhof zu gehen, war fest davon überzeugt, dass Jake ihre Chancen im Fall *Smallwood* ruiniert hatte. Jake war jetzt der am meisten gehasste Anwalt im County, und die Versicherungsgesellschaft würde vermutlich gar nicht erst anfangen, über einen Vergleich zu reden. Und was war jetzt mit der Auswahl der Jury für den Prozess? Unter den potenziellen Geschworenen würde es mit Sicherheit Leute geben, die wussten, dass Drew Gamble sein Mandant war.

Jake war zu weit weg, um hören zu können, was auf dem Begräbnis gesagt wurde. Nach ein paar Minuten stand er auf und ging zu seinem Wagen zurück.

Am späten Nachmittag versammelten sich Familie und Freunde in dem großen, aus Wellblech errichteten Gebäude, in dem die freiwillige Feuerwehr von Pine Grove untergebracht war. Zu einer richtigen Beerdigung gehörte ein ausgiebiges Essen, und die Frauen aus dem Ort brachten Platten mit gebratenem Hühnchen, Schüsseln mit Kartoffel- und Krautsalat, Tabletts mit Sandwiches und gegrillten Maiskolben, alle möglichen Aufläufe sowie Kuchen und Torten. Die Kofers hatten sich in einer Reihe am Ende der Halle aufgestellt, um die überschwänglichen Beileidsbezeugungen ihrer Freunde entgegenzunehmen. Pastor Wyfong wurde für die großartige Trauerfeier gedankt und gelobt, und der junge Neffe erhielt anerkennende Worte für sein Gedicht. Der Cowboy holte seine Gitarre und sang ein paar Lieder, während die Gäste ihre Teller füllten und sich zum Essen an Klapptische setzten.

Earl ging nach draußen, um eine Zigarette zu rauchen, und gesellte sich zu ein paar Freunden, die neben einem Feuerwehrauto standen. Einer der Männer zog eine kleine Flasche Whiskey hervor und ließ sie herumgehen. Die Hälfte von ihnen lehnte ab, die andere Hälfte nahm einen Schluck. Earl und Cecil wollten nichts trinken.

»Dieser Scheißkerl kann doch nicht einfach so tun, als wäre er verrückt, oder?«, fragte ein Cousin.

»Hat er doch schon«, meinte Earl. »Sie haben ihn gestern nach Whitfield gebracht. Ozzie hat ihn hingefahren.«

»Er musste, stimmt's?«

»Ich traue ihm nicht.«

»Dieses Mal ist Ozzie auf unserer Seite.«

»Jemand hat gesagt, dass der Richter angeordnet hat, den Jungen wegzubringen.«

»Stimmt«, bestätigte Earl. »Ich habe den Gerichtsbeschluss gesehen.«

»Diese verdammten Anwälte und Richter.«

»Ich sage euch, das ist nicht recht.«

»Mir hat ein Anwalt erzählt, dass sie ihn einsperren werden, bis er achtzehn ist. Und dann lassen sie ihn raus.«

»Sie sollen ihn ruhig rauslassen. Wir kümmern uns schon um ihn.«

»Diesem Brigance kann man nicht trauen.«

»Werden sie ihn überhaupt vor Gericht stellen?«

»Nicht, wenn er verrückt ist. Das hat der Anwalt gesagt.«

»Kann mal jemand mit Brigance reden?«

»Natürlich nicht. Er wird wie ein Löwe für den Jungen kämpfen.«

»Das machen Anwälte immer. Heutzutage ist das System so ausgelegt, dass die Kriminellen geschützt werden.«

»Brigance wird ihn mit einer dieser juristischen Spitzfindigkeiten raushauen, von denen man immer hört.«

»Wenn ich diesen Mistkerl auf der Straße sehe, trete ich ihm in den Arsch.«

»Ich will nur Gerechtigkeit, das ist alles«, sagte Earl. »Aber die werden wir nicht kriegen. Brigance wird auf Schuldunfähigkeit plädieren, und der Junge wird davonkommen, genau wie Carl Lee Hailey.«

»Ich sage euch, das ist nicht recht. Es ist einfach nicht recht.«

# 15

Lowell Dyer bemerkte recht schnell, dass in Ford County etwas nicht stimmte. Am Sonntagnachmittag wurde er dreimal von Unbekannten zu Hause angerufen, die behaupteten, für ihn gestimmt zu haben. Alle beschwerten sich über das, was im Fall Gamble passierte. Nach dem dritten Anruf stöpselte er das Telefon aus. Der Anschluss in seinem Büro hatte eine Nummer, die in jedem Verzeichnis des 22. Gerichtsbezirks stand, und es klingelte offenbar das ganze Wochenende über. Als seine Sekretärin am Montagmorgen zur Arbeit erschien, stellte sie fest, dass zwanzig Anrufe eingegangen waren und der Anrufbeantworter voll war. An einem normalen Wochenende waren es ein halbes Dutzend. Es war auch nicht ungewöhnlich, wenn überhaupt niemand anrief.

Bei einer Tasse Kaffee lauschten die Sekretärin, Dyer und der stellvertretende Bezirksstaatsanwalt, D. R. Musgrove, den Nachrichten. Einige der Anrufer nannten Name und Adresse, andere waren schüchterner und schienen zu denken, es gehöre sich nicht, den Bezirksstaatsanwalt anzurufen. Ein paar Hitzköpfe fluchten kräftig, verschwiegen, wie sie hießen, und deuteten an, wenn das Justizsystem auch in Zukunft so kläglich versage, müssten sie sich eben selbst um die Sache kümmern.

Aber der Tenor war eindeutig – der Junge saß nicht mehr im Gefängnis, tat so, als wäre er verrückt, und sein verdammter Anwalt legte schon wieder alle rein. Bitte, Mr. Dyer, tun Sie etwas! Machen Sie Ihre Arbeit!

Dyer hatte noch nie einen Fall gehabt, der so viel Interesse erregte, und trat sofort in Aktion. Er rief Richter Noose an, der zu Hause war und »Schriftsätze las«, was er angeblich immer tat, wenn er nicht im Gericht war. Sie waren beide der Meinung, dass es eine gute Idee war, eine Sondersitzung der Anklagejury anzusetzen und die Sache voranzubringen. Als Bezirksstaatsanwalt war Dyer allein für »seine« Anklagejury zuständig und brauchte keine Genehmigung durch jemand anderen, um sie zusammenzurufen. Doch angesichts des Aufsehens, das der Fall Gamble verursachte, wollte er den vorsitzenden Richter darüber in Kenntnis setzen. Während ihres kurzen Gesprächs sagte Noose etwas von einem »langen Wochenende« in seinem Haus, und Dyer vermutete, dass das Telefon des Richters ebenfalls des Öfteren geklingelt hatte.

Noose klang unsicher, sogar besorgt, und schien das Gespräch nicht beenden zu wollen. »Lowell, können wir offen miteinander reden? Und vertraulich?«, sagte er schließlich.

»Ja, natürlich, Richter.«

»Ich habe Schwierigkeiten, einen anderen Anwalt für die Verteidigung des Jungen zu finden. Niemand aus dem Bezirk will den Fall haben. Pete Habbeshaw drüben in Oxford hat schon drei Mordprozesse und kann nicht noch einen übernehmen. Rudy Thomas in Tupelo macht gerade eine Chemotherapie. Ich habe sogar mit Joe Frank Jones in Jackson gesprochen, der mir eine glatte Absage erteilt hat. Wie Sie wissen, kann ich den Fall niemandem außerhalb meines Zuständigkeitsbereichs geben, es blieb mir also nichts anderes übrig, als Druck auf die Leute auszuüben, was aber nichts gebracht hat. Haben Sie eine Idee? Sie kennen unsere Anwälte doch gut.«

Dyer kannte sie tatsächlich gut, würde aber keinen von ihnen mit seiner Vertretung beauftragen, wenn er den Hals in der Schlinge hätte. Es gab einige ausgezeichnete Anwälte in seinem Bezirk, doch die meisten wollten sich nicht mit Prozessen abgeben, vor allem nicht mit solchen, bei denen sie es mit schweren Straftaten und mittellosen Mandanten zu tun bekamen. »Ich bin mir nicht sicher, Richter. Wer hatte eigentlich beim letzten großen Mordprozess im Bezirk die Verteidigung?«, fragte er, um Zeit zu schinden.

Der letzte Mordprozess im 22. Gerichtsbezirk hatte vor drei Jahren in Milburn County stattgefunden, in Temple. Der Staatsanwalt war Rufus Buckley gewesen, der immer noch unter seiner monumentalen Niederlage im Fall Carl Lee Hailey litt. Angesichts der grauenhaften Fakten hatte er dieses Mal jedoch einen haushohen Sieg erringen können: Ein zwanzig Jahre alter Drogensüchtiger hatte seine Großeltern ermordet, wegen fünfundachtzig Dollar, mit denen er Crack kaufen wollte. Er saß jetzt im Todestrakt von Parchman. Noose, der den Vorsitz geführt hatte, war von dem dort praktizierenden Verteidiger, den er mit dem Fall betraut hatte, nicht gerade beeindruckt gewesen.

»Das wird nicht funktionieren«, wandte er ein. »Der Junge …
Wie war noch mal sein Name? Gordy Wilson. Er war nicht sehr
gut, und ich habe gehört, dass er eigentlich nicht mehr praktiziert.
Wen würden Sie beauftragen, wenn Sie sich wegen so einer Sache
vor Gericht verantworten müssten? Wen würden Sie im Zweiundzwanzigsten nehmen?«

Aus reinem Egoismus wäre Dyer ein leichter Gegner am Tisch
der Verteidigung natürlich am liebsten gewesen, aber er wusste,
dass so etwas höchst unwahrscheinlich und zudem noch unklug
war. Ein schwacher oder unfähiger Verteidiger würde den Fall vermasseln und den nächsten Instanzen jede Menge Material für mindestens zehn Jahre liefern.

»Ich würde vermutlich Jake haben wollen«, erwiderte er daher.

»Ich auch«, sagte Noose ohne Zögern. »Aber er darf nichts von
unserem Gespräch erfahren.«

»Natürlich nicht.« Dyer verstand sich gut mit Jake und wollte es
sich nicht mit ihm verderben. Wenn Jake herausfand, dass der Bezirksstaatsanwalt und der Richter sich zusammengetan hatten, um
die Abgabe des Falls an einen anderen Anwalt zu verhindern,
würde er ihnen das sehr übel nehmen.

Als Nächstes rief Dyer bei Jake an, der gerade in der Kanzlei
war. Er wollte ihn allerdings nicht darüber informieren, dass der
Fall Gamble bis zum bitteren Ende an ihm kleben bleiben würde,
sondern hatte ihm etwas anderes mitzuteilen. »Jake, ich wollte
Ihnen nur kurz Bescheid geben, dass ich die Anklagejury für morgen Nachmittag zusammenrufe«, sagte er.

Jake war angenehm überrascht von der kollegialen Geste. »Vielen Dank, Lowell. Ich bin sicher, dass es eine kurze Sitzung sein
wird. Haben Sie etwas dagegen, wenn ich auch komme?«, erwiderte er.

»Sie wissen, dass das nicht geht.«

»Kleiner Scherz. Würden Sie mich bitte anrufen, wenn die Anklage durch ist?«

»Natürlich.«

Ozzies Chefermittler war im Moment sein einziger Ermittler, und im Grunde genommen wollte er auch keinen weiteren haben. Er hieß Kirk Rady, arbeitete schon seit Jahren für das Sheriff's Department und war ein allseits geschätzter Polizeibeamter. Ozzie konnte weitaus besser als die meisten Sheriffs nach Fakten graben, und zusammen mit Rady untersuchte er sämtliche schweren Straftaten im County.

Am Montagnachmittag um genau sechzehn Uhr betraten die beiden Männer die Kanzlei von Jake Brigance und grüßten Portia, die am Empfang saß. Sie war so höflich und professionell wie immer und bat sie, einen Moment zu warten.

Im Moment lag Ozzie zwar im Krieg mit Jake, doch er war stolz darauf, eine intelligente, ehrgeizige junge Schwarze zu sehen, die in einer der Kanzleien am Clanton Square arbeitete. Er kannte Portia und ihre Familie und wusste, dass sie vorhatte, die erste schwarze Anwältin im County zu werden. Mit Jake als ihrem Mentor und Unterstützer würde ihr das bestimmt gelingen.

Portia kam wieder und deutete auf eine Tür am Ende des Flurs. Als sie eintraten, wurden sie von Jake mit einem Handschlag begrüßt und Josie Gamble, Kiera Gamble und ihrem Geistlichen, Charles McGarry, vorgestellt. Die Gambles und McGarry saßen auf der einen Seite des Konferenztisches, und Jake bot Ozzie und Rady Plätze auf der anderen Seite an. Portia schloss die Tür und setzte sich Ozzie gegenüber neben Kiera. Den dicht beschriebenen Notizblöcken, halb geleerten Kaffeebechern und Wasserflaschen, herumliegenden Kugelschreibern und Jakes gelockerter Krawatte nach zu urteilen, hatte der Anwalt bereits einige Zeit mit den Zeuginnen verbracht.

Ozzie hatte Josie seit seinem kurzen Besuch im Krankenhaus am Tag nach dem Mord nicht mehr gesehen. Das war vor einer Woche gewesen. Jake hatte ihm gesagt, dass die Operation gut verlaufen sei und alles wie erwartet verheile. Ihr linkes Auge war immer noch blau und verquollen, der Kiefer auf der linken Seite stark geschwollen. Die Wunden von der Operation waren mit zwei Heftpflastern abgeklebt. Sie versuchte zu lächeln, was ihr aber nicht gelingen wollte.

Nach ein paar Minuten mit etwas angestrengtem Small Talk schaltete Jake ein Tonbandgerät ein, das mitten auf dem Tisch stand. »Hast du etwas dagegen, wenn ich alles aufnehme?«, fragte er.

»Das ist deine Kanzlei«, erwiderte Ozzie mit einem Schulterzucken.

»Stimmt, aber deine Befragung. Ich weiß nicht, ob so etwas normalerweise aufgezeichnet wird.«

»Manchmal ja, manchmal nein«, warf Rady ein. In seiner Stimme lag ein angriffslustiger Unterton. »Normalerweise befragen wir keine Zeugen in Anwaltskanzleien.«

»Ozzie hat mich angerufen«, gab Jake Kontra. »Und mich gebeten, die Befragung zu arrangieren. Sie können sie gerne woanders durchführen, wenn Ihnen das lieber ist.«

»Wir haben nichts dagegen«, warf Ozzie ein. »Du kannst alles aufnehmen, was du möchtest.«

Jake beugte sich zu dem Tonbandgerät und nannte Datum, Ort und Namen der Anwesenden. Als er fertig war, sagte Ozzie: »Ich würde gern deutlich machen, welche Rolle die einzelnen Personen bei dieser Befragung spielen. Wir sind Polizeibeamte, die Ermittlungen zu einer Straftat durchführen. Josie und Kiera Gamble sind potenzielle Zeuginnen. Pastor McGarry, in welcher Funktion sind Sie hier?«

»Ich bin nur der Chauffeur«, antwortete McGarry lächelnd.

»Nett von Ihnen.« Ozzies Blick ging zu Jake. »Muss er dabei sein?«

Jake zuckte mit den Schultern. »Deine Entscheidung, Ozzie. Ich führe die Befragung nicht durch. Ich habe nur dafür gesorgt, dass sie stattfinden kann.«

»Es wäre mir lieber, wenn Sie den Raum verlassen würden«, sagte der Sheriff daraufhin zu McGarry.

»Kein Problem.« Der Prediger lächelte und ging hinaus.

»Und deine Rolle hier, Jake? Josie und Kiera sind doch nicht deine Mandantinnen, oder?«

»Eigentlich nicht. Ich wurde zum Anwalt von Drew bestellt, nicht zum Anwalt der ganzen Familie. Aber wenn wir davon ausgehen, dass es eines Tages einen Prozess geben wird, werden Josie und Kiera wichtige Zeuginnen sein, vielleicht für die Anklage, vielleicht für die Verteidigung. Ich werde unter Umständen der Verteidiger sein. Ihre Aussagen könnten entscheidend sein. Deshalb habe ich ein starkes Interesse an dem, was sie dir erzählen werden.«

Ozzie war kein Anwalt und wollte mit Jake Brigance nicht über Prozessstrategie und Strafverfahren reden. »Können wir die beiden ohne dich befragen?«

»Nein. Ich habe ihnen bereits geraten, nicht zu kooperieren, es sei denn, ich bin dabei. Du weißt ja, dass du sie nicht dazu zwingen kannst, etwas zu sagen. Du kannst sie zu einer Aussage bei Gericht vorladen, wenn es zu einem Prozess kommt, aber im Moment sind sie nicht verpflichtet, dir Rede und Antwort zu stehen. Sie sind lediglich potenzielle Zeuginnen.« Jakes Stimme klang aggressiver, und er fand deutliche Worte. Die Spannung im Raum stieg merklich an.

Portia, die sich Notizen machte, dachte: *Wenn ich doch nur schon Anwältin wäre.*

Alle holten tief Luft. Ozzie setzte sein bestes Politikerlächeln auf und sagte: »Okay, dann fangen wir jetzt an.«

Rady schlug seinen Notizblock auf und lächelte Josie dermaßen dämlich an, dass Jake ihm am liebsten eine reingehauen hätte. »Ms. Gamble«, begann der Polizeibeamte, »als Erstes möchte ich Sie fragen, ob Sie in der Lage sind zu reden, und falls ja, für wie lange? Wie ich gehört habe, sind Sie erst vor einigen Tagen operiert worden.«

Josie nickte nervös. »Danke. Mir geht es gut. Die Fäden und Drähte sind heute Morgen gezogen worden, und ich kann schon wieder einigermaßen reden.«

»Haben Sie Schmerzen?«

»Na ja, es geht so.«

»Nehmen Sie Medikamente gegen die Schmerzen?«

»Nur Ibuprofen.«

»Okay. Können wir mit Ihrer Person anfangen? Ich meine, Ihrem Lebenslauf und so weiter?«

Jake fiel ihm ins Wort. »Lasst uns doch Folgendes versuchen. Wir arbeiten an etwas, von dem wir hoffen, dass es eine komplette Biografie der Gambles wird. Geburtsdaten, Geburtsorte, Wohnorte, Adressen, Ehen, Arbeitgeber, Verwandte, Vorstrafen, das Gute, das Schlechte, das Hässliche. Alles. An vieles können die beiden sich erinnern, aber einiges ist ihnen nicht mehr so richtig im Gedächtnis. Wir brauchen es für unsere Seite. Portia ist dafür zuständig, und es hat Priorität. Wenn wir fertig sind, bekommt ihr eine Kopie. Vollständige Offenlegung. Ihr könnt sie lesen, und wenn ihr die Zeuginnen noch einmal befragen wollt, können wir darüber reden. Das spart uns heute mindestens eine Stunde, und auf diese Weise wird es keine Lücken geben. Einverstanden?«

Rady und Ozzie wechselten einen skeptischen Blick. »Versuchen wir's«, meinte der Sheriff schließlich.

Rady blätterte eine Seite in seinem Notizblock um und sagte: »Okay, dann gehen wir jetzt zurück zu Samstagnacht, 24. März, das ist etwas mehr als eine Woche her. Können Sie uns erzählen, was passiert ist? Beschreiben Sie einfach, was in der Nacht geschehen ist.«

Josie trank mit einem Strohhalm einen Schluck Wasser und sah Jake an, der ihr genaue Anweisungen gegeben hatte, was sie erzählen und was sie auslassen sollte. »Na ja, es war schon spät«, begann sie leicht nervös, »und Stu war nicht zu Hause.« Sie sprach langsam, wie ihr aufgetragen worden war, und schien mit jedem Wort Mühe zu haben, was an den Schwellungen in ihrem Gesicht lag. Sie beschrieb, wie es war, zu warten und zu warten und vom Schlimmsten auszugehen. Sie war unten. Die Kinder waren oben in ihren Zimmern. Sie warteten, hatten Angst. Stu kam gegen zwei Uhr endlich nach Hause, betrunken wie immer, aggressiv wie immer, es gab Streit. Sie wurde geschlagen und war dann erst wieder im Krankenhaus aufgewacht.

»Sie sagten, ›betrunken wie immer‹. Ist Stu häufig betrunken nach Hause gekommen?«

»Ja, er konnte das nicht mehr kontrollieren. Wir hatten seit etwa einem Jahr zusammengelebt, und seine Trinkerei war ein echtes Problem.«

»Wissen Sie, wo er in der Nacht war?«

»Nein, das hat er mir nie gesagt.«

»Aber Sie wussten, dass er Bars und ähnliche Lokalitäten besuchte, richtig?«

»O ja. Anfangs bin ich ein paarmal mitgegangen, aber dann habe ich damit aufgehört, weil er immer Schlägereien angezettelt hat.«

Rady verhielt sich vorsichtig, denn das Sheriff's Department suchte immer noch nach den Berichten über häusliche Gewalt. Josie hatte zweimal den Notruf gewählt und gesagt, Stuart Kofer verprügele sie, dann aber keine Anzeige erstattet. Jake würde vermutlich irgendwann davon erfahren, und Ozzie graute jetzt schon vor seinen Fragen. Unterlagen, die sich in Luft auflösten, ein Vertuschungsversuch, ein Sheriff's Department, das wegschaut, während einer seiner Beamten zunehmend außer Kontrolle gerät. Damit konnte Jake ein Massaker im Gerichtssaal veranstalten.

»Sie haben sich in einer Bar kennengelernt, richtig?«

»Ja.«

»Hier in der Gegend?«

»Nein, es war ein Club oben bei Holly Springs.«

Rady zögerte und machte sich ein paar Notizen. Bei einer falschen Frage würde Jake sofort seinen Ärger an ihm auslassen. »Sie können sich nicht an den Schuss erinnern, richtig?«

»Nein.« Josie schüttelte den Kopf und starrte den Tisch an.

»Haben Sie etwas gehört?«

»Nein.«

»Haben Sie seit dem Schuss mit Ihrem Sohn gesprochen?«

Sie holte tief Luft und versuchte, die Fassung zu bewahren. »Wir haben gestern Abend miteinander telefoniert, zum ersten Mal seit der Nacht. Er ist unten in Whitfield, aber das wissen Sie vermutlich. Er sagte, dass der Sheriff ihn am Freitag dort hingefahren hat.«

»Wie geht es ihm, wenn ich fragen darf?«

Sie zuckte mit den Schultern und wandte den Blick ab. »Nur, damit ihr Bescheid wisst«, half Jake aus. »Wir haben mit den Ärzten im Krankenhaus gesprochen. Josie und Kiera werden morgen nach Whitfield fahren, der Prediger bringt sie hin. Sie werden Drew besuchen und mit den Leuten reden, die ihn behandeln. Es ist offenbar sehr wichtig, dass die Ärzte mit der Familie reden und Informationen zur Vorgeschichte bekommen.«

Ozzie und Rady nickten zustimmend. Rady blätterte in seinem Block und las einige seiner Notizen. »War Drew jemals mit Stu zusammen auf der Jagd?«

Josie schüttelte den Kopf. »Er war einmal mit ihm angeln, aber das ist nicht gut gegangen.«

Eine lange Pause. Details kamen nicht. »Was ist passiert?«, wollte Rady wissen.

»Drew hat eine von Stus Angelruten benutzt und einen großen Fisch gefangen, der weggeschwommen ist und ihm die Rute aus der Hand gerissen hat. Sie war weg. Stu hatte schon ein paar Bier getrunken. Er hat sich fürchterlich aufgeregt und Drew geschlagen und ihn zum Weinen gebracht. Danach waren sie nie wieder zusammen angeln.«

»Und auf der Jagd waren sie nie zusammen?«

»Nein. Sie müssen wissen, dass Stu meine Kinder von Anfang an nicht gewollt hat, und je länger sie geblieben sind, desto mehr hat er sie gehasst. Es wurde immer schlimmer. Seine Trinkerei, meine Kinder, Streit wegen Geld. Die Kinder haben mich angefleht zu gehen, aber ich wusste nicht, wohin.«

»Hat Drew, soweit Sie das wissen, jemals vorher eine Waffe abgefeuert?«

Josie zögerte und holte tief Luft. »Ja. Einmal hat ihn Stu hinter die Scheune mitgenommen, und dort haben sie auf Zielscheiben geschossen. Ich weiß nicht, welche Waffe sie benutzt haben. Stu hatte viele. Es ist nicht gut gelaufen, weil Drew Angst vor den Waffen hatte und nichts getroffen hat. Stu hat ihn ausgelacht.«

»Sie sagten, er habe Drew geschlagen. Ist das mehr als ein Mal passiert?«

Josie starrte Rady an. »Es ist ständig passiert. Er hat uns alle geschlagen.«

Jake beugte sich vor und sagte: »Wir werden heute nicht auf die körperlichen Misshandlungen eingehen. Es ist sehr oft vorgekommen, und wir werden alles in unserer Zusammenfassung aufführen. Es wird vielleicht Einfluss auf den Prozess haben, vielleicht auch nicht. Aber vorerst lassen wir es aus.«

Ozzie hatte nichts dagegen einzuwenden. Was vor Gericht als Beweismittel verwendet wurde, war Sache des Bezirksstaatsanwalts. Als Sheriff hatte er damit nichts zu tun. Aber es war gut möglich, dass es ein schmutziger Prozess wurde.

»Da dies der erste von mehreren Besuchen dieser Art ist, sollten wir vielleicht besser nur die wichtigsten Punkte ansprechen und weitermachen«, sagte Ozzie. »Wir haben festgestellt, dass Sie, Josie, bewusstlos waren, als der Schuss abgegeben wurde. Das haben wir nicht gewusst. Jetzt wissen wir es, also machen wir Fortschritte. Wir werden Kiera ein paar Fragen stellen, und das war's dann, in Ordnung?«

»Klingt gut«, erwiderte Jake.

Rady setzte wieder sein bescheuertes Lächeln auf und fragte Kiera: »Kannst du uns deine Geschichte erzählen? Was ist in der Nacht passiert?«

Ihre Geschichte war sehr viel ausführlicher, da sie sich an alles erinnerte: die Angst vor einem typischen Samstagabend, das Warten bis weit nach Mitternacht, der Tumult in der Küche, das Geschrei, das Geräusch von Schlägen, das Entsetzen, als er mit schweren Schritten die Treppe heraufkam, keuchend, lallend. Der monotone Singsang, in dem er ihren Namen rief, die Metallstange, mit der sie die Tür blockierten, das Rütteln am Türknauf, Schläge gegen die Tür, Gebrüll. Bruder und Schwester, die sich starr vor Angst aneinanderklammerten. Dann die Stille, das Geräusch seiner Schritte, als er wieder nach unten ging, und – das Schlimmste – kein Laut von ihrer Mutter. Sie waren davon überzeugt, dass er sie getötet hatte. Im Haus war nichts zu hören, und mit jeder Minute, die verstrich, wurde deutlicher, dass ihre Mutter tot sein musste. Sonst hätte sie versucht, sie zu beschützen.

Kiera gelang es, die Ereignisse zu schildern, obwohl sie sich die ganze Zeit Tränen aus dem Gesicht wischen musste. Sie hielt Papiertaschentücher in der Hand und wirkte angespannt und nervös, doch ihre Stimme versagte nicht. Jake hatte immer noch nicht vor, auch nur in die Nähe des Prozesses von Drew Gamble zu kommen, doch der Strafverteidiger in ihm konnte nicht umhin, Kiera als Zeugin zu beurteilen. Er war beeindruckt von ihrer Stärke, ihrer Reife, ihrer Entschlossenheit. Obwohl sie zwei Jahre jünger war als ihr Bruder, schien sie ihm weit voraus zu sein.

Als sie von ihrer vermeintlich toten Mutter erzählte, musste sie eine Pause machen und brauchte Wasser. Sie trank einen Schluck aus einer Flasche, wischte sich über die Wangen, sah kurz Rady an und fuhr fort: Sie fanden sie auf dem Küchenboden, nicht ansprechbar, ohne Puls, und fingen an zu weinen. Schließlich wählte Drew den Notruf. Stunden schienen zu vergehen. Er schloss die Tür zum Schlafzimmer. Sie hörte einen Schuss.

»Hast du Stu auf dem Bett liegen sehen, bevor er erschossen wurde?«, fragte Rady.

»Nein.«

Jake hatte ihr gesagt, dass Antworten auf eine direkte Frage kurz sein sollten.

»Hast du Drew mit einer Waffe in der Hand gesehen?«

»Nein.«

»Hat Drew etwas zu dir gesagt, nachdem du den Schuss gehört hast?«

Jake mischte sich ein. »Darauf solltest du nicht antworten. Es könnte Hörensagen und vor Gericht unzulässig sein. Ich bin sicher, dass wir das irgendwann diskutieren werden, aber nicht jetzt.«

Ozzie hatte genug gehört, sowohl von den Zeuginnen als auch vom Anwalt, und stand abrupt auf. »Danke, das ist alles, was wir brauchen«, sagte er. »Jake, ich melde mich. Oder auch nicht. Du wirst bestimmt bald vom Bezirksstaatsanwalt hören.«

Jake erhob sich, während die beiden Männer den Raum verließen. Als sie weg waren, setzte er sich wieder, und Portia schloss die Tür.

»Wie waren wir?«, fragte Josie.

»Ganz großartig.«

# 16

Ihr langer Tag begann bei Sonnenaufgang, als die Scheinwerfer von Charles McGarrys Wagen auf die Rückseite der kleinen Kirche fielen. In der Küche brannte Licht, und er wusste, dass Josie und Kiera wach und bereit waren. Er holte sie an der Tür ab, begrüßte sie mit knappen Worten – schließlich hatten sie stundenlang Zeit, um sich im Auto zu unterhalten – und schloss die Kirche hinter ihnen ab. Kiera verstaute ihre langen Beine im Fond des kleinen Familienautos der McGarrys, während Josie vorn auf dem Beifahrersitz Platz nahm. Charles deutete auf die Digitaluhr am Armaturenbrett. »6.46 Uhr. Merkt es euch. Die Fahrt dürfte drei Stunden dauern.«

Seine Frau, Meg, hatte mitkommen wollen, doch für eine lange Fahrt war es in dem Auto mit vier Leuten zu eng. Außerdem war eine ihrer Großmütter, die versprochen hatte, auf das Kind aufzupassen, krank geworden.

»Meg hat mir ein paar Sandwiches mitgegeben«, sagte er. »Sie sind in der Papiertüte da.«

»Mir ist schlecht«, bekam er von Kiera zur Antwort.

»Ihr geht's nicht gut«, ergänzte Josie.

»Mom, mir ist schlecht«, sagte das Mädchen noch einmal.

»Ist es schlimm?«, fragte er.

»Fahren Sie rechts ran. Schnell.« Sie waren nicht einmal einen Kilometer weit gekommen; die Kirche hinter ihnen war fast noch zu sehen. Charles trat auf die Bremse und blieb am Straßenrand stehen. Josie war bereits dabei, die Tür aufzustoßen und ihre Tochter aus dem Wagen zu zerren. Kiera übergab sich in einen Graben und würgte mehrere Minuten lang, während Charles auf das Licht der Scheinwerfer vor sich starrte und versuchte, nicht hinzuhören. Das Mädchen begann zu schluchzen und entschuldigte sich bei seiner Mutter, dann sprachen sie eine Weile miteinander. Beide weinten, als sie wieder ins Auto stiegen, und lange Zeit blieb es still.

Schließlich sagte Josie mit einem gezwungenen Lachen: »Beim Autofahren ist ihr schon immer schlecht geworden. So was habe ich bei niemandem sonst gesehen. Manchmal fängt sie schon an zu spucken, bevor ich überhaupt den Motor starte.«

»Alles okay mit dir?«, fragte Charles mit einem kurzen Blick über die Schulter.

»Mir geht's gut«, murmelte Kiera mit geschlossenen Augen. Sie hatte den Kopf zurückgelegt und die Arme vor dem Bauch verschränkt.

»Wie wär's mit Musik?«, fragte er.

»Ja, sicher«, erwiderte Josie.

»Mögen Sie Gospel?«

Eigentlich nicht, dachte sie. »Kiera, möchtest du Gospelmusik hören?«

»Nein.«

Charles schaltete das Radio ein und suchte einen Sender aus Clanton, der ununterbrochen Countrymusik spielte. Sie fuhren um die Stadt herum und bogen dann auf den Highway nach Süden ab. Um sieben Uhr kamen die Nachrichten, zuerst das Wetter, dann ein Bericht darüber, dass der Bezirksstaatsanwalt, Lowell Dyer, bestätigt hatte, die Anklagejury von Ford County werde im Laufe des Tages zusammentreten. Und ja, auf der Tagesordnung stehe der Mord an Officer Stuart Kofer. Charles streckte den Arm aus und schaltete das Radio ab.

Einige Kilometer südlich von Clanton wurde Kiera schon wieder schlecht, dieses Mal auf dem Highway, mitten im morgendlichen Berufsverkehr. Charles lenkte den Wagen auf die Schottereinfahrt eines Hauses. Kiera sprang hinaus und schaffte es gerade noch, sich nicht im Auto zu übergeben. »Vielleicht ist es der Geruch der Sandwiches«, sagte Josie, als ihre Tochter wieder auf der Rückbank saß. »Können wir sie in den Kofferraum legen?«

Charles hätte gern eines gegessen, wollte aber kein Risiko eingehen. Er löste den Sicherheitsgurt, griff sich die Papiertüte, öffnete den Kofferraum und legte ihr Frühstück hinein. Meg war um fünf Uhr aufgestanden, um die Sandwiches für sie zu machen.

Als sie wieder auf dem Highway waren, warf Charles alle zwei Minuten einen Blick in den Rückspiegel. Kiera war blass, auf ihrer Stirn glänzte Schweiß. Sie hatte die Augen geschlossen und versuchte zu schlafen.

Josie spürte seine Unruhe und wusste, dass Charles sich Sorgen um ihre Tochter machte. »Wir haben gestern Abend mit Drew geredet. Vielen Dank, dass wir dafür das Telefon in der Kirche benutzen konnten«, sagte sie, um ihn abzulenken.

»Gern geschehen. Wie geht es ihm?«

»Ich weiß es nicht. Er ist auf jeden Fall besser untergebracht, in einem kleinen Raum mit einem Zellengenossen, einem Siebzehnjährigen, und bis jetzt scheint der Junge ganz in Ordnung zu sein. Drew hat gesagt, dass die Leute, die Ärzte, nett sind, und anscheinend kümmern sie sich wirklich gut um ihn. Sie haben ihm ein Medikament gegeben, ein Antidepressivum, und er hat gesagt, dass es ihm schon viel besser geht. Gestern hat er mit zwei verschiedenen Ärzten gesprochen, die ihm eigentlich nur eine Menge Fragen gestellt haben.«

»Wissen Sie, wie lange sie ihn in Whitfield behalten werden?«

»Nein. Das wurde noch nicht angesprochen. Aber er würde lieber bleiben, wo er jetzt ist, anstatt wieder ins Gefängnis von

Clanton zu gehen. Jake hat gesagt, dass es keine Möglichkeit gibt, ihn rauszuholen. Anscheinend wäre in einem Fall wie diesem kein Richter in Mississippi damit einverstanden, eine Kaution festzusetzen.«

»Ich bin sicher, dass Jake weiß, wovon er spricht.«

»Wir haben Jake sehr gern. Kennen Sie ihn gut?«

»Nein, Josie, ich bin neu hier, genau wie Sie. Aufgewachsen bin ich drüben in Lee County.«

»Ach ja, stimmt. Für uns ist es ein großer Trost, jemanden wie Jake als Anwalt zu haben. Müssen wir ihn eigentlich bezahlen?«

»Ich glaube nicht. Ist er denn nicht vom Gericht bestellt worden?«

Sie nickte und murmelte etwas, als würde ihr plötzlich noch etwas anderes einfallen. Kiera gelang es, sich auf der Rückbank zu einem Ball zusammenzurollen und einzuschlafen. Nach ein paar Kilometern drehte sich Josie um und warf einen Blick nach hinten. »Alles okay mit dir, meine Süße?«

Kiera gab keine Antwort.


Es dauerte eine Stunde, bis sie sich angemeldet hatten und in ein Gebäude geführt worden waren, von dem es weiter zu einem anderen ging. Dort wurden sie in einen Warteraum geführt, in dem zwei Sicherheitsbeamte mit Pistolen am Gürtel standen. Einer von ihnen, eine Frau, hatte ein Klemmbrett in der Hand und kam auf Charles zu. »Sie wollen Drew Gamble besuchen?«, fragte sie mit einem gezwungenen Lächeln.

Charles deutete auf Josie und Kiera. »Sie wollen ihn besuchen. Das ist seine Familie.«

»Folgen Sie mir bitte.«

Alle Türen waren verriegelt und mussten jeweils einzeln geöffnet werden, begleitet von einem kurzen Summton. Als sie tiefer in das Labyrinth vordrangen, wurden die Gänge breiter und sauberer. Sie blieben vor einer Metalltür ohne Fenster stehen. »Es tut mir leid, aber Besuch ist nur für Angehörige erlaubt«, sagte die Sicherheitsbeamtin.

»In Ordnung«, meinte Charles. Er kannte Drew kaum und war nicht gerade versessen darauf, die nächste Stunde mit dem Jungen zu verbringen. Josie und Kiera betraten den kleinen, fensterlosen Raum, in dem Drew auf sie wartete. Die drei fielen sich in die Arme und begannen zu weinen. Charles sah von der offenen Tür aus zu und empfand tiefes Mitgefühl für die kleine Familie. Die Sicherheitsbeamtin ging rückwärts aus dem Raum und schloss die Tür. »Die Ärztin würde gern mit Ihnen sprechen«, teilte sie ihm mit.

»Natürlich.« Was hätte er sonst sagen sollen?

Die Ärztin stand in der offenen Tür eines kleinen, unaufgeräumten Büros, das sich in einem anderen Teil des Gebäudes befand. Sie stellte sich als Dr. Sadie Weaver vor und sagte, sie sei vorübergehend im Büro eines Kollegen untergebracht. Die beiden zwängten sich in den winzigen Raum, dann schloss sie die Tür.

»Sie sind der Geistliche der Familie?«, begann sie ohne jeden Versuch von Small Talk. Anscheinend hatte sie unglaublich viel zu tun.

»Ähm, in gewisser Weise schon. Sagen wir, ja, okay? Die Gambles sind nicht offiziell Mitglieder meiner Gemeinde, aber wir haben sie sozusagen adoptiert. Im Grunde genommen sind sie obdachlos. Keine Angehörigen in der Gegend.«

»Wir haben gestern ein paar Stunden mit Drew verbracht. Offenbar hat es die Familie nicht leicht gehabt. Seinen Vater kennt er nicht. Ich habe mit dem Anwalt, Mr. Brigance, gesprochen und mit Dr. Christina Rooker in Tupelo. Sie hat sich Drew letzten Donnerstag angesehen und das Gericht gebeten, ihn zur weiteren Beurteilung hierherbringen zu lassen. Daher kenne ich die Vorgeschichte zum Teil. Wo wohnt die Familie jetzt?«

»In unserer Kirche. Dort sind sie sicher, und wir versorgen sie auch mit Mahlzeiten.«

»Es freut mich, dass Sie sich so gut um die beiden kümmern. Um Drew mache ich mir natürlich mehr Gedanken. Wir werden den heutigen Nachmittag und morgen Vormittag mit ihm, seiner Mutter und seiner Schwester verbringen. Ich nehme an, Sie haben die beiden gefahren?«

»Richtig.«

»Wic lange können Sie sie hierlassen?«

»Ich bin flexibel.«

»Gut. Lassen Sie die beiden bis morgen Mittag hier, und holen Sie sie dann ab.«

»In Ordnung. Wie lange wird Drew hierbleiben?«

»Schwer zu sagen. Wochen, keine Monate. In der Regel geht es ihnen hier besser als in einem Gefängnis.«

»Das glaube ich gern. Behalten Sie ihn so lange wie möglich. In Ford County ist die Lage momentan ziemlich angespannt.«

»Verstehe.«

Charles verließ das Gebäude und ging zu seinem Wagen. Er passierte die Kontrollstellen und war gegen Mittag wieder auf der Straße Richtung Norden. In einem kleinen Supermarkt kaufte er sich einen Softdrink, dann holte er die Sandwiches aus dem Kofferraum und genoss es, in Ruhe seinen Brunch zu verzehren, während aus dem Radio Gospelmusik tönte.

Die Anklagejury von Ford County trat zweimal im Monat zusammen. Auf der Tagesordnung standen alltägliche Fälle – kleinere Drogendelikte, Autodiebstähle, ein oder zwei Messerstechereien in den Bars und Kneipen. Den letzten Toten hatte es bei einer Schießerei in Wildwestmanier gegeben, die sich nach der Beerdigung eines Schwarzen zwischen zwei rivalisierenden Familien ereignet hatte. Ein Mann war ums Leben gekommen, doch es konnte nicht festgestellt werden, wer ihn erschossen hatte. Die Geschworenen klagten den vielversprechendsten Verdächtigen wegen Totschlag an. Der Fall war noch immer nicht entschieden, aber im Grunde genommen hatte es auch niemand eilig. Der Angeklagte war auf Kaution freigekommen.

Die Anklagejury bestand aus achtzehn Geschworenen, ausnahmslos registrierte Wähler aus dem County, und war vor zwei Monaten von Richter Noose aufgestellt worden. Sie kam in geschlossener Sitzung in dem kleinen Gerichtssaal am Ende des Gangs zusammen. Keine Zuschauer, keine Presse, keine gelangweilten Prozessfans, die nach ein wenig Drama suchten.

Im ersten Monat prahlten die Geschworenen noch damit, welche Ehre es sei, in der Anklagejury zu sitzen, doch nach ein paar Sitzungen machte sich Routine breit. Die Männer und Frauen hörten immer nur eine Seite der Geschichte, nämlich die, die vom Staatsanwalt präsentiert wurde, und abweichende Meinungen gab es so gut wie nie. Bis jetzt hatten sie in allen vorgelegten Fällen entschieden, Anklage zu erheben. Innerhalb kurzer Zeit war aus ihnen nichts weiter als ein Instrument der Polizei und Staatsanwälte geworden, das zu allem Ja und Amen sagte.

Eine Sondersitzung war ungewöhnlich, und als sie sich am Dienstagnachmittag, den 3. April, im Gerichtssaal versammelten, wusste jeder der sechzehn Anwesenden genau, weshalb man sie gerufen hatte. Zwei Geschworene fehlten, doch die Jury war auch ohne sie beschlussfähig.

Lowell Dyer begrüßte die Männer und Frauen und bedankte sich für ihr Kommen, als hätten sie eine Wahl gehabt. Dann erklärte er, dass sie über eine sehr ernste Angelegenheit zu entscheiden hätten. Er schilderte den Sachverhalt des Mordes an Kofer und bat Sheriff Walls, sich auf den Zeugenstuhl am Ende des Tisches zu setzen. Ozzie schwor, die Wahrheit zu sagen, und machte seine Aussage: Datum und Uhrzeit, Personen, Notruf, Schauplatz bei Eintreffen von Chief Deputy Moss Junior Tatum, der als Erster am Tatort war. Er beschrieb das Schlafzimmer und die blutige Matratze und ließ vergrößerte Farbfotos herumgehen, auf denen Stuart Kofer mit halb weggeschossenem Kopf abgebildet war. Mehrere der Geschworenen sahen sich die Fotos an, zuckten zusammen und wandten dann schnell den Blick ab. Die Dienstwaffe lag neben der Leiche. Die Todesursache war ziemlich eindeutig. Ein einzelner Schuss, abgegeben aus nächster Nähe.

»Deputy Tatum fand die Leiche im Schlafzimmer und fragte den Jungen, Drew, was passiert sei, bekam aber keine Antwort. Das Mädchen, Kiera, war in der Küche, und als Tatum sie ebenfalls fragte, was geschehen sei, sagte sie: ›Drew hat ihn erschossen.‹ Der Fall ist eindeutig.«

Dyer, der im Saal hin- und hergelaufen war, blieb stehen. »Danke, Sheriff. Noch Fragen?«

Stille legte sich über den Raum, als die Geschworenen die Last eines derart furchtbaren Verbrechens auf ihren Schultern spürten. Schließlich hob Miss Tabitha Green aus Karaway die Hand und fragte Ozzie: »Wie alt sind die Kinder?«

»Der Junge, Drew, ist sechzehn. Seine Schwester, Kiera, ist vierzehn.«

»Waren sie allein zu Hause?«

»Nein. Ihre Mutter war bei ihnen.«

»Und wer ist ihre Mutter?«

»Josie Gamble.«

»In welcher Beziehung stand sie zu dem Verstorbenen?«

»Sie war seine Freundin.«

»Sheriff, Sie müssen entschuldigen, aber was die Fakten in diesem Fall angeht, sind Sie nicht gerade mitteilsam. Ich habe das Gefühl, als müsste ich Ihnen alles aus der Nase ziehen, und das macht mich misstrauisch.« Miss Tabitha sah sich um und suchte nach Unterstützung. Noch bekam sie keine.

Ozzie sah Dyer an, als würde er Hilfe brauchen. »Josie Gamble ist die Mutter«, sagte er schließlich, »sie und ihre beiden Kinder wohnten seit etwa einem Jahr bei Stuart Kofer.«

»Danke. Und wo war Ms. Gamble, als sich die Tat ereignete?«

»In der Küche.«

»Was hat sie dort gemacht?«

»Nun ja, den Angaben zufolge war sie bewusstlos. Als Stuart Kofer in dieser Nacht nach Hause kam, hatten sie Streit, und offenbar wurde Josie verletzt und verlor das Bewusstsein.«

»Hat er sie bewusstlos geschlagen?«

»Anscheinend ist es so gewesen.«

»Sheriff, warum haben Sie uns das nicht gesagt? Was wollen Sie uns verheimlichen?«

»Nichts, gar nichts. Stuart Kofer wurde von Drew Gamble erschossen, und wir sind jetzt hier, um Anklage gegen ihn zu erheben.«

»Das ist mir klar, aber wir sind doch keine kleinen Kinder. Sie wollen, dass wir jemanden wegen Mord anklagen, und das könnte die Gaskammer bedeuten. Halten Sie es nicht für selbstverständlich, dass wir alle Fakten haben wollen?«

»Ich glaube schon.«

»Glauben hilft uns hier nicht weiter, Sheriff. Die Tat ist an einem Sonntagmorgen um zwei Uhr früh geschehen. Können wir davon ausgehen, dass Stuart Kofer nicht gerade nüchtern war, als er nach Hause gekommen ist und seine Freundin verprügelt hat?«

Ozzie verzog das Gesicht und sah in etwa so schuldig aus, wie ein Unschuldiger nur aussehen konnte. »Ja, davon können wir ausgehen«, sagte er schließlich mit einem erneuten Blick in Richtung Dyer.

Miss Tabitha bekam Unterstützung von Mr. Norman Brewer,

einem pensionierten Herrenfriseur, der in der Altstadt von Clanton wohnte. »Wie betrunken war er?«, fragte er.

Es war eine heikle Frage. Hätte Mr. Brewer einfach »War er betrunken?« gefragt, hätte Ozzie einfach »Ja« antworten und die hässlichen Details verschweigen können.

»Er war ziemlich betrunken«, erwiderte er.

»Er ist also ziemlich betrunken nach Hause gekommen, wie Sie sagen«, stellte Mr. Brewer fest, »und hat sie geschlagen, sodass sie bewusstlos war. Dann hat der Verdächtige ihn erschossen. Ist es so passiert, Sheriff?«

»Im Wesentlichen ja.«

»Im Wesentlichen? Habe ich etwas falsch verstanden?«

»Nein.«

»Hat er die Kinder körperlich misshandelt?«

»Zu der Zeit haben sie keine Angaben dazu gemacht.«

»In welcher Verfassung war Kofer, als er erschossen wurde?«

»Nun ja, wir glauben, er lag auf dem Bett und schlief. Offenbar gab es keinen Kampf mit Drew.«

»Wo war die Waffe?«

»Das wissen wir nicht genau.«

»Es sieht also so aus, als wäre Mr. Kofer betrunken auf seinem Bett eingeschlafen und gar nicht wach gewesen, als der Junge ihn erschossen hat, ist das richtig?«, wollte Mr. Richard Bland aus Lake Village wissen.

»Nein. Wir wissen nicht, ob Stuart wach war oder geschlafen hat, als er erschossen wurde.«

Dyer gefiel es nicht, in welche Richtung die Fragen gingen. »Ich möchte die Damen und Herren Geschworenen darauf hinweisen, dass es für die Anklagejury nicht von Belang ist, in welcher Verfassung das Opfer und der Beschuldigte waren. Vonseiten der Verteidigung wird vielleicht Notwehr oder Schuldunfähigkeit oder was auch immer geltend gemacht werden, aber darüber haben nicht

Sie, sondern die für den Prozess ausgewählten Geschworenen zu entscheiden.«

»Nach dem, was ich gehört habe, wird jetzt schon behauptet, dass der Junge schuldunfähig ist«, sagte Mr. Bland.

»Das mag sein, aber was Sie auf der Straße hören, hat in diesem Raum keine Bedeutung«, erwiderte Dyer in belehrendem Ton. »Hier geht es nur um die Fakten. Noch Fragen?«

»Mr. Dyer, haben Sie schon einmal eine Anklage wegen Mord vertreten, bei der es um die Todesstrafe geht? Für uns ist es nämlich die erste«, sagte Miss Tabitha.

»Nein, habe ich nicht, und dafür bin ich auch sehr dankbar.«

»Es scheint reine Routine zu sein«, fuhr sie fort. »Wie alle anderen Fälle, die wir hier haben. Sie geben uns ein paar Fakten, nur das Nötigste, ersticken jegliche Diskussion, und dann stimmen wir ab. Wir winken alles durch, was Sie uns vorlegen. Aber dieser Fall ist anders. Dies ist der erste Schritt in einem Fall, bei dem ein Mann – oder ein Jugendlicher – in den Todestrakt von Parchman geschickt werden könnte. Ich finde das alles zu einfach, zu schnell. Ist noch jemand dieser Meinung?« Sie sah sich um, fand aber wenig Unterstützung.

»Ich verstehe, Miss Green«, erwiderte Dyer. »Was möchten Sie denn noch wissen? Der Fall ist eindeutig. Sie haben die Leiche gesehen. Wir haben die Mordwaffe. Außer dem Opfer waren drei andere Personen im Haus anwesend, am Tatort. Eine dieser Personen war bewusstlos. Die zweite war ein sechzehnjähriger Junge, dessen Fingerabdrücke auf der Mordwaffe gefunden wurden. Die dritte, seine Schwester, sagte zu Deputy Tatum, ihr Bruder habe Stuart Kofer erschossen. Das ist alles. Ganz einfach.«

Miss Tabitha holte tief Luft und lehnte sich zurück. Dyer wartete und ließ den Geschworenen viel Zeit zum Nachdenken. »Danke, Sheriff«, sagte er schließlich.

Ozzie stand wortlos auf und verließ den Saal.

Mr. Benny Hamm sah Miss Tabitha an, die ihm gegenüber am Tisch saß. »Wo liegt das Problem? Es gibt jede Menge Beweise. Was wollen Sie denn sonst noch tun?«, fragte er.

»Oh, nichts. Ich finde es nur ein bisschen schnell.«

»Miss Tabitha«, sagte Dyer, »ich versichere Ihnen, dass es genug Zeit geben wird, um sämtliche Aspekte dieses Falls genauestens zu besprechen. Nachdem ich Anklage erhoben habe, wird mein Büro Ermittlungen durchführen und den Prozess vorbereiten. Die Verteidigung wird das Gleiche tun. Richter Noose wird auf einem zügigen Verfahren bestehen, und schon bald werden Sie und alle anderen Geschworenen dieser Jury im großen Gerichtssaal am Ende des Gangs Platz nehmen und zusehen können, wie es verläuft.«

»Lasst uns abstimmen«, drängte Mr. Hamm.

»Ja, wir stimmen jetzt ab«, fügte ein anderer der Geschworenen hinzu.

»Gut, dann stimme ich für die Anklage«, sagte Miss Tabitha. »Aber mir kommt das alles so husch, husch und oberflächlich vor. Verstehen Sie, was ich meine?«

Nachdem alle sechzehn abgestimmt hatten, wurde einstimmig beschlossen, Anklage zu erheben.


# 17


Die angespannte Stimmung im Coffee-Shop hatte sich gelegt, nachdem sich die Deputys ein anderes Café zum Frühstücken gesucht hatten. Marshall Prather, Mike Nesbit und einige andere Deputys waren jahrelang in den Coffee-Shop gekommen, um Eier mit Speck zu essen und die Gerüchteküche zu befeuern, allerdings nicht jeden Morgen. Sie hatten noch andere Lieblingscafés und arbeiteten in Wechselschichten, was auch Einfluss auf ihren

Tagesablauf hatte. Jake dagegen war seit Jahren jeden Morgen um sechs Uhr im Coffee-Shop, und er hatte sich immer gefreut, wenn er mit den Deputys plaudern konnte. Doch inzwischen war er Luft für sie. Als klar wurde, dass Jake nicht vorhatte, seine Gewohnheiten zu ändern, gingen sie woanders hin, was Jake ganz recht war. Die steifen Höflichkeiten, die verstohlenen Blicke, das Gefühl, dass es nicht mehr so war wie früher, waren ihm zuwider gewesen. Die Deputys hatten einen Kameraden verloren, Jake stand jetzt auf der anderen Seite.

Er versuchte sich einzureden, dass es zu seinem Beruf dazugehörte. Und er wollte sich glauben machen, dass der Fall Gamble eines nicht allzu fernen Tages hinter ihm liegen würde und er, Ozzie und dessen Männer wieder Freunde sein würden. Doch ihr Zerwürfnis setzte ihm schwer zu und ließ ihm keine Ruhe.

Dell hielt ihn über die neuesten Gerüchte auf dem Laufenden. Ohne Namen zu nennen, berichtete sie, dass die Gäste gestern zur Mittagszeit herum ausschließlich über die bevorstehende Anklageerhebung gesprochen hätten und alle wissen wollten, wann und wo der Prozess stattfinden werde. Oder dass am gleichen Morgen, nachdem Jake gegangen war, zwei Farmer mit ziemlich lauter Stimme Richter Noose, das Justizsystem und vor allem Jake kritisiert hätten. Oder dass drei Damen, die sie seit Jahren nicht mehr im Coffee-Shop gesehen habe, an einem Tisch am Fenster gesessen und sich leise über Janet Kofer und deren Nervenzusammenbruch unterhalten hätten. Die Leute befürchteten konkret, dass Jake Brigance wieder auf Schuldunfähigkeit plädieren und »den Jungen freibekommen« werde. Und so weiter und so weiter. Dell hörte alles, behielt alles im Gedächtnis und gab einiges davon an Jake weiter, wenn er am späten Nachmittag, wenn das Café leer war, noch einmal vorbeikam. Sie machte sich Sorgen um ihn und seine wachsende Unbeliebtheit.

Am Morgen nach der Anklageerhebung kam Jake um sechs

Uhr in den Coffee-Shop und gesellte sich zu den Stammgästen – Farmer, Polizisten, einige Fabrikarbeiter, größtenteils Männer, die früh aufstanden und früh zur Arbeit gingen. Jake war so ziemlich der Einzige mit einem Schreibtischjob, der regelmäßig kam, und dafür wurde er geradezu verehrt. Häufig erteilte er kostenlos juristische Ratschläge und erklärte Entscheidungen des Obersten Gerichtshofs und andere kuriose Sachen, und er lachte immer mit, wenn schlechte Witze über Anwälte erzählt wurden.

Im Tea Shoppe auf der anderen Seite des Clanton Square trafen sich etwas später am Morgen die Büroangestellten, um sich über Golf, Politik und den Aktienmarkt zu unterhalten. Im Coffee-Shop waren die Gesprächsthemen Angeln, Football und die im County begangenen Straftaten, von denen es allerdings nicht viele gab.

Einer von Jakes Freunden kam herein, begrüßte ihn und fragte: »Hast du das gesehen?« Er hielt ein Exemplar der *Ford County Times* hoch. Die Zeitung kam einmal in der Woche heraus, am Mittwoch, und hatte es tatsächlich geschafft, die brandaktuelle Neuigkeit vom Dienstagnachmittag zu bringen. Eine fett gedruckte Schlagzeile schrie: GAMBLE WEGEN MORD ANGEKLAGT.

»Überraschung«, meinte Jake. Allerdings hatte Lowell Dyer am Abend vorher bei ihm angerufen und die Entscheidung der Anklagejury bestätigt.

Dell kam mit der Kaffeekanne und füllte seine Tasse. »Guten Morgen, Schätzchen«, sagte Jake.

»Behalten Sie bloß Ihre Hände bei sich«, gab sie zurück und ging weiter. Es waren bereits ein Dutzend Stammgäste im Café, und um 6.15 Uhr würde jeder Platz besetzt sein.

Jake trank einen Schluck Kaffee und las den Artikel auf der Titelseite, erfuhr aber nichts Neues. Der Reporter, Dumas Lee, hatte gestern in der Kanzlei angerufen und um einen Kommentar gebeten, war jedoch von Portia abgewimmelt worden.

»Ihr Name wird nicht erwähnt«, rief Dell. »Das habe ich schon überprüft.«

»Verdammt. Ich brauche doch Publicity.« Jake faltete die Zeitung zusammen und gab sie zurück. Bill West, Vorarbeiter in der Schuhfabrik, kam herein und setzte sich auf seinen Stammplatz. Sie redeten fünf Minuten über das Wetter, während sie auf das Frühstück warteten. Als die Teller endlich kamen, sagte Jake zu Dell: »Warum hat das so lange gedauert?«

»Die Köchin ist ein faules Stück. Wollen Sie persönlich mit ihr sprechen?«

Die Köchin war eine große, rüpelhafte Frau, die zu Wutausbrüchen neigte und dann mit Pfannenwendern um sich warf. Sie wurde aus gutem Grund von den Gästen ferngehalten.

Während Jake Tabascosoße auf seinem Maisbrei verteilte, sagte West: »Gestern hätte ich mich fast wegen Ihnen geprügelt. Ein Typ bei mir in der Fabrik hat angeblich gehört, wie Sie damit geprahlt haben, dass Sie den Jungen an seinem achtzehnten Geburtstag freibekommen werden.«

»Haben Sie ihm eins auf die Nase gegeben?«

»Nein. Er ist größer als ich.«

»Und dümmer.«

»Das habe ich auch zu ihm gesagt. Und dann habe ich ihm erklärt, dass Sie erstens kein Angeber sind und sich nicht mit so etwas wichtigmachen würden und zweitens nicht versuchen würden, das System wegen eines Polizistenmörders auszutricksen.«

»Danke.«

»Und? Würden Sie?«

Jake strich Erdbeermarmelade auf seinen Toast und biss hinein. »Nein. Würde ich nicht. Ich versuche immer noch, den Fall loszuwerden«, erwiderte er kauend.

»Das habe ich jetzt schon öfter gehört, Jake, aber Sie haben den Fall immer noch, richtig?«

»Ja, leider.«

Ein Kranführer namens Vance kam an ihrem Tisch vorbei, blieb stehen und starrte Jake an. Er zeigte mit dem Finger auf ihn und sagte so laut, dass es alle hören konnten: »Der Junge wird in die Gaskammer gehen, egal, mit welchen Tricks Sie ihn raushauen wollen.«

»Guten Morgen, Vance«, erwiderte Jake. Alle Köpfe drehten sich in ihre Richtung. »Wie geht's der Familie?«

Vance frühstückte einmal in der Woche im Coffee-Shop und kannte fast alle Stammgäste. »Kommen Sie mir nicht dumm. Sie haben kein Recht, den Jungen vor Gericht zu vertreten.«

»Das wird jemand anders übernehmen, Vance. Aber ich würde vorschlagen, Sie kümmern sich um Ihre Angelegenheiten, und ich kümmere mich um meine.«

»Ein toter Polizist geht uns alle etwas an. Wenn Sie tricksen und den Jungen wegen einem von diesen ›Formfehlern‹ freibekommen, werden Sie dafür bezahlen.«

»Soll das eine Drohung sein?«

»Nein, Jake. Das ist ein Versprechen.«

Dell stellte sich vor Vance. »Setz dich hin oder verschwinde«, fauchte sie.

Vance ging wieder zu seinem Tisch, und für ein paar Minuten wurde es ruhiger im Café. »Sie bekommen zurzeit wohl einiges ab«, sagte Bill West schließlich.

»Ja, aber das gehört dazu. Seit wann sind Anwälte bei allen beliebt?«

Jake genoss es, um sieben Uhr morgens in der Kanzlei zu sein, bevor der Tag richtig angefangen hatte und das Telefon zum ersten Mal klingelte, bevor Portia um acht Uhr mit ihrer Arbeit begann, ihm eine Aufgabenliste in die Hand drückte und ihn mit Fragen bombardierte, bevor Lucien am späten Vormittag hereinkam, sich mit einem Kaffee in der Hand nach oben schleppte und ihn bei der Arbeit unterbrach.

Jake schaltete das Licht im Erdgeschoss ein, warf einen kurzen Blick in jeden Raum und kochte Kaffee. Dann ging er nach oben in sein Büro und zog sein Jackett aus. Auf seinem Schreibtisch lag ein aus zwei Seiten bestehender Antrag, den Portia am Tag vorher geschrieben hatte. Die Verteidigung ersuchte darum, Drew Gambles Fall an das Jugendgericht abzugeben, und wenn sie das Schriftstück einreichten, würde das die Gerüchteküche erneut anheizen.

Der Antrag war eine Formalität, denn Noose hatte bereits gesagt, dass er ihn ablehnen werde. Doch als offizieller Verteidiger hatte Jake keine andere Wahl. Wenn der Antrag angenommen wurde – was völlig unmöglich war –, würde die Anklage wegen Mord vor dem Richter des Jugendgerichts verhandelt werden, ohne Geschworene. Und falls Drew schuldig gesprochen wurde, würde man ihn in eine Jugendstrafanstalt irgendwo in Mississippi schicken, wo er bis zu seinem achtzehnten Geburtstag bleiben müsste. An diesem Tag endete die Zuständigkeit des Gerichts, und es gab keinen Verfahrensmechanismus, der diese Zuständigkeit wiederherstellte. Anders ausgedrückt, Drew würde freikommen. Nach weniger als zwei Jahren hinter Gittern. Das Gesetz war alles andere als fair und angemessen, aber Jake konnte es nicht ändern. Und aus genau diesem Grund würde Noose den Fall behalten.

Jake konnte sich nicht vorstellten, wie die Leute reagieren würden, wenn sein Mandant nach einer so kurzen Haftstrafe wieder frei war, und offen gesagt war er auch gar nicht dafür. Er wusste jedoch, dass Noose seine schützende Hand über ihn halten und gleichzeitig die Integrität des Systems wahren würde.

Portia hatte einen vierseitigen Schriftsatz angehängt, den Jake mit wachsender Bewunderung las. Sie war wie immer sehr gründlich gewesen und führte ein Dutzend ältere Fälle mit Minderjährigen an, von denen einer bis in die Fünfzigerjahre zurückreichte. Sie legte überzeugend dar, dass Minderjährige nicht die gleiche Reife und Entschlussfähigkeit wie Erwachsene besaßen und so weiter. Doch jeder von ihr angeführte Fall endete mit dem gleichen Ergebnis – für den Minderjährigen blieb der Circuit Court zuständig. In Mississippi hatte es Tradition, Minderjährigen für schwere Straftaten den Prozess zu machen.

Es war eine beeindruckende Leistung. Jake überarbeitete Antrag und Schriftsatz, und als Portia kam, diskutierten sie die Änderungen. Um neun Uhr ging er ins Gericht und reichte den Antrag ein. Die Angestellte nahm ihn kommentarlos entgegen, und Jake verabschiedete sich ohne die üblichen Flirtversuche. Selbst in der Geschäftsstelle schien man ihm inzwischen nicht mehr freundlich gesinnt zu sein.

Harry Rex fand immer einen Grund, die Stadt für eine Geschäftsreise zu verlassen, um dem Chaos in seiner Scheidungskanzlei und seiner streitsüchtigen Frau zu entkommen. Am späten Nachmittag schlich er sich durch die Hintertür aus seiner Kanzlei und machte sich auf die lange, wohltuend ruhige Fahrt nach Jackson. Er ging in sein Lieblingsrestaurant, Hal & Mal's, setzte sich an einen Tisch in einer Ecke, bestellte ein Bier und wartete. Zehn Minuten später bestellte er noch eines.

Während des Jurastudiums an der Ole Miss hatte er Unmengen Bier mit Doby Pittman getrunken, einem leicht durchgeknallten Typ von der Küste, der als Jahrgangsbester seinen Abschluss gemacht und bei einer Großkanzlei in Jackson angefangen hatte. Inzwischen war er Partner einer aus fünfzig Anwälten bestehenden Sozietät, die Versicherungsgesellschaften in großen Schadenersatzfällen vertrat. Mit *Smallwood* hatte Doby nichts zu tun, doch seine Kanzlei war der Hauptanwalt bei dem

Verfahren. Zuständig für den Fall war Sean Gilder, einer der anderen Partner.

Vor einem Monat, bei einem Bier im selben Restaurant, hatte Doby seinem alten Saufkumpan zugeflüstert, dass die Eisenbahngesellschaft unter Umständen auf Jake zugehen und die Möglichkeit eines Vergleichs ansprechen werde. Der Fall konnte für beide Seiten zum Desaster werden. An einem Bahnübergang, der von der Eisenbahn schlecht gewartet wurde, waren vier Menschen gestorben. Für die Smallwoods würde es enormes Mitgefühl geben. Und Jake hatte die Anwälte der Versicherungsgesellschaft mit seiner Aggressivität und der Forderung nach einem Prozess beeindruckt. Er hatte peinlich genau auf der Offenlegung der Beweismittel bestanden und war sofort zu Noose gerannt, wenn er der Meinung gewesen war, dass die Gegenseite ihn hinhalten wollte. Er und Harry Rex hatten zwei bekannte Sachverständige für Bahnübergänge mit einem Gutachten beauftragt, dazu einen Wirtschaftswissenschaftler, der den Geschworenen vorrechnen würde, dass die vier verlorenen Leben Millionen wert waren. Laut Doby hatte die Versicherungsgesellschaft am meisten Angst davor, dass Jake hungrig war und seinen nächsten großen Sieg im Gerichtssaal anstrebte.

Andererseits waren die Anwälte der Gegenseite zuversichtlich, dass sie das Mitgefühl etwas zurechtstutzen und das Offensichtliche beweisen konnten: Taylor Smallwood war mit dem vierzehnten Waggon des Güterzugs zusammengestoßen, ohne die Bremse auch nur kurz berührt zu haben.

Beide Seiten konnten viel gewinnen, aber auch viel verlieren. Ein Vergleich war für beide am sichersten.

Harry Rex strebte natürlich einen Vergleich an. Prozesse waren teuer, und bis jetzt hatten er und Jake sich fünfundfünfzigtausend Dollar von der Security Bank geliehen, um das Verfahren zu finanzieren. Weitere Ausgaben waren sehr wahrscheinlich. Keiner der beiden Anwälte der klagenden Partei hatte so viel Geld herumliegen.

Doby wusste natürlich nichts von dem Kredit. Niemand wusste davon, bis auf den Sachbearbeiter bei der Bank und Carla Brigance. Harry Rex erzählte seiner Frau – der vierten inzwischen – nichts über seine Fälle.

Doby kam dreißig Minuten zu spät und entschuldigte sich nicht dafür. Harry Rex machte sich keine Gedanken wegen der Unpünktlichkeit seines Freundes. Sie tranken ein Bier, bestellten rote Bohnen mit Reis und kommentierten das Aussehen einiger junger Damen in der Nähe. Dann kamen sie auf ihre Jobs zu sprechen. Doby hatte nie verstanden, warum sich sein Freund ausgerechnet in einer derart unbedeutenden Stadt wie Clanton auf Scheidungen spezialisiert hatte, und Harry Rex widerten die Großkanzleien in Jackson an, in denen die Anwälte bis zum Umfallen schuften mussten und schmutzige Machtkämpfe unter den Partnern an der Tagesordnung waren. Beide hatten die Nase voll von ihrem Beruf und wollten aufhören. Den meisten Anwälten aus ihrem Freundeskreis ging es genauso.

Ihr Essen wurde serviert, und nach ein paar Bissen sagte Doby: »Sieht so aus, als hätte sich dein Partner in eine sehr unschöne Lage gebracht.«

Harry Rex wusste, was kam. »Das wird schon wieder, wenn er den Fall los ist«, erwiderte er.

»Das ist aber nicht das, was ich höre.«

»Okay, Pitt, dann raus damit. Sag mir, was euch Walter Sullivan aus den finsteren Gassen von Clanton berichtet. Wahrscheinlich ruft er jeden Tag hier an und erzählt brühwarm den neuesten Klatsch aus dem Gericht, von dem er übrigens die Hälfte selbst erfindet. Er war noch nie eine zuverlässige Quelle für Informationen. Ich weiß viel mehr als er und werde seine Fehler korrigieren.«

Doby lachte und aß ein Stück Andouille-Wurst. Dann wischte

er sich mit der Serviette den Mund und trank einen Schluck. »Ich rede nicht mit ihm. Das ist nicht mein Fall. Ich weiß also nicht viel. Meine Quelle ist eine der Anwaltsassistentinnen am Ende des Flurs. Gilder hält seine Akten streng unter Verschluss.«

»Schon klar, Pitt. Also: Was erzählt man sich?«

»Dass Brigance die Einheimischen gegen sich aufgebracht hat, weil er es mit Schuldunfähigkeit versucht. Der Junge ist schon in Whitfield.«

»Stimmt nicht. Okay, er ist in Whitfield, aber nur für eine erste Untersuchung. Das ist alles. Schuldunfähigkeit könnte später zum Thema werden, beim Prozess, aber damit wird Jake nichts zu tun haben.«

»Er hat aber jetzt damit zu tun. Gilder und seine Jungs sind der Meinung, dass Jake Schwierigkeiten haben könnte, sich die richtigen Geschworenen für den Eisenbahnfall auszusuchen.«

»Dann wird die Eisenbahn keinen Vergleich vorschlagen?«

»Sieht so aus. Und sie haben es nicht eilig mit einem Prozess. Sie setzen jetzt voll auf Verzögerungstaktik und hoffen, dass der Fall des Jungen an Brigance hängen bleibt. Der Mordprozess könnte hässlich werden.«

»Verzögerungstaktik? Du meine Güte, so etwas habe ich ja noch nie von einer Anwaltskanzlei gehört.«

»Eines unserer vielen Spezialgebiete.«

»Und da haben wir das Problem, Pitt. Noose führt seine Prozessliste mit eiserner Faust, und jetzt schuldet er Jake einen Gefallen. Wenn Jake einen baldigen Prozess haben will, wird er ihn auch bekommen.«

Doby widmete sich für einen Moment seinem Essen und spülte es mit Bier hinunter. »Hat Jake eine Zahl genannt?«

»Zwei Millionen«, sagte Harry Rex mit vollem Mund und ohne zu zögern.

Wie jeder erfahrene Prozessanwalt verzog Doby das Gesicht,

als wären es zwei Milliarden. Beide Männer aßen schweigend weiter und dachten über die Zahl nach. Der Vertrag, den Harry Rex mit den Verwandten der Smallwoods ausgehandelt hatte, sprach ihm ein Drittel der Entschädigungssumme als Honorar zu, falls es einen Vergleich gab, und vierzig Prozent, wenn es zu einem Prozess kam. Er und Jake hatten vereinbart, dass jeder die Hälfte des Honorars bekam. Bei Bohnen und Bier war die Mathematik nicht schwer. Es würde der größte Vergleich in der Geschichte von Ford County sein, und die Anwälte der Klägerin brauchten ihn dringend. Harry Rex hatte das Geld noch nicht verplant, aber er träumte schon davon. Alles, was Jake besaß, war mit einer Hypothek belastet. Außerdem war da noch die Sache mit dem Bankkredit für die Prozessführung.

»Wie hoch ist die Versicherungsdeckung?«, fragte Harry Rex mit einem Lächeln.

Doby lächelte ebenfalls. »Das kann ich nicht beantworten. Sehr hoch.«

»Wer hätte das gedacht. Jake wird die Geschworenen um sehr viel mehr als zwei Millionen bitten.«

»Wir reden hier von Ford County. Dort hat es noch nie eine Schadenersatzzahlung in Millionenhöhe gegeben.«

»Es gibt immer ein erstes Mal, Pitt. Ich wette, wir können zwölf Leute finden, die noch nichts von dem Mord gehört haben.«

Als Doby schallend zu lachen begann, musste Harry Rex mitlachen. »Großer Gott, Harry Rex, ihr werdet nicht einmal *zwei* Leute finden, die nichts davon wissen.«

»Vielleicht, aber wir werden uns gut vorbereiten. Noose wird uns jede Menge Zeit für die Auswahl der Jury geben.«

»Das glaube ich dir. Harry Rex, hör zu, ich will, dass du einen schönen Batzen von dem schmutzigen Versicherungsgeld bekommst, okay? Einen ordentlichen Vergleich, der dir was in die Kasse spült. Aber damit das klappt, muss Brigance diesen Jungen loswerden. Zurzeit ist der Fall eine Belastung, zumindest sehen das Sean Gilder und Walter Sullivan so.«

»Wir arbeiten dran.«

# 18

Es war allgemein bekannt, dass das Rechtswesen bis Freitagmittag zu Hochform auflief und dann die Schotten dicht machte. Die Juristen, die sich sonst in den Gängen des Gerichtsgebäudes drängten, tauchten nach dem Mittagessen ab. Die meisten tischten ihren Sekretärinnen irgendeine Ausrede auf, besorgten sich im Supermarkt ein paar kühle Bier und fuhren ziellos durch die Gegend, um ihre Ruhe zu haben. Nachdem im Büro sowieso niemand mehr anrief und die Anwälte sich abgesetzt hatten, blieben auch die Sekretärinnen nicht länger auf dem Posten. Kein Richter, der etwas auf sich hielt, ließ sich am Freitagnachmittag in einer Robe erwischen. Die meisten gingen zum Angeln oder spielten Golf. Die Justizangestellten, die normalerweise beladen mit wichtigen Unterlagen umherwuselten, machten Besorgungen und kamen nicht wieder, weil sie bei der Kosmetikerin waren oder ihre Einkäufe erledigten. Im Laufe des Nachmittags kam das Räderwerk der Justiz völlig zum Stillstand.

Jake wollte eigentlich Harry Rex anrufen und fragen, ob sie sich zu einer Lagebesprechung bei einem Drink treffen konnten. Um halb vier war er mit der Arbeit fertig und überlegte, welche Ausrede er Portia auftischen konnte, damit sie ihn nicht einfach nur für faul hielt. Schließlich musste er Vorbild sein, wenn sich kein Schlendrian einschleichen sollte. Andererseits arbeitete sie seit mittlerweile zwei Jahren bei ihm und kannte seinen Zeitplan genauso gut wie seine faulen Ausreden.

Um 15.40 Uhr meldete sie sich über die Sprechanlage und sagte, jemand wolle ihn sprechen. Nein, der Besucher habe keinen Termin. Ja, sie wisse, dass Freitagnachmittag sei, aber es handle sich um Pastor Charles McGarry, und er habe ein dringendes Anliegen.

Jake bat ihn in sein Büro, wo sie sich in eine Ecke setzten, der Pastor auf das alte Ledersofa und Jake auf einen Sessel, der bestimmt hundert Jahre auf dem Buckel hatte. Der Prediger lehnte Kaffee und Tee dankend ab. Er hatte offensichtlich etwas auf dem Herzen. Er berichtete von seiner Fahrt nach Whitfield mit Josie und Kiera am Dienstag, wo er die beiden am nächsten Tag wieder abgeholt habe. Das war Jake alles bekannt. Er hatte zweimal mit Dr. Sadie Weaver gesprochen und wusste, dass die Familie drei Sitzungen von insgesamt fast sieben Stunden bei ihr absolviert hatte.

»Auf der Hinfahrt am Dienstagmorgen wurde Kiera so schlecht, dass sie sich zweimal übergeben musste«, sagte der Pastor. »Josie sagte, sie habe das Autofahren noch nie vertragen. Deswegen habe ich mir keine großen Gedanken gemacht. Als ich sie am Mittwoch in Whitfield abholen wollte, sagte mir eine der Krankenschwestern, Kiera sei am Morgen so schlecht gewesen, dass sie sich übergeben musste. Das fand ich merkwürdig, weil sie ja gar nicht Auto gefahren war. Sie hatten ein Zimmer auf dem Klinikgelände. Bei der Rückfahrt am Mittwochnachmittag ging es ihr wieder gut. Gestern Morgen sagte Mrs. Golden, die Dame, die sie in der Kirche betreut, ihr sei wieder schlecht geworden, und sie habe sich übergeben müssen. Und nicht zum ersten Mal. Ich habe meiner Frau, Meg, davon erzählt, und Frauen sind ja meistens schlauer als wir Männer. Also, Meg und ich, wir haben ein Kind, und unser zweites wird in zwei Monaten kommen. Wir sind sehr glücklich darüber. Sie hatte noch einen Schwangerschaftstest vom letzten Jahr.«

Jake nickte. Er hatte seit Hannas Geburt selbst immer wieder welche gekauft, aber das Ergebnis war zu ihrer großen Enttäuschung stets negativ ausgefallen.

»Meg erklärte sich bereit, mit Josie zu sprechen. Kiera machte den Test, und er war positiv. Heute Morgen habe ich beide zu einem Arzt in Tupelo gefahren. Sie ist im dritten Monat. Sie wollte weder dem Arzt noch der Arzthelferin etwas über den Vater sagen.«

Jake fühlte sich, als hätte er einen Tritt in die Magengrube bekommen.

Der Pastor war jetzt richtig in Fahrt. »Auf der Rückfahrt heute Morgen wurde ihr wieder schlecht, und sie musste sich übergeben. In meinem Auto. Das arme Mädchen. Als wir wieder an der Kirche waren, brachte Josie Kiera gleich ins Bett. Sie und Meg blieben abwechselnd bei ihr, bis es ihr besser ging. Zum Mittagessen konnte sie etwas Suppe essen, und als wir alle in der Küche saßen, fing sie an zu reden. Sie sagte, Kofer habe um Weihnachten herum angefangen, sie zu missbrauchen, fünf- oder sechsmal, und er habe gedroht, sie umzubringen, falls sie jemandem davon erzählte. Josie hatte sie nichts gesagt, was ihrer Mutter fast das Herz brach. Es flossen viele Tränen. Mir ging es auch sehr nah. Können Sie sich das vorstellen, Jake? Eine Vierzehnjährige wird von so einem miesen Kerl vergewaltigt und muss Todesängste ausstehen. Sie hatte solche Angst, dass sie sich nicht traute, jemandem davon zu erzählen. Wer weiß, wie das ausgegangen wäre. Sie sagte, sie habe daran gedacht, sich umzubringen.«

»Wusste Drew davon?«, fragte Jake. Die Antwort konnte unabsehbare Folgen haben.

»Keine Ahnung. Das müssen Sie Kiera fragen. Sie müssen mit ihr und Josie sprechen. Die beiden sind völlig durch den Wind, das können Sie sich ja denken. Wenn man bedenkt, was sie in den letzten beiden Wochen durchgemacht haben. Das mit Kofer, die Operation, das Krankenhaus, Drew in Haft, die Fahrt nach Whitfield und zurück. Sie hatten schon vorher nicht viel, aber jetzt haben sie auch das verloren und müssen im Nebengebäude unserer Kirche wohnen. Und dann noch das Gerede, dass Drew die Gaskammer droht. Die beiden sind am Ende, Jake, und brauchen Ihre Hilfe. Sie vertrauen Ihnen und möchten Ihren Rat. Ich gebe wirklich mein Bestes, aber ich bin noch nicht so lange Pastor und habe nicht mal an der Uni studiert.« Seine Stimme brach, und seine Augen wurden feucht. Er wandte den Blick ab, schüttelte den Kopf, kämpfte mit seinen Emotionen. »Entschuldigung. Es war ein langer Tag mit den beiden. Ein sehr langer Tag. Sie müssen unbedingt mit ihnen reden.«

»In Ordnung.«

»Und da ist noch etwas, Jake. Josie wollte spontan, dass Kiera das Kind abtreiben lässt. Sie will das unbedingt, zumindest im Augenblick. Und ich bin dagegen, das können Sie sich ja denken. Es ist gegen meine Überzeugung. Josie ist offenbar fest entschlossen. Ich aber auch. Falls Kiera die Schwangerschaft abbrechen lässt, ist in meiner Kirche kein Platz mehr für sie.«

»Darum kümmern wir uns später. Sie sagen, Kiera war bei einem Arzt in Tupelo?«

»Ja. Josie war sehr zufrieden mit dem Arzt, der sie operiert hat, und hat auf seiner Station angerufen. Die haben mit einem anderen Arzt gesprochen, der sie freundlicherweise untersucht hat. Er sagt, sie ist gesund, so weit alles in Ordnung. Aber sie ist selbst noch ein Kind.«

»Und Ihre Frau weiß das alles?«

»Meg war im Zimmer. Sie ist immer noch bei den beiden.«

»Okay. Es ist wichtig, dass die Sache so diskret wie möglich behandelt wird. Mir wird ganz schwindlig, wenn ich an all die Auswirkungen denke. Ich weiß, wie schnell sich so etwas in einer kleinen Gemeinde herumspricht.«

»Ich weiß, ich weiß.«

Fast so schnell wie im Coffee-Shop, dachte Jake. »Merkt man schon was?«, fragte er.

»Ich jedenfalls nicht. Ich habe versucht, nicht so auffällig hinzusehen, aber ich glaube nicht. Warum sehen Sie es sich nicht selbst an? Die beiden warten an der Kirche auf Sie.«

Kiera hatte sich oben hingelegt, als Jake durch die Hintertür in die Küche kam. Am Ende eines langen Tisches lag ein Stapel Schulbücher und Hefte, ein Beweis, dass zumindest irgendein Unterricht stattfand. Meg und Josie saßen am Tisch und arbeiteten an einem großen Puzzle. Der vierjährige Sohn der McGarrys, Justin, spielte ruhig in einer Ecke.

Josie stand auf und umarmte Jake, als wären sie alte Freunde. Meg spülte die Kanne der Kaffeemaschine aus, um frischen Kaffee zu kochen. Obwohl die Fenster geöffnet waren und die Vorhänge im Wind flatterten, lagen die dramatischen, belastenden Entwicklungen des langen Tages schwer in der Luft.

Die Fahrt vom Stadtzentrum von Clanton zur Good Shepherd Bible Church dauerte zweiundzwanzig Minuten, und während dieser kurzen Zeit hatte Jake erfolglos versucht, alle neu entstandenen rechtlichen Probleme zu identifizieren und einzuordnen. Wie würde es sich auf Drews Prozess auswirken, wenn Kiera wirklich von Kofer schwanger war? Da sie im Haus war, als der Schuss fiel, würde die Anklage sie mit Sicherheit als Zeugin aufrufen. Würde ihre Schwangerschaft zur Sprache kommen? Was, wenn ihre Mutter auf einer Abtreibung bestand? Mussten die Geschworenen davon erfahren? Wenn Drew wusste, dass Kofer seine Schwester vergewaltigt hatte, musste sich das auf seine Verteidigung auswirken. Er hatte getötet, um dem ein Ende zu setzen. Er hatte getötet, um Vergeltung zu üben. Unabhängig von seinen Motiven könnte Lowell Dyer überzeugend argumentieren, dass er genau gewusst hatte, was er tat. Und wenn jemand anderer der Vater war? Da

Kiera aus schwierigen Verhältnissen stammte, war es durchaus denkbar, dass sie schon früh Sex gehabt hatte. Gab es irgendwo einen Freund? War Jake verpflichtet, Lowell Dyer mitzuteilen, dass seine Hauptzeugin möglicherweise vom Verstorbenen geschwängert worden war? War es – je nachdem, wo die Verhandlung stattfand – klug, sie in den Zeugenstand treten zu lassen, wenn sie unübersehbar schwanger war? Wurde das Verfahren nicht zu einem Prozess gegen Stuart Kofer, wenn Jake Vergewaltigung und körperliche Misshandlung nachwies? Falls sich Kiera für eine Abtreibung entschied, wer kam dafür auf? Und wenn nicht, was geschah dann mit dem Kind? Würde Kiera es behalten dürfen, wenn sie keine Wohnung hatte?

Während der Fahrt war er zu dem Schluss gekommen, dass diese Probleme ein ganzes Team erforderten. Rechtsanwalt, Pastor, mindestens zwei Psychiater, ein paar Psychotherapeuten.

Jake sah Josie an, die ihm am Tisch gegenübersaß, und fragte rundheraus: »Wusste Drew, dass Kofer Kiera vergewaltigt hat?«

Die Tränen kamen sofort, die Emotionen waren heftig und kaum kontrollierbar. »Das will sie mir nicht sagen«, erwiderte Josie. »Deswegen glaube ich, dass er Bescheid wusste. Andererseits könnte sie ja auch einfach Nein sagen. Ich hatte jedenfalls keine Ahnung. Aber ich kann mir nicht vorstellen, dass sie Drew einweiht und mich nicht.«

»Und Sie hatten keinen Verdacht?«

Sie schüttelte den Kopf und brach in Tränen aus. Meg goss Jake Kaffee in eine Keramiktasse, die sich von der jahrzehntelangen Benutzung braun verfärbt hatte.

Josie wischte sich das Gesicht mit einem Küchentuch ab. »Wie wirkt sich das auf Drews Fall aus?«, fragte sie.

»Zum einen gut. Zum anderen schlecht. Manche der Geschworenen haben vielleicht Verständnis dafür, dass Drew die Dinge selbst in die Hand genommen hat, um seine Schwester zu schützen, wenn das seine Absicht war. Das wissen wir noch nicht. Dagegen wird die Staatsanwaltschaft viel Aufhebens darum machen, dass er Kofer getötet hat, um der Sache ein Ende zu setzen, dass er also wusste, was er tat, und sich nicht auf Schuldunfähigkeit berufen kann. Ich weiß ehrlich gesagt nicht, wie es laufen wird. Vergessen Sie nicht, dass ich nur vorübergehend mit der Sache befasst bin. Es ist ziemlich wahrscheinlich, dass Richter Noose für die Verhandlung einen anderen Rechtsanwalt bestellt.«

»Sie können uns nicht im Stich lassen, Jake!«

O doch, das kann ich, dachte er. Jetzt erst recht. »Das sehen wir noch.« Er wechselte zu einem nicht ganz so deprimierenden Thema. »Ich habe gehört, Sie waren bei Drew.«

Sie nickte.

»Und, wie geht es ihm?«

»Wie soll es ihm schon gehen? Er bekommt Medikamente, Antidepressiva, und sagt, er schläft jetzt besser. Er mag die Ärzte, und das Essen schmeckt ihm. Auf jeden Fall gefällt es ihm dort besser als im Gefängnis. Warum kommt er nicht frei?«

»Das haben wir doch schon besprochen, Josie. Gegen ihn ist Anklage wegen Mord erhoben worden. In so einem Fall gibt es grundsätzlich keine Kaution.«

»Aber was ist mit der Schule? Er ist sowieso schon zwei Jahre im Rückstand, und mit jedem Tag, den er da festsitzt, rutscht er weiter ab. In Whitfield darf er nicht am Unterricht teilnehmen, aus Sicherheitsgründen und weil er nur vorübergehend da ist. Wenn er wieder ins Gefängnis muss, kümmert sich keiner mehr darum, dass er etwas lernt. Warum kommt er nicht in ein Jugendgefängnis? Irgendwo, wo es wenigstens Lehrer gibt.«

»Weil er nicht als Jugendlicher behandelt wird. Ab sofort gilt er als Erwachsener.«

»Ich weiß, ich weiß. Aber erwachsen? Das ist doch ein Witz. Er ist ein kleiner Junge, der sich noch nicht mal rasiert. Eine der

Therapeutinnen in Whitfield hat mir gesagt, sie hat noch nie einen Sechzehnjährigen gesehen, der in der körperlichen Entwicklung so weit zurück ist wie Drew.« Sie legte eine Pause ein und rieb sich die geröteten Wangen. »Sein Vater war genauso. Ein kleiner Junge.«

Jake sah Meg an, die Charles ansah. Jake beschloss nachzuhaken. »Wer ist sein Vater?«

Josie lachte, zuckte die Achseln und hätte fast gesagt: »Das geht Sie einen Dreck an!«, aber das gehörte sich in einer Kirche natürlich nicht. »Er hieß Ray Barber. Seine Familie wohnte ein paar Häuser weiter, und wir sind praktisch zusammen aufgewachsen. Als wir vierzehn waren, fingen wir irgendwann an herumzuknutschen, eins führte zum anderen, und dann passierte es eben. Es passierte wieder und wieder, und wir hatten unseren Spaß dabei. Von Verhütung oder davon, wie das alles biologisch funktioniert, hatten wir keine Ahnung, wir waren dumme Kinder, mehr nicht. Mit fünfzehn wurde ich schwanger, und Ray wollte heiraten. Er hatte Angst, dass ihn seine Familie vor die Tür setzen würde. Meine Mutter schickte mich zu einer Tante in Shreveport, damit ich das Baby dort bekam. Soweit ich weiß, war eine Abtreibung kein Thema. Ich bekam das Kind und sollte es zur Adoption freigeben, und das hätte ich auch tun sollen. Das wäre das einzig Richtige gewesen. Was ich meinen Kindern angetan habe, ist eine Sünde.«

Sie holte tief Luft und trank einen Schluck aus einer Wasserflasche. »Auf jeden Fall erinnere ich mich, dass Ray sich Sorgen machte, weil die anderen Jungen sich rasierten und Haare an den Beinen bekamen und er nicht. Er hatte Angst, ein Spätzünder zu sein wie sein Vater. Alles andere funktionierte aber normal, wie man sieht.«

»Was ist aus Ray geworden?«, fragte Jake.

»Keine Ahnung. Ich bin nie wieder zu Hause gewesen. Als ich das Baby nicht zur Adoption freigeben wollte, warf meine Tante mich aus dem Haus. Wissen Sie, Jake, mit fünfzehn schwanger zu werden war der größte Fehler meines Lebens. Das hat alles verändert, und nicht zum Besseren. Ich liebe Drew, und ich liebe Kiera, aber wenn ein Mädchen so früh ein Kind bekommt, ist ihr Leben versaut. Tut mir leid, wenn ich das so deutlich sagen muss. Das Mädchen bricht wahrscheinlich die Schule ab. Wahrscheinlich bekommt sie keinen guten Ehemann ab. Wahrscheinlich findet sie keinen guten Job. Wahrscheinlich wird es genauso laufen wie bei mir – von einem schlechten Mann zum anderen. Deswegen wird Kiera dieses Kind nicht bekommen, verstehen Sie, Jake? Wenn ich eine Bank überfallen muss, um an das Geld für die Abtreibung zu kommen, dann tue ich das. Ich will nicht, dass Kiera ihr Leben ruiniert. Sie wollte ja noch nicht mal Sex haben. Im Gegensatz zu mir. Tut mir leid, wenn ich das so deutlich sagen muss.«

Charles schüttelte den Kopf, biss sich auf die Unterlippe und schwieg. Es war jedoch offensichtlich, dass er zum Thema Abtreibung eine eindeutige Meinung hatte.

»Das verstehe ich ja«, sagte Jake in aller Ruhe. »Aber darüber können wir später reden. Im Augenblick muss ich eine Frage stellen, um die kein Weg herumführt. Sie sagt, Kofer ist der Vater. Besteht die Möglichkeit, dass es jemand anderen gab?«

Josie war durch nichts zu erschüttern, nicht einmal durch die Andeutung, dass ihre minderjährige Tochter es mit mehreren Männern getrieben haben könnte. Sie schüttelte den Kopf. »Das habe ich sie auch gefragt. Wie Sie vielleicht gemerkt haben, ist sie für ihr Alter völlig normal entwickelt, viel weiter als ihr Bruder. Ich weiß aus Erfahrung, was Jugendlichen in dem Alter zuzutrauen ist, deswegen habe ich mich erkundigt, ob da noch jemand war. Sie hat sich über die Frage furchtbar aufgeregt. Ganz bestimmt nicht, hat sie gesagt. Sie hat gesagt, Kofer war der erste Mann, der sie da unten angefasst hat.«

»Und das hat um Weihnachten herum angefangen?«

»Ja. Sie hat gesagt, es war am Samstag vor Weihnachten, als sie allein zu Hause war.«

»Das müsste der 23. Dezember gewesen sein«, sagte Charles.

»Ich war in der Arbeit. Drew war bei einem Freund. Stu kam früh nach Hause und beschloss, in ihr Zimmer zu gehen. Er sagte, was er von ihr wollte. Sie sagte Nein, bitte nicht. Er vergewaltigte sie, aber er passte auf, dass er keine Spuren hinterließ. Als es vorbei war, sagte er, er würde sie und Drew umbringen, wenn sie jemandem davon erzählte. Er fragte sie sogar, ob es ihr Spaß gemacht hatte. Können Sie sich das vorstellen? Es ist noch ein paarmal passiert, fünf- oder sechsmal, glaubt sie, und sie sagt, sie wollte es mir erzählen und hat nur auf den richtigen Augenblick gewartet. Sie sagt, sie hätte so nicht weiterleben können und hat sogar an Selbstmord gedacht. Das ist alles meine Schuld, Jake. Sehen Sie, was ich meinen Kindern angetan habe? Alles meine Schuld.« Sie schluchzte erneut.

Jake ging zum Spülbecken und schüttete den kalten Kaffee weg. Er goss sich frischen Kaffee ein und trat zur Tür, um nach draußen zu sehen. Als sie sich beruhigt hatte, setzte er sich wieder und sah sie an. »Kann ich noch ein paar Fragen stellen?«

»Natürlich. Ihnen sage ich alles, Jake.«

»Wissen Drew und Kiera, dass sie nicht denselben Vater haben?«

»Nein. Ich habe es ihnen nie gesagt. Ich dachte, das merken sie noch früh genug. Sie sehen sich ja überhaupt nicht ähnlich.«

»Hat Kofer Drew körperlich misshandelt?«

»Ja. Er hat ihn geschlagen wie Kiera, aber nie mit den Fäusten. Mich hat er mehrmals verprügelt, immer wenn er betrunken war. Wenn er nüchtern war, war Stu ganz in Ordnung. Aber wenn er getrunken hatte, war er völlig unberechenbar. Auf jeden Fall hatten wir Angst vor ihm, egal ob er nüchtern oder besoffen war.«

»Würden Sie vor Gericht die körperlichen Misshandlungen bezeugen?«

»Vermutlich schon. Das werde ich wohl müssen, oder?«

»Wahrscheinlich. Und Kiera?«

»Ich weiß es nicht. Die arme Kleine ist völlig am Ende.«

Wie aufs Stichwort erschien Kiera in der Tür und ging zum Tisch. Ihre Augen waren verquollen, das Haar verstrubbelt. Sie trug weite Jeans und ein Sweatshirt, und Jakes Blick wanderte unwillkürlich zu ihrem Bauch. Er konnte keine verdächtigen Anzeichen entdecken. Sie lächelte ihm zu, sagte aber kein Wort. Sie hatte ein bezauberndes Lächeln und perfekte Zähne, und Jake versuchte sich vorzustellen, wie furchtbar es für eine Vierzehnjährige sein musste, ein Kind in ihrem Körper zu haben, mit dem sie nichts zu tun haben wollte. Warum war es biologisch überhaupt möglich, dass Kinder selbst Kinder bekamen?

»Zurück zum Prozess«, sagte Charles. »Wissen Sie, wann die Verhandlung sein wird?«

»Keine Ahnung. Aber wir sind noch in einer sehr frühen Phase des Verfahrens. Ich weiß, dass die Gerichte normalerweise sehr schnell arbeiten, wenn bei Jugendlichen Erwachsenenstrafrecht angewandt werden soll. Vielleicht noch im Sommer, aber das kann ich nicht mit Sicherheit sagen.«

»Je eher, desto besser«, sagte Josie. »Ich will die Sache hinter mich bringen.«

»Mit dem Verfahren ist es aber nicht zu Ende, Josie.«

»Das weiß ich«, fuhr sie ihn an. »Das ist die Geschichte meines Lebens. Es ist aussichtslos, das war es schon immer, und so wird es wohl immer sein. Die Sache tut mir so leid. Die Kinder wollten unbedingt, dass ich Stu verlasse, und ich wollte das auch. Wenn ich von ihm und Kiera gewusst hätte, wären wir mitten in der Nacht abgehauen. Keine Ahnung wohin, aber wir wären weg. Es tut mir so leid.«

Eine weitere lange Pause trat ein, während alle – Jake, Charles, Meg und sogar Kiera – nach tröstlichen Worten suchten.

»Ich wollte nicht unhöflich sein, Jake. Ich hoffe, Sie verstehen das.«

»Kein Problem. Die Schwangerschaft darf auf keinen Fall bekannt werden. Ich bin mir sicher, alle hier wissen das, die Frage ist nur, wie wir das anstellen. Kiera geht nicht zur Schule, wir brauchen also keine Angst zu haben, dass ihre Freundinnen Verdacht schöpfen. Was ist mit der Kirchengemeinde?«

»Mrs. Golden, die sie unterrichtet, müssen wir auf jeden Fall einweihen«, sagte Charles. »Sie macht sich sowieso schon Gedanken.«

»Können Sie das übernehmen?«

»Natürlich.«

»Nach der Abtreibung erledigt sich das Problem von selbst«, platzte Josie heraus.

Charles konnte sich nicht länger beherrschen. »Solange Sie in den Räumen der Gemeinde wohnen, kommt eine Abtreibung nicht infrage!«, fuhr er sie an. »Wenn sie die Schwangerschaft abbrechen lässt, müssen Sie sich was anderes suchen.«

»Das sind wir ja gewöhnt. Wo ist die nächste Abtreibungsklinik, Jake?«

»In Memphis.«

»Was kostet so was?«

»Damit habe ich keine Erfahrung, aber ich habe gehört, es sind um die fünfhundert Dollar.«

»Können Sie mir fünfhundert leihen?«

»Ganz bestimmt nicht.«

»Dann will ich einen anderen Anwalt.«

»Ich glaube nicht, dass Sie einen finden.«

»Die gibt es wie Sand am Meer.«

»Vielleicht nehmen wir uns alle mal eine Auszeit und atmen tief durch«, sagte Charles. »Es war ein langer Tag, und wir sind mit den Nerven am Ende.« Nach einem Augenblick trank Jake seine Tasse aus und ging erneut zum Spülbecken.

Dann stellte er sich an das Ende des Tisches. »Ich muss los, aber ich möchte etwas zu bedenken geben, das Sie wahrscheinlich nicht bedacht haben. Wenn es zu einer Abtreibung kommt – ich bin nicht dafür, aber das ist nicht meine Entscheidung –, zerstören Sie nicht nur ein Leben, sondern auch wertvolles Beweismaterial. Kiera wird in der Verhandlung als Zeugin aussagen. Wenn es zu einer Abtreibung kommt, darf sie zum einen gar nicht darüber sprechen, und zum anderen wäre es kontraproduktiv, weil sie die Geschworenen gegen sich aufbringen würde. Sie kann vor der Jury sagen, Stu Kofer habe sie mehrfach vergewaltigt, aber sie könnte es nicht beweisen. Schließlich hat sie nie die Polizei gerufen. Wenn sie aber offenkundig schwanger ist oder bereits entbunden hat, wäre das Baby ein überzeugender Beweis für die Vergewaltigungen. Und das wird Kiera jede Menge Mitgefühl einbringen, nicht nur mit ihr, sondern auch mit ihrem Bruder. Das Kind zu bekommen würde sich im Verfahren zu Drews Gunsten auswirken.«

»Sie soll das Kind also bekommen, um ihren Bruder zu retten?«, fragte Josie.

»Sie würde das Kind bekommen, weil es das Richtige ist«, erwiderte Jake. »Das allein würde ihren Bruder nicht retten, aber es würde ihm in seiner verzweifelten Situation sicherlich helfen.«

»Sie ist zu jung, um ein Kind am Hals zu haben«, protestierte Josie.

»Es gibt viele anständige Paare, die sich verzweifelt ein Kind wünschen, Josie«, sagte Jake. »Ich wickle jedes Jahr drei bis vier Adoptionen ab, und das sind mir die liebsten Fälle.«

»Was ist mit dem Vater? Auf solche Gene kann ich verzichten.«

»Seine Eltern kann man sich nicht aussuchen.«

Aber Josie schüttelte angewidert den Kopf. Auf dem Rückweg dachte Jake erschüttert darüber nach, wie herzlos Josie instinktiv reagiert hatte. Im Grunde konnte er es ihr nicht verdenken. Ein

Leben voller Fehlentscheidungen hatte sie hart gemacht, und sie wollte unbedingt, dass es ihren Kindern einmal besser ging. Wahrscheinlich hatte sie selbst mindestens eine Abtreibung hinter sich und war froh, dass sie sich nur um zwei Kinder sorgen musste. Das war im Augenblick mehr als genug.

Fast hätte er sich unterwegs eine eiskalte Dose Bier für die Fahrt gekauft, um es in aller Ruhe zu genießen. Dann klingelte sein Telefon. Es war Carla, die ihn etwas brüsk daran erinnerte, dass sie in einer halben Stunde losfahren mussten, wenn sie rechtzeitig zum Abendessen bei den Atcavages sein wollten. Das hatte er völlig vergessen. Sie versuche bereits seit einer Stunde, ihn zu erreichen. Wo er gewesen sei?

»Erzähle ich dir später«, sagte er und hängte auf. Bei sensiblen Verfahren überlegte er immer genau, wie viel er seiner Frau erzählen sollte. Überhaupt mit ihr darüber zu reden verstieß streng genommen gegen die Standesregeln, aber jeder Mensch, sogar Rechtsanwälte, mussten sich jemandem anvertrauen. Sie brachte immer eine neue Sichtweise ins Spiel, besonders wenn es um Frauen ging, und vertrat ihre Argumente überzeugend. Zu den letzten Entwicklungen in dieser Tragödie hatte sie bestimmt eine klare Meinung.

Als er Clanton erreichte und damit schon fast zu Hause war, beschloss er, einen Tag oder vielleicht länger zu warten, bevor er Carla erzählte, dass Kiera von Stuart Kofer vergewaltigt und geschwängert worden war. Allein bei dem Gedanken wurde ihm schlecht. Der Gerichtssaal würde brodeln, wenn Jake Stuart Kofers Sünden enthüllte. Ein toter Polizeibeamter, der sich nicht mehr verteidigen konnte.

Hanna übernachtete bei einer Freundin, und das Haus war sehr still. Carlas Stimmung war unterkühlt, weil sie zu spät dran waren, aber das war Jake egal. Es war Freitagabend, sie waren bei

Freunden eingeladen, zu einem zwanglosen Abendessen mit einem Fässchen Bier auf der Terrasse. Er tauschte seinen Anzug gegen eine Jeans und setzte sich an den Küchentisch, um auf sie zu warten.

»Wo warst du?«, fragte sie, während er fuhr.

»In der Good Shepherd Bible Church, bei Josie und ihrem Unterstützerteam.«

»Das war aber nicht geplant.«

»Nein, es ist einfach so passiert. Charles McGarry kam um halb vier in die Kanzlei und sagte, die beiden müssten mit mir reden, sie seien völlig durch den Wind und bräuchten jemanden, der ihnen das Händchen hielt. Das gehört zu meinem Job.«

»Du wirst die Sache nicht mehr los, stimmt's?«

»Fühlt sich an wie Treibsand.«

»Wir hatten vor einer Stunde noch einen Anruf. Wir brauchen eine neue Nummer.«

»Hat dir der Typ Name und Adresse gegeben?«

»Wahrscheinlich hat er keine Adresse, sondern wohnt unter einer Brücke. Ein Irrer, der wirres Zeug brüllte. Er hat gesagt, wenn der Junge freikommt, überlebt er draußen keine achtundvierzig Stunden. Und sein Anwalt keine vierundzwanzig.«

»Ich bin also zuerst dran?«

»Das ist nicht witzig.«

»Habe ich auch nicht gesagt. Wir besorgen uns eine neue Telefonnummer.«

»Sagst du Ozzie Bescheid?«

»Ja, obwohl das auch nichts bringt. Vielleicht brauchen wir wirklich einen privaten Sicherheitsdienst.«

»Oder du sagst Noose, du hast genug von der Sache.«

»Du willst, dass ich aufgebe? Ich dachte, du machst dir Sorgen um Drew.«

»Ich mache mir Sorgen um Drew. Ich mache mir aber auch

Sorgen um Hanna und uns beide und darum, wie wir in dieser sehr kleinen Stadt überleben sollen.«

Stan Atcavage lebte draußen beim Country Club in einer parkähnlichen Vorstadtsiedlung mit großzügigen Einfamilienhäusern, die um den einzigen Golfplatz im County herum angelegt war. Er leitete die Security Bank, wo Jake einen Großteil seiner Hypotheken aufgenommen und kürzlich einen Kreditrahmen für die Prozessführung in der *Smallwood*-Sache vereinbart hatte. Stan war von dem Gedanken an einen weiteren Kredit zunächst überhaupt nicht begeistert gewesen, aber das ging Jake und Harry Rex auch so. Je länger der Prozess lief, desto offensichtlicher wurde jedoch, dass ihnen keine andere Wahl blieb. Harry Rex war dreimal geschieden und zum vierten Mal wiederverheiratet, daher war er finanziell genauso bescheiden aufgestellt wie Jake, selbst wenn sein Haus inzwischen nur noch mit einer Hypothek belastet war. Mit einundfünfzig machte sich Harry Rex Sorgen um seine Zukunft. Jake war erst siebenunddreißig, wurde aber den Eindruck nicht los, dass seine Schulden mit jedem Jahr als praktizierender Anwalt höher wurden.

Stan war ein guter Freund, doch Jake und Carla konnten seine Frau nicht ausstehen. Sie hieß Tilda und betonte gern, dass sie aus einer alteingesessenen und vor allem wohlhabenden Familie in Jackson stammte, was in Clanton nicht gut ankam. Die Stadt war zu klein für sie und ihren exklusiven Geschmack. Auf der Suche nach mehr Glamour hatte sie Stan gedrängt, im Tupelo Country Club Mitglied zu werden, der in der Gegend als Statussymbol galt und für die beiden eigentlich unerschwinglich war. Außerdem trank sie zu viel, gab zu viel Geld aus und setzte ihren Ehemann ständig unter Druck, weil er angeblich zu wenig verdiente. Als Banker in einer Kleinstadt musste Stan diskret sein, aber er vertraute Jake und hatte angedeutet, dass es in der Ehe kriselte. Glücklicherweise hatte Tilda schon ein paar Drinks intus, als sie eine halbe Stunde später eintrafen, und war nicht so überheblich wie sonst.

Insgesamt waren es fünf Paare, alle Ende dreißig oder Anfang vierzig, mit Kindern im Alter von drei bis fünfzehn. Die Frauen versammelten sich an einem Ende der Terrasse um eine Weinbar und redeten über ihre Kinder, während die Männer am Bierfass standen und andere Themen diskutierten. Zuerst ging es um den Aktienmarkt, was Jake langweilte, weil er kein Geld zu investieren hatte und ohnehin nichts von riskanten Anlagen hielt. Dann kam das Gespräch auf das pikante Gerücht, ein allgemein bekannter Arzt habe alle Brücken abgebrochen und sei mit einer Krankenschwester durchgebrannt. Angeblich war die Frau eine Schönheit, von der viele Männer im County träumten – und nicht nur unverheiratete. Jake war das Gerücht nicht zu Ohren gekommen, der Frau war er nie begegnet, den Arzt mochte er nicht, und von Klatsch hielt er ohnehin nicht viel.

Carla war schon immer überzeugt gewesen, dass Männer mehr tratschten als Frauen. Dem konnte Jake nur zustimmen. Er war erleichtert, als das Gespräch auf den Sport kam, und freute sich noch mehr, als Stan das Abendessen ankündigte. Niemand hatte Kofers Tod erwähnt.

Es gab geräucherte Spareribs, Maiskolben und Krautsalat. Es war ein perfekter Frühlingsabend, gerade schon warm genug, um draußen zu essen und sich über den blühenden Hartriegel zu freuen. Das vierzehnte Fairway war nur fünfzig Meter entfernt, und nach dem Dessert, das aus Kuchen aus dem Supermarkt bestand, zündeten die fünf Männer sich ihre Zigarren an und gingen zum Golfplatz, um zu rauchen. Im Augusta National Golf Club wurde gerade das Masters-Turnier ausgetragen und war daher Hauptthema. Nick Faldo und Raymond Floyd lagen Kopf an Kopf, und Stan, ein ambitionierter Golfer, erging sich in einer ausführlichen Analyse. Da er als Gastgeber nicht mehr fahren musste, trank er zu viel.

Jake verstand nichts von Zigarren und erst recht nichts von Golf, und während er geduldig zuhörte, gingen ihm das Gespräch in der Kirche und der hoffnungslose, verängstigte Blick der kleinen Kiera nicht aus dem Sinn. Er versuchte, den Gedanken zu verdrängen, wäre aber am liebsten nach Hause gefahren und hätte sich im Bett verkrochen.

Aber Stan wollte den Abend mit einem Digestif abschließen, einem edlen Weinbrand, den ihm jemand geschickt hatte. Zurück auf der Terrasse schenkte er großzügig ein, und die Männer schlossen sich wieder ihren Frauen an.

Carla warf einen Blick auf das Glas in Jakes Hand. »Hast du nicht genug gehabt?«, flüsterte sie.

»Alles im Griff.«

Ein Paar musste nach Hause, weil der Babysitter wartete. Ein anderes hatte einen kleinen Welpen, der ganz allein war. Es war fast elf Uhr, doch die meisten konnten am Samstag ausschlafen. Trotzdem verabschiedete sich einer nach dem anderen.

»Kannst du noch fahren?«, fragte Carla, als sie an Jakes rotem Saab standen.

»Na klar. Alles in Ordnung.«

»Wie viel hast du getrunken?«, fragte sie, als sie eingestiegen waren.

»Willst du mich kontrollieren? Nicht viel.«

Sie biss die Zähne zusammen, wandte den Blick ab und sagte nichts mehr. Um zu beweisen, wie nüchtern er war, fuhr Jake besonders langsam und vorsichtig. »Worüber redet ihr Frauen eigentlich, wenn ihr unter euch seid?«, fragte er, um das Eis zu brechen.

»Das Übliche. Kinder, Schule, Schwiegermütter. Das von Dr. Freddie und der Krankenschwester hast du gehört?«

»O ja. In allen Einzelheiten. Ich bin ihm immer aus dem Weg gegangen.«

»Er ist ein Unsympath, aber seine Frau ist nicht viel besser. Du fährst zu schnell.«

»Ich komme schon zurecht, Carla, danke.« Angesäuert konzentrierte sich Jake wieder auf die Straße. Er bog auf eine Umgehungsstraße östlich der Stadt ein, und die Lichter von Clanton tauchten vor ihnen auf. Dann warf er einen Blick in den Rückspiegel. »Mist! Polizei«, murmelte er.

Wie aus dem Nichts war ein Streifenwagen aufgetaucht, der plötzlich mit Blaulicht und heulender Sirene direkt hinter ihm fuhr. Jake war sofort klar, dass es sich um einen Beamten des Countys handeln musste. Die Stadtgrenze von Clanton war noch fast zwei Kilometer entfernt.

Carla drehte sich entsetzt um und sah das Blaulicht direkt hinter ihnen. »Was will der von uns?«, fragte sie.

»Keine Ahnung. Zu schnell gefahren bin ich auf jeden Fall nicht.« Jake bremste ab und hielt auf dem breiten Bankett.

»Hast du einen Kaugummi?«, fragte er. Carla öffnete ihre Handtasche, die – wie es gerade Mode war – fast Koffergröße hatte. Die Chancen, dass sie im Dunkeln und unter Stress Kaugummi oder Pfefferminzbonbons darin fand, standen schlecht. Zum Glück schien der Polizeibeamte keine Eile zu haben. Sie fand eine Packung Kaugummi, und Jake stopfte sich zwei davon in den Mund.

Es war Mike Nesbit, ein Deputy, den Jake gut kannte. Eigentlich kannte er alle. Der Beamte leuchtete mit seiner Taschenlampe ins Auto. »Jake, kann ich bitte Ihren Führerschein und die Fahrzeugpapiere sehen?«

»Natürlich, Mike. Alles in Ordnung bei Ihnen?«, sagte Jake, als er die Papiere aushändigte.

»Alles bestens.« Nesbit prüfte die Dokumente. »Einen Augenblick bitte.« Er schlenderte zu seinem Auto zurück und stieg ein, als ein grüner Audi auf der mittleren Spur an ihnen vorbeifuhr.

Jake glaubte, das Auto der Janeways erkannt zu haben, mit denen sie gerade zu Abend gegessen hatten. Und da Jake den einzigen roten Saab im Umkreis von hundert Kilometern besaß, wussten sie jetzt auch, wer da von der Polizei angehalten worden war.

»Hast du Wasser dabei?«, fragte er seine Frau.

»Nein, nie.«

»Sehr hilfreich.«

»Hast du zu viel getrunken?«

»Ich glaube nicht.«

»Wie viel war es?«

»Ich habe nicht mitgezählt, aber nicht viel. Sehe ich aus, als wäre ich betrunken?«

Sie wandte sich wortlos ab. Das Blaulicht zuckte wild, doch zumindest die Sirene war abgeschaltet. Ein weiteres Auto fuhr langsam vorbei. Jake hatte jeden Monat mindestens einen Mandanten, der eine Anklage wegen Trunkenheit am Steuer am Hals hatte, seit Jahren schon. Die große Frage war immer, ob man sich auf einen Atemalkoholtest einlassen sollte oder nicht. Ja oder nein? Wenn man den Test machte und über dem Grenzwert war, wurde man vor Gericht hundertprozentig verurteilt. Wenn man darunter war, rutschte man gerade noch so durch. Wenn man sich weigerte, wurde man automatisch festgenommen. Dann musste man eine Kaution hinterlegen, um wieder auf freien Fuß zu kommen, sich einen Anwalt nehmen und einen Prozess riskieren, wo die Chancen zu gewinnen gar nicht schlecht standen. Ein guter Tipp, der im Nachhinein natürlich nichts brachte, war, den Test zu machen, wenn man nur wenig getrunken hatte. Wenn man wusste, dass es zu viel war, weigerte man sich besser und ließ sich festnehmen.

Testen lassen oder nicht? Während Jake versuchte, möglichst entspannt zu wirken, merkte er, dass seine Hände zitterten. Was war demütigender? Vor den Augen seiner Frau in Handschellen abgeführt zu werden? Oder sich mit den Folgen eines nicht bestandenen Tests und dem peinlichen Verlust des Führerscheins herumschlagen zu müssen? Würde es vielleicht sogar eine Beschwerde bei der Rechtsanwaltskammer geben? Er hatte so viele Promillesünder vertreten, dass ihm jedes Mitgefühl abhandengekommen war, wenn jemand ein Wochenende im Gefängnis verbringen musste. Wer sich in betrunkenem Zustand ans Steuer setzte, hatte Strafe verdient.

Allerdings war die Grenze mit 1,0 Promille mittlerweile so niedrig, dass schon ein paar Drinks am Abend zu viel sein konnten. Sollte er den Test doch besser verweigern?

Nesbit war zurück. Er leuchtete Jake mit der Taschenlampe direkt ins Gesicht. »Haben Sie getrunken?«

Eine weitere wichtige Frage, die keiner gern beantwortete. Ja, aber nur ganz wenig, war eine Antwort, die ins sichere Verderben führte. Wenn man Nein sagte und der Beamte Alkohol roch, war man erst recht geliefert. Der sicherste Weg, Polizeibeamte wirklich auf die Palme zu bringen, war lallend und mit schwerer Zunge zu verkünden, man habe noch nie einen Tropfen angerührt.

»Ja, das habe ich«, erwiderte Jake. »Wir kommen von einem Abendessen, und ich habe Wein getrunken. Aber nicht viel. Ich bin nicht betrunken. Ich bin vollkommen fit. Darf ich fragen, was ich falsch gemacht habe?«

»Sie sind Schlangenlinien gefahren.« Das konnte alles heißen. Oder nichts.

»Wo?«

»Sind Sie bereit, gleich hier einen Alkoholtest zu machen?«

Jake wollte schon zustimmen, als ein weiteres Fahrzeug mit Blaulicht auftauchte. Ein zweiter Streifenwagen. Der Fahrer verlangsamte das Tempo, fuhr an ihnen vorbei, wendete und hielt hinter Nesbit, der zu ihm ging und ein paar Worte mit ihm wechselte.

»Ich kann es nicht fassen«, sagte Carla.

»Ich auch nicht, Schatz. Bleib entspannt.«

»Oh, ich bin absolut entspannt. Du hast keine Ahnung, wie entspannt ich bin.«

»Ich will mich hier mitten auf der Straße nicht streiten. Kann das warten, bis wir zu Hause sind?«

»Lassen sie dich überhaupt nach Hause, Jake? Oder nehmen sie dich gleich mit?«

»Das weiß ich nicht. So viel habe ich nicht getrunken, das schwöre ich. Ich bin nicht mal beschwipst.«

Führerscheinentzug, Gefängnis, ein saftiges Bußgeld, höhere Versicherungsbeiträge. Jake erinnerte sich an die hässliche Liste von Strafen, mit der er Hunderten von Mandanten in den Ohren gelegen hatte. Als Rechtsanwalt konnte er das System immer ausreizen, zumindest bei Ersttätern. Wie ihm selbst. Statt einer Gefängnisstrafe erreichte er meist Sozialstunden, und bei der Höhe der Geldbuße war auch genügend Spielraum, dass er sein Fünfhundert-Dollar-Honorar rechtfertigen konnte.

Die Minuten im flackernden Blaulicht zogen sich in die Länge. Ein weiteres Auto näherte sich, verlangsamte das Tempo, damit den Insassen auch ja nichts entging, und fuhr weiter. Jake schwor sich, beim nächsten Autokauf, falls er jemals das Geld dafür haben sollte, kein exotisches schwedisches Modell in einer knalligen Farbe zu nehmen. Beim nächsten Mal kam nur ein Ford oder ein Chevrolet infrage.

Nesbit trat zum dritten Mal ans Auto. »Jake, würden Sie bitte aussteigen.«

Jake nickte und ermahnte sich, gerade zu gehen und deutlich zu sprechen. Der erste Alkoholtest war so ausgelegt, dass ihn kaum ein Fahrer bestand, damit die Beamten dann auf eine Blutuntersuchung drängen konnten. Jake trat zum Heck seines Autos, wo der zweite Deputy wartete. Es war Elton Frye, ein erfahrener Beamter, den er seit Jahren kannte.

»Hallo, Jake«, sagte Frye.

»Hallo, Elton. Tut mir leid, dass Sie hier aufgehalten werden.«

»Mike sagt, Sie haben getrunken.«

»Zum Abendessen. Sehen Sie mich doch an, ich bin offensichtlich nicht betrunken.«

»Dann sind Sie bereit, den Test zu machen?«

»Natürlich mache ich den Test.«

Die beiden Beamten wechselten einen Blick und wussten offenbar nicht recht, wie es weitergehen sollte. »Stu war ein Freund von mir, Jake«, sagte Nesbit. »Ein toller Typ.«

»Ich mochte Stu auch, Mike. Schlimm, was passiert ist. Ich weiß, dass es für Sie alle schwer ist.«

»Wäre noch viel schwerer, wenn der Kerl damit durchkommt, Jake. Das würde wirklich Öl ins Feuer gießen.«

Jake setzte ein gekünsteltes Lächeln auf, um zu zeigen, dass das völlig aus der Luft gegriffen war. Im Augenblick hätte er alles gesagt, um sich einzuschmeicheln. »Der kommt nicht einfach so davon, das kann ich Ihnen versprechen. Außerdem kümmere ich mich nur vorübergehend um sein Verfahren. Für die Verhandlung bestellt das Gericht einen anderen Anwalt.«

Das hörte Mike gern, und er nickte Frye zu, der Jake Führerschein und Fahrzeugpapiere hinhielt. »Wir haben mit Ozzie telefoniert«, sagte Mike. »Er hat gesagt, wir sollen hinter Ihnen herfahren, bis Sie zu Hause sind. Lassen Sie sich Zeit, okay?«

Jake atmete tief durch, als die Anspannung von ihm abfiel. »Danke. Ich weiß das zu schätzen.«

»Bedanken Sie sich bei Ozzie, nicht bei uns.«

Er stieg ein, schnallte sich an, ließ den Motor an und warf einen Blick in den Rückspiegel, wobei er seine Frau ignorierte, die offenbar gerade ein Stoßgebet sprach. »Was war los?«, fragte sie, als er anfuhr.

»Nichts. Das waren Mike Nesbit und Elton Frye, die haben

schnell gemerkt, dass ich nicht betrunken bin. Sie haben Ozzie angerufen, ihm genau das gesagt, und er hat sie angewiesen, uns nach Hause zu begleiten. Alles in Ordnung.«

Mit ausgeschaltetem Blaulicht folgten die beiden Streifenwagen dem roten Saab in die Stadt. Im Auto herrschte Schweigen.

Auf dem Anrufbeantworter in der Küche wurden drei Nachrichten angezeigt, die im Laufe des Abends eingegangen waren. Carla spülte die Kaffeekanne für das Frühstück ab, während sich Jake ein Glas Eiswasser eingoss und die Taste am Anrufbeantworter drückte. Der erste Anrufer hatte sich verwählt und wollte eigentlich Pizza bestellen. Der zweite war ein Reporter aus Jackson. Die dritte Nachricht war von Josie Gamble, und Jake bereute sofort, die Play-Taste gedrückt zu haben, als er hörte, was sie zu sagen hatte:

»Hallo Jake, hier ist Josie, tut mir leid, dass ich Sie zu Hause störe. Entschuldigen Sie bitte. Aber ich habe mit Kiera geredet, es war ein langer Tag für uns, das wissen Sie ja, und wir haben allmählich schon keine Lust mehr zu reden. Auf jeden Fall wollte ich mich entschuldigen, dass ich Sie so überfallen und um Geld für die Abtreibung gebeten habe. Das war nicht in Ordnung, und es tut mir wirklich leid. Bis bald. Gute Nacht.«

Carla hielt die Kaffeekanne, die sie bereits mit Wasser gefüllt hatte, in der Hand und starrte ihn mit offenem Mund an. Jake drückte die Löschtaste und sah seine Frau an. Es war nicht einfach, das Anwaltsgeheimnis zu wahren, wenn Mandanten vertrauliche Nachrichten auf Band sprachen.

»Abtreibung?«, fragte Carla.

Jake holte tief Luft. »Haben wir koffeinfreien Kaffee?«

»Ich glaube schon.«

»Dann machen wir am besten eine Kanne. Ich werde bestimmt die ganze Nacht auf den Beinen sein. Erst verliere ich fast meinen

Führerschein, dann das mit der Abtreibung, da kann ich sowieso kein Auge zutun.«

»Kiera?«

»Ja. Wenn du uns einen Kaffee kochst, erzähle ich dir alles.«

# 19

Die Verwaltung von Van Buren County hatte ihren Sitz im Provinznest Chester. Der Volkszählung von 1980 zufolge hatte der Ort viertausendeinhundert Einwohner, das waren tausend weniger als 1970, und bei der nächsten Zählung würden es mit Sicherheit noch weniger sein. Chester war halb so groß wie Clanton, aber viel trostloser. Clanton hatte ein belebtes Zentrum mit Cafés, Restaurants, geschäftigen Büros und den verschiedensten Geschäften. Im nahen Chester war dagegen jedes zweite Schaufenster in der Main Street mit Brettern verrammelt – neue Mieter verzweifelt gesucht. Wie gravierend der wirtschaftliche und gesellschaftliche Niedergang war, ließ sich am besten daran ablesen, dass bis auf vier alle Rechtsanwälte in größere Städte abgewandert waren, mehrere nach Clanton. Als der junge Omar Noose seine Kanzlei eröffnet hatte, gab es noch zwanzig Rechtsanwälte im County.

Von den fünf Gerichtsgebäuden im 22. Gerichtsbezirk war das in Van Buren County mit Abstand das schäbigste. Es war mindestens hundert Jahre alt, und der nichtssagende, langweilige Entwurf zeigte unübersehbar, dass sich die Gründerväter keinen Architekten hatten leisten können. Am Anfang hatte der weitläufige weiße Holzbau mit drei Stockwerken Reihen winziger Büros beherbergt, in denen alle möglichen Leute untergebracht waren, von den Richtern über die Sheriffs und das zugehörige Verwaltungspersonal bis hin zum Saatgutinspektor. Im Lauf der Jahrzehnte erlebte das County ein bescheidenes Wachstum, was dazu führte, dass verschiedene Anbauten und Erweiterungen wie wuchernde Krebsgeschwüre aus dem Boden sprossen. Das trug dem Gerichtsgebäude den Ruf ein, das hässlichste im ganzen Bundesstaat zu sein. Dieser inoffizielle Titel war den Juristen zu verdanken, die kamen und gingen und bei denen das Gebäude gründlich verhasst war.

Das Äußere wirkte befremdlich, die Innenräume waren eigentlich unbenutzbar. Nichts funktionierte. Die Heizung schaffte es nicht, die Räume merklich zu erwärmen, und im Sommer fraß die Klimaanlage jede Menge Strom, brachte aber höchstens ein laues Lüftchen zustande. Ganze Systeme – Rohrleitungen, Elektrik, Sicherheit – brachen regelmäßig zusammen.

Trotz aller Beschwerden weigerten sich die Steuerzahler, für Renovierungsarbeiten aufzukommen. Die radikalste Lösung wäre gewesen, das ganze Ding anzuzünden, aber Brandstiftung war nun mal ein Verbrechen.

Ein paar Hartgesottene behaupteten, die Schrullen und Eigenheiten des Gebäudes zu mögen, wie Omar Noose, der dienstälteste Richter am 22. Circuit Court. Seit Jahren herrschte er unumschränkt über den großen, antiquierten Gerichtssaal im ersten Stock und hatte sein Büro im Richterzimmer dahinter. Ein paar Türen weiter hatte er einen kleineren Verhandlungssaal für Verfahren mit wenigen Beteiligten. Seine Sekretärin, die Gerichtsstenografin und die Urkundsbeamtin hatten ihre Büros ganz in der Nähe.

Die Einheimischen waren überzeugt, dass das Gebäude schon längst dem Erdboden gleichgemacht worden wäre, hätte nicht Omar Noose seinen beträchtlichen Einfluss geltend gemacht.

Nachdem er bald siebzig wurde, versuchte er zunehmend, Fahrten in die vier anderen Countys seines Zuständigkeitsbezirks zu vermeiden, obwohl er ohnehin nie selbst fuhr. Seine Protokollführerin oder seine Sekretärin chauffierten ihn nach Clanton, Smithfield, Gretna oder ins fast zwei Stunden entfernte Temple in Milburn County. Trotzdem hatte er die lästige Angewohnheit entwickelt, Anwälte aus diesen Städten nach Chester zu zitieren, wenn sie ein Anliegen hatten und er nicht ohnehin bei ihnen vor Ort war. Gesetzlich war er verpflichtet, in allen fünf Countys Recht zu sprechen, aber ihm fiel immer ein Vorwand ein, warum er in Chester bleiben musste.

Am Montag erhielt Jake telefonisch die Aufforderung, sich am Dienstag um vierzehn Uhr bei Noose im Richterzimmer einzufinden. Die Richter hatten Büros in allen fünf Gerichtsgebäuden, aber wenn Noose »Richterzimmer« sagte, war das eine Einladung in das entzückende Örtchen Chester, Mississippi, die man besser nicht ausschlug. Jake erklärte der Sekretärin des Richters, er habe am Dienstagnachmittag bereits Termine, was sogar der Wahrheit entsprach, aber es hieß nur, die solle er eben absagen.

Und so fuhr er am frühen Dienstagnachmittag durch die stillen Straßen von Chester und war wieder einmal dankbar, dass er hier nicht wohnte. Da Clanton nach dem amerikanischen Bürgerkrieg von einem General nach einem durchdachten Plan angelegt worden war, verliefen die Straßen zum größten Teil wie in einem Gitternetz rechtwinklig zueinander, und der Clanton Square im Stadtzentrum wurde von dem majestätischen Gerichtsgebäude beherrscht, während Chester im Lauf der Jahrzehnte ohne Konzept völlig unsymmetrisch weitergewuchert war. Es gab kein Zentrum, keine richtige Hauptstraße. Das Geschäftsviertel bestand aus einer Ansammlung von Straßen, die einander in merkwürdigen Winkeln schnitten und Staus von albtraumhaften Ausmaßen verursacht hätten, wenn es Verkehr gegeben hätte.

Besonders eigenartig war, dass das Gericht gar nicht innerhalb der Gemeindegrenzen lag. Es thronte in seiner ganzen Baufälligkeit einsam drei Kilometer östlich des Ortes an einer Landstraße.

Fünf Kilometer östlich lag das Dorf Sweetwater, ein langjähriger Rivale von Chester. Nach dem Bürgerkrieg hatte es im County nicht mehr viel gegeben, worum es sich zu streiten lohnte, aber die beiden Orte pflegten jahrzehntelang ihre Feindschaft, und so konnten sie sich im Jahr 1885 nicht einigen, wo die Verwaltung des Countys ihren Sitz haben sollte. Es fielen tatsächlich Schüsse, und ein oder zwei Menschen kamen ums Leben, bis sich der Gouverneur, der Van Buren County nie besucht hatte und das auch nicht plante, für Chester entschied. Um die Hitzköpfe in Sweetwater zu besänftigen, ließ er das Gerichtsgebäude an einem Sumpf auf halbem Weg zwischen beiden Orten errichten. Um das Jahr 1900 löschte eine Diphtherie-Epidemie fast ganz Sweetwater aus, und jetzt waren nur noch ein paar verfallene Kirchen übrig.

Jake ließ Chester hinter sich und fuhr zu dem Gerichtsgebäude, vor dem mehrere Fahrzeuge parkten. Er hätte schwören können, dass der eine Flügel nach außen wegzukippen drohte. Er stellte sein Auto ab, ging ins Gebäude und erklomm die Treppe in den ersten Stock mit dem dunklen und verlassenen großen Gerichtssaal. Er ging durch den Raum, vorbei an den uralten staubigen Zuschauerbänken, durch die Schranke, die sie von den Prozessbeteiligten trennte, und blieb vor den verblichenen Ölgemälden verstorbener Politiker und Richter stehen, die allesamt alte weiße Männer zeigten. Alles war von einer Staubschicht bedeckt, und die Papierkörbe waren nicht geleert.

Er öffnete eine Tür hinten im Raum und begrüßte die Sekretärin. Sie lächelte gequält und deutete mit dem Kopf auf eine Tür an der Seite ihres Büros. Weitergehen, er wartet schon, hieß das. Im Richterzimmer hatte sich Richter Noose hinter einem rechteckigen Eichenschreibtisch verschanzt. Ordentliche Papierstapel bedeckten die Arbeitsfläche und vermittelten den Eindruck, dass der Richter jedes Dokument im Handumdrehen finden konnte, auch wenn Außenstehende keinerlei System erkennen konnten.

»Kommen Sie herein, Jake«, sagte er lächelnd, machte jedoch keine Anstalten, sich zu erheben. In einem Aschenbecher von der Größe einer Nudelschüssel lag ein halbes Dutzend Pfeifen, und die Luft war geschwängert von kaltem Pfeifenrauch. Zwei große Fenster standen ein paar Handbreit weit offen.

»Guten Tag, Richter Noose«, sagte Jake, während er sich zwischen einem Couchtisch, einem Zeitschriftenhalter voller alter Ausgaben, Gesetzbüchern, die sich auf dem Boden statt auf Regalen stapelten, und zwei gelben Labradors hindurchschlängelte, die fast so alt waren wie ihr Besitzer. Jake war sicher, dass die beiden Hunde noch Welpen gewesen waren, als er Noose vor über zehn Jahren zum ersten Mal aufgesucht hatte. Die Hunde und Richter Noose waren sichtlich gealtert, aber alles andere war zeitlos.

»Danke, dass Sie extra hergekommen sind. Sie wissen ja, ich bin vor zwei Monaten am Rücken operiert worden und immer noch nicht auf dem Damm. Kann mich kaum bewegen.«

Wegen seiner schlaksigen Gestalt und der langen Hakennase hatte man ihm schon früh den Spitznamen »Vogelscheuche« verpasst. Der Name schien so gut zu passen, dass jeder ihn hinter seinem Rücken so nannte, als Jake als Rechtsanwalt anfing. Inzwischen war er ziemlich aus der Mode gekommen. Im Augenblick musste Jake jedoch an Harry Rex denken, der vor Jahren einmal gesagt hatte: »Niemand hätschelt seine Wehwehchen so wie Vogelscheuche Noose.«

»Gern geschehen«, sagte Jake.

»Es gibt einiges zu besprechen«, begann Noose, griff nach einer Pfeife, klopfte sie gegen den Rand des Aschenbechers und zündete sie mit einer Art Flammenwerfer an, der ihm fast die zotteligen Augenbrauen versengte.

War eigentlich zu erwarten, dachte Jake. Deswegen bin ich schließlich hier. »Ja, eine ganze Menge.«

Noose zog an seiner Pfeife. »Zunächst einmal, wie geht es Lucien?«, fragte er, als er den Rauch ausblies. »Wir kennen uns schon ewig.«

»Ja, ich weiß. Lucien geht es gut. Er ist immer noch der Alte, aber er kommt jetzt wieder öfter in die Kanzlei.«

»Richten Sie ihm schöne Grüße aus.«

»Wird gemacht.« Lucien hasste Omar Noose, und Jake würde sich hüten, ihm Grüße auszurichten.

»Wie geht es dem Jungen, diesem Drew Gamble? Immer noch in Whitfield?«

»Ja. Ich spreche jeden Tag mit seiner Therapeutin, und sie sagt, er ist definitiv traumatisiert. Offenbar geht es ihm mittlerweile etwas besser, aber er hat jede Menge psychische Probleme, und nicht nur wegen der Schießerei. Das braucht Zeit.« Es hätte Stunden gedauert, dem Richter alles zu berichten, was Dr. Sadie Weaver zu Jake gesagt hatte, und die Zeit hatten sie nicht. Sie konnten das später besprechen, wenn der schriftliche Bericht vorlag.

»Ich würde ihn gern wieder nach Clanton ins Gefängnis verlegen lassen«, sagte Noose paffend.

Jake zuckte mit den Schultern, weil er keinen Einfluss auf Drews Haft hatte. Allerdings hatte er Dr. Weaver gesagt, sein Mandant sei in der Jugendpsychiatrie deutlich besser aufgehoben als im Gefängnis. »Am besten sprechen Sie selbst mit Whitfield, Richter. Sie haben ihn dorthin geschickt, und ich bin sicher, seine Ärzte würden Ihnen Auskunft geben.«

»Vielleicht mache ich das.« Er legte die Pfeife ab und verschränkte die Hände hinter dem Kopf. »Ich muss Ihnen sagen, dass niemand den Fall übernehmen will. Und ich habe es weiß Gott versucht.« Er griff abrupt nach einem Schreibblock und warf ihn demonstrativ auf den Schreibtisch, Jake vor die Nase. »Ich habe siebzehn Rechtsanwälte angerufen, die Namen stehen alle hier, die meisten kennen Sie, siebzehn Anwälte aus dem gesamten Bundesstaat, die Erfahrung mit Mordprozessen haben. Ich habe mit allen telefoniert, mit manchen ziemlich lang. Ich habe gebettelt, gebeten, gedrängt und hätte ihnen auch gedroht, aber außerhalb der Zuständigkeit des Zweiundzwanzigsten habe ich nichts zu sagen. Das wissen Sie ja selbst. Nichts. Niemand. Keiner will die Sache übernehmen. Ich habe alle gemeinnützigen Organisationen abtelefoniert, Children's Capital Defense Fund, Juvenile Justice Initiative, American Civil Liberties Union und die ganzen anderen. Auch diese Namen stehen alle hier. Sie haben größtes Mitgefühl, würden gern helfen, nur jetzt nicht, weil im Augenblick keiner einen Prozessanwalt erübrigen kann, der den Jungen verteidigt. Fällt Ihnen sonst noch eine Alternative ein?«

»Nein, aber Sie haben mir Ihr Wort gegeben.«

»Ich weiß, und ich habe es damals auch so gemeint, aber ich war verzweifelt. Ich bin für die Justiz in unserer Gegend verantwortlich und musste dafür sorgen, dass der Junge einen Rechtsbeistand hatte. Sie wissen, dass ich mit dem Rücken zur Wand stand. Ich hatte keine Wahl. Sie waren so anständig, Präsenz zu zeigen, während alle anderen abtauchten und nicht ans Telefon gingen. Bitte lassen Sie mich nicht im Stich, Jake. Behalten Sie die Sache, und sorgen Sie dafür, dass der Angeklagte ein faires Verfahren bekommt.«

»Und meinen Antrag auf Verhandlung vor dem Jugendgericht wollen Sie offensichtlich ablehnen.«

»Natürlich. Ich behalte aus verschiedenen Gründen die Zuständigkeit. Wenn er nach Jugendrecht verurteilt wird, kommt er mit achtzehn auf freien Fuß. Fänden Sie das fair?«

»Nein, theoretisch nicht. Praktisch auch nicht.«

»Gut, dann sind wir uns ja einig. Das Verfahren bleibt am Circuit Court, und Sie sind sein Anwalt.«

»Das Verfahren wäre mein Ruin, darauf kann ich mich nicht einlassen. Ich praktiziere allein und habe nur begrenzt Personal.

Seit Ihrem ersten Anruf am fünfundzwanzigsten März habe ich einundvierzig Stunden auf die Sache verwendet, und die Arbeit fängt erst an. Wie Sie wissen, liegt die gesetzliche Obergrenze für Anwaltshonorare im Rahmen der Prozesskostenhilfe bei tausend Dollar. Das ist schwer zu glauben, ein Honorar von tausend Dollar für die Verteidigung in einem Mordprozess ist ein Witz. Ich kann nicht kostenlos arbeiten.«

»Ich sorge dafür, dass Sie Ihr Geld bekommen.«

»Aber wie? Die gesetzlichen Vorschriften sind eindeutig.«

»Ich weiß, ich weiß, ich verstehe Sie ja. Das Gesetz ist eine Schande, und ich habe deswegen mehrfach an das Parlament geschrieben. Ich habe eine Idee, etwas, was noch niemand probiert hat, zumindest nicht im Zweiundzwanzigsten. Sie führen Buch über Ihre Stunden, und nach Ende des Verfahrens stellen Sie dem County Ihre Rechnung. Wenn der Verwaltungsrat nicht zahlen will, reichen Sie beim Circuit Court Klage ein. Ich leite das Verfahren und entscheide zu Ihren Gunsten. Was halten Sie davon?«

»Definitiv eine originelle Idee. So was habe ich noch nie gehört.«

»Es wird funktionieren, dafür sorge ich schon. Es wird ein kurzer Prozess ohne Geschworene, und ich garantiere Ihnen, dass Sie Ihr Geld bekommen.«

»Aber das dauert noch Monate.«

»Mehr kann ich Ihnen nicht anbieten. Gesetz ist Gesetz.«

»Ich bekomme also tausend Dollar jetzt, und was den Rest angeht, kann ich nur beten.«

»Mehr ist nicht drin.«

»Was ist mit Sachverständigen?«

»Was soll damit sein?«

»Also wissen Sie … Die Staatsanwaltschaft wird jede Menge Psychologen und Psychiater als Zeugen aufbieten.«

»Wollen Sie damit andeuten, dass es auf Schuldunfähigkeit hinausläuft?«

»Ich will gar nichts andeuten. Ich kann es nur nicht fassen, dass das Verfahren an mir hängen bleibt.«

»Und die Familie hat kein Geld?«

»Ist das Ihr Ernst? Sie sind obdachlos. Sie tragen Kleidung aus zweiter und dritter Hand. Ihre Verwandten, wo auch immer sie sein mögen, haben sich vor Jahren von ihnen losgesagt, und wenn eine großzügige Kirchengemeinde sie nicht aufgenommen hätte, wären sie längst verhungert.«

»Ist ja gut, ich musste zumindest fragen. Hatte ich mir schon gedacht. Ich werde tun, was ich kann, damit Sie bezahlt werden.«

»Das reicht nicht. Versprechen Sie mir in die Hand, dass ich mehr als tausend Dollar bekomme.«

»Ich verspreche Ihnen, dass ich alles tun werde, damit Sie Ihr Geld bekommen.«

Jake atmete tief durch und gab sich geschlagen: Das Gamble-Verfahren gehörte ihm. Noose fummelte an einer weiteren Pfeife herum und stopfte den Pfeifenkopf mit dunklem Tabak. Er grinste Jake mit braun verfärbten Zähnen an. »Ich werde Ihnen die Pille versüßen«, sagte er.

»*Smallwood?*«

»*Smallwood*. Ich setze einen Verhandlungstermin für übernächsten Montag an, den 23. April. Auf Sean Gilders Verzögerungstaktik lasse ich mich nicht mehr ein, sondern bestehe darauf, dass wir gleich morgen früh die Geschworenen auswählen. Ich rufe Gilder und Walter Sullivan innerhalb der nächsten Stunde an. Einverstanden?«

»Danke.«

»Sind Sie bereit?«

»Schon lange.«

»Wie sieht es mit einem Vergleich aus?«

»Unwahrscheinlich.«

»Ich will, dass Sie gewinnen. Verstehen Sie mich nicht falsch. Ich bin selbstverständlich unparteiisch und werde ein faires Verfahren garantieren. Aber ich würde mich wirklich freuen, wenn Gilder und Sullivan und die Eisenbahngesellschaft zu saftigen Schadenersatzzahlungen verurteilt werden.«

»Ich auch. Ich habe es bitter nötig.«

Noose paffte vor sich hin und kaute auf dem Pfeifenstiel herum. »Wir beide sind im Moment nicht sehr populär, den Briefen, die ich im Augenblick stapelweise aus Ford County bekomme, und den teilweise anonymen Telefonanrufen nach zu urteilen. Sie denken, wir hätten den Jungen bereits für schuldunfähig erklärt und wollten ihn laufen lassen. Glauben Sie, dass es deswegen bei der Auswahl der Geschworenen Probleme geben könnte?«

»Ich habe mit Harry Rex darüber gesprochen. Er macht sich mehr Sorgen als ich, weil ich nach wie vor glaube, dass wir zwölf unvoreingenommene Geschworene finden können.«

»Das denke ich auch. Wir nehmen uns Zeit und überprüfen sie eingehend. Ich schlage vor, wir holen den Jungen aus Whitfield zurück, damit die Hitzköpfe hier wissen, dass er bis zur Verhandlung im Gefängnis bleibt und nicht aufgrund eines Formfehlers freikommt. Das könnte die Gemüter schon etwas beruhigen. Was meinen Sie?«

Jake stimmte zu, war aber nicht ganz überzeugt. Noose hatte natürlich nicht unrecht. Wenn Drew wieder bei Ozzie in der Zelle saß und auf sein Verfahren wartete, kam die Stadt vielleicht zur Ruhe.

»Ich rufe in der Geschäftsstelle an und sorge dafür, dass die Liste der Geschworenen morgen veröffentlicht wird«, sagte Noose. »Hundert Namen sollten reichen, finden Sie nicht?«

»Ja, das denke ich auch.« Hundert war für ein Zivilverfahren Durchschnitt.

Noose reinigte in aller Ruhe eine weitere Pfeife. Sorgfältig fügte er etwas Tabak hinzu, zündete die Pfeife an, zog einmal und erhob sich aus dem Sessel, wobei er Mühe hatte, seine schlaksigen Gliedmaßen zu sortieren. Er ging zu einem Fenster und blickte hinaus, als breitete sich dort eine traumhafte Landschaft aus. Ohne sich umzudrehen, sagte er über die Schulter: »Da wäre noch etwas, aber das bleibt bitte unter uns.« Ein unangenehmer Gedanke schien ihn zu plagen.

»Selbstverständlich.«

»Ich habe meinen Lebensunterhalt früher mal als Politiker bestritten und war nicht schlecht darin. Dann holten mich die Wähler nach Hause zurück, wo ich mir mein Geld mit ehrlicher Arbeit verdiene. Ich habe mich als Richter sehr ins Zeug gelegt und meine, dass ich an der richtigen Stelle bin. Ich habe dieses Amt seit achtzehn Jahren inne und hatte nie einen ernsthaften Gegner. Mein Ruf ist ziemlich solide, oder?« Er drehte sich um und sah Jake über seine lange Nase hinweg an.

»Sehr solide, würde ich sagen.«

Noose zog an seiner Pfeife und sah zu, wie der Rauch zur Decke aufstieg. »Ich halte überhaupt nichts mehr davon, dass sich Richter zur Wahl stellen müssen. Politik und Justiz sollten auf allen Ebenen streng getrennt sein. Ich weiß, dass ich gut reden habe, weil ich schon so lange im Amt bin. Amtsinhaber zu sein hat seine Vorteile. Aber es ist würdelos, wenn Richter gezwungen sind, Hände zu schütteln und Babys zu küssen, um Wählerstimmen zu gewinnen, finden Sie nicht?«

»Das stimmt. Es ist kein gutes System.« Natürlich war es nicht richtig, aber amtierende Richter wurden selten herausgefordert und so gut wie nie geschlagen. Die meisten ehrgeizigen Juristen betrachteten es als finanziellen Selbstmord, gegen einen Amtsinhaber anzutreten und zu verlieren. Jake vermutete, dass Noose Rufus Buckley im Sinn hatte.

»Es sieht allerdings so aus, als hätte ich nächstes Jahr einen Gegner«, sagte Noose.

»Ich habe von den Gerüchten gehört.«

»Ihr alter Freund Buckley.«

»Ich halte noch immer nichts von ihm, und das wird wohl so bleiben.«

»Er macht mich dafür verantwortlich, dass Hailey freigesprochen wurde. Und Sie. Jeder ist schuld, nur nicht er. Das brodelt seit fünf Jahren in ihm, so lange schmiedet er schon seine Rachepläne. Als er vor drei Jahren die Wahl zum Bezirksstaatsanwalt verloren hat, war er so deprimiert, dass er sich in Behandlung begeben musste, sagen zumindest meine Quellen in Smithfield. Jetzt ist er wieder da und reißt den Mund auf. Er meint, die Öffentlichkeit bräuchte ihn als Richter – an meiner Stelle. Letzten Freitag im Rotary Club hat er getönt, im Kofer-Verfahren hätten Sie das Gericht wieder übertölpelt und mich überredet, den Jungen freizulassen.«

»Mir ist relativ egal, was im Rotary Club in Smithfield geredet wird.«

»Das kann ich mir vorstellen, aber es geht ja auch nicht um *Ihren* Job.«

»Als sich Buckley zuletzt zur Wahl gestellt hat, hat er vier von fünf Countys verloren, und Lowell Dyer war ein völlig Unbekannter.«

»Ich weiß, ich weiß. Er war weit abgeschlagen.«

Jake war überrascht, dass das Gespräch so schnell vom Tagesgeschäft auf die Politik gekommen war. Noose hatte noch nie solche Einblicke in seine persönlichen Gefühle gewährt. Offenbar machte er sich Sorgen wegen eines Wahlkampfs, der erst in mehreren Monaten und vielleicht gar nicht stattfinden würde.

»Ford County hat mehr Wähler als die anderen vier Countys«, gab Jake zu bedenken, »und Ihr Ruf hier ist makellos. Die Rechtsanwaltschaft steht aus gutem Grund geschlossen hinter Ihnen und verabscheut Rufus Buckley. Es sieht sehr vielversprechend für Sie aus.«

Noose ging an seinen Schreibtisch zurück und legte die Pfeife zu der Sammlung in der Nudelschüssel. Er setzte sich nicht, sondern rieb sich die Hände, als hätte er sein Werk vollbracht.

»Danke, Jake. Lassen Sie uns Buckley im Auge behalten.«

Jake erhob sich. »Wird gemacht. Ich sehe Sie übernächsten Montag in aller Früh.«

Sie schüttelten sich die Hände, und Jake brach hastig auf. Vom Auto aus rief er bei Harry Rex an und mogelte sich an zwei patzigen Sekretärinnen vorbei, um die wunderbare Nachricht zu verkünden, dass der Verhandlungstermin feststand und sie die Namen der potenziellen Geschworenen innerhalb von vierundzwanzig Stunden erfahren würden.

Harry Rex prustete so laut los, dass es in seiner ganzen Kanzlei zu hören war, und blökte ins Telefon: »Ich habe die Liste schon.«

# 20

Ein großer Teil der Mittel aus dem Kredit, den Stans Bank für die Prozessführung gewährt hatte, floss an einen prominenten Geschworenenberater namens Murray Silerberg. Er hatte eine Firma in Atlanta und rühmte sich, seit zwanzig Jahren Garant für hohe Schadenersatzzahlungen zu sein. Jake hatte ihn auf einem Kongress für Prozessanwälte sprechen hören und war schwer beeindruckt gewesen. Harry Rex wollte das Geld lieber sparen und behauptete, bei der Auswahl der Geschworenen sei er besser als jeder andere im Bundesstaat. Jake musste seinen Freund daran erinnern, dass er seit zehn Jahren keine Jury mehr ausgewählt hatte, weil ihm damals aufgefallen war, dass ihn die Geschworenen nicht mochten. Sie opferten einen ganzen Tag, um nach Atlanta zu fahren und Murray Silerberg persönlich zu treffen, danach war Harry Rex trotz aller Skepsis überzeugt. Das Honorar belief sich auf genau zwanzigtausend Dollar zuzüglich Reisekosten.

Jake rief Stan an und sagte, er müsse auf den Kredit zugreifen. Stan hielt das für Wahnsinn, aber Jake konterte mit dem Credo aller Prozessanwälte: »Wer Geld verdienen will, muss Geld ausgeben.« Das stimmte tatsächlich – im ganzen Land wurde es zunehmend üblich, für die Prozessführung Kredite aufzunehmen, und die Prozessanwälte, die sonst mit den von ihnen erreichten Schadenersatzzahlungen prahlten, hatten angefangen, mit den Kreditsummen anzugeben, die sie für die Überzeugungsarbeit bei den Geschworenen aufwandten.

Silerbergs Firma verfolgte jedes Zivilverfahren in den Vereinigten Staaten, interessierte sich aber besonders für den tiefen Süden und Florida. Da ihre Kunden zumeist aus der Gegend stammten, waren auch die Verfahren hier anhängig. Ein Partner beobachtete die Prozesse in den Metropolen, während sich Silerberg auf kleine Städte und Countys spezialisiert hatte, in denen die Jurys deutlich konservativer waren.

Sobald er von Jake grünes Licht bekam, fing er an, die Wähler im ländlichen Norden von Mississippi zu befragen, um herauszufinden, wie sie über Gerichte, Juristen und Prozesse dachten. Es war eine sehr umfangreiche Meinungsumfrage, die hypothetische Fälle von bei Autounfällen ums Leben gekommenen Familien mit Kindern beinhaltete.

Zugleich begann ein Ermittlerteam im Auftrag von Silerberg, den Hintergrund der Personen auf der Auswahlliste zu durchleuchten. Die Kommandozentrale im *Smallwood*-Verfahren war ein Lagerraum, der jahrelang leer gestanden hatte, bis Jake dreizehn Monate zuvor Klage eingereicht hatte. Die Ermittler richteten sich häuslich ein, und bald waren alle Wände mit Dokumenten und vergrößerten Fotos bedeckt. Aufnahmen der Häuser, Wohnmobile, Wohnungen, Autos, Pick-ups und Arbeitsplätze der Geschworenenkandidaten. Sie arbeiteten sich durch Grundbuchauszüge, Gerichtsakten und Prozesslisten, sofern sie öffentlich zugänglich waren. Obwohl sie sich Mühe gaben, nicht aufzufallen, beschwerten sich mehrere potenzielle Geschworene später, in ihrem Viertel hätten sich Fremde mit Kameras herumgetrieben.

Es stellte sich schnell heraus, dass von den siebenundneunzig auf der Liste acht verstorben waren. Jake kannte lediglich sieben von denen, die noch am Leben waren, und als er die Liste durchging, wunderte er sich, dass ihm nur so wenige Namen etwas sagten. Er hatte sein gesamtes Leben in Ford County mit seinen zweiunddreißigtausend Einwohnern verbracht und immer geglaubt, viele Freunde zu haben. Harry Rex kannte angeblich zwanzig der potenziellen Geschworenen.

Die ersten Umfragen waren entmutigend. Das war keine Überraschung, schließlich wusste Murray Silerberg, dass Geschworene im ländlichen Süden großen Schadenersatzsummen misstrauisch gegenüberstanden und vorsichtig mit Geld umgingen, selbst wenn es großen Firmen gehörte. Leute, die mühsam ihre Brötchen verdienten, waren nur schwer dazu zu bewegen, Millionen zu verteilen, während sie selbst von einem Zahltag zum anderen lebten. Jake war das bewusst. Obwohl er noch nie einen siebenstelligen Betrag gefordert hatte, hatte er sich immer wieder eine Abfuhr eingehandelt. Vor einem Jahr hatte er in seinem Überschwang vor einem Geschworenengericht die Zahlung von hunderttausend Dollar beantragt, obwohl höchstens halb so viel gerechtfertigt war. Mit mehreren Gegenstimmen erkannte ihm die Jury schließlich sechsundzwanzigtausend zu, und er war in Berufung gegangen. Harry Rex hatte sein Schlussplädoyer verfolgt und glaubte, die Geschworenen hätten ihm die überhöhte Forderung verübelt.

Die Rechtsanwälte und ihr hoch bezahlter Berater wussten, wie gefährlich es war, gierig zu wirken.

Insgeheim freuten sich Jake und Harry Rex über die Liste. Der überwiegende Teil der Kandidaten war unter fünfzig, und das bedeutete mehr junge Eltern mit mehr Mitgefühl. Alte weiße Geschworene waren am konservativsten. Schwarze machten sechsundzwanzig Prozent der Bevölkerung im County und auf der Liste der potenziellen Geschworenen aus, das war sehr viel. In den meisten weißen Countys ließen sich Schwarze seltener als Wähler registrieren. Sie waren bekannt dafür, dass sie sich eher mit dem kleinen Mann identifizierten, der sich mit den großen Konzernen anlegte. Harry Rex hatte angeblich zwei potenzielle Verbündete ausgemacht, die überredet werden konnten, sich der Sichtweise der Kläger anzuschließen.

Die Stimmung in Jakes Kanzlei hob sich schlagartig. Vergessen waren die Sorgen wegen der Verteidigung von Drew Gamble und der Tragödie, die dahinterstand. Stattdessen machte sich die aufgeregte Anspannung breit, die für die endlose Vorbereitung auf einen wichtigen Prozess bezeichnend war.

Aber der Gamble-Prozess war nicht einfach weg. Aus Gründen, die weniger mit seiner Behandlung als mit der Überbelegung des Krankenhauses zu tun hatten, wollte Whitfield Drew loswerden. Nach achtzehn Tagen wurde seine Ärztin, Sadie Weaver, aufgefordert, ihn wieder nach Clanton verlegen zu lassen, weil sein Bett für einen anderen Jugendlichen gebraucht wurde. Sie rief Richter Noose, Jake und Sheriff Walls an. Ozzie war hocherfreut, den Jungen wieder in seiner Obhut zu haben, und gab Dumas Lee von der *Ford County Times* einen Tipp. Als der Angeklagte auf dem Rücksitz eines Streifenwagens mit dem Sheriff höchstpersönlich am Lenkrad eintraf, wartete Lee bereits und ließ die Kamera klicken. Am folgenden Tag erschien ein großes Foto auf der Titelseite, unter der fett gedruckten Schlagzeile: KOFER-VERDÄCHTIGER WIEDER IN CLANTON IN HAFT.

Wie Lee berichtete, sei dem Angeklagten nach Aussage von Bezirksstaatsanwalt Lowell Dyer die Anklage zugestellt worden, jetzt solle er dem Richter vorgeführt werden. Einen Verhandlungstermin gebe es noch nicht. Jake wurde mit den Worten »Kein Kommentar« zitiert. Richter Noose ebenfalls. Eine ungenannte Quelle (Jake) hatte Lee verraten, bei schweren Straftaten sei es nicht ungewöhnlich, den Angeklagten in Whitfield untersuchen zu lassen. Eine weitere anonyme Quelle vermutete, die Verhandlung werde irgendwann im Hochsommer stattfinden.

Am Samstagmorgen um acht traf sich Jake mit einer Gruppe Freiwilliger an der Hintertür zum Gerichtsgebäude, das offiziell geschlossen war. Mit einem geliehenen Schlüssel öffnete er und führte seine Schäfchen über eine Hintertreppe zum großen Gerichtssaal, wo das Licht brannte und sein Team bereits wartete. Er führte alle dreizehn zu den Geschworenenplätzen und stellte ihnen Harry Rex, Lucien Wilbanks, Portia Lang und Murray Silerberg sowie einen seiner Assistenten vor. Der Gerichtssaal wurde abgeschlossen, Zuschauer waren natürlich nicht anwesend. Er rief die dreizehn Anwesenden namentlich auf, bedankte sich für ihr Kommen und händigte jedem von ihnen einen Scheck über dreihundert Dollar aus (noch einmal dreitausendneunhundert Dollar aus dem Prozesskredit). Er erklärte, solche Test-Jurys seien bei großen Zivilverfahren nichts Ungewöhnliches, und er hoffe, dass es für sie eine angenehme Erfahrung werden würde. Die Test-Verhandlung werde fast den gesamten Tag in Anspruch nehmen, und in einigen Stunden werde es Mittagessen geben.

Unter den dreizehn waren sieben Frauen, vier Schwarze und fünf Kandidaten unter fünfzig. Es waren Freunde und frühere

Mandanten von Jake und Harry Rex. Eine der Schwarzen war Portias Tante.

Lucien nahm seinen Platz als Richter ein und schien sich damit sehr wohlzufühlen. Harry Rex ging zum Tisch der Beklagten. Jake begann die Verhandlung mit einer Kurzfassung seines Eröffnungsplädoyers. Aus Zeitgründen war alles auf ein Minimum reduziert. Für diese Generalprobe hatten sie einen einzigen Tag. Die richtige Verhandlung würde mindestens drei Tage in Anspruch nehmen.

Auf einer großen Leinwand zeigte er Farbfotos von Taylor und Sarah Smallwood mit ihren drei Kindern und schilderte die glückliche Familie. Er zeigte Aufnahmen des Unfallorts mit dem zerstörten Auto und dem Zug. Ein Polizeibeamter war am nächsten Tag noch einmal dort gewesen und hatte die Blinklichtanlage fotografiert. Jake zeigte sie den Geschworenen, die angesichts des schlechten Wartungszustands die Köpfe schüttelten.

Zum Abschluss legte Jake die Saat für hohe Schadenersatzzahlungen und kam auf das Thema Geld zu sprechen. Er erklärte, dass bei Todesfällen als Ausgleich unglücklicherweise nur Geld infrage komme. In anderen Fällen würden die Beklagten zu Wiedergutmachung verurteilt. Hier sei das nicht möglich. Der einzige Ausgleich gegenüber den Hinterbliebenen der Smallwoods sei, ihnen Schadenersatz zuzusprechen.

Harry Rex, der zum ersten und letzten Mal in seiner beruflichen Laufbahn als Anwalt einer Versicherungsgesellschaft auftrat, war mit seinem Eröffnungsplädoyer als Nächster an der Reihe und begann dramatisch mit einem großen Farbfoto des vierzehnten Güterwaggons, gegen den die Smallwoods geprallt waren. Er sei viereinhalb Meter hoch und zwölf Meter lang und wie alle Waggons mit reflektierenden Streifen versehen, die im Scheinwerferlicht hellgelb leuchteten und aus dreihundert Meter Entfernung zu sehen seien. Was Taylor Smallwood in dieser letzten entscheidenden

Sekunde gesehen habe oder nicht, wisse niemand, aber was er hätte sehen müssen, liege auf der Hand.

Als Vertreter der Beklagten war Harry Rex überzeugend und säte hinreichend Zweifel an der Version der Kläger, und die meisten Geschworenen lauschten aufmerksam.

Der erste Zeuge war Hank Grayson, der von Murray Silerbergs Assistenten Nate Feathers gespielt wurde. Vor acht Monaten hatte Mr. Grayson in Jakes Kanzlei unter Eid ausgesagt, er sei etwa hundert Meter hinter den Smallwoods gefahren, als sich der Unfall ereignete. Einen Sekundenbruchteil lang habe er nicht gewusst, wie ihm geschah, und er habe nur um Haaresbreite einen Zusammenprall mit dem Auto der Smallwoods vermeiden können, das in die Luft geschleudert und um hundertachtzig Grad gedreht worden sei. Der Zug sei immer noch weitergerollt. Vor allem aber habe die Blinklichtanlage nicht funktioniert.

Grayson hatte Jake von Anfang an Sorgen bereitet. Nicht, dass der Mann gelogen hätte – dafür gab es nicht den geringsten Grund –, aber er war schüchtern, wich Blickkontakt aus und hatte eine quieksende Stimme. Mit anderen Worten, er wirkte nicht glaubwürdig. Außerdem hatte er an dem betreffenden Abend getrunken.

Harry Rex bohrte im Kreuzverhör gnadenlos nach. Grayson blieb dabei, er habe in einer Kneipe in der Nähe nur drei Bier getrunken. Er sei keineswegs betrunken gewesen, wisse genau, was er gesehen habe, und habe nach dem Unfall mit mehreren Polizeibeamten gesprochen. Keiner davon habe ihn gefragt, ob er getrunken habe.

Bei ihrer Generalprobe war Nate Feathers, der Juryberater, ein viel besserer Zeuge, als der echte Grayson es je sein würde.

Der nächste Zeuge war ein Experte für Bahnübergänge und wurde von Silerberg gespielt, der die schriftlich protokollierte Aussage ihres Sachverständigen in der Hand hielt und seine Einlassung gut kannte. Anhand der vergrößerten Fotos wies Jake in allen Einzelheiten nach, dass Central & Southern die Wartung völlig vernachlässigt hatte. Die Glasabdeckung der roten Warnleuchten war total verdreckt, an einigen Leuchten sogar zerbrochen. Ein Pfosten hing schief. Rund um die Leuchten blätterte die Farbe ab. Im Kreuzverhör bestritt Harry Rex verschiedene Punkte, wirkte aber nicht überzeugend.

Bisher hatte Lucien kaum etwas gesagt und schien zu dösen, ganz wie ein echter Richter.

Der nächste Zeuge war ein weiterer Experte für Eisenbahnsicherheit, der von Portia gespielt wurde. Sie erklärte den Geschworenen die verschiedenen Blinklichtanlagen, die aktuell an Bahnübergängen zum Einsatz kamen. Die von Central & Southern verwendete Technik sei mindestens vierzig Jahre alt und völlig überholt. Sie beschrieb die Mängel in allen Einzelheiten.

Um zehn Uhr wachte Richter Lucien lang genug auf, um eine Unterbrechung zu verkünden. Den Geschworenen wurden Kaffee und Donuts gereicht, während alle eine Pause machten. Danach war wieder Jake an der Reihe. Er rief Dr. Robert Samson in den Zeugenstand, einen Wirtschaftsprofessor von der Ole Miss, gespielt von keinem anderen als Stan Atcavage, der lieber auf dem Golfplatz gewesen wäre, wenn Jake das hätte durchgehen lassen. Wenn Stan sich wirklich Sorgen wegen des Prozesskredits mache, müsse er alles tun, um ihre Seite zu unterstützen, so Jake. Stan war definitiv wegen des Kredits beunruhigt. Der echte Dr. Samson verlangte fünfzehntausend Dollar für seine Aussage in der echten Verhandlung.

Die Einlassung war öde und enthielt zu viele Zahlen. Fazit war, dass Taylor und Sarah Smallwood 2,2 Millionen Dollar verdient hätten, wenn sie noch dreißig Jahre gearbeitet hätten. Harry Rex konnte im Kreuzverhör ein paar Punkte verbuchen, weil Sarah immer Teilzeit gearbeitet hatte und Taylor häufig die Stelle wechselte.

Der nächste Zeuge war wieder Nate Feathers, diesmal als der State Trooper, der wegen des Unfalls ermittelt hatte. Nach ihm war erneut Portia an der Reihe, als der Arzt, der die Familie für tot erklärt hatte.

Jake beschloss, die Beweisführung der Klägerseite damit für abgeschlossen zu erklären. In der Verhandlung selbst wollte er zwei nahe Verwandte als Zeugen aufrufen, um einen persönlichen Eindruck von der Familie zu vermitteln und so hoffentlich das Mitgefühl der Geschworenen zu wecken, aber das war bei einer Generalprobe schwierig.

Lucien, der um die Mittagszeit bereits mehr als genug vom Leben als Richter hatte, sagte, er habe Hunger, und Jake unterbrach die Verhandlung. Er führte die ganze Gruppe zum Coffee-Shop auf der anderen Straßenseite, wo Dell eine lange Tafel mit Eistee und Sandwiches vorbereitet hatte. Jake bat die Geschworenen, untereinander nicht über den Fall zu sprechen, aber er selbst, Harry Rex und Silerberg waren nicht so diszipliniert. Sie setzten sich an ein Ende des Tisches und ließen die Zeugenaussagen und die Reaktionen der Geschworenen Revue passieren. Silerberg war begeistert von Jakes Eröffnungsplädoyer. Er hatte die einzelnen Geschworenen aufmerksam beobachtet und war ziemlich sicher, dass sie alle an Bord waren. Kopfzerbrechen bereitete ihm jedoch, dass die Verteidigung so einfach war: Wie konnte ein aufmerksamer Autofahrer einen fahrenden Zug mit Reflektoren übersehen? An ihrem Ende des Tisches ging die Diskussion darüber hin und her, während die Geschworenen entspannt ihr kostenloses Mittagessen genossen.

Der Richter verbrachte seine Mittagspause zu Hause, und als er wiederkam, hatte sich seine Stimmung deutlich gehoben, wozu mit Sicherheit ein oder zwei Cocktails beigetragen hatten. Er rief den Saal zur Ordnung, und um 13.30 Uhr wurde die Verhandlung fortgesetzt.

Für die Verteidigung rief Harry Rex den Lokführer als Zeugen auf. Portia spielte seine Rolle und verlas eine schriftliche Aussage, die er acht Monate zuvor unter Eid zu Protokoll gegeben hatte. Er hatte erklärt, in seinen zwanzig Jahren bei Central & Southern nie einen Unfall gehabt zu haben. Zu seinen wichtigsten Routineaufgaben gehöre es, die Blinklichtanlagen an den einzelnen Bahnübergängen zu kontrollieren, die er mit seiner Lok passierte. Am fraglichen Abend hätten die roten Warnleuchten einwandfrei funktioniert, da sei er ganz sicher. Nein, er habe auf der Straße keine Autos gesehen, die sich dem Bahnübergang näherten. Als er den Schlag gespürt habe, sei ihm sofort klar gewesen, dass etwas passiert sei, daher habe er den Zug angehalten und zurückgesetzt, und als er das zerstörte Fahrzeug gesehen habe, habe er den Bahnübergang freigegeben, damit die Rettungskräfte den Unfallort von beiden Seiten aus erreichen konnten.

Im Kreuzverhör setzte Jake erneut die großen Farbfotos der miserabel gewarteten Blinklichtanlage ein und fragte den Lokführer, ob er wirklich glaube, dass die Leuchten »einwandfrei« funktioniert hätten.

Harry Rex rief einen Sachverständigen auf (wieder Murray Silerberg), der die Blinklichtanlage wenige Tage nach dem Unfall inspiziert und getestet hatte. Wie zu erwarten, habe alles einwandfrei funktioniert. Das Alter allein beeinträchtige die Funktion nicht. Er zeigte den Geschworenen ein Video, in dem Schaltplan und Verkabelung erklärt wurden, und es klang alles sehr schlüssig. Natürlich würde den Leuchten und Pfosten eine Auffrischung oder gar ein Austausch nicht schaden, aber das heiße nicht, dass die Funktion beeinträchtigt gewesen sei. Er zeigte ein zweites Video des Bahnübergangs bei Nacht, während ein ähnlicher Zug durchfuhr. Die grellen Reflektoren blendeten die Geschworenen geradezu.

Bei der echten Verhandlung würde ein Mitglied der Geschäftsleitung von Central & Southern am Tisch der Beklagten sitzen, um das Unternehmen zu vertreten. Jake konnte es nicht erwarten, den Mann in die Finger zu bekommen. Im Rahmen der Offenlegung der für den Rechtsstreit bedeutsamen Unterlagen hatte er stapelweise interne Mitteilungen und Berichte zu sehen bekommen, die vierzig Jahre Beinahe-Unfälle an dem Bahnübergang dokumentierten. Autofahrer beschwerten sich. Anwohner berichteten über Fälle, die gerade noch einmal gut ausgegangen waren. Wie durch ein Wunder war niemand ums Leben gekommen, aber seit 1970 hatte es mindestens drei Unfälle gegeben.

Jake hatte vor, den Topmanager vor den Augen der Geschworenen zu zerlegen, und wie Harry Rex war er überzeugt, dass das über den Ausgang des Prozesses entscheiden würde. Bei der Generalprobe war es nicht möglich, die richtige Spannung zu erzeugen, deshalb hatten sie einige unstrittige Fakten vorbereitet, die der Richter nur verlesen sollte. Lucien freute sich, dass er endlich etwas zu tun bekam. Ein nächtlicher Unfall aus dem Jahr 1970, bei dem der Fahrer aussagte, die Warnleuchten hätten nicht funktioniert. Ein weiterer aus dem Jahr 1982, bei dem niemand zu Schaden kam. Ein dritter Vorfall im Jahr 1986, bei dem ein reaktionsschneller Fahrer sein Auto in einen Graben lenkte und so dem durchfahrenden Zug gerade noch auswich. Sechs interne Mitteilungen, in denen über Beschwerden weiterer Verkehrsteilnehmer berichtet wurde. Drei Mitteilungen über Beschwerden von Anwohnern.

Selbst wenn sie monoton am Richtertisch verlesen wurden, klangen die Fakten verheerend. Manche der Geschworenen schüttelten ungläubig die Köpfe, als Lucien seinen Text herunterleierte.

In seinem Schlussplädoyer schoss sich Jake auf die antiquierte Blinklichtanlage und ihre grob fahrlässige Wartung ein. Er fuchtelte mit den internen Mitteilungen und Berichten herum, die die

»Arroganz« eines Unternehmens bewiesen, dem die Sicherheit völlig gleichgültig sei. Ohne aufzutrumpfen, bat er die Geschworenen um Geld, und zwar um ziemlich viel. Es sei unmöglich, den Wert eines Menschenlebens in Dollar zu beziffern, aber es sei die einzige Möglichkeit. Er schlug eine Million Dollar für jedes Mitglied der Familie Smallwood vor. Und er forderte Strafschadenersatz in Höhe von fünf Millionen, um der Eisenbahngesellschaft eine Lehre zu erteilen und sie zu zwingen, endlich den Bahnübergang auf den Stand der Technik zu bringen.

Harry Rex sah das ganz anders. Er sagte, neun Millionen Dollar sei eine unverschämt hohe Summe, die keinem weiterhelfe. Die Familie werde dadurch nicht wieder lebendig. Der Bahnübergang sei bereits überholt worden.

Jake hatte das Gefühl, dass Harry Rex bei seinem Schlussplädoyer auf halbem Weg die Puste ausging, was daran liegen mochte, dass er unbedingt die neun Millionen wollte und sich albern dabei vorkam, den Anspruch kleinzureden.

Als er wieder Platz genommen hatte, verlas Richter Wilbanks die Anweisungen für die Geschworenen und erläuterte ihnen den Begriff der Teilschuld. Wenn sie zu einer Verurteilung der Eisenbahngesellschaft tendierten, könne der zuerkannte Betrag reduziert werden, sofern Taylor Smallwood ebenfalls fahrlässig gehandelt habe und ihm damit eine Teilschuld zukomme. Lucien erklärte ihnen, in einem echten Prozess hätten sie für ihre Beratungen beliebig lange Zeit, aber diesmal sei es nur eine Stunde. Portia führte sie nach hinten zum Geschworenenzimmer und sorgte dafür, dass sie mit Kaffee versorgt waren.

Jake, Harry Rex, Murray Silerberg und Nate Feathers scharten sich um den Tisch der Beklagtenseite, um den Verlauf der Generalprobe zu besprechen. Lucien hatte die Nase voll und ging. Schließlich bekamen die Geschworenen dreihundert Dollar für den Tag und er nichts.

Fünfundvierzig Minuten später führte Portia die Geschworenen wieder in den Saal. Der Sprecher der Jury sagte, sie seien sich nicht einig: neun seien für die Kläger, zwei für die Eisenbahngesellschaft und zwei könnten sich nicht entscheiden. Die Mehrheit sei für einen Schadenersatz von vier Millionen Dollar, den sie um die Hälfte reduzieren würden, weil sich Taylor Smallwood ebenfalls fahrlässig verhalten habe. Nur drei der neun hätten Strafschadenersatz verhängt.

Jake lud alle Geschworenen zur anschließenden Besprechung ein, stellte es ihnen aber frei zu gehen. Sie hätten sich ihr Geld verdient, und er bedanke sich für ihr Kommen. Alle blieben und beteiligten sich rege am Gespräch. Jake erklärte, dass sich in einem Zivilverfahren mit zwölf Geschworenen nur neun auf ein Urteil einigen müssten. In Strafverfahren müsse die Entscheidung einstimmig fallen. Ein Geschworener wollte wissen, ob die Eisenbahngesellschaft in der Verhandlung von einem Manager vertreten werden müsse. Jake sagte Ja, er werde an genau diesem Tisch sitzen und als Zeuge aussagen müssen.

Ein anderer fand die Berechnung der entgangenen Einnahmen verwirrend, die Dr. Samson vorgetragen hatte. Harry Rex sagte, das gehe ihm genauso, was ihm ein paar Lacher eintrug.

Wieder ein anderer wollte wissen, welcher Anteil der zuerkannten Schadenersatzzahlung an die Anwälte ging. Jake wich der Frage aus und sagte, ihr Vertrag mit der Familie sei vertraulich.

Jemand erkundigte sich, wie viel die Sachverständigen bekämen und wer sie bezahle.

Auch die Frage, ob die Eisenbahngesellschaft versichert sei, wurde gestellt. Jake sagte Ja, aber das dürfe vor Gericht keine Rolle spielen.

Danach gingen mehrere Geschworene, doch die anderen konnten nicht genug bekommen. Jake hatte versprochen, um fünf Uhr Schluss zu machen, und Portia erinnerte ihn schließlich daran, dass sie aufbrechen mussten. Sie verließen das Gebäude über die Hintertreppe, und als sie draußen waren, bedankte sich Jake erneut fürs Kommen. Fast alle schienen das Erlebnis genossen zu haben.

Eine halbe Stunde später spazierte Jake durch die Hintertür in die Kanzlei von Harry Rex und fand ihn mit einem kühlen Bier in der Hand im Konferenzraum vor. Jake holte sich auch eins aus dem Kühlschrank, und dann machten sie es sich in seiner Bibliothek gemütlich. Mit dem Tag und der Entscheidung der Geschworenen waren sie hochzufrieden.

»Wir haben neun Stimmen für zwei Millionen Dollar«, sagte Jake und freute sich über seinen Erfolg bei der Generalprobe.

»Du bist bei den Geschworenen gut angekommen, Jake. Sie sind dir mit den Blicken gefolgt, wenn du im Gerichtssaal auf und ab gegangen bist.«

»Unsere echten Sachverständigen sind besser als ihre, und Sarah Smallwoods Schwester wird mit ihrer Aussage alle zu Tränen rühren.«

»Wenn wir dann noch den Manager von der Eisenbahngesellschaft niedermachen, werden es vielleicht mehr als zwei.«

»Ich bin mit zwei zufrieden.«

»Ich wäre auch mit einer miesen kleinen Million zufrieden.«

»Eine miese kleine Million … In diesem County hat noch nie jemand eine Million bekommen.«

»Also nicht gierig werden. Wie viel schulden wir aktuell?«

»Neunundsechzigtausend.«

»Nehmen wir mal an, es ist eine Million. Davon müssen wir unsere Aufwendungen abziehen. Vierzig Prozent vom Rest sind, was, dreihundertsiebzigtausend? Die Hälfte für dich, die Hälfte für mich, hundertfünfundachtzigtausend für jeden. Würdest du hundertfünfundachtzigtausend nehmen, wenn sie dir jemand jetzt anbietet?«

»Mit Kusshand.«

»Ich auch.«

Beide lachten und tranken von ihrem Bier. Harry Rex wischte sich den Mund ab. »Das müssen die in Jackson irgendwie erfahren. Was glaubst du, was Sean Gilder tut, wenn er hört, dass uns eine Test-Jury in Clanton in genau diesem Gerichtssaal zwei Millionen zugesprochen hat?«

»Gute Idee. Wie stellen wir das an?«

»Am besten lassen wir das über Walter Sullivan laufen. Wir sorgen dafür, dass es ihm zu Ohren kommt, schließlich hält er sich für den großen Macher vor Ort. Dann verbreitet sich das von selbst.«

»Doch nicht hier in Clanton ...«

# 21

Der Zusammenstoß eines Autos, das rund eineinhalb Tonnen wog, mit dem Radsatz eines beladenen Güterwaggons mit einem Gewicht von fünfundsiebzig Tonnen hinterließ am Unfallort ein Bild des Schreckens. Nachdem die Ersthelfer den Tod aller vier Fahrzeuginsassen festgestellt hatten, wich das Gefühl der Dringlichkeit finsterer Entschlossenheit, als die Teams die Leichen mit Brecheisen und Blechschere befreiten. Mehr als zwei Dutzend Polizisten und Rettungskräfte waren am Unfallort, dazu kamen die Insassen der anderen Fahrzeuge, die zufällig vorbeigekommen waren und feststeckten. Ein State Trooper machte eine Reihe Fotos, und ein Mitglied der freiwilligen Feuerwehr füllte vier Filmrollen mit der Bergung und Reinigung des Unfallorts.

Schon zu Beginn der Offenlegung der Beweismittel hatte Jake alle Fotos erhalten und vergrößern lassen. Drei Monate lang hatte er akribisch die Namen der Rettungskräfte und der Unbeteiligten zusammengetragen, die ihnen bei der Arbeit zusahen. Die Feuerwehrleute, Polizeibeamten und Sanitäter zu identifizieren war einfach. Dazu hatte er drei Wachen der freiwilligen Feuerwehr draußen auf dem Land und zwei in Clanton besucht. Offenbar waren alle dem Notruf gefolgt.

Den Gesichtern der Unbekannten Namen zuzuordnen erwies sich als deutlich schwieriger. Er suchte nach Zeugen, nach irgendwem, der etwas gesehen haben mochte. Hank Grayson, der einzige bekannte Augenzeuge, hatte ausgesagt, er glaube, es sei noch ein Auto hinter ihm gewesen, war sich aber nicht sicher. Jake ging jedes einzelne Foto durch und trug nach und nach die Namen der am Unfallort Anwesenden zusammen. Die meisten stammten aus Ford County, manche hatten im Polizeifunk von dem Unfall gehört und wollten sich das Ganze mal ansehen. Mindestens ein Dutzend war am späten Abend noch unterwegs gewesen und hatte drei Stunden warten müssen, bis die Leichen weggebracht waren und der Unfallort geräumt war. Jake spürte jeden Einzelnen von ihnen auf. Keiner hatte den Unfall gesehen, die meisten waren erst lange nach dem Ereignis eingetroffen.

Aber auf sechs der Fotos tauchte ein Weißer mit Glatze auf, der nicht recht in die Gegend zu passen schien. Er war um die fünfzig und mit dunklem Anzug, weißem Hemd und dunkler Krawatte viel zu elegant für das ländliche Ford County an einem Freitagabend. Er stand bei den anderen Schaulustigen und sah zu, wie die Feuerwehr schnitt und sägte, um die vier Leichen herauszuholen. Keiner schien ihn zu kennen. Jake fragte die Ersthelfer, aber niemand hatte ihn je zuvor gesehen. Für Jake wurde er zu einem geheimnisvollen Unbekannten, zum Mann im dunklen Anzug.

Melvin Cochran wohnte einen halben Kilometer vom Bahnübergang entfernt und war in der betreffenden Nacht von den Sirenen geweckt worden. Er hatte sich angezogen, war nach draußen gegangen, hatte das Gewusel unterhalb der Anhöhe gesehen und sich seine Videokamera geschnappt. Auf dem Weg zum Unfallort ging er mit laufender Kamera an den Autos vorbei, die in östlicher Richtung auf dem Bankett standen. Dort angekommen, filmte er fast eine Stunde lang, bis der Akku leer war. Jake besorgte sich eine Kopie des Videos und sah es sich stundenlang Bild für Bild an. Der Mann im dunklen Anzug war in mehreren Szenen zu sehen, wie er die Tragödie beobachtete, wobei er immer genervter wirkte, weil er so lange aufgehalten wurde.

Auf dem Weg zum Unfallort war Cochran an insgesamt elf abgestellten Fahrzeugen vorbeigekommen. Bei sieben davon konnte Jake die Kennzeichen erkennen. Bei den anderen waren sie verdeckt. Fünf der sieben stammten aus Ford County, eins war aus Tyler County und eines aus Tennessee. Verbissen spürte er jedes einzelne davon auf und glich schließlich die Fahrzeuge mit den Namen der Besitzer und den Gesichtern in der Menge ab.

An einer Wand in einem der Arbeitszimmer erstellte Jake eine große Collage des Unfallorts mit kleinen Namensschildern für sechsundzwanzig Rettungskräfte und zweiunddreißig Zuschauer. Jeden hatte er identifiziert, bis auf den Mann im schwarzen Anzug.

Das Fahrzeug mit dem Kennzeichen aus Tennessee war auf eine Firma in Nashville zugelassen, ein persönlicher Name war daher nicht verfügbar. Einen Monat lang fand sich Jake damit ab und versuchte, sich keine Gedanken zu machen. Wenn der mysteriöse Mann etwas von Bedeutung gesehen hätte, hätte er sicherlich mit einem Polizeibeamten vor Ort gesprochen. Aber es ließ ihm keine Ruhe. Der Mann wirkte irgendwie eigenartig, und Jake wollte kein Detail übersehen. In einem Verfahren, das vielleicht das wichtigste seiner Karriere werden würde, wollte er nichts unbeachtet lassen.

Später sollte er sich für diese Neugier verfluchen.

Schließlich zahlte er einem Privatdetektiv in Nashville zweihundertfünfzig Dollar und schickte ihm ein Foto des geheimnisvollen

Unbekannten. Zwei Tage später faxte der Ermittler Jake einen Bericht, den er spontan am liebsten vernichtet hätte. Er lautete wie folgt:

*Ich bin mit dem Foto zu der Firmenadresse gegangen und habe herumgefragt. Man schickte mich zum Büro eines gewissen Mr. Neal Nickel, der eine Art Handelsvertreter ist. Er war offenkundig der Mann auf dem Foto, das ich ihm zeigte. Er war überrascht, dass ich ihn gefunden hatte, und fragte mich, wie. Ich sagte, ich arbeite für mit dem Fall befasste Rechtsanwälte, nannte jedoch keine Namen. Wir unterhielten uns vielleicht fünfzehn Minuten. Ein netter Mann, der nichts zu verbergen hat. Er sagte, er sei auf dem Heimweg von einer Hochzeit von Verwandten in Vicksburg gewesen. Er wohne in einem Vorort von Nashville. Seiner Aussage nach habe er den Highway 88 nicht gekannt und nur gedacht, dort ginge es schneller. Als er Ford County erreicht habe, sei plötzlich ein Pick-up vor ihm gefahren, der die ganze Straße brauchte. Also sei er auf die Bremse getreten und habe möglichst viel Abstand gehalten, weil der Fahrer offensichtlich betrunken war. Es sei bergab gegangen, und Verkehrsschilder hätten den Bahnübergang angekündigt. Dann habe er die roten Blinklichter am Fuß des Hügels gesehen. Es habe laut geknallt. Zuerst habe er an eine Explosion gedacht. Dann habe der Pick-up vor ihm abrupt gebremst und sei ins Schlingern geraten. Nickel habe das Auto auf der Straße abgestellt und sei zu Fuß zum Unfallort gelaufen. Der Zug sei immer noch weitergefahren. Die Warnleuchten hätten rot geblinkt. Das Warnsignal habe laut geheult. Der Fahrer des Pick-ups habe ihm etwas zugebrüllt. Aus dem zerstörten Auto seien Dampf und Qualm aufgestiegen. Er habe die eingeklemmten Kleinkinder auf dem Rücksitz gesehen. Der Zug habe angehalten und zurückgesetzt, um den Bahnübergang freizugeben. Inzwischen hätten auch andere Fahrer angehalten, und bald seien die ersten Polizisten und der Krankenwagen eingetroffen. Da die Straße blockiert war, habe er notgedrungen dableiben und alles beobachten müssen. Drei Stunden lang. Er sagte, es sei furchtbar gewesen, vor allem als die Kleinen*

*herausgeholt wurden. Er habe wochenlang Albträume gehabt und sich*
*gewünscht, das nie gesehen zu haben.*

*Ich habe wegen der Warnleuchten eigens nachgefragt. Er sagte, er habe*
*gehört, wie der Pick-up-Fahrer einem State Trooper erzählte, die Leuchten*
*seien ausgefallen gewesen, und habe eigentlich widersprechen wollen. Aber*
*er wollte nicht in die Sache hineingezogen werden. Auch jetzt nicht. Ich*
*fragte nach dem Grund, und er sagte, er sei vor Jahren in einen schweren*
*Autounfall verwickelt gewesen, und man habe versucht, ihm die Schuld in*
*die Schuhe zu schieben. Es sei zum Prozess gekommen, und seitdem habe*
*er was gegen Juristen und Gerichte.*

*Eine interessante Anmerkung: Er sagt, vor einigen Monaten sei er in*
*der Nähe von Clanton gewesen und habe sich im Gericht nach der Prozess-*
*akte erkundigt. Dort wurde ihm gesagt, sie sei öffentlich zugänglich, also*
*habe er sie überflogen und amüsiert festgestellt, dass der Zeuge, der Fahrer*
*des Pick-ups, also Mr. Grayson, immer noch behauptete, die Warnleuchten*
*hätten nicht funktioniert.*

*Nickel will definitiv nichts mit der Sache zu tun haben.*

Als sich sein Magen wieder halbwegs beruhigt hatte, schleppte sich
Jake mühsam zum Sofa und legte sich hin. Er presste zwei Finger
gegen den Nasenrücken und schloss die Augen, während er seine
Felle davonschwimmen sah.

Nickel war nicht nur ein viel glaubwürdigerer Zeuge als Hank
Grayson, er konnte auch bestätigen, dass ihr wichtigster Mann an
dem Abend betrunken gewesen war.

Als er sich endlich wieder rühren konnte, faltete Jake den
Bericht zusammen, steckte ihn in einen nicht beschrifteten Umschlag, widerstand der Versuchung, ihn zu verbrennen, und versteckte ihn in einem dicken Gesetzbuch, wo er vielleicht für immer
verschwinden würde oder ihm zumindest nicht dauernd ins Gedächtnis gerufen wurde.

Wenn Nickel nichts mit dem Verfahren zu tun haben wollte,

war das Jake nur recht. Er würde das Geheimnis ebenfalls für sich behalten.

Das Problem war die Gegenseite. Obwohl der Prozess bereits seit sieben Monaten lief, hatte sich Sean Gilder nicht besonders interessiert gezeigt und sich nur pro forma an der Offenlegung der Beweismittel beteiligt. Er hatte ein Formular mit Standard-Beweisfragen eingereicht und die wichtigsten Unterlagen angefordert. Sie hatten vereinbart, die Aussagen der wichtigsten Zeugen schriftlich aufzunehmen. Jake schätzte, dass er dreimal so viele Stunden investiert hatte wie die Anwälte der Beklagten, und die wurden tatsächlich nach Stunden bezahlt.

Wenn Neal Nickel unbedingt abtauchen wollte, standen die Chancen gut, dass ihn auch niemand von der Eisenbahngesellschaft oder ihrer Versicherung finden würde. Und sofern er nicht plötzlich Gewissensbisse bekam, würde sein Wunsch erfüllt werden, nicht in einen Prozess verwickelt zu werden.

Warum hatte Jake dann die nächsten drei Tage Bauchschmerzen? Die große Frage war Harry Rex. Sollte er ihm den Bericht zeigen und ihn völlig aus dem Konzept bringen? Oder sollte er die Information einfach verschwinden lassen und damit auch das Wissen des mysteriösen Augenzeugen? Das Dilemma verfolgte Jake tagelang, aber mit der Zeit gelang es ihm, den Gedanken zu verdrängen und sich auf den restlichen Fall zu konzentrieren.

Zwei Monate später, um genau zu sein am 9. Januar 1990, stand das Thema wieder auf der Tagesordnung. Sean Gilder reichte ein zweites Formular mit Beweisfragen ein, deren Antworten zum Großteil bereits vorlagen. Wieder wirkte er völlig unmotiviert und desinteressiert. Jake und Harry Rex bezweifelten, dass Gilder den Prozess bewusst verlieren wollte, um in die nächste Instanz gehen zu können, eine übliche Verteidigungstaktik. Es sah eher so aus, als wäre er sich seiner Sache zu sicher, weil Taylor Smallwood einen fahrenden Zug gerammt hatte.

Aber die letzte Beweisfrage, Nummer dreißig von dreißig, erwies sich als fatal. Es war eine Frage, die vor allem von arbeitsscheuen oder überarbeiteten Rechtsanwälten gern gestellt wurde. »Geben Sie ausnahmslos alle Personen, die Kenntnis vom mutmaßlichen Sachverhalt in diesem Fall haben, mit vollem Namen, mit Anschrift und Telefonnummer an.«

Dieser Rundumschlag war ebenso umstritten wie verhasst, weil er Anwälte bestrafte, die Überstunden machten und Ermittlungen anstellten. Die Offenlegung prozesswichtiger Beweismittel sollte gewährleisten, dass in der Verhandlung niemand überrumpelt wurde. Beide Seiten tauschten Informationen aus, die den Geschworenen dann transparent präsentiert wurden. So weit die Theorie, das war die Absicht. Leider förderten die neuen Regeln unfaires Verhalten, und besonders der Rundumschlag war allgemein verhasst. Die Versuchung war zu groß, die andere Seite mühsam ermitteln und sich dann alle Fakten mundgerecht servieren zu lassen.

Zwei Tage, nachdem er das zweite Formular mit Beweisfragen erhalten hatte, deponierte Jake endlich den Bericht des Privatdetektivs auf Harry Rex' großem, unaufgeräumtem Schreibtisch. Der griff nach dem Dokument, las es und ließ es fallen. »Damit können wir den Prozess vergessen«, sagte er wie aus der Pistole geschossen. »Wir können einpacken. Was sollte das mit dem Schnüffler überhaupt?«

»Ich hab nur meinen Job gemacht.« Während Jake erzählte, wie er Nickel aufgespürt hatte, kippelte Harry Rex auf seinem Stuhl und starrte an die Decke. »Eine Katastrophe«, murmelte er immer wieder.

Erst ganz zum Schluss erwähnte Jake die neuen Beweisfragen. »Den Kerl erwähnen wir nicht«, sagte Harry Rex, ohne zu zögern. »Niemals. Haben wir uns verstanden?«

»Von mir aus. Wenn wir das Risiko eingehen wollen.«

Drei Monate später war der Mann im dunklen Anzug wieder Thema.

Eine Gerichtsangestellte führte die Geschworenenkandidaten an ihre Plätze und sorgte dafür, dass sie richtig saßen, die Rechtsanwälte in ihren feinen Anzügen bezogen ihre Stellungen und bereiteten sich auf die Schlacht vor, die Stammgäste nahmen auf den Zuschauerbänken Platz und schnatterten voller Vorfreude auf die wichtige Verhandlung, als Sean Gilder auf Jake zukam. »Wir müssen mit dem Richter reden«, flüsterte er. »Es ist wichtig.«

Jake hatte irgendein Manöver in letzter Minute fast erwartet und war daher nicht alarmiert. »Um was geht es?«

»Das erkläre ich im Richterzimmer.«

Jake winkte Mr. Pete, den uralten Gerichtsdiener, heran und sagte, sie müssten mit Noose sprechen, der noch nicht im Saal war. Sieben Anwälte folgten Mr. Pete ins Richterzimmer. Sie scharten sich um Richter Noose, der gerade seine schwarze Robe anlegte und offenbar darauf brannte, dass es richtig losging. Er blickte in die finsteren Gesichter von Sean Gilder, Walter Sullivan und den anderen Anwälten. »Guten Morgen, meine Herren«, sagte er. »Was ist los?«

Gilder hielt Papiere in der Hand, mit denen er dem Richter geradezu unter der Nase herumwedelte. »Das ist ein Antrag auf Vertagung, den wir hiermit stellen.«

»Mit welcher Begründung?«

»Das könnte etwas länger dauern. Vielleicht setzen wir uns lieber?«

Noose deutete irritiert auf die Stühle an seinem Konferenztisch, und alle setzten sich.

»Fahren Sie fort.«

»Richter Noose, vergangenen Freitag wurde mein Kollege Walter Sullivan von einem Mann kontaktiert, der behauptete, ein wichtiger Zeuge des Unfalls zu sein. Es handelt sich um einen gewissen Neal Nickel aus der Nähe von Nashville. Mr. Sullivan?«

Sullivan fuhr eifrig fort. »Dieser Nickel kam zu mir in die Kanzlei und sagte, er müsse unbedingt mit mir über das Verfahren sprechen. Bei einem Kaffee erzählte er mir, er habe gesehen, wie das Auto der Smallwoods in der Unglücksnacht gegen den Zug prallte. Er hat alles beobachtet, der perfekte Augenzeuge.«

Jakes Herzschlag setzte aus, ihm stockte der Atem, und sein Magen rebellierte. Harry Rex bedachte Sullivan mit mörderischen Blicken und hätte ihn liebend gern zum Schweigen gebracht.

»Eine zentrale Frage ist, ob die Blinklichtanlage ordnungsgemäß funktionierte. Die beiden Eisenbahnangestellten im Zug beschwören, dass sie blinkte. Ein Zeuge sagt, das sei nicht der Fall gewesen. Mr. Nickel ist sicher, dass sie funktionierte. Aus nachvollziehbaren Gründen wollte er an dem bewussten Abend nicht mit einem Polizeibeamten sprechen und hat bis jetzt niemandem von dem Vorfall erzählt. Es liegt auf der Hand, dass er ein wichtiger Zeuge ist, dessen Aussage schriftlich festgehalten werden muss.«

»Die Offenlegung ist abgeschlossen«, sagte Noose brüsk. »Der Termin war schon vor Monaten. Sie hätten den Zeugen eher ausfindig machen müssen.«

Gilder schaltete sich ein. »Das stimmt, aber es gibt noch ein Problem. Im Rahmen der Offenlegung stellten wir fristgerecht verschiedene Beweisfragen, mit einer davon forderten wir die Namen aller Zeugen an. In den Antworten von Mr. Brigance wurde Neal Nickel nicht erwähnt. Mit keinem Wort. Mr. Nickel wird Ihnen jedoch erklären, dass er im November von einem Privatdetektiv kontaktiert wurde, der für einen Anwalt in Clanton, Mississippi, arbeitete. Den Namen kannte er nicht, aber es war mit Sicherheit nicht Walter Sullivan. Es gelang uns sehr schnell, den Detektiv ausfindig zu machen, der bestätigte, dass er von Jake Brigance beauftragt und bezahlt wurde. Er legte uns eine zweiseitige

Zusammenfassung der Aussage vor, die Mr. Nickel ihm gegenüber gemacht hatte.«

Gilder legte eine Pause ein und warf Jake einen selbstzufriedenen Blick zu, während dieser verzweifelt versuchte, sich eine plausible Ausrede auszudenken, mit der er sich aus seiner katastrophalen Lage herausmanövrieren konnte. Aber sein Gehirn war wie eingefroren, und jegliche Kreativität hatte ihn verlassen.

Gilder sprach weiter und streute ordentlich Salz in die Wunde. »Es liegt auf der Hand, dass Mr. Brigance den Augenzeugen Neal Nickel aufgespürt, diese Tatsache jedoch verschwiegen hat, weil ihm klar wurde, dass der Zeuge für die Klagepartei nur nachteilig sein konnte. Einen wichtigen Zeugen nicht zu nennen verstößt gegen die Regeln der Offenlegung.«

Harry Rex, der viel skrupelloser und fintenreicher war als Jake, drehte sich zu ihm um. »Ich dachte, du hast das alles beantwortet«, behauptete er. Es war die perfekte und vielleicht einzig mögliche Art zu kontern. Antworten auf Beweisfragen wurden ständig geändert und ergänzt, wenn sich weitere Informationen ergaben, das war Routine.

Harry Rex war Scheidungsanwalt und daher daran gewöhnt, Richtern gegenüber zu bluffen. Jake dagegen war ein Amateur. »Dachte ich auch«, murmelte er. Aber es war ein erbärmlicher Versuch und nicht im Geringsten glaubwürdig.

Sean Gilder und Walter Sullivan lachten nur, und ihre drei Kollegen in dunklen Anzügen auf der anderen Seite des Tisches stimmten höhnisch ein. Richter Noose hielt den Antrag in der Hand und sah Jake ungläubig an.

»Ach wirklich? Sie wollten die Informationen über Neal Nickel nachliefern, sind aber in den letzten fünf Monaten nicht dazu gekommen und haben es vergessen? Netter Versuch. Richter Noose, wir haben das Recht, Mr. Nickel eine beeidete Erklärung abgeben zu lassen«, sagte Sean Gilder.

Richter Noose hob die Hand und bat um Schweigen. Einen Augenblick lang, der Jake vorkam wie eine ganze Stunde, las er den Antrag auf Vertagung und schüttelte schließlich den Kopf. Er sah Jake an. »Das sieht mir aus wie ein sehr offensichtlicher Versuch der Klagepartei, die Existenz eines Zeugen zu verschweigen. Mr. Brigance?«

Jake hätte fast gesagt »Keineswegs«, aber er biss sich auf die Zunge. Wenn der Privatdetektiv so illoyal war, dass er den Namen seines Auftraggebers verriet, hatte er Sean Gilder vermutlich eine Kopie seines Berichts geschickt. Wenn Gilder den vorlegte, war er am Ende. Wieder einmal.

Jake zuckte mit den Schultern. »Ich weiß auch nicht. Ich dachte, wir hätten das erwähnt. Das war wohl ein Versehen.«

Noose runzelte die Stirn und konterte. »Schwer zu glauben. Sie haben einen so wichtigen Zeugen einfach vergessen? Erzählen Sie mir keine Märchen, Mr. Brigance. Sie haben einen Zeugen gefunden, der Ihnen nicht in den Kram passte. Damit haben Sie gegen die Regeln der Offenlegung verstoßen. Ich bin entsetzt.«

Da konnte auch Harry Rex ihm nicht mit einer schlagfertigen Antwort helfen. Die fünf Anwälte der Beklagten grinsten über das ganze Gesicht, während Jake auf seinem Stuhl immer tiefer rutschte.

Noose warf den Antrag auf den Tisch. »Selbstverständlich haben Sie das Recht, die schriftliche Aussage dieses Zeugen aufzunehmen. Wissen Sie, wo er steckt?«

»Er ist am Samstag nach Mexiko abgereist«, erwiderte Walter Sullivan wie aus der Pistole geschossen. »Für zwei Wochen.«

»Auf Kosten von Central & Southern Railroad?«, polterte Harry Rex.

»Natürlich nicht. Er ist im Urlaub. Und er hat schon gesagt, dass er die Zeugenaussage nicht in Mexiko machen will.«

Noose wedelte mit der Hand. »Genug. Das verkompliziert die Sache. Der Zeuge kann seine Aussage zu einem Zeitpunkt machen, der allen passt, dem Antrag auf Vertagung ist daher stattgegeben.«

Gilder hatte noch nicht genug. »Ich habe auch einen Antrag auf Sanktionierung vorbereitet. Es handelt sich um einen ungeheuerlichen Verstoß gegen die Standesregeln durch die Prozessbevollmächtigten der Klagepartei, und der Termin für die Aufnahme von Mr. Nickels Zeugenaussage wird auch Geld kosten. Die Gegenseite sollte die Kosten dafür übernehmen müssen.«

Noose zuckte mit den Schultern. »Sie werden doch sowieso bezahlt.«

»Stellen Sie die Kosten einfach doppelt in Rechnung«, sagte Harry Rex. »Wie immer.«

Jake platzte der Kragen. »Warum sollten wir Ihnen Informationen liefern, die Sie nicht mal gefunden hätten, wenn Sie das FBI beauftragt hätten? Sie haben die ersten sieben Monate rein gar nichts getan. Jetzt sollen wir Ihnen das Ergebnis unserer Arbeit liefern?«

»Sie geben also zu, die Existenz des Zeugen verschwiegen zu haben?«, fragte Gilder.

»Nein. Der Zeuge war da. Am Unfallort und zu Hause in Nashville. Sie haben ihn bloß nicht gefunden.«

»Und Sie haben gegen die Regeln der Offenlegung verstoßen.«

»Die Vorschriften sind unsinnig, das wissen Sie. Das haben wir schon an der Uni gelernt. Davon profitieren Anwälte, die zu faul sind, selbst etwas zu tun.«

»Das muss ich mir nicht gefallen lassen!«

Noose hob beide Hände, um die Gemüter zu beruhigen. Er rieb sich das Kinn und überlegte eine Weile. »Offensichtlich können wir heute nicht fortfahren, nicht wenn ein so wichtiger Zeuge außer Landes ist. Ich vertage die Verhandlung, damit Sie

Ihre Beweisaufnahme abschließen können. Sie sind hiermit entlassen.«

»Aber, Richter Noose, wir sollten zumindest ...«, sagte Jake.

Noose schnitt ihm das Wort ab. »Nein, Mr. Brigance, das reicht. Ich habe genug gehört. Sie sind hiermit alle entlassen.«

Die Anwälte erhoben sich, einige eher zögerlich, und marschierten im Gänsemarsch aus dem Zimmer. »Was wollten Sie noch mit den zwei Millionen Dollar Schadenersatz machen?«, fragte Walter Sullivan Harry Rex an der Tür. Sean Gilder lachte.

Jake trat gerade noch rechtzeitig zwischen die beiden, bevor Harry Rex zuschlagen konnte.

# 22

Er hätte noch bleiben sollen, um wenigstens zu versuchen, Steve Smallwood, Taylors Bruder und Sprecher der Familie, zu erklären, was passiert war. Er hätte Portia, die wie vor den Kopf geschlagen war, Anweisungen erteilen sollen. Er hätte mit Harry Rex zumindest ein Treffen vereinbaren sollen, bei dem sie beide Dampf ablassen konnten. Er hätte sich von Murray Silerberg und seinem im Gerichtssaal verteilten Team verabschieden sollen. Er hätte einen Haken schlagen und noch einmal zu Noose gehen sollen, um sich zu entschuldigen oder die Sache vielleicht wiedergutzumachen. Stattdessen verdrückte Jake sich durch eine Seitentür des Gerichtsgebäudes, bevor die meisten Geschworenenkandidaten noch den Saal verlassen hatten. Er ging zu seinem Auto und nahm die erste Straße, die aus der Stadt hinausführte. Am Rand von Clanton hielt er an einem Tankstellenshop, wo er sich Erdnüsse und einen Softdrink kaufte. Er hatte seit Stunden nichts gegessen. Er setzte sich neben die Zapfsäulen, riss sich die

Krawatte vom Hals, zog sein Jackett aus und ließ sein Telefon klingeln, ohne abzunehmen. Es war Portia, im Büro, und er war sicher, dass er nichts von dem hören wollte, was sie ihm zu sagen hatte.

Er fuhr in Richtung Süden und hatte bald den Lake Chatulla erreicht. An einem Rastplatz am Steilufer parkte er und blickte auf den großen, schlammigen See hinunter. Er sah auf die Uhr, Viertel vor zehn, da war Carla im Unterricht. Er musste sie anrufen, wusste aber nicht recht, was er ihr sagen sollte.

»Hallo, Schatz, ich habe versucht, die Existenz eines wichtigen Zeugen zu verschweigen, weil seine Aussage uns das Genick gebrochen hätte.«

Oder: »Hallo, Schatz, diese verdammten Versicherungsanwälte waren wieder einmal schlauer als ich und haben mich dabei ertappt, wie ich bei der Offenlegung mogeln wollte.«

Oder: »Hallo, Schatz, ich habe gegen alle Regeln verstoßen, und jetzt ist die Verhandlung vertagt. Und wir können einpacken!«

Er fuhr ziellos herum, mal in die eine Richtung, dann in die andere, wobei er immer auf den schmalen, von Bäumen gesäumten Straßen blieb, die das County durchzogen. Schließlich rief er im Büro an und erfuhr von Portia, dass Dumas Lee dagewesen war, weil er eine Story roch, und dass Steve Smallwood vorbeigekommen war und wütend eine Erklärung gefordert hatte. Lucien war nicht da, und Jake wies sie an, die Tür abzuschließen und nicht mehr ans Telefon zu gehen.

Wieder schwor er, den roten Saab loszuwerden, weil er so auffällig war, die reinste Zielscheibe, und im Augenblick wollte er auf keinen Fall gesehen werden. Am liebsten wäre er immer weiter nach Süden gefahren, bis an den Golf von Mexiko. Und vielleicht noch weiter, über einen Pier in den Ozean. Noch nie in seinem Leben war er so verzweifelt gewesen, dass er nur noch wegwollte. Einfach nur verschwinden.

Sein Telefon ließ ihn zusammenzucken. Es war Carla. Er griff danach und meldete sich.

»Jake, wo bist du? Ist alles in Ordnung? Ich habe gerade mit Portia gesprochen.«

»Alles in Ordnung, ich fahre nur durch die Gegend, damit ich nicht ins Büro muss.«

»Sie sagt, die Sache ist vertagt worden.«

»Richtig. Vertagt.«

»Kannst du reden?«

»Nicht jetzt. Es ist eine hässliche Geschichte, und es wird eine Weile dauern, bis ich dir alles erklärt habe. Ich bin zu Hause, wenn du heute Nachmittag kommst.«

»Okay. Aber dir geht es gut?«

»Ich habe nicht vor, mich umzubringen, Carla, wenn das deine Frage ist. Selbst wenn mir der Gedanke gekommen wäre, habe ich mich mittlerweile wieder im Griff. Wir sehen uns heute Nachmittag, dann erkläre ich dir alles.«

Ein Gespräch, das er sich gern erspart hätte. *Ja, Schatz, ich habe getrickst, im ganz großen Stil, und bin erwischt worden.*

Eines Tages würden sich die Anwälte treffen, um die Zeugenaussage von Neal Nickel aufzunehmen, wobei Sean Gilder den Termin wie immer so lange wie möglich hinauszögern würde. Jetzt, wo er die Oberhand hatte und Jake auch nicht mehr auf einen Verhandlungstermin drängen würde, konnte es Monate dauern, bis es dazu kam. Nickel würde mit Sicherheit einen brillanten Zeugen abgeben, gut gekleidet, redegewandt und durch und durch glaubwürdig. Er würde Hank Grayson diskreditieren, die Aussage des Lokführers stützen und die Hypothese der Eisenbahngesellschaft unterstützen, dass Taylor Smallwood entweder eingedöst oder stark abgelenkt war, als er gegen den Zug prallte.

Was das Verfahren anging, war Jake erledigt. Der Prozess seines Lebens, zumindest seiner Karriere, war soeben wie ein Kartenhaus in sich zusammengefallen, weil sich ein geldgieriger Anwalt bewusst nicht an die Regeln gehalten und in seiner Arroganz geglaubt hatte, er würde nicht erwischt werden.

Für den Prozess hatte er bisher siebzigtausend Dollar aufgenommen.

Er warf einen Blick auf die Uhr – fünf Minuten nach zehn. Genau jetzt hätte er vor den Geschworenenkandidaten stehen sollen. Achtzig von ihnen waren am Morgen eingetroffen, und Jake kannte sie alle mit Namen, wusste, wo sie wohnten, arbeiteten und zur Kirche gingen. Bei manchen wusste er sogar, wo sie geboren waren und wo ihre Angehörigen begraben lagen. Er kannte ihr Alter und wusste von ihren Kindern. Zusammen mit Harry Rex und Murray Silerberg hatte er stundenlang im Arbeitszimmer gesessen und alle Informationen auswendig gelernt, die das Team gesammelt hatte.

Seine Kanzlei hatte keinen anderen nennenswerten Fall, und er war mit seinen Rechnungen im Rückstand. Mit dem Finanzamt hatte er sich auch angelegt.

Ein Verkehrsschild kündigte Karaway an, seine Heimatstadt. Er nahm die andere Richtung, weil er nicht wollte, dass ihn seine Mutter an einem schönen Montagmorgen Ende April ziellos herumfahren sah.

Und jetzt hatte er auch noch Drew Gamble am Hals, einen weiteren aussichtslosen Fall, der ihn Zeit und Geld kosten und die Stadt gegen ihn aufbringen würde.

Er fuhr nicht bewusst über Pine Grove, aber er kam an der Siedlung vorbei und war ganz in der Nähe der Good Shepherd Bible Church, bevor er es merkte. Er bog auf den geschotterten Parkplatz ein, um zu wenden, als sein Blick auf eine Frau fiel, die an einem Picknicktisch in der Nähe des kleinen Friedhofs hinter der Kirche saß. Es war Josie Gamble, die ein Buch las. Kiera tauchte auf und setzte sich neben ihre Mutter.

Jake stellte den Motor ab und beschloss, mit zwei Menschen zu reden, die nichts von den katastrophalen Ereignissen vom Morgen ahnten und sich auch nicht dafür interessierten. Als er auf sie zuging, lächelten sie und freuten sich offensichtlich, ihn zu sehen. Aber wahrscheinlich wäre das bei jedem Besucher der Fall gewesen.

»Was führt Sie her?«, fragte Josie.

»Ich bin zufällig vorbeigekommen«, erwiderte er und setzte sich ihr gegenüber an den Tisch. Ein alter Ahornbaum spendete Schatten. »Wie geht es dir, Kiera?«

»Ganz gut«, sagte sie errötend. Unter ihrem weiten T-Shirt waren noch keine Anzeichen einer Schwangerschaft zu entdecken.

»Niemand fährt zufällig durch Pine Grove«, stellte Josie fest.

»Manchmal schon. Was lesen Sie?«

Sie knickte eine Seite des Taschenbuchs um. »Eine Geschichte des antiken Griechenlands. Sehr spannend. Die Gemeindebibliothek hat keine große Auswahl.«

»Lesen Sie viel?«

»Ich habe Ihnen doch erzählt, dass ich zwei Jahre in Texas im Gefängnis war. Siebenhunderteinundvierzig Tage. Ich habe siebenhundertdreißig Bücher gelesen. Als ich entlassen wurde, habe ich gefragt, ob ich noch zwei Wochen bleiben kann, damit ich auf einen Durchschnitt von einem Buch pro Tag komme. Ging aber nicht.«

»Wie kann man ein Buch pro Tag lesen?«

»Waren Sie schon mal im Gefängnis?«

»Bisher nicht.«

»Ich muss zugeben, die meisten waren nicht besonders dick und auch nicht sehr anspruchsvoll. An einem Tag habe ich vier Jugendkrimis gelesen.«

»Trotzdem beeindruckend. Liest du auch gern, Kiera?«

Sie schüttelte den Kopf und wich seinem Blick aus.

»Als ich in Haft kam, konnte ich kaum lesen«, sagte Josie, »aber das Bildungsprogramm war nicht schlecht. Ich habe meinen Highschool-Abschluss nachgeholt und angefangen zu lesen. Je mehr ich lese, desto schneller werde ich. Wir haben Drew gestern gesehen.«

»Wie war es?«

»Schön. Wir durften alle drei zusammen in einem kleinen Raum sitzen, wir konnten ihn also umarmen und küssen, also ich zumindest. Wir haben viel geweint, aber auch gelacht, stimmt's, Kiera?«

Sie nickte und lächelte, sagte aber nichts.

»Es war wirklich schön. Wir durften über eine Stunde dableiben, bevor sie uns rausgeworfen haben. Das Gefängnis gefällt mir nicht.«

»Das ist auch nicht so gedacht.«

»Da haben Sie wohl recht. Jetzt heißt es, er kommt in die Todeszelle. Das dürfen sie doch nicht machen, oder?«

»Versuchen werden sie es. Ich habe ihn am Donnerstag gesehen.«

»Ja, er hat gesagt, Sie waren ein paar Tage nicht da, weil Sie eine wichtige Verhandlung hatten. Wie ist das gelaufen?«

»Nimmt er seine Medikamente?«

»Sagt er zumindest. Er sagt, es geht ihm viel besser.« Ihre Stimme brach, und sie legte die Hand vor die Augen. »Er sieht so klein aus, Jake. Sie haben ihn in einen verblichenen orangefarbenen Overall gesteckt, auf dem vorne und hinten ›Gefängnis‹ steht, die kleinste Größe, die sie hatten, aber trotzdem viel zu groß. Er muss Ärmel und Hosenbeine hochrollen. Er verschwindet in dem Ding und sieht aus wie ein Kind, und das ist er ja auch. Bloß ein Kind. Und jetzt wollen sie ihn in die Gaskammer schicken. Ich kann es nicht fassen, Jake.«

Jake warf Kiera einen Seitenblick zu, die sich ebenfalls die

Tränen aus dem Gesicht wischte. Die Familie hatte es wirklich schwer.

Ein Auto fuhr auf den Parkplatz. »Das ist Mrs. Golden, die Nachhilfelehrerin«, sagte Josie, die es beobachtet hatte. »Sie kommt jetzt an vier Tagen pro Woche und sagt, Kiera hat gut aufgeholt.«

Kiera stand auf, trat wortlos zur Tür der Kirche und umarmte Mrs. Golden, die ihnen zuwinkte. Dann gingen die beiden nach drinnen und schlossen die Tür.

»Nett von ihr«, sagte Jake.

»Die Gemeinde ist unglaublich nett. Wir wohnen hier umsonst. Wir bekommen zu essen. Mr. Thurber, ein Vormann in der Futtermittelfabrik, hat dafür gesorgt, dass ich zehn bis zwanzig Stunden da arbeiten kann. Nur zum Mindestlohn, aber das kenne ich ja.«

»Klingt gut, Josie.«

»Und wenn ich fünf Stellen annehmen und achtzig Stunden pro Woche arbeiten muss, ich bekomme das hin, das schwöre ich Ihnen, Jake. Ich lasse auf keinen Fall zu, dass sie das Baby bekommt und sich ihr Leben kaputtmacht.«

Jake hob resigniert die Hände. »Das haben wir doch alles schon besprochen, Josie, und ich will es nicht noch einmal durchkauen.«

»Tut mir leid.« Lange sagte niemand etwas. Jakes Blick hing gedankenverloren an den Hügeln hinter dem Friedhof. Josie schloss die Augen und schien zu meditieren.

Schließlich stand Jake auf. »Ich muss los.«

Sie öffnete die Augen und lächelte ihn strahlend an. »Danke fürs Kommen.«

»Ich glaube, sie braucht eine Therapie, Josie.«

»Gilt das nicht für uns alle?«

»Sie hat viel durchgemacht. Sie wurde mehrfach vergewaltigt und lebt immer noch in einem Albtraum. Ihre Lage wird nicht besser werden.«

»Besser werden? Wie denn auch? Sie haben leicht reden, Jake.«

»Haben Sie etwas dagegen, wenn ich mit Dr. Rooker spreche, der Psychiaterin, die Drew in Tupelo untersucht hat?«

»Wozu?«

»Ich will sie fragen, ob sie Kiera behandeln würde.«

»Und wer soll das bezahlen?«

»Ich weiß es nicht. Lassen Sie mich darüber nachdenken.«

»Tun Sie das, Jake.«

In der Kanzlei erwartete ihn nichts Gutes, und Jake wollte sich ohnehin vom Stadtzentrum fernhalten. Wenn ihm Walter Sullivan über den Weg lief, wusste er nicht, ob er sich beherrschen konnte. Außerdem hatte es sich mittlerweile bestimmt unter allen Anwälten herumgesprochen, dass Jake von Richter Noose hinausgeworfen worden war und dass er es irgendwie geschafft hatte, den *Smallwood*-Prozess, um den ihn alle beneidet hatten, in den Sand zu setzen. Nur zwei oder drei der rund dreißig Rechtsanwälte in der Stadt würden das wirklich bedauern. Manche würden sich ins Fäustchen lachen, aber das war Jake egal, weil er sie sowieso nicht leiden konnte. Während er ziellos durch die ländliche Gegend fuhr, rief er Lucien an.

Er parkte in der Einfahrt hinter dem Porsche Carrera Modelljahr 1975, der eine Million Kilometer auf dem Buckel hatte, und schleppte sich über den Gehsteig zu der umlaufenden, breiten Veranda im Erdgeschoss. Luciens Großvater hatte das Haus direkt vor der Großen Depression gebaut, weil er seine Nachbarn unbedingt übertrumpfen wollte. Es stand auf einer Anhöhe einen knappen Kilometer vom Gericht entfernt, und von der Veranda vor dem Haus, auf der er seine Tage verbrachte, blickte Lucien auf seine Nachbarn herab. Er hatte das Haus zusammen mit der Kanzlei 1965 geerbt, als sein Vater plötzlich starb.

Er wartete in seinem Schaukelstuhl auf Jake und las wie immer ein dickes Sachbuch, ebenfalls wie immer mit einem Glas auf dem Tisch neben ihm. Jake ließ sich in den staubigen Korbschaukelstuhl auf der anderen Seite des Tisches fallen. »Wie können Sie um diese Uhrzeit bloß schon Jack Daniel's trinken?«, fragte er.

»Alles eine Frage der Einteilung, Jake. Ich habe mit Harry Rex gesprochen.«

»Alles in Ordnung mit ihm?«

»Nein. Er macht sich Sorgen, er denkt, vielleicht findet man Sie im Wald mit laufendem Motor und einem Gartenschlauch im Auspuff.«

»Der Gedanke ist mir gekommen.«

»Wollen Sie was trinken?«

»Nein, kein Interesse. Aber danke.«

»Sallie grillt gerade Schweinekoteletts, und es gibt frische Maiskolben aus dem Garten.«

»Ich wollte doch nicht, dass sie kocht.«

»Das ist ihr Job, und ich esse jeden Tag warm zu Mittag. Was haben Sie sich dabei gedacht?«

»Wahrscheinlich gar nichts.«

Sallie bog um die Hausecke und schlenderte lässig wie immer auf sie zu, als hätte sie alle Zeit der Welt und im Haus das Sagen, weil sie seit über einem Jahrzehnt mit ihrem Arbeitgeber schlief. Sie trug eines ihrer kurzen weißen Kleider, das ihre langen braunen Beine perfekt zur Geltung brachte. Sie war immer barfuß. Lucien hatte sie als Haushälterin eingestellt, als sie achtzehn war, aber dabei war es nicht lang geblieben.

»Hallo, Jake«, begrüßte sie ihn lächelnd. Niemand behandelte sie wie eine normale Hausangestellte, und es war Jahre her, dass sie Luciens Gäste mit »Mister« und »Missus« angeredet hatte. »Möchten Sie was trinken?«

»Gerne, Sallie. Bloß Eistee, ohne Zucker.«

Sie verschwand wieder. »Ich höre«, sagte Lucien.

»Vielleicht will ich nicht darüber reden.«

»Aber ich. Haben Sie wirklich gedacht, Sie können die Existenz eines Augenzeugen in so einem großen Prozess verschweigen?«

»Ich hatte eben gehofft, dass er nicht auftaucht.«

Lucien nickte und legte sein Buch auf den Tisch. Er führte sein Glas an die Lippen und trank einen Schluck. Er wirkte stocknüchtern, weder Augen noch Nase waren gerötet. Jake war sicher, dass seine Leber in Alkohol mariniert war, aber Lucien war für seine Trinkfestigkeit bekannt. Er schmatzte mit den Lippen. »Harry Rex sagt, es war eine gemeinsame Entscheidung.«

»Das ist extrem fair von ihm.«

»Ich hätte es wahrscheinlich auch so gemacht. Die Regel ist absolut kontraproduktiv, das wissen wir Anwälte schon lange.«

Jake hatte nicht den geringsten Zweifel daran, dass Lucien über Sean Gilders Beweisfragen nur gelacht und sich geweigert hätte, irgendwelche lästigen Zeugen zu benennen. Der Unterschied war, dass Lucien jemanden wie Neal Nickel gar nicht erst aufgespürt hätte. Jake war nur über ihn gestolpert, weil er zu gründlich gewesen war.

»Gibt es ein Best-Case-Szenario?«, fragte Lucien. »Harry Rex ist keins eingefallen.«

»Mir auch nicht. Vielleicht erweist sich der Zeuge bei der schriftlichen Niederschrift seiner Einlassung als weniger glaubwürdig, als wir fürchten, dann kommt es zur Verhandlung, vielleicht in sechs Monaten oder so. Die Sachverständigen bezahlen wir, die sind also an Bord. Der Geschworenenberater wird uns noch mal was kosten, wenn wir ihn hinzuziehen. Die Tatsachen haben sich nicht verändert, höchstens etwas verschoben. Der Bahnübergang ist gefährlich. Die Blinklichtanlage war antiquiert und schlecht gewartet. Die Eisenbahngesellschaft wusste von dem Problem und hat sich geweigert, es zu beheben. Vier

Menschen haben ihr Leben verloren. Wir versuchen unser Glück bei den Geschworenen.«

»Wie viel schulden Sie der Bank?«

»Siebzigtausend.«

»Sind Sie wahnsinnig? Siebzigtausend Dollar für die Prozessführung?«

»Das ist heutzutage ganz normal.«

»Ich habe nie einen Kredit für einen Prozess aufgenommen.«

»Weil Sie Geld geerbt haben, Lucien. Die meisten von uns haben nicht so ein Glück.«

»Meine Kanzlei war vielleicht unkonventionell, aber ich habe immer Gewinn gemacht.«

»Sie wollten wissen, was das Best-Case-Szenario ist. Fällt Ihnen ein besseres ein?«

Sallie kam mit einem großen Glas Eistee und Zitrone zurück. »Mittagessen in dreißig Minuten«, sagte sie und entschwand wieder.

»Sie haben mich noch nicht um Rat gebeten.«

»Okay, Lucien, haben Sie einen Rat für mich?«

»Sie müssen sich diesen neuen Typen vorknöpfen. Es gibt einen Grund, warum er zuerst nichts damit zu tun haben wollte und plötzlich doch.«

»Dem Detektiv hat er gesagt, er wurde mal verklagt und will nichts mit Anwälten zu tun haben.«

»Das ist Ihre Chance. Finden Sie alles über den Prozess heraus. Graben Sie die schmutzige Wäsche aus, Jake. Sie müssen den Mann vor den Geschworenen unmöglich machen.«

»Ich will nie wieder vor Gericht gehen. Ich will in einem einsamen Gebirgsbach Forellen angeln. Mehr nicht.«

Lucien trank einen Schluck und stellte das Glas wieder auf den Tisch. »Haben Sie mit Carla gesprochen?«

»Noch nicht. Aber das werde ich, wenn sie von der Arbeit

kommt. Tolle Aussicht. Meiner Frau, die ich liebe, zu sagen, dass ich beim Schummeln erwischt und vom Richter nach Hause geschickt wurde.«

»Ich hatte nie viel Glück mit Ehefrauen.«

»Meinen Sie, die Eisenbahngesellschaft würde sich auf einen Vergleich einlassen?«

»So dürfen Sie nicht denken, Jake. Niemals Schwäche zeigen. Geben Sie sich nicht geschlagen, liegen Sie Noose so lange in den Ohren, bis er einen neuen Verhandlungstermin ansetzt, und zerren Sie diese hinterhältigen Mistkerle vor Gericht. Attackieren Sie den neuen Zeugen. Wählen Sie die Geschworenen gut aus. Sie bekommen das hin, Jake. Das Wort Vergleich ist tabu.«

Zum ersten Mal seit Stunden war Jake wieder zum Lachen zumute.


Hocutt House war einige Jahre vor dem Haus von Lucien gebaut worden. Glücklicherweise hatte der alte Hocutt nichts für Gartenarbeit übriggehabt und deswegen sein schönes neues Haus auf einem kleinen Stadtgrundstück errichtet. Jake war auch kein großer Gärtner, aber bei schönem Wetter holte er einmal pro Woche Rasenmäher und Kantenschneider heraus und schuftete ein paar Stunden lang.

Montagnachmittag schien ihm eine gute Gelegenheit, und er werkelte fleißig im Garten, als seine beiden Frauen von der Schule nach Hause kamen. Es war eine absolute Seltenheit, dass er vor ihnen zu Hause war, deshalb freute sich Hanna besonders. Er hatte ein paar Dosen mit Softdrinks in einer Kühltasche draußen, und sie setzten sich auf die Terrasse und redeten über die Schule, bis Hanna genug von den Erwachsenen hatte und nach drinnen ging.

»Alles in Ordnung bei dir?«, fragte Carla.

»Nein.«

»Willst du darüber reden?«

»Nur wenn du versprichst, dass du mir verzeihst.«

»Natürlich.«

»Danke. Es könnte dir schwerfallen.«

Sie lächelte. »Wir sind doch ein Team.«


# 23


Von den drei Gefängniswärtern, die ihm das Essen brachten, Anweisungen gaben, seine Zelle kontrollierten und das Licht ausschalteten, mochte Drew Mr. Zack am liebsten, weil er manchmal ein freundliches Wort für ihn übrig hatte. Er brüllte ihn nie an wie die anderen. Am schlimmsten war Sergeant Bufford. Einmal hatte er zu Drew gesagt, ihm gehe es noch viel zu gut, das werde er schon sehen, wenn er erst in der Todeszelle sitze, wo alle Polizistenmörder endeten.

Früh am Morgen brachte Mr. Zack ihm ein Tablett mit Essen – Rührei und Toast. Er stellte es neben dem Stockbett ab und ging, um eine Einkaufstüte zu holen. »Dein Pastor hat das gebracht. Kleidung, richtige Kleidung, die ziehst du jetzt besser an.«

»Warum?«

»Weil du heute einen Gerichtstermin hast. Hat dir dein Anwalt das nicht gesagt?«

»Vielleicht. Ich kann mich nicht erinnern. Was soll ich im Gericht?«

»Das weiß ich doch nicht. Ich bin nur für das Gefängnis zuständig. Wann hast du zuletzt geduscht?«

»Keine Ahnung, weiß ich nicht mehr.«

»Ich glaube, vor zwei Tagen. Das geht noch. Du riechst noch ganz okay.«

»Das Wasser war eiskalt. Ich will nicht duschen.«

»Dann iss auf und zieh dich an. Du wirst um halb neun abgeholt.«

Als der Wärter weg war, aß Drew ein Stück Toast, ignorierte aber die Rühreier. Die waren nämlich auch immer kalt. Er öffnete die Einkaufstüte und holte eine Jeans, ein dickes Flanellhemd, zwei Paar weiße Socken und ein Paar abgetragene weiße Turnschuhe heraus, alles offenkundig gebraucht, aber dem Geruch nach gründlich gewaschen. Er zog den orangefarbenen Overall aus und wechselte die Kleidung. Alles passte einigermaßen, und er freute sich, wieder richtige Kleidung zu tragen. Etwas Ersatzkleidung hatte er auch in einem Karton unter seiner Pritsche, wo er seine Habseligkeiten aufbewahrte.

Jetzt nahm er eine kleine Tüte gesalzene Erdnüsse heraus, die ihm sein Anwalt mitgebracht hatte, und aß sie langsam, immer nur eine auf einmal. Er hatte strikte Anweisung von seiner Mutter, jeden Morgen eine Stunde zu lesen. Sie hatte ihm zwei Bücher gegeben, eines über die Geschichte von Mississippi, das sie im Unterricht behandelt hatten und das er unglaublich öde fand. Das andere war ein Roman von Charles Dickens, den ihm seine Englischlehrerin über den Pastor hatte zukommen lassen. Er hatte nicht die geringste Lust, eines davon zu lesen.

Mr. Zack kam, um das Tablett zu holen. »Du hast deine Eier nicht gegessen.«

Drew ignorierte ihn und streckte sich auf dem unteren Bett aus, um ein Nickerchen zu halten. Minuten später flog die Tür auf. »Aufstehen, Junge«, knurrte ein dicker Deputy.

Drew rappelte sich hoch und ließ sich von Marshall Prather Handschellen anlegen, der ihn dann am Ellbogen packte und aus der Zelle zu einer Hintertür führte, wo ein Streifenwagen mit DeWayne Looney am Steuer wartete. Prather schubste Drew auf den Rücksitz, und sie fuhren los. Der Gefangene spähte aus dem Fenster, um zu sehen, ob sie jemand beobachtete.

Wenige Augenblicke später hielten sie vor der Hintertür zum Gerichtsgebäude, wo sie von zwei Männern mit Kameras erwartet wurden. Etwas sanfter holte Prather Drew aus dem Auto und sorgte dafür, dass er für Frontalaufnahmen richtig stand. Dann waren sie im Gebäude und stiegen eine dunkle, schmale Treppe hinauf.

Jake saß auf der einen Seite des Tisches, Lowell Dyer auf der anderen. Richter Noose hatte am Ende Platz genommen, ohne Robe und mit der nicht angezündeten Pfeife zwischen den Zähnen. Alle drei blickten finster drein und waren offenbar nicht glücklich. Die Gründe waren allerdings recht unterschiedlich.

Noose legte Papiere auf den Tisch und rieb sich die Augen. Jake war sauer, dass er überhaupt da sein musste. Das Ganze war bloß ein erster Termin für mehrere Verfahren, in denen kürzlich Anklage erhoben worden war, und Jake hatte versucht, den Richter davon zu überzeugen, dass Drews Anwesenheit nicht erforderlich war. Noose dagegen wollte demonstrieren, dass er seine Arbeit gewissenhaft erledigte und dafür sorgte, dass Kriminelle hinter Schloss und Riegel kamen. Die Zuschauerbänke würden voll sein, und Jake war sicher, dass Noose nur seine potenziellen Wähler beeindrucken wollte, auch wenn das eine zynische Sichtweise war.

Dagegen waren Jake die Wähler herzlich egal, und er hatte sich damit abgefunden, dass er es sich so oder so mit allen verderben würde. Er musste neben dem Angeklagten sitzen oder stehen, sich mit ihm beraten, für ihn sprechen und so weiter. Dass Drew Gamble eindeutig und offenkundig schuldig war, würde sich auf seinen Anwalt übertragen.

»Richter Noose, ich muss einen Psychiater für meinen Mandanten verpflichten«, sagte Jake. »Der Staat kann von mir nicht erwarten, dass ich den aus meiner eigenen Tasche bezahle.«

305

»Er war doch gerade erst in Whitfield. Ist er da nicht von den Sachverständigen untersucht worden?«

»Das stimmt. Allerdings arbeiten diese Leute für den Staat, und der Staat hat Anklage gegen ihn erhoben. Wir brauchen unseren eigenen Psychiater.«

»Ich auf jeden Fall auch«, murmelte Dyer.

»Es läuft also auf Schuldunfähigkeit hinaus?«

»Wahrscheinlich, aber diese Entscheidung kann ich erst treffen, wenn ich unseren eigenen Psychiater konsultiert habe. Ich bin mir sicher, Mr. Dyer wird in der Verhandlung mehrere Sachverständige aus Whitfield präsentieren, die aussagen, dass der Junge genau wusste, was er tat, als er abdrückte.«

Dyer zuckte mit den Schultern und nickte zustimmend.

Noose war aus dem Konzept gebracht. »Lassen Sie uns das später besprechen«, sagte er. »Ich möchte gern unseren Zeitplan erörtern und zumindest einen vorläufigen Verhandlungstermin festlegen. Der Sommer steht vor der Tür, da ist das mit der Planung immer schwierig. Jake, was denken Sie?«

Jake hatte jede Menge Gedanken. Zum einen war seine Hauptzeugin schwanger, aber es war ihr noch nicht anzusehen. Es gab keinerlei Verpflichtung, irgendwen davon zu unterrichten. Wahrscheinlich würde die Anklage Kiera als Zeugin aufrufen, bevor er es tat. Nach langen Gesprächen mit Portia und Lucien war Jake zu dem Schluss gekommen, dass es am besten war, wenn die Verhandlung im Hochsommer stattfand, sodass ihre Schwangerschaft unübersehbar war, wenn sie aussagte. Ein erschwerender Faktor war die drohende Abtreibung. Josie hatte zwei Mindestlohnstellen und besaß ein Auto. Nichts hinderte sie daran, sich ihre Tochter zu schnappen und sie zu einem Eingriff nach Memphis zu bringen. Das Thema war so heikel, dass es nicht angesprochen wurde.

Zweitens wurde der kleine Drew Gamble schließlich doch

erwachsen. Jake und seine Mutter behielten ihn genau im Auge, und beiden waren die kleinen Pickel auf seinen Wangen und der Flaum auf der Oberlippe aufgefallen. Seine Stimme veränderte sich ebenfalls. Er aß mehr und hatte nach Aussage des Wärters gut zwei Kilo zugenommen.

Jake wollte in der Verhandlung einen kleinen Jungen auf der Anklagebank, keinen schlaksigen Teenager, der versuchte, älter zu wirken. »Je eher, desto besser. Im Hochsommer vielleicht.«

»Lowell?«

»Eine große Vorbereitung ist nicht erforderlich, Richter Noose. Es gibt ja nicht viele Zeugen. Mehr als ein paar Monate dürften wir nicht brauchen.«

Noose studierte seine Prozessliste. »Ich würde sagen, Montag, 6. August, und wir reservieren die gesamte Woche.«

In drei Monaten wäre Kiera im siebten Monat. Jake mochte sich das Drama im Gerichtssaal gar nicht vorstellen, wenn sie aussagte, dass sie tatsächlich schwanger sei, und zwar von Kofer, der sie mehrfach vergewaltigt habe.

Was für eine hässliche Geschichte.


Drew war mit Handschellen an einen Holzstuhl in einem kleinen, dunklen Raum gefesselt, in dem auch zwei andere Straftäter warteten, zwei erwachsene Schwarze, die sich über Alter und Größe ihres neuen Kollegen amüsierten. Ihre eigenen Taten kamen ihnen unbedeutend und kaum der Rede wert vor.

»Hör mal, Kleiner, du hast den Deputy erschossen?«, fragte der eine.

Sein Anwalt hatte Drew eingebläut, nichts zu sagen, aber in Gegenwart der anderen beiden Männer in Handschellen fühlte er sich sicher. »Stimmt.«

»Mit seiner eigenen Waffe?«

»Sonst war ja keine da.«

»Du musst ganz schön sauer gewesen sein.«

»Er hat meine Mutter verprügelt. Ich dachte, sie ist tot.«

»Du bekommst bestimmt den elektrischen Stuhl.«

»Ich dachte, die Gaskammer«, warf der andere ein.

Drew zuckte mit den Schultern, als wüsste er es auch nicht genau. Die Tür öffnete sich, und ein Gerichtsdiener sagte »Bowie«. Einer der Männer stand auf und ließ sich vom Gerichtsdiener wegführen. Als sich die Tür schloss, war es im Raum erneut dunkel. »Weswegen sind Sie hier?«, fragte Drew.

»Autodiebstahl. Ich hätte auch lieber einen Cop erschießen sollen.«

Kleine Gruppen von Rechtsanwälten lungerten im Gerichtssaal herum, während ein Angeklagter nach dem anderen vorgeführt wurde. Manche Anwälte hatten tatsächlich dort zu tun, andere trieben sich ständig am Gericht herum, um nur ja nichts zu verpassen. Die Gerüchteküche wollte wissen, dass der Junge endlich öffentlich erscheinen würde, und das zog sie an wie das Aas die Geier.

Als Jake aus dem Richterzimmer kam, stellte er beeindruckt fest, wie viele Leute sich einen ersten Termin nicht entgehen lassen wollten, der für die Rechtsfindung keine große Bedeutung hatte. Josie und Kiera drängten sich in der ersten Reihe mit Charles und Meg McGarry, und alle vier wirkten völlig verschüchtert. Jenseits des Gangs saßen Familie und Freunde von Kofer, die sich offenkundig keineswegs beruhigt hatten. Dumas Lee und ein anderer Reporter schnüffelten herum.

Richter Noose rief Drew Allen Gamble auf, und Mr. Pete ging ihn holen. Sie kamen durch eine Tür neben den Geschworenenplätzen in den Saal und blieben einen Augenblick stehen, damit die Handschellen abgenommen werden konnten. Drew sah sich um und versuchte, die Größe des Saals und die vielen Menschen, die ihn angafften, zu verarbeiten. Er sah seine Mutter und seine Schwester, war aber zu verwirrt, um sie anzulächeln. Mr. Pete führte ihn vor die Richterbank, wo Jake sich neben ihn stellte. Beide sahen den Richter an.

Jake war gut einen Meter achtzig groß, Mr. Pete mindestens einen Meter fünfundachtzig, und beide schienen den Angeklagten um bestimmt dreißig Zentimeter zu überragen.

Noose blickte auf sie herunter. »Sie sind Drew Allen Gamble.«

Drew nickte und machte Anstalten, etwas zu sagen.

»Bitte sprechen Sie laut und deutlich.« Noose brüllte geradezu in sein Mikrofon. Jake sah auf seinen Mandanten herunter.

»Ja, Sir.«

»Und Sie werden von Rechtsanwalt Jake Brigance vertreten?«

»Ja, Sir.«

»Und die Anklagejury von Ford County hat wegen des Mordes an Officer Stuart Kofer Anklage gegen Sie erhoben?«

Jake war vielleicht voreingenommen, aber er fand Noose viel zu theatralisch, das war eindeutig nur für das Publikum bestimmt. Eine einfache Unterschrift hätte den gesamten Termin überflüssig gemacht.

»Ja, Sir.«

»Und haben Sie eine Kopie der Anklageschrift erhalten?«

»Ja, Sir.«

»Und verstehen Sie, was Ihnen vorgeworfen wird?«

»Ja, Sir.«

Als Noose wichtig in einigen Papieren blätterte, hätte sich Jake am liebsten zu Wort gemeldet. Wie sollte der Junge die Tatvorwürfe verstehen? Er war seit über einem Monat eingesperrt. Jake konnte die Blicke gerade zu spüren, die sich von hinten in sein schickes graues Jackett bohrten, und er wusste, dass er mit dem heutigen Tag, dem 8. Mai, inoffiziell zum unbeliebtesten Anwalt des Countys gekrönt worden war.

»Bekennen Sie sich schuldig oder nicht schuldig?«, fragte der Richter.

»Nicht schuldig.«

»Bis zur Verhandlung wegen des Mordes an Stuart Kofer bleiben Sie in Gewahrsam des Sheriff's Department. Sonst noch etwas, Mr. Brigance?«

Noch etwas? Die ganze Sache war von vornherein überflüssig gewesen. »Nein, Euer Ehren.«

»Bringen Sie ihn weg.«

Josie rang um Fassung. Jake ging zurück zum Tisch der Verteidigung und ließ den Schreibblock fallen, den er ohnehin nicht gebraucht hatte. Er warf einen Seitenblick auf Pastor McGarry und sah dann die Kofer-Bande direkt an.

Zwei Wochen zuvor hatte Lowell Dyer Jake mitgeteilt, dass er und sein Ermittler sich gern mit Josie und Kiera treffen würden, um sie zu befragen. Das war ein sehr professionelles Verhalten, weil Dyer Jakes Erlaubnis eigentlich nur brauchte, wenn er mit dem Angeklagten sprechen wollte. Jake vertrat Drew, nicht dessen Familie, und wenn jemand von der Polizei oder Staatsanwaltschaft mit einem potenziellen Zeugen reden wollte, stand dem nichts im Weg.

Anders als im Zivilprozess, wo alle Zeugen benannt werden mussten und ihre Aussagen schon lange vor der Verhandlung eingehend überprüft wurden, musste in Strafsachen keine Seite viel preisgeben. Bei einer einfachen Scheidung wurde jeder Dollar gezählt, zumindest theoretisch. Aber bei einem Mordprozess, bei dem ein Menschenleben auf dem Spiel stand, durfte die Verteidigung nicht wissen, was der Zeuge der Anklage sagen oder wie die Gutachten der Sachverständigen ausfallen würden.

Jake vereinbarte einen Termin in seiner Kanzlei, zu dem er auch Ozzie und Detective Rady einlud. Er wollte möglichst viele Leute dabeihaben, damit Josie und Kiera lernten, wie es sich anfühlte, die traumatischen Erlebnisse vor vielen Leuten zu schildern.

Um 11.30 Uhr unterbrach Noose die Verhandlung für eine Mittagspause. Jake und Portia gingen mit Josie und Kiera zur Kanzlei gegenüber, Dyer und sein Ermittler folgten ihnen. Sie versammelten sich im großen Konferenzraum, wo Bev Kaffee und Brownies bereitgestellt hatte. Jake wies allen ihre Plätze am Tisch zu, Josie saß allein an einem Ende, wie im Zeugenstand.

Lowell Dyer war freundlich und bedankte sich zunächst höflich dafür, dass sie sich Zeit genommen hatte. Er hatte den vollständigen Bericht von Detective Rady vorliegen und wusste viel über ihren Hintergrund. Sie hielt ihre Antworten möglichst kurz.

Am Vortag hatte Jake in der Kirche zwei Stunden lang mit ihr und ihrer Tochter geübt. Er hatte ihnen sogar schriftliche Anweisungen gegeben, die sie sich einprägen sollten, Weisheiten wie: »Fassen Sie sich so kurz wie möglich. Sagen Sie nicht mehr als unbedingt nötig. Wenn Sie etwas nicht wissen, raten Sie nicht. Bitten Sie Mr. Dyer ruhig, seine Fragen zu wiederholen. Sagen Sie so wenig wie möglich über die körperlichen Misshandlungen (das bewahren wir uns für die Verhandlung auf). Und vor allem: Vergessen Sie nie, dass er der Feind ist und Drew in die Todeszelle bringen will.«

Josie war abgebrüht und hatte einiges erlebt. Sie stand die Fragen durch, ohne Emotionen zu zeigen, und erwähnte nur am Rande, dass Kofer sie geschlagen hatte.

Dann war Kiera an der Reihe. Jake hatte sie gebeten, zu diesem Anlass Jeans und eine enge Bluse zu tragen. Sie war erst vierzehn, und niemand wäre auf den Gedanken gekommen, dass sie im vierten Monat schwanger war. Jake hatte dem Termin bereitwillig zugestimmt, weil er wollte, dass sich Lowell Dyer ein Bild von der Zeugin machte, bevor ihr die Schwangerschaft anzusehen war. Auf die getippte Liste mit den Anweisungen hatte Portia in

Fettdruck geschrieben: »**Sprich nicht über deine Schwanger-schaft. Sag nichts von den Vergewaltigungen. Wenn du nach den körperlichen Misshandlungen gefragt wirst, fängst du an zu weinen und antwortest nicht. Jake übernimmt dann.**«

Ihre Stimme brach schon nach den ersten Worten, und Dyer drängte sie nicht. Sie wirkte völlig überfordert, ein verängstigtes, verletzliches Kind – das jetzt selbst ein Kind bekam, von dem niemand etwas wusste.

Jake verzog das Gesicht, zuckte mit den Schultern und sah Dyer an. »Vielleicht ein anderes Mal.«

»Natürlich.«

# 24

Jake hatte sorgfältig darauf geachtet, sich nicht im Gericht foto-grafieren zu lassen. Offenbar war der Redakteur der *Times* jedoch einfach ins Archiv gegangen und hatte eines von den hundert Fotos genommen, die beim Prozess von Carl Lee Hailey vor fünf Jahren gemacht worden waren. Das packte er auf die Titelseite, direkt neben das von Drew, wie er am Vortag in Handschel-len aus dem Polizeifahrzeug stieg. Seite an Seite, Polizistenmör-der und Anwalt. Einer so schuldig wie der andere. Jake schenkte sich zu Hause in der Küche eine Tasse Kaffee ein und las den Bericht von Dumas Lee. Eine anonyme Quelle sagte, die Ver-handlung sei für den 6. August angesetzt und werde in Clanton stattfinden.

Das mit dem Verhandlungsort war interessant. Jake hatte vor, alles zu tun, was in seiner Macht stand, damit die Verhandlung nicht in Clanton stattfand.

Er wandte sich wieder der Titelseite zu. An das Foto konnte er sich noch erinnern, damals hatte er es ganz gut gefunden. Die Bildunterschrift lautete »Verteidiger Jake Brigance«. Er wirkte sehr professionell und zeigte finstere Entschlossenheit, um der Bedeutung des Augenblicks gerecht zu werden. Vielleicht wirkte er etwas dünner, aber er wusste, dass sich sein Gewicht nicht verändert hatte. Fünf Jahre waren seitdem vergangen, und seine Stirn wurde immer höher.

Er hörte Donnergrollen und erinnerte sich daran, dass der Wetterbericht Regen angekündigt hatte, eine neuerliche Welle von Frühjahrsstürmen. Er hatte den ganzen Tag keine Termine und keine Lust, im Coffee-Shop herumzuhängen. Also beschloss er, mal richtig über die Stränge zu schlagen, und ging wieder ins Schlafzimmer, zog sich aus und schlüpfte unter die Decke, um sich an den warmen Körper seiner Frau zu kuscheln.

Es wurde nicht besser. Richter Noose faxte ihm im Abstand von fünfzehn Minuten Kopien von zwei Briefen. Der erste lautete:

*Sehr geehrter Richter Noose,*
*als Anwalt des Verwaltungsrats von Ford County wurde ich vom Verwaltungsrat gebeten, Ihre Anfrage bezüglich des Anwaltshonorars von Jake Brigance in der Sache Stuart Kofer zu beantworten. Wie Ihnen bekannt, sieht Teil 99 Kapitel 15 § 17 der Strafprozessordnung des Staates Mississippi eindeutig eine Vergütung von höchstens eintausend Dollar vor, die vom County für die Vertretung mittelloser Mandanten in Mordsachen zu erstatten ist. Der Wortlaut des Artikels lässt dem Verwaltungsrat keinen Spielraum für eine höhere Zahlung. Das sollte eigentlich der Fall sein, und wir wissen beide, dass dieser Höchstbetrag nicht ausreichend ist. Ich habe die Angelegenheit jedoch mit den Mitgliedern des Verwaltungsrats besprochen, und sie sind der Ansicht, dass es bei einer maximalen Vergütung von eintausend Dollar bleiben muss.*

*Ich kenne Jake Brigance gut und bin gern bereit, dies mit ihm zu besprechen.*

*Mit freundlichen Grüßen*
*Todd Tannehill*
*Rechtsanwalt*

Das zweite Schreiben war von Sean Gilder, dem Anwalt der Eisenbahngesellschaft, und besagte:

*Sehr geehrter Richter Noose,*

*zu meinem Bedauern muss ich Ihnen leider mitteilen, dass einer unserer Sachverständigen, Dr. Crowe Ledford, letzte Woche plötzlich verstorben ist, unmittelbar nachdem er den Key West Marathon gelaufen war. Als Todesursache wird Herzstillstand vermutet. Dr. Ledford war Professor an der Emory University und ein hochgeschätzter Experte im Bereich Straßen- und Eisenbahnsicherheit. Seine Aussage war ein zentrales Element unserer Verteidigung.*

*Bei der Festsetzung eines Verhandlungstermins wäre zu berücksichtigen, dass wir zusätzliche Zeit benötigen, um einen Sachverständigen als Ersatz für Dr. Ledford zu finden und zu verpflichten.*

*Wir bitten das Gericht, die Unannehmlichkeiten zu entschuldigen. Ich werde mich mit Mr. Brigance in Verbindung setzen und ihn von dieser bedauerlichen Entwicklung unterrichten.*

*Mit freundlichen Grüßen*
*Sean Gilder*

Jake warf den Brief auf seinen Schreibtisch und sah Portia an. »Ein toter Sachverständiger bringt ihnen einen Aufschub von noch einmal sechs Monaten.«

»Chef, wir müssen reden«, sagte sie.

Jake warf einen Blick auf die Tür. »Wir sind unter uns. Was ist los?«

»Ich arbeite seit fast zwei Jahren hier.«

»Und jetzt wollen Sie Partnerin werden?«

»Nein, noch nicht, aber wenn ich mit dem Jurastudium fertig bin, übernehme ich den Laden.«

»Sie können ihn gern haben.«

»Auf jeden Fall mache ich mir Sorgen um die Kanzlei. Ich habe mir die Telefonrechnungen der letzten drei Monate angesehen und sie mit denen der letzten sechs Wochen verglichen. Es ruft keiner an.«

»Das weiß ich, Portia.«

»Schlimmer noch, wir haben praktisch keine Laufkundschaft. Wir legen durchschnittlich einen neuen Vorgang pro Tag an, das sind fünf pro Woche, zwanzig pro Monat, und wir haben rund fünfzig laufende Vorgänge. In den letzten sechs Wochen haben wir sieben neue Vorgänge angelegt, meistens kleine Sachen wie Ladendiebstahl und einvernehmliche Scheidungen.«

»Das ist mein Geschäft.«

»Ich mache mir ernsthaft Sorgen, Jake.«

»Danke, Portia, aber das brauchen Sie nicht. Das ist meine Aufgabe. In diesem Geschäft lernt man schnell, dass entweder gar nichts kommt oder alles auf einmal.«

»Und wann kommt wieder was?«

»Für Gamble sind uns tausend Dollar sicher.«

»Im Ernst, Jake.«

»Ich weiß es zu schätzen, dass Sie sich Gedanken machen, aber überlassen Sie das mir. Sie fangen im August Ihr Jurastudium an und haben genug damit zu tun.«

Sie holte tief Luft und versuchte zu lächeln. »Ich glaube, Sie haben es sich mit der Stadt verdorben, Jake.«

Er schwieg einen Augenblick, um zu zeigen, dass er verstanden hatte. »Das gibt sich wieder. Ich werde Gamble überstehen und im *Smallwood*-Verfahren einen Vergleich schließen. In einem Jahr werden mir die Mandanten die Türen einrennen. Wenn Sie mit dem Jurastudium fertig sind, bin ich noch hier und verklage jede Menge Leute, versprochen, Portia.«

»Danke.«

»Und jetzt suchen Sie sich was anderes, worüber Sie sich aufregen können.«


Da ihre Mutter immer wieder stundenweise in der Futtermittelfabrik und einer Hähnchenverarbeitungsanlage beschäftigt war, langweilte sich Kiera nachmittags oft und kümmerte sich dann gern um Justin, den vierjährigen Sohn der McGarrys. Meg, mittlerweile im achten Monat schwanger, machte eine Weiterbildung und freute sich, wenn sie einen Babysitter hatte. Wenn Meg zu Hause war, unternahmen sie lange Spaziergänge auf einem Feldweg hinter der Kirche, und Justin fuhr auf seinem Kinderfahrrad voraus. Oft legten sie an einer Brücke über den Carter's Creek eine Pause ein und sahen ihm zu, wie er im seichten Wasser spielte.

Kiera mochte Meg sehr und redete mit ihr über Dinge, die ihre Mutter nicht verstanden hätte. Die Abtreibung war lange Zeit ein Tabuthema gewesen, aber Meg und Charles behielten den Kalender im Auge und wussten, dass die Zeit knapp wurde. Kieras Schwangerschaft schritt immer weiter fort, und es musste eine Entscheidung getroffen werden.

Die beiden saßen auf der Brücke und ließen die Füße über den Rand baumeln, als Meg auf das Thema zu sprechen kam. »Will deine Mutter immer noch, dass du das Kind abtreiben lässt?«

»Sie sagt Ja, aber wir haben nicht das Geld dafür.«

»Was willst du denn, Kiera?«

»Ich will kein Baby, das weiß ich sicher. Aber eine Abtreibung will ich auch nicht. Mom sagt, das ist keine große Sache. Kann ich Ihnen ein Geheimnis erzählen?«

»Du kannst mir alles sagen.«

»Ich weiß. Mom sagt, sie hat mal eine Abtreibung gehabt, nachdem sie Drew und mich bekommen hat. War gar nicht schlimm, hat sie gesagt.«

Meg versuchte, sich nicht anmerken zu lassen, wie schockierend sie es fand, dass eine Mutter ihrer vierzehnjährigen Tochter so etwas erzählte. »Das stimmt nicht, Kiera, überhaupt nicht. Eine Abtreibung ist furchtbar, und die Folgen sind auch Jahre später nicht überwunden. Als Christen glauben wir, dass das Leben mit der Empfängnis beginnt. Die beiden Kinder, die wir beide, du und ich, erwarten, sind jetzt schon Lebewesen, Geschenke Gottes, so klein sie auch sind. Mit einer Abtreibung wird ein Leben beendet.«

»Sie finden also, es ist Mord?«

»Ja. Ich weiß, dass es so ist.«

»Ich will das auch gar nicht.«

»Setzt sie dich unter Druck?«

»Die ganze Zeit. Sie hat Angst, dass sie das Kind dann am Hals hat. Kann sie mich zu einer Abtreibung zwingen?«

»Nein. Kann ich dir ein Geheimnis erzählen?«

»Na klar, hab ich doch auch gemacht.«

»Stimmt. Ich habe ganz inoffiziell mit Jake Brigance gesprochen und ihn gefragt, was passiert, wenn Josie dich gegen deinen Willen nach Memphis in eine Klinik fährt. Er hat gesagt, keine Klinik, kein Arzt führt eine Abtreibung durch, wenn die Mutter das nicht will. Lass dich nicht dazu drängen, Kiera.«

Kiera nahm ihre Hand und drückte sie. Justin stieß einen lauten Ruf aus und deutete auf einen Frosch, der am Wasser saß. »Du bist zu jung, um die Verantwortung für ein Kind zu übernehmen, Kiera, deswegen ist eine Adoption der beste Weg. Es gibt viele junge Paare, die sich sehnsüchtig ein Kind wünschen. Charles kennt andere Pastoren und würde ganz bestimmt ein gutes Heim für dein Baby finden.«

»Und was ist mit einem Heim für uns? Ich will nicht mehr in der Kirche wohnen.«

»Wir finden schon etwas. Wo wir gerade von der Gemeinde sprechen, müssen wir noch etwas klären, auch mit deiner Mutter. Man sieht dir die Schwangerschaft allmählich an, und wir wollen sie doch geheim halten.«

»Ja, das hat Mr. Brigance gesagt.«

»Dann solltest du vielleicht jetzt nicht mehr in den Gottesdienst gehen.«

»Aber da ist es so schön. Die Leute sind alle so nett.«

»Das sind sie, und sie reden gern, wie in jeder kleinen Gemeinde. Wenn sie merken, dass du schwanger bist, verbreitet sich das Gerücht wie ein Lauffeuer.«

»Aber was soll ich in den nächsten vier Monaten tun? Mich in der Küche der Kirche verstecken?«

»Lass uns mit deiner Mutter darüber reden.«

»Die sagt bestimmt nur, ich soll das Kind abtreiben lassen.«

»So weit wird es nicht kommen, Kiera. Du bekommst ein gesundes Baby und machst irgendein junges Paar damit sehr glücklich.«

Als Hanna schlief, lief Jake zu seinem Auto, griff sich eine Flasche Rotwein, machte sie in der Küche auf, holte zwei der selten benutzten Weingläser, ging ins Wohnzimmer und sagte zu seiner Frau: »Wir treffen uns auf der Terrasse.«

»Was ist los?«, fragte sie draußen, als sie die Flasche auf dem Tisch sah.

»Nichts Gutes.« Er füllte zwei Gläser und gab ihr eins davon. Sie stießen an und setzten sich. »Wir trinken auf unseren bevorstehenden Bankrott.«

»Na dann Cheers.«

Jake trank einen kräftigen Schluck, Carla nippte nur.

»Wie ich gerade erfahren habe, verzögert sich *Smallwood* um

Monate. Das County weigert sich, mir mehr als tausend Dollar für die Verteidigung in einem Mordprozess zu zahlen. In der Kanzlei klingelt noch nicht einmal mehr das Telefon. Josie braucht dreihundert Dollar pro Monat, um eine Wohnung zu mieten. Aber das Genick bricht uns, dass Stan Atcavage heute angerufen hat, um mir zu sagen, dass sein Chef von uns einen Teil des Prozesskredits will.«

»Wie viel?«

»Sie wären schon mit der Hälfte zufrieden. Der Hälfte von siebzigtausend Dollar. Der Kredit ist natürlich ungesichert, und die Bank wollte uns von Anfang an nichts leihen. Stan sagt, sie hatten noch nie was mit Prozessführung zu tun und haben Bedenken. Verständlich.«

»Ich dachte, sie hätten sich bereit erklärt zu warten, bis das Verfahren abgeschlossen ist.«

»Das hat Stan mündlich gesagt, aber sein Chef macht Druck. Vergiss nicht, dass sie vor drei Jahren von einer größeren Bank in Jackson übernommen wurden. Stan ist auch nicht immer glücklich mit deren Entscheidungen.«

Carla trank noch einen Schluck und atmete tief durch. »Okay. Ich dachte, Richter Noose hat einen Plan, um sicherzustellen, dass du bezahlt wirst.«

»Hat er, aber das ist ein miserabler Plan. Ich soll warten, bis der Prozess vorbei ist, und dann das County auf Erstattung meines Zeitaufwands und meiner Spesen verklagen. Er hat mir versprochen, dass er zu meinen Gunsten entscheidet und das County zwingt, mich zu bezahlen.«

»Was ist damit nicht in Ordnung?«

»Alles. Das heißt, ich bekomme monatelang gar nichts, kann also nicht einmal meine Fixkosten decken, während es mit der Kanzlei bergab geht und die Stadt mich boykottiert. Wenn ich dann gezwungenermaßen das County verklage, gibt das neue Schlagzeilen, und ich stehe in der Presse noch schlechter da.

Außerdem kann Noose das County nicht zwingen, mir mehr als tausend Dollar zu zahlen. Wenn sich der Verwaltungsrat stur stellt, und das wird er, sind wir geliefert.«

Sie nickte, als hätte sie alles verstanden, und trank noch einen Schluck. »Schöne Aussichten«, sagte sie schließlich.

»Ja. Noose tut besonders schlau, aber natürlich sucht er verzweifelt nach einem Anwalt, der den Jungen vertritt.«

»Darf ich fragen, wie viel wir im Moment flüssig haben?«

»Nicht viel. Fünftausend auf dem Geschäftskonto. Achttausend auf unserem Geldmarktkonto. Gut zehntausend haben wir gespart.« Er kippte noch mehr von dem Wein hinunter. »Ziemlich trostlos, wenn man es sich recht überlegt. Zwölf Jahre als Rechtsanwalt und nur achtzehntausend Dollar auf der hohen Kante.«

»Wir haben ein gutes Leben, Jake. Wir arbeiten beide. Wir leben besser als viele andere. Das Haus muss doch etwas wert sein.«

»Etwas schon. Wir müssen jeden Cent herausholen, um Stan zu bezahlen.«

»Eine zweite Hypothek?«

»Anders geht es nicht.«

»Was hat Harry Rex gesagt?«

»Erst hat er mich zur Sau gemacht, dann haben wir Stan angerufen, und er hat sich mit ihm angelegt. Harry Rex ist der Meinung, es handelt sich um einen unbefristeten Kreditrahmen, und die Bank soll gefälligst warten. Das wollte Stan nicht auf sich sitzen lassen und hat damit gedroht, den gesamten Kredit sofort fällig zu stellen. Als ich aufgelegt habe, waren die beiden immer noch dabei, sich anzubrüllen.«

»Sehr unerfreulich.«

Ein Augenblick verstrich, während sie auf das Zirpen der Grillen lauschten. Die Straße war still, bis auf das Summen der Insekten und das Bellen eines Hundes in der Ferne. »Hat Josie dich um Geld gebeten?«, fragte Carla.

»Nein, aber sie muss aus der Kirche raus. Den beiden geht die Situation mittlerweile auf die Nerven, und ich kann es ihnen nicht verdenken. Kieras Schwangerschaft ist ziemlich weit fortgeschritten, und man sieht es ihr allmählich an. Lange kann sie das nicht mehr verheimlichen. Du kannst dir vorstellen, dass das für die Wichtigtuer da ein gefundenes Fressen wäre, wenn sie merken, dass Kiera schwanger ist.«

»Und Josie hat eine Wohnung gefunden?«

»Sie sagt, sie sucht, aber sie hat im Moment mehrere Teilzeitstellen. Sie kann vielleicht mit Mühe hundert Dollar pro Monat für die Miete aufbringen. Außerdem haben sie nicht ein einziges Möbelstück.«

»Das heißt, wir zahlen auch noch ihre Miete?«

»Noch nicht, aber wir müssen sie bestimmt unterstützen. Außerdem hat sie einen ganzen Stapel Arzt- und Krankenhausrechnungen, die sie nicht bezahlen kann, und müsste sich eigentlich für zahlungsunfähig erklären.«

»Und was ist mit den Arztkosten für Kiera?«

»Ach ja, die kommen noch dazu.«

Nach einer langen Pause meldete sich Carla wieder zu Wort. »Ich habe eine Frage«, sagte sie.

»Und die wäre?«

»Hast du nur die eine Flasche Wein gekauft?«


# 25


Drei Tage danach war die Schule zu Ende, und Hanna und Carla hatten für den Rest des Sommers Ferien. Die Familie Brigance verfrachtete sich selbst und den Hund ins Auto und fuhr Richtung Meer, wo sie immer ihren Jahresurlaub verbrachten. Carlas Eltern arbeiteten nur noch einige Monate im Jahr und verbrachten den Rest der Zeit in einer großzügigen Eigentumswohnung direkt am Wasser in Wrightsville Beach bei Wilmington. Hanna und Carla genossen Sand und Sonne. Jake freute sich über die kostenlose Unterkunft.

Carlas Vater, den Jake immer noch mit »Mr. McCullough« ansprach, bezeichnete sich selbst als »Investor« und konnte jeden mit der letzten Gewinn- und Verlustrechnung zu Tode langweilen. Er verfasste auch eine Kolumne für ein zweitrangiges Finanzmagazin, das Jake vor langer Zeit einmal abonniert hatte, ein vergeblicher Versuch herauszufinden, was der Mann eigentlich trieb. Der tatsächliche Grund für das Abonnement war, dass er wissen wollte, ob sein Schwiegervater Geld hatte oder nicht. Bisher war ihm nach wie vor ein Rätsel, wie vermögend Mr. McCullough tatsächlich war, klar war nur, dass er und seine Frau keine finanziellen Sorgen hatten. Mrs. McCullough war eine freundliche Dame Mitte sechzig, die in allen möglichen Gartenbauvereinen, Tierschutzinitiativen und ehrenamtlichen Krankenhausorganisationen aktiv war.

Im letzten und vorletzten Jahr waren die Brigances von Memphis nach Raleigh geflogen und hatten für den Urlaub ein Auto gemietet. Hanna wollte wieder fliegen und war zuerst enttäuscht, als sie hörte, dass die Familie die ganze Strecke mit dem Auto fahren sollte. Zwölf Stunden. Sie war zu jung, um zu verstehen, dass sie den Gürtel enger schnallen mussten, und ihre Eltern achteten darauf, dass sie vor ihr nicht darüber redeten und sich auch sonst nichts anmerken ließen. Sie verkauften ihr die Fahrt als großes Abenteuer und erwähnten ein paar Sehenswürdigkeiten, die sie unterwegs besichtigen konnten. Tatsächlich wollten sie sich am Lenkrad abwechseln und hofften, dass ihre Tochter viel Schlaf bekam.

Der Saab blieb zu Hause. Carlas Auto war neuer und hatte

weniger Kilometer auf dem Tacho. Jake kaufte neue Reifen und ließ einen gründlichen Service durchführen.

Um sieben Uhr morgens ging es los. Hanna, die noch halb schlief, kuschelte sich mit dem Hund auf dem Rücksitz unter eine Decke. Jake fand einen Radiosender in Memphis, der Oldies aus den Sechzigerjahren spielte, die er und Carla mitsummten, während vor ihnen die Sonne aufging. Sie hatten sich geschworen, sich die Stimmung nicht verderben zu lassen, nicht nur um ihrer selbst willen, sondern vor allem wegen Hanna. Mit der Kanzlei ging es rasant bergab. Die Bank wollte Geld. *Smallwood,* die Geldquelle auf die sie so gehofft hatten, hatte sich zu einer Katastrophe entwickelt. Die Verhandlung in der Gamble-Sache fand erst in zwei Monaten statt und verhieß nichts Gutes. Ihre Einkünfte gingen ständig zurück, während die Schulden in nicht mehr zu bewältigende Höhen zu klettern schienen.

Aber sie waren fest entschlossen, das zu überstehen. Sie waren noch nicht einmal vierzig, gesund, hatten ein schönes Haus, viele Freunde und eine Kanzlei, aus der Jake immer noch etwas machen konnte, davon war er fest überzeugt. Finanziell würde es ein schwieriges Jahr werden, aber sie würden es überleben und am Ende nur noch stärker sein.

Hanna verkündete, sie sei hungrig, und Carla ließ sie aussuchen, wo sie frühstücken wollte. Sie entschied sich für ein Fast-Food-Restaurant an der Interstate, und sie holten sich etwas am Autoschalter. Sie lagen gut in der Zeit, und Jake wollte ankommen, bevor es dunkel wurde. Mrs. McCullough hatte versprochen, das Abendessen für sie fertig zu haben.

Sie spielten Autospiele, Kartenspiele, rieten, welches Plakat als nächstes kommen würde, zählten Kühe und was Hanna sonst noch einfiel, und sie sangen zur Musik im Radio. Als Hanna eindöste, holte Carla ein Taschenbuch hervor, und es wurde still im Auto. Zum Mittagessen gab es einen Burger vom Autoschalter eines anderen Fast-Food-Restaurants, das auch diesmal Hanna ausgewählt hatte, und bevor sie losfuhren, übernahm Carla das Steuer. Carla fuhr etwa eine Stunde, bevor sie schläfrig wurde. Da Jake ohnehin nicht begeistert war, wenn sie fuhr, tauschten sie wieder. Sobald sie erneut auf dem Beifahrersitz saß, war sie hellwach und konnte nicht schlafen. Es war fast zwei Uhr nachmittags, und sie hatten noch eine stundenlange Fahrt vor sich.

Carla warf einen Blick auf Hanna und vergewisserte sich, dass sie schlief. »Ich weiß, dass wir nicht darüber reden wollten, zumindest nicht vor Hanna, aber ich muss ständig daran denken.«

Jake lächelte. »Geht mir genauso.«

»Gut. Die große Frage ist, wo Drew Gamble in einem Jahr sein wird.«

Er fuhr einen guten Kilometer, während er darüber nachdachte. »Darauf gibt es drei mögliche Antworten, je nachdem was in der Verhandlung passiert. Wenn er wegen Mordes verurteilt wird, was sehr wahrscheinlich ist, weil ja feststeht, was passiert ist, wird er nach Parchman verlegt und dort auf seine Hinrichtung warten. Wenn ich meine Beziehungen spielen lasse, kommt er vielleicht wegen seines Alters und seiner Größe in eine Art Schutzhaft, aber dort ist es so oder so furchtbar. Wahrscheinlich stecken sie ihn gleich in die Todeszelle, da wäre er in Einzelhaft und damit relativ sicher.«

»Und die Revision?«

»Das wird sich endlos hinziehen. Falls er verurteilt wird, verfasse ich wahrscheinlich immer noch Schriftsätze für ihn, wenn Hanna auf dem College ist. Die zweite Alternative ist, dass er für schuldunfähig erklärt wird, aber das ist unwahrscheinlich. In diesem Fall würde er auf unbestimmte Zeit in einer Therapieeinrichtung landen und irgendwann entlassen werden. Die Gambles würden dann wohl fluchtartig die Gegend verlassen, und wir vermutlich auch.«

»Das klingt genauso unfair. Für sie wäre das die beste Lösung. Für die Kofers wäre es furchtbar. Wir sitzen zwischen allen Stühlen.«

»Stimmt.«

»Ich will nicht, dass der Junge den Rest seines Lebens im Gefängnis verbringt, aber ganz ohne Strafe darf er auch nicht davonkommen. Es müsste irgendwas dazwischen geben, eine mildere Maßnahme.«

»Ich bin völlig deiner Meinung, aber was soll das sein?«, fragte Jake.

»Das weiß ich auch nicht genau, aber mit Schuldunfähigkeit kenne ich mich seit der Sache mit Carl Lee Hailey einigermaßen aus. Er war auf jeden Fall nicht schuldunfähig und wurde trotzdem freigesprochen. Drew ist viel stärker traumatisiert als Carl Lee und leidet unter Realitätsverlust.«

»Da kann ich dir nur zustimmen. Carl Lee wusste genau, was er tat, als er die beiden Männer tötete. Er hatte die Sache sorgfältig geplant und gekonnt umgesetzt. Seine Verteidigung beruhte nicht auf seinem Geisteszustand, sondern appellierte an das Mitgefühl der Geschworenen. Wie immer hängt alles von der Jury ab.«

»Und wie willst du bei den Geschworenen Mitgefühl wecken?«

Jake warf einen Blick über seine Schulter. Hanna und Mully schliefen tief und fest. »Da kommt die schwangere Schwester ins Spiel«, sagte er leise.

»Und die tote Mutter?«

»Die tote Mutter wird ein wichtiges Element sein, das wir immer wieder anführen werden. Nur war sie nicht tot. Sie atmete noch, hatte einen Puls, und darauf wird sich die Staatsanwaltschaft einschießen. Die Kinder hätten wissen müssen, dass Josie nicht tot war.«

»Komm mir nicht damit, Jake. Zwei völlig verängstigte Kinder, die wahrscheinlich in Panik waren, weil ihre Mutter bewusstlos und nicht ansprechbar war, nachdem sie wieder einmal von einem brutalen Schläger verprügelt worden war. Es ist doch völlig verständlich, dass sie dachten, sie wäre tot.«

»Genau das werde ich den Geschworenen sagen.«

»Und das dritte Szenario? Dass sich die Geschworenen nicht einigen und es keine Entscheidung gibt?«

»Genau. Dass einige Geschworene Mitgefühl mit Drew haben und sich weigern, ihn zum Tode zu verurteilen. Einige, die eine mildere Strafe wollen, während die anderen sich stur stellen und auf der Gaskammer bestehen. Innerhalb der Jury könnte es derart rundgehen, dass jede Einigung unmöglich wird. Nach ein paar Tagen bleibt Noose keine Wahl, er muss den Prozess für gescheitert erklären und alle nach Hause schicken. Drew wandert wieder in seine Zelle und wartet auf eine neue Verhandlung.«

»Und wie wahrscheinlich ist das?«

»Sag du es mir. Versetz dich in die Geschworenen. Die Tatsachen kennst du bereits. So furchtbar viele gibt es ja nicht.«

»Warum muss ich immer Geschworene spielen?«

Jake lachte. Ertappt. »Wenn sich die Geschworenen nicht einigen können, wäre das ein großer Erfolg. Wahrscheinlicher ist, dass sie ihn schuldig sprechen. Ich erwarte eigentlich nicht, dass wir mit der Schuldunfähigkeit durchkommen.«

Carla blickte auf die Hügel, die an ihnen vorüberzogen. Sie waren auf einer Interstate irgendwo in Georgia, und sie hatte noch mehr auf dem Herzen. Nachdem sie erneut nach Hanna gesehen hatte, sprach sie leise weiter. »Josie hat dir versprochen, dass es nicht zu einer Abtreibung kommt, richtig?«

»Hat sie, wenn auch nur widerwillig. Aber dafür ist es jetzt ohnehin zu spät.«

»Wenn also alles seinen natürlichen Verlauf nimmt, wird im September ein Baby geboren. Kiera geht es offensichtlich gut, und sie wird ärztlich betreut.«

»Ja, wir übernehmen schließlich einen Teil der Kosten.«

»Und sie hat sich mit einer Adoption einverstanden erklärt.«

»Du warst doch dabei, als sie das gesagt hat. Josie besteht darauf. Sie weiß genau, wer letztendlich das Kind großziehen müsste, und im Augenblick schafft sie es kaum, sich selbst und Kiera über Wasser zu halten.«

Carla holte tief Luft und sah ihren Ehemann an. »Wärst du mit einer Adoption einverstanden?«

»Als Anwalt?«

»Nein, als Vater.«

Jake verschluckte sich fast und verriss leicht das Lenkrad. Er sah sie verblüfft an und schüttelte den Kopf. »Der Gedanke ist mir überhaupt nicht gekommen. Dir offenbar schon.«

»Können wir darüber reden?«

»Wir reden doch über alles.«

Beide drehten sich um und sahen nach Hanna.

»Also«, begann Carla in einem Ton, der ein kompliziertes Gespräch ankündigte. Jake blickte stur geradeaus und ging eilig eine Liste aller Einwände durch, die ihm in den Sinn kamen. »Wir haben vor Jahren schon einmal über eine Adoption gesprochen, und dann wurde das Thema nicht mehr erwähnt, keine Ahnung, warum. Hanna war damals noch ein Kleinkind. Die Ärzte haben uns gesagt, wir hätten Glück gehabt, dass es mit ihr nach einigen Fehlversuchen doch noch geklappt hat. Wir wollten mindestens noch ein Kind, vielleicht sogar zwei.«

»Ich erinnere mich. Ich war dabei.«

»Wahrscheinlich war in unserem Leben einfach zu viel los, und wir waren glücklich mit unserem einzigen Kind.«

»Sehr glücklich.«

»Aber das Baby wird ein gutes Zuhause brauchen, Jake.«

»Ich bin mir sicher, sie werden eins finden. Ich kümmere mich jedes Jahr um mehrere private Adoptionen, und Babys sind immer gefragt.«

»Wir hätten einen Vorteil, Jake, meinst du nicht?«

»Ich glaube, es gibt hier mindestens zwei große Aber. Zuallererst müssen wir uns fragen, ob wir als Familie wirklich noch ein Kind wollen. Wünschst du dir mit siebenunddreißig noch ein Baby?«

»Ich glaube schon.«

»Was ist mit Hanna? Wie wird sie reagieren?«

»Sie würde sich sehr über ein Brüderchen freuen.«

»Brüderchen?«

»Ja. Kiera hat Meg vor zwei Tagen erzählt, dass es ein Junge ist.«

»Und warum weiß ich nichts davon?«

»Das sind Frauenthemen, Jake, und du bist immer beschäftigt. Überleg doch mal, ein kleiner Junge mit einer Schwester, die fast zehn Jahre älter ist.«

»Warum denke ich zuerst an Windeln und schlaflose Nächte?«

»Das dauert ja nicht ewig. Das Schlimmste am Kinderkriegen ist die Geburt.«

»Ich habe das sehr genossen.«

»Du hast leicht reden. Jetzt können wir uns das alles sparen.«

Einige Kilometer lang schwiegen beide, während sie sich ihre Argumente zurechtlegten. Carla hatte den Angriff geplant und war auf jeden Widerstand gefasst.

Dann fiel die Anspannung von ihm ab, und er lächelte seine wunderbare Ehefrau an. »Seit wann denkst du eigentlich darüber nach?«

»Ich weiß nicht genau. Die Sache geht mir schon eine ganze Weile im Kopf herum. Erst fand ich den Gedanken unmöglich, und mir fielen nur Gründe dagegen ein. Du bist praktisch der Anwalt der Familie. Wie würde es aussehen, wenn wir unsere Insiderstellung nutzen, um das Baby zu bekommen? Wie würden die Leute in der Stadt reagieren?«

»Das ist meine geringste Sorge.«

»Was für eine Beziehung, wenn überhaupt eine, hätte das Kind zu Kiera und Josie? Was ist mit den Kofers? Sie werden entsetzt sein, wenn sie hören, dass Stuart ihnen ein Enkelkind beschert hat. Wahrscheinlich werden sie mit dem Kind nichts zu tun haben wollen, aber man weiß ja nie. Mir sind jede Menge Probleme und Gegenargumente eingefallen. Aber dann muss ich immer wieder an das Kind denken. Irgendwer, irgendein glückliches Paar wird den Anruf bekommen, der alles verändert. Die beiden werden zum Krankenhaus fahren und mit einem kleinen Jungen nach Hause kommen. Warum können wir das nicht sein, Jake? Wir sind mindestens so geeignet wie irgendwer sonst.«

»Ich muss mal«, piepste ein verschlafenes Stimmchen auf dem Rücksitz.

»Wir fahren gleich raus«, sagte Jake schnell und hielt nach einer Ausfahrt Ausschau.

Als es Abend wurde, schlenderten sie am Strand durch die Brandung, während Hanna, die zwischen ihren Großeltern ging und beide an der Hand genommen hatte, ununterbrochen schnatterte. Jake und Carla hielten ebenfalls Händchen und blieben zurück, um sich an dem Anblick ihres kleinen Mädchens zu freuen, das mit Liebe überschüttet wurde. Carla wollte reden, aber Jake war noch nicht bereit, das Thema Familienzuwachs weiter zu diskutieren.

»Ich habe eine Idee«, sagte sie.

»Dann bekomme ich sie bestimmt gleich zu hören.«

Sie ignorierte ihn und redete einfach weiter. »Drew sitzt im Gefängnis, und der Lehrstoff, den er nachholen muss, wird immer mehr. Seit Ende März hat er keinen Unterricht mehr gehabt. Josie sagt, er hat sowieso schon einen Rückstand von zwei Jahren.«

»Mindestens.«

»Kannst du dafür sorgen, dass ich dem Jungen zwei oder drei Tage pro Woche im Gefängnis Nachhilfe geben kann?«

»Hast du überhaupt Zeit dafür?«

»Es sind Sommerferien, Jake, und ich kann mir die Zeit nehmen. Deine Mutter kann auf Hanna aufpassen, dazu hat sie noch nie Nein gesagt, und wir können uns zusätzlich einen Babysitter suchen.«

»Oder ich übernehme das. Wenn es mit der Kanzlei weiter bergab geht, werde ich jede Menge Zeit haben.«

»Ich meine es ernst. Ich kann mir von der Schule die Lehrbücher geben lassen und zumindest einen Stundenplan für ihn erstellen.«

»Ich weiß nicht recht. Ozzie müsste das genehmigen, und er ist im Moment nicht sehr entgegenkommend. Vielleicht kann ich Richter Noose fragen.«

»Wäre das gefährlich? Ich war noch nie im Gefängnis.«

»Sei froh. Ich weiß nicht recht, was ich davon halten soll. Du würdest dich in einem ziemlich üblen Umfeld bewegen, und manche Cops sind im Augenblick nicht gut auf mich zu sprechen. Ozzie müsste zusätzliche Sicherheitsmaßnahmen einführen, und da würde er vermutlich nicht mitmachen.«

»Sprichst du mit ihm?«

»Klar, wenn du das willst.«

»Besteht keine Möglichkeit, dass er jede Woche ein paar Stunden Freigang bekommt, damit ich ihn woanders unterrichten kann?«

»Ausgeschlossen.«

Hanna und ihre Großeltern hatten kehrtgemacht und kamen auf sie zu. »Lust auf ein Glas Wein, bis das Abendessen fertig ist?«, fragte Mrs. McCullough.

»Das klingt wunderbar«, erwiderte Jake. »Wir haben heute zweimal im Auto gegessen, und ich freue mich schon auf eine richtige Mahlzeit.«

# 26

Nachdem er fünf Tage lang Strandspaziergänge unternommen hatte, im Meer geschwommen war, viel gelesen hatte, sich ausgeschlafen, immer wieder ein Nickerchen eingelegt hatte und von Mr. McCullough beim Schach vernichtend geschlagen worden war, freute sich Jake auf eine Pause. Früh am Morgen des 31. Mai umarmte er Carla, verabschiedete sich von seinen Schwiegereltern und fuhr gut gelaunt davon, hocherfreut über die Aussicht, die nächsten fünf Stunden ganz für sich allein zu haben.

Die Kids Advocacy Foundation hatte ein Büro in der M Street in der Nähe des Farragut Square im Stadtzentrum von Washington. Das Gebäude war ein im Stil der Siebzigerjahre errichteter fünfstöckiger Klotz aus grauen Backsteinen mit viel zu wenig Fenstern. Das Verzeichnis in der Eingangshalle enthielt die Namen Dutzender Verbände, gemeinnütziger Organisationen, Zusammenschlüsse, Vereinigungen und Bruderschaften, von den AMERIKANISCHEN TRAUBENANBAUERN bis hin zu den POSTZUSTELLERN MIT BEHINDERUNG IM LÄNDLICHEN RAUM.

Jake stieg im dritten Stock aus und suchte nach der richtigen Tür. Er landete in einem engen Empfangszimmer, in dem ein adretter kleiner Gentleman von etwa siebzig hinter einem aufgeräumten Schreibtisch saß und ihn mit einem Lächeln begrüßte. »Sie müssen Mr. Brigance aus dem fernen Mississippi sein.«

»Genau der«, erwiderte Jake und trat mit ausgestreckter Hand vor.

»Ich bin Roswell und leite den Laden«, sagte der andere und erhob sich. Er trug eine winzige rote Fliege und ein blütenweißes Hemd. »Sehr erfreut.« Sie schüttelten sich die Hände.

Jake trug eine leichte Baumwollhose und ein Hemd mit Button-down-Kragen, keine Krawatte, keine Socken. »Ganz meinerseits«, erwiderte er.

»Sie machen gerade Urlaub am Meer?«

»Ja.« Jake sah sich um. Die Wände waren bedeckt mit gerahmten Fotos von Jugendlichen in Häftlingskleidung und Gefängnisoveralls, von denen manche durch Gitterstäbe spähten und andere Handschellen trugen.

»Willkommen in unserer Zentrale«, sagte Roswell und lächelte aufgeräumt. »Kein einfacher Fall, den Sie da haben. Ich habe Ihre Kurzberichte gesehen. Libby erwartet von uns, dass wir alles lesen.« Er deutete auf eine Tür, während er sprach. »Sie erwartet Sie.«

Jake folgte ihm in einen Gang, wo sie vor der ersten Tür stehen blieben. »Libby, Mr. Brigance ist hier«, sagte Roswell. »Mr. Brigance, darf ich Ihnen die wahre Chefin vorstellen? Libby Provine.«

Ms. Provine wartete vor dem Schreibtisch und reichte ihm die Hand. »Sehr erfreut, Mr. Brigance. Darf ich Sie Jake nennen? Wir sind hier nicht so förmlich.« Sie sprach mit starkem schottischem Akzent. Bei ihrem ersten Telefonat hatte Jake Schwierigkeiten gehabt, sie überhaupt zu verstehen.

»Jake ist völlig in Ordnung. Ich freue mich auch, Sie kennenzulernen.«

Roswell verschwand, und sie deutete auf einen kleinen Konferenztisch in der Ecke ihres Büros. »Ich dachte, Sie haben bestimmt Hunger.«

Auf dem Tisch warteten Wasserflaschen und zwei gekaufte Sandwiches auf Papptellern. »Es ist angerichtet«, sagte sie. Sie setzten sich an den Tisch, aber keiner von ihnen griff zu.

»Hatten Sie eine angenehme Fahrt?«, fragte sie.

»Ohne besondere Vorkommnisse. Ich war froh, vom Strand und meinen Schwiegereltern wegzukommen.«

Libby Provine war um die fünfzig, mit ergrauenden roten

Locken, und trug eine elegante Designerbrille, die sie geradezu attraktiv wirken ließ. Aus seiner Recherche wusste er, dass sie die Organisation vor zwanzig Jahren gegründet hatte, kurz nachdem sie ihr Jurastudium an der Georgetown University abgeschlossen hatte. KAF, wie sich die Stiftung nannte, beschäftigte intern mehrere Anwaltsassistenten und vier Rechtsanwälte. Sie hatte sich zum Ziel gesetzt, an der Verteidigung Jugendlicher mitzuwirken, die schwerer Straftaten angeklagt waren, und sie vor allem in der Strafvollzugsphase nach der Verurteilung nicht ihrem Schicksal zu überlassen.

»Und Sie rechnen damit, dass die Staatsanwaltschaft die Todesstrafe fordert?«, fragte Libby nach ein paar Minuten belanglosen Geplänkels. Keiner rührte die Sandwiches an, obwohl Jake am Verhungern war.

»Ganz bestimmt. In zwei Wochen findet ein Termin statt, bei dem dieser Punkt geklärt wird, aber ich glaube nicht, dass ich mich durchsetzen kann. Die Staatsanwaltschaft kennt kein Pardon.«

»Obwohl Kofer gar nicht im Dienst war?«

»Da liegt das Problem. Wie Sie wissen, wurde das Gesetz vor zwei Jahren geändert, und wir können die neue Fassung schlecht ignorieren.«

»Ich weiß. Eine völlig unsinnige Änderung. Wie heißt es noch, Gesetz zur Stärkung der Todesstrafe? Als ob der Staat Unterstützung dabei bräuchte, die Todeszellen zu füllen. Kompletter Unsinn.«

Sie wusste über alles Bescheid. Jake hatte zweimal mit ihr telefoniert und ihr einen vierzigseitigen Bericht geschickt, den er gemeinsam mit Portia zusammengestellt hatte. Er hatte mit zwei anderen Rechtsanwälten gesprochen, einem in Georgia und einem in Texas, die bei Verfahren von KAF unterstützt worden waren, und sie hatten die Stiftung in den höchsten Tönen gelobt.

»Nur Mississippi und Texas sehen die Todesstrafe für die

Tötung eines Polizeibeamten vor, auch wenn er nicht im Dienst war. Das ist völlig unsinnig.«

»Wir kämpfen bei uns unten immer noch dagegen. Ich bin am Verhungern.«

»Hähnchensalat oder Pute und Schweizer Käse?«

»Ich nehme den Hähnchensalat.«

Sie packten ihre Sandwiches aus und bissen ab, wobei ihr Bissen viel kleiner ausfiel als seiner. »Wir haben ein paar Presseberichte über den Hailey-Prozess ausgegraben«, sagte sie. »Da war ja einiges geboten.«

»Kann man so sagen.«

»Ihre Verteidigung beruhte auf einer Unzurechnungsfähigkeit, die bei Ihrem Mandanten gar nicht gegeben war.«

»Damals drehte sich alles um die ethnische Zugehörigkeit, das ist bei Gamble anders.«

»Und Ihr Sachverständiger, Dr. Bass?«

»Den kann ich unmöglich noch mal hinzuziehen. Er ist ein Säufer und Lügner, und ich habe mich nur an ihn gewandt, weil er nichts kostete. Wir hatten Glück. Haben Sie einen richtigen Sachverständigen für uns gefunden?«

Sie knabberte an der Kruste ihres Sandwiches und nickte. »Sie brauchen mindestens zwei. Einen, um die Schuldunfähigkeit zu begründen, weil Sie sonst nicht viel zu seiner Verteidigung vorzutragen haben, und einen für die Zumessung des Strafmaßes, falls er schuldig gesprochen wird. Da können wir Ihnen behilflich sein. Praktisch alle unsere Mandanten sind schuldig, und manche haben abscheuliche Verbrechen begangen. Wir versuchen nur, dafür zu sorgen, dass sie am Leben bleiben und nie wieder ins Gefängnis müssen.«

Jake hatte den Mund voll, daher nickte er nur. Libby aß offenbar wie ein Vögelchen.

»Eines Tages wird der Oberste Gerichtshof dieses großartigen

Landes entscheiden, dass es ›grausam und ungewöhnlich‹ ist, Jugendliche in die Todeszelle zu schicken, aber so weit sind wir noch nicht. Oder der Gerichtshof hat eine Erleuchtung und erkennt, dass Jugendliche zu einer lebenslangen Freiheitsstrafe ohne die Möglichkeit der vorzeitigen Entlassung zu verurteilen, einer Todesstrafe gleichkommt. Aber so weit sind wir eben noch nicht. Also kämpfen wir weiter.«

Endlich biss sie noch einmal ab.

Jake hatte um Geld und personelle Unterstützung gebeten. Geld für Sachverständigengutachten und Prozessführung. Und er wollte die Unterstützung eines erfahrenen zweiten Rechtsanwalts in der Verhandlung. Das Gesetz schrieb einen zweiten Verteidiger vor, aber Noose konnte keinen finden.

Jake hatte seine Wünsche schriftlich vorgetragen, und sie hatten am Telefon darüber gesprochen. Die KAF-Anwälte waren überlastet. Das Geld war knapp. Er war fünf Stunden gefahren, um Libby Provine davon zu überzeugen, wie dringlich Drews Fall war. Vielleicht war sie im persönlichen Gespräch eher zu beeindrucken.

Zwei weitere Anfragen bei ähnlichen Organisationen waren noch offen, sahen aber nicht erfolgversprechend aus.

»Wir arbeiten manchmal mit einem Kinder- und Jugendpsychiater aus Michigan zusammen, einem Dr. Emile Jamblah. Bisher hat er sich als der Beste erwiesen. Ein Syrer, etwas dunklere Haut, spricht mit Akzent. Meinen Sie, das ist bei Ihnen im Süden ein Problem?«

»Und ob. Ein gewaltiges Problem. Haben Sie niemand anderen?«

»Unsere zweite Wahl wäre ein Arzt aus New York.«

»Haben Sie keinen mit dem richtigen Akzent?«

»Vielleicht. Es gibt einen, der an der Baylor University in Texas lehrt.«

»Das klingt schon besser. Sie wissen, wie das mit Sachverständigen in der Verhandlung ist, Libby. Die Experten müssen aus einem anderen Bundesstaat kommen, weil die Geschworenen denken, sie sind besonders kompetent, wenn sie von weit her anreisen. Andererseits reagieren die Leute bei uns sehr empfindlich auf einen fremden Akzent, besonders wenn jemand aus den Nordstaaten kommt.«

»Ich weiß. Ich war vor zehn Jahren mal Verteidigerin in einem Verfahren in Alabama. Können Sie sich vorstellen, was dabei herauskommt, wenn ich zu Geschworenen in Tuscaloosa spreche? Nichts Gutes. Der Junge war siebzehn. Mittlerweile ist er siebenundzwanzig und sitzt noch immer in der Todeszelle.«

»Ich glaube, ich habe von der Sache gelesen.«

»Wie wird die Jury aussehen?«

»Furchteinflößend. Ein richtiger Lynchmob. Wir sprechen vom nördlichen Mississippi, und ich werde versuchen, den Verhandlungsort verlegen zu lassen, schon allein, weil der Fall zu viel Aufsehen erregt hat. Aber die demografische Zusammensetzung wird überall ähnlich sein. Zu fünfundsiebzig Prozent weiß. Durchschnittliches Haushaltseinkommen dreißigtausend. Ich erwarte neun oder zehn Weiße, zwei oder drei Schwarze, sieben Frauen, fünf Männer, Alter zwischen dreißig und sechzig, alles Christen oder Leute, die sich so nennen. Von den zwölf waren vielleicht vier auf dem College. Vier haben noch nicht einmal die Highschool abgeschlossen. Ein Geschworener verdient fünfzigtausend im Jahr. Zwei oder drei sind arbeitslos. Gottesfürchtige Leute, die an Recht und Gesetz glauben.«

»Kommt mir bekannt vor. Ist als Verhandlungstermin immer noch der 6. August angesetzt?«

»Ja, und ich sehe keinen Grund für eine Verzögerung.«

»Warum so früh?«

»Warum nicht? Ich habe einen guten Grund, warum mir der 6. August passt. Ich erkläre es Ihnen gleich.«

»Okay. Was glauben Sie, wie die Verhandlung laufen wird?«

»Ziemlich vorhersehbar, bis zu einem gewissen Punkt. Die Staatsanwaltschaft ist natürlich zuerst an der Reihe. Der Staatsanwalt ist kompetent, aber unerfahren. Anfangen wird er mit den Ermittlern, den Fotos vom Tatort, der Todesursache, der Obduktion und so fort. Der Sachverhalt ist klar, eindeutig, die Fotos sind entsetzlich, er wird die Geschworenen also von Anfang an in der Tasche haben. Das Opfer war ein Army-Veteran, ein guter Polizist, ein Einheimischer, all das. Die Sache ist nicht allzu kompliziert. Nach wenigen Minuten wird die Jury das Opfer und seinen Mörder kennen und die Tatwaffe gesehen haben. Während des Kreuzverhörs werde ich nach der Obduktion fragen und ans Tageslicht bringen, dass Kofer bis zur Besinnungslosigkeit betrunken war. Damit stelle ich ihn praktisch vor Gericht, eine hässliche Sache, und es kommt noch schlimmer. Manche der Geschworenen werden mir das verübeln. Andere werden schockiert sein. Irgendwann wird die Staatsanwaltschaft wahrscheinlich Kiera, die Schwester, in den Zeugenstand rufen. Sie ist eine wichtige Zeugin, und ich gehe davon aus, dass sie sagen wird, sie habe den Schuss gehört, und ihr Bruder habe zugegeben, Kofer getötet zu haben. Der Bezirksstaatsanwalt wird beweisen wollen, dass Handlungen und Verhalten des Jungen vor dem Schuss belegen, dass er wusste, was er tat. Dass es Rache war. Er dachte, seine Mutter wäre tot, und wollte Rache.«

»Klingt glaubwürdig.«

»Allerdings. Aber das ist nicht das Dramatischste an Kieras Zeugenaussage. Wenn sie in den Zeugenstand tritt, werden die Geschworenen und alle anderen im Gerichtssaal auf Anhieb merken, dass sie schwanger ist. Im siebten Monat. Und raten Sie mal, wer der Vater ist?«

»Doch nicht Kofer?«

»O doch. Ich werde sie bitten, den Vater zu nennen, und sie

wird, ich vermute sehr emotional, erklären, dass er sie regelmäßig vergewaltigte. Fünf- oder sechsmal seit Weihnachten. Wann immer sie allein waren, vergewaltigte er sie, und danach drohte er ihr jedes Mal, sie und ihren Bruder umzubringen, wenn sie ihn verriet.«

Libby hatte es die Sprache verschlagen. Sie schob ihr Sandwich ein paar Zentimeter weit weg und schloss die Augen. »Aber warum sollte die Staatsanwaltschaft sie in den Zeugenstand rufen, wenn sie schwanger ist?«

»Weil die Staatsanwaltschaft das nicht weiß.«

Sie holte tief Luft, schob ihren Stuhl zurück, stand auf und ging ans andere Ende des Büros. »Sind Sie nicht verpflichtet, den Staatsanwalt zu informieren?«, fragte sie von ihrem Schreibtisch aus.

»Nein. Sie ist nicht meine Zeugin. Sie ist nicht meine Mandantin.«

»Tut mir leid, Jake, aber ich habe Probleme, das zu verarbeiten. Versuchen Sie, die Tatsache zu verschleiern, dass sie schwanger ist?«

»Sagen wir, ich will nicht, dass die andere Seite davon erfährt.«

»Aber werden der Bezirksstaatsanwalt und seine Ermittler nicht vor der Verhandlung mit ihrer Zeugin sprechen wollen?«

»Normalerweise schon. Das liegt bei ihnen. Sie können sie treffen, wann immer sie wollen. Sie haben vor zwei Wochen in meiner Kanzlei mit ihr gesprochen.«

»Hält sich das Mädchen versteckt? Hat sie keine Freunde?«

»Nicht viele, und ja, sie hält sich praktisch versteckt. Ich habe Kiera und Josie erklärt, dass es für sie am besten ist, wenn niemand weiß, dass sie schwanger ist, aber natürlich ist es möglich, dass es herauskommt. Und es besteht die Möglichkeit, dass der Bezirksstaatsanwalt es erfährt. Aber sie wird in der Verhandlung aussagen, entweder als Zeugin für die Anklage oder für die Verteidigung, und wenn die Verhandlung im August stattfindet, wird sie im siebten Monat sein.«

»Sieht man es schon?«

»Kaum. Ihre Mutter hat ihr gesagt, sie soll nur weite Sachen tragen. Die beiden leben noch in einem Raum der Kirche, aber ich versuche, eine Wohnung, ein Apartment in einer anderen Stadt für sie zu finden. Seit ein paar Wochen gehen sie nicht mehr zum Gottesdienst und versuchen, möglichst wenig Menschen zu begegnen.«

»Auf Ihre Empfehlung, nehme ich an.«

Jake grinste und nickte. Libby kam an den Tisch zurück und setzte sich. Sie trank einen Schluck aus ihrer Flasche. »Wow.«

»Ich dachte, Sie freuen sich. Für einen Verteidiger ist das ein Traum. Die Zeugin der Staatsanwaltschaft wartet mit einer höchst unangenehmen Überraschung auf.«

»Ich weiß, dass in Ihrer Gegend Beweismittel nur sehr begrenzt offengelegt werden müssen, aber das kommt mir doch extrem vor.«

»Wie ich in meiner Mitteilung bereits gesagt habe, gibt es in Strafsachen praktisch keine Offenlegung. Das gilt für einen Großteil der Vereinigten Staaten.«

Das wusste sie natürlich. Sie biss von ihrem Sandwich ab und kaute nachdenklich, während sich ihre Gedanken überschlugen. »Und wenn der Prozess für gescheitert erklärt wird? Die Staatsanwaltschaft wird mit Sicherheit empört sein und ein neues Verfahren verlangen.«

»Die Staatsanwaltschaft kommt sehr selten mit einem Antrag durch, ein Verfahren für fehlerhaft zu erklären. Wir haben Hunderte von Fällen in den letzten achtzig Jahren geprüft, in denen ein Prozess aus diesem Grund für gescheitert erklärt wurde. Nur drei davon auf Antrag der Staatsanwaltschaft, und jedes Mal war ein wichtiger Zeuge nicht zur Verhandlung erschienen. Ich werde erklären, es sei nicht erforderlich, den Prozess für gescheitert zu erklären, weil das Mädchen ja in der Verhandlung aussagen wird, ganz gleich, welche Seite sie aufruft.«

»Besteht die Möglichkeit, dass Kofer nicht der Vater ist?«

»Eher nicht. Sie ist vierzehn und schwört, dass er der Erste und Einzige war.«

Libby schüttelte den Kopf und wandte den Blick ab. Als sie ihn wieder ansah, glänzten ihre Augen feucht. »Sie ist noch ein Kind«, sagte sie leise.

»Ein nettes Mädchen, das es im Leben schwer gehabt hat.«

»Wissen Sie, Jake, diese Verhandlungen sind furchtbar. Ich habe Dutzende davon in verschiedenen Bundesstaaten erlebt. Kinder, die einen Mord begehen, sind mit Erwachsenen nicht zu vergleichen. Ihre Gehirne sind noch nicht vollständig ausgebildet. Sie sind leicht zu beeinflussen. Oft werden sie missbraucht und misshandelt und können einer ausweglosen Situation nicht entkommen. Aber sie sind genauso in der Lage abzudrücken wie ein Erwachsener, und ihre Opfer sind genauso tot. Die Hinterbliebenen sind genauso wütend. Das ist Ihr erster Fall dieser Art, richtig?«

»Ja, und ich hätte gut darauf verzichten können.«

»Ich weiß. So schlimm diese Verfahren sind, sie sind meine Aufgabe, meine Berufung, aber ich finde sie trotzdem schwer erträglich. Ich liebe Verhandlungen, Jake, und ich will den Augenblick miterleben, wenn Kiera in den Zeugenstand tritt. Mehr Drama geht nicht.«

»Heißt das …«

»Ich will dabei sein. Ich habe Anfang August eine Verhandlung in Kentucky, aber ich werde eine Vertagung beantragen. Unsere anderen Anwälte sind beschäftigt. Vielleicht, aber nur vielleicht kann ich meine Termine verschieben und Sie unterstützen.«

»Das wäre eine enorme Hilfe.« Jake musste unwillkürlich lächeln. »Was ist mit der Bezahlung?«

»Unsere Kassen sind leer, wie immer. Wir übernehmen die Kosten für meine Arbeit und Spesen und stellen den Sachverständigen, falls es zu einer Entscheidung über das Strafmaß kommt. Ich fürchte, bei dem Sachverständigen, der sich zur Frage der Schuldunfähigkeit äußert, sind Sie auf sich gestellt.«

»Fällt Ihnen jemand ein?«

»Bestimmt«, erwiderte sie. »Ich kenne viele. Weiß, schwarz, braun, männlich, weiblich, jung oder alt. Sie haben die Wahl. Ich finde den Richtigen, geben Sie mir etwas Zeit zum Überlegen.«

»Unbedingt weiß, vielleicht weiblich, meinen Sie nicht? Wenn wir wollen, dass Gnade vor Recht ergeht, sind die Frauen vielleicht unsere beste Chance. Eine, die von einem versoffenen Partner verprügelt wurde. Eine, die selbst sexuell missbraucht wurde und dieses dunkle Geheimnis mit sich herumschleppt. Eine mit einer Tochter im Teenageralter.«

»Wir haben einen dicken Ordner zu unseren besten Sachverständigen.«

»Vergessen Sie das mit dem Akzent nicht.«

»Natürlich nicht. Tatsächlich gibt es in New Orleans eine Psychiaterin, die vor drei Jahren für uns gearbeitet hat. Ich war bei der Verhandlung nicht dabei, aber unsere Anwälte waren beeindruckt. Die Geschworenen ebenfalls.«

»Wie viel würde mich diese Sachverständige kosten?«

»Zwanzigtausend, mehr oder weniger.«

»Ich habe keine zwanzigtausend.«

»Ich werde sehen, was ich tun kann.«

Jake hielt ihr die Hand hin, damit sie einschlug. »Willkommen in Ford County, auch wenn der Prozess hoffentlich woanders stattfindet.«

Sie schüttelte seine Hand. »Abgemacht.«

# 27

Die Ermittlungen für den Bezirksstaatsanwalt hatte ein früherer Polizeibeamter aus Tyler County namens Jerry Snook übernommen. An einem Montagmorgen meldete er sich im Büro der Bezirksstaatsanwaltschaft in Gretna zur Arbeit und fing an, seine Woche zu planen. Fünfzehn Minuten später bestellte Lowell Dyer ihn in sein persönliches Büro direkt nebenan.

Der Chef hatte jetzt schon schlechte Laune. »Gerade hat mich Earl Kofer angerufen«, sagte Dyer, »das macht er mindestens dreimal pro Woche. Immer die gleichen Fragen. Wann ist die Verhandlung? Ich sage, am 6. August, wie bei Ihrem letzten Anruf. Findet die Verhandlung in Ford County statt? Ich sage, das weiß ich nicht, weil Brigance den Verhandlungsort verlegen lassen will. Warum? Weil der Fall in Clanton viel zu bekannt ist und Brigance hofft, dass die Stimmung woanders weniger feindselig ist. Er will eine Jury, die unvoreingenommen ist. Das findet Earl Kofer gar nicht gut, er wird ausfallend und behauptet, das System wäre immer aufseiten der Verbrecher. Ich erkläre ihm, dass wir alles tun werden, damit der Verhandlungsort nicht verlegt wird, dass die Entscheidung aber bei Richter Noose liegt. Er lässt Schimpftiraden über Brigance und den Prozess gegen Carl Lee Hailey los und sagt, das System ist nicht fair, weil Brigance mit Unzurechnungsfähigkeit durchgekommen ist und das bestimmt wieder versuchen wird. Ich erinnere ihn daran, dass sich Richter Noose damals geweigert hat, den Verhandlungsort zu verlegen, und dass er sich in den letzten Jahren überhaupt nie auf so etwas eingelassen hat. Ich erkläre ihm, dass die Richter in Mississippi generell kaum jemals einer solchen Verlegung zustimmen. Aber er hört mir gar nicht zu und ist völlig verbittert, was ich verstehen kann. Ich soll ihm garantieren, dass der Junge verurteilt und in die Todeszelle geschickt wird, und er will wissen, wann die Hinrichtung sein wird. Er sagt, er hat gelesen, dass in Mississippi jede Menge Leute in der Todeszelle sitzen. Und dass es durchschnittlich achtzehn Jahre dauert, bis die Leute hingerichtet werden. Er sagt, so lange kann er nicht warten, seine Familie ist völlig am Ende und so weiter und so fort. Dasselbe Gespräch wie letzten Freitag.«

»Tut mir leid, das zu hören, Chef«, sagte Snook.

Dyer schob die Papiere auf seinem Schreibtisch von einer Seite auf die andere. »Ach egal, das gehört wohl zu meiner Arbeit.«

»Sie wollten mir etwas zur Mutter und Schwester des Jungen sagen.«

»Ja, vor allem zur Schwester. Wir müssen mit beiden reden, und zwar jetzt. Wir haben eine Vorstellung davon, was Josie in der Verhandlung sagen wird, aber wir werden sie nicht als Zeugin aufrufen. Dagegen muss das Mädchen aussagen. Wir müssen davon ausgehen, dass der Angeklagte keine Erklärung abgeben wird, also brauchen wir seine Schwester. Was können Sie mir mit heutigem Stand über die beiden Frauen sagen?«

»Sie wohnen immer noch im Nebengebäude der Kirche. Josie hat mindestens zwei Teilzeitstellen. Keine Ahnung, was das Mädchen macht. Sie ist noch im schulpflichtigen Alter, und jetzt sind Ferien.«

»Wir können mit ihr nur in Anwesenheit ihrer Mutter reden. Ich meine, theoretisch ginge das auch anders, aber das würde nur Ärger geben. Brigance würde alle Hebel in Bewegung setzen, um uns das Leben schwer zu machen. Sieht so aus, als würden die beiden tun, was er sagt.«

»Ich kann gerne mal vorbeischauen, wenn die Mutter weg ist.«

Dyer schüttelte den Kopf. »Dann gerät sie höchstens in Panik und ruft ihre Mutter an. Das ist zu riskant. Ich vereinbare mit Brigance einen Termin.«

»Viel Glück dabei!«

»Die Verhandlung ist in zwei Monaten. Sind Sie so weit?«

»Bis dahin auf jeden Fall.«

»Wann fahren Sie nach Ford County?«

»Morgen.«

»Dann schauen Sie bitte bei Earl Kofer vorbei. Die Familie braucht persönliche Zuwendung.«

»Nichts lieber als das.«

Jake und Carla parkten vor dem Gefängnis und gingen zum Haupteingang. Er hatte seinen Aktenkoffer dabei. Sie trug eine große Stofftasche mit Schulbüchern und Schreibblocks. Drinnen sprach Jake mit zwei Beamten, die er kannte, stellte aber seine Frau nicht vor. Die Stimmung war angespannt, die Begrüßung kurz angebunden. Er ging mit Carla durch die Tür zum Zellentrakt und blieb am Empfang stehen, wo sie von Sergeant Buford erwartet wurden.

»Ozzie hat gesagt, wir sollen um neun hier sein«, sagte Jake. »Anordnung von Richter Noose.«

Buford sah auf die Uhr, als wäre Jake nicht dazu in der Lage. »Ich muss mir das ansehen«, sagte er und deutete auf Jakes Aktenkoffer. Jake öffnete den Koffer, damit er ihn kurz inspizieren konnte. Einigermaßen zufrieden, auch wenn ihm die ganze Aktion sichtlich missfiel, richtete Buford den Blick auf Carlas Tasche. »Was ist da drin?«

Sie öffnete sie. »Schulbücher und Schreibblöcke.«

Er wühlte in der Tasche herum, ohne etwas herauszunehmen. »Kommen Sie mit«, knurrte er dann.

Obwohl Jake ihr beruhigend zugeredet hatte, war Carla sehr unbehaglich zumute. Sie war noch nie im Gefängnis gewesen und erwartete halb, Verbrecher zu sehen, die ihr durch die Gitterstangen lüsterne Blicke zuwarfen. Aber es gab gar keine vergitterten Zellen, nur einen muffigen, engen Gang mit einem abgewetzten

Teppich und Türen zu beiden Seiten. Vor einer davon blieben sie stehen, und Buford schloss mit einem der vielen Schlüssel an seinem Bund auf.

»Ozzie hat gesagt, zwei Stunden. Ich bin um elf wieder da.«

»Ich muss in einer Stunde weg«, sagte Jake.

Buford zuckte mit den Schultern, als wäre ihm das herzlich egal, und öffnete die Tür. Mit einer Kopfbewegung bedeutete er ihnen, in die Zelle zu gehen, und schloss die Tür dann wieder.

Drew saß in demselben verblichenen Overall, den er jeden Tag trug, an einem kleinen Tisch. Er stand nicht auf und grüßte auch nicht. Seine Hände waren nicht gefesselt, und er hatte sich die Zeit offenbar mit einem Kartenspiel vertrieben.

»Drew«, sagte Jake, »das ist meine Frau, Mrs. Brigance, aber du kannst Miss Carla zu ihr sagen.«

Drew lächelte, weil man Carla einfach anlächeln musste. Sie setzten sich ihm gegenüber auf Metallstühle, die an dem schmalen Tisch standen.

»Also, Drew«, begann Jake, »wie ich dir gestern erklärt habe, kommt Miss Carla zweimal pro Woche und erarbeitet mit dir einen Plan für den Lehrstoff.«

»Okay.«

»Jake hat mir gesagt, du warst zuletzt in der neunten Klasse«, begann Carla.

»Mhm.«

»Drew, ich möchte, dass du dir angewöhnst, ›Ja, Ma'am‹ und ›Nein, Ma'am‹ zu sagen. Und ›Ja, Sir‹ und ›Nein, Sir‹ wäre auch nicht zu viel verlangt. Kannst du das bitte üben?«, sagte Jake freundlich.

»Ja, Sir.«

»Prima.«

»Ich habe mit deinen Lehrern gesprochen«, begann Carla, »und sie haben gesagt, dass deine Fächer Geschichte des Bundesstaats

Mississippi, Algebra Eins, Englisch und Naturwissenschaften sind. Stimmt das?«

»Denk schon.«

»Hast du ein Lieblingsfach?«

»Nein. Die sind alle blöd. Ich hasse die Schule.«

Das hatten die Lehrer auch so gesehen. Sie waren sich darüber einig, dass Drew keinerlei Interesse am Lehrstoff hatte, sich mit seinen Noten gerade noch über Wasser hielt, kaum Freunde hatte, immer für sich blieb und generell in der Schule unglücklich zu sein schien.

Carla hatte denselben ersten Eindruck von ihm wie Jake. Es war schwer zu glauben, dass der Junge sechzehn war. Sie hätte eher auf dreizehn getippt. Er war zart, sehr dünn und hatte wirres blondes Haar, das dringend geschnitten werden musste. Er wirkte unbeholfen, schüchtern und vermied Blickkontakt. Es war kaum vorstellbar, dass er einen solch furchtbaren Mord verübt haben sollte.

»Da bist du nicht der Einzige«, sagte sie, »aber du darfst die Schule nicht einfach schmeißen. Sagen wir, das hier ist kein Unterricht. Nennen wir es Privatstunden. Ich habe für jedes Fach dreißig Minuten eingeplant und lasse dir dann ein paar Hausaufgaben da.«

»Hausaufgaben klingt aber nach Schule«, protestierte Drew, und sie lachten. Für Jake war es der erste kleine Durchbruch, das erste Mal, dass sein Mandant einen Scherz auch nur versuchte.

»Da hast du nicht unrecht. Womit willst du anfangen?«

Er zuckte mit den Schultern. »Mir egal. Sie sind die Lehrerin.«

»Wie du willst. Dann fangen wir mit Mathe an.«

Drew war offenkundig nicht begeistert. »Mein Lieblingsfach ist das auch nicht«, murmelte Jake.

Carla holte ein Heft aus ihrer Tasche und legte es auf den Tisch. Sie schlug es auf und holte eine einzige Seite heraus. »Hier sind zehn einfache Rechenaufgaben für dich.« Sie gab ihm einen Bleistift. Es handelte sich um Additionen, die jeder Fünftklässler in wenigen Minuten gelöst hätte.

Um Drew nicht unter Druck zu setzen, nahm Jake eine Akte aus seinem Koffer und war bald mit einem Vorgang beschäftigt, den er sich aus der Kanzlei mitgenommen hatte. Carla holte ein Geschichtslehrbuch aus der Tasche und blätterte darin. Drew ging an die Arbeit, die ihm nicht allzu schwerzufallen schien.

Seine Schullaufbahn war – vorsichtig ausgedrückt – nicht besonders geradlinig verlaufen. In seinem kurzen Leben hatte er bereits mindestens sieben Schulen in verschiedenen Bezirken und Bundesstaaten besucht. Er hatte unzählige Male die Schule gewechselt und war mindestens zweimal einfach nicht mehr zum Unterricht erschienen. Dreimal war er bei Pflegefamilien untergebracht gewesen, einmal in einem Waisenhaus, zweimal bei Verwandten, er hatte in einem geborgten Wohnmobil gewohnt, wegen Fahrraddiebstahls vier Monate im Jugendgefängnis gesessen und war immer wieder obdachlos gewesen, was bedeutete, dass er gar nicht zur Schule ging. Am stabilsten war die Zeit zwischen seinem elften und dreizehnten Lebensjahr gewesen, als seine Mutter im Gefängnis saß und er mit Kiera in ein baptistisches Waisenhaus in Arkansas geschickt wurde, das ihnen Struktur und Sicherheit bot. Sobald Josie auf Bewährung frei war, holte sie sich ihre Kinder zurück, und die Familie ging wieder auf ihre chaotische Reise ohne Ziel.

Mit Josies schriftlicher Zustimmung war es Portia durch unermüdliche Nachforschungen gelungen, Drews und Kieras Schulzeugnisse aufzutreiben und die traurige Geschichte ihres kurzen Lebens nachzuvollziehen.

Jake, der mit angestrengter Miene so tat, als würde er lesen, dachte darüber nach, wie weit sein Mandant in den letzten elf Wochen gekommen war. Von der Erstarrung bei ihren ersten

Begegnungen bis zu seinen ersten Worten, den beiden Wochen in Whitfield, der Resignation, mit der er sich in die Einzelhaft und das trostlose Leben in einer Zelle fügte, und dem jetzigen Zustand, in dem er in der Lage war, ein normales Gespräch zu führen und Interesse an seiner Zukunft zu zeigen. Die Antidepressiva zeigten eindeutig Wirkung. Positiv war auch, dass Mr. Zack, ein Wärter, Drew mochte und sich Zeit für ihn nahm. Er brachte dem Jungen Comichefte und Brownies mit, die seine Frau gebacken hatte, schenkte ihm ein Kartenspiel und zeigte ihm Gin Rummy, Poker und Blackjack. Wenn nicht viel los war, besuchte Mr. Zack ihn in seiner kleinen Zelle und spielte ein oder zwei Runden mit ihm. Kontakt zu anderen war für jeden lebenswichtig, und Mr. Zack fand Einzelhaft furchtbar.

Jake kam fast jeden Tag vorbei. Oft spielten sie Karten, unterhielten sich über das Wetter, Mädchen, Freunde oder Spiele, die Drew von früher kannte. Über alles außer den Mord und den Prozess.

Jake war noch nicht bereit, seinem Mandanten die wichtigste aller Fragen zu stellen: »Wusstest du, dass Kofer Kiera vergewaltigt hat?« Er war noch nicht bereit für die Antwort. Wenn sie Ja lautete, ging es um Rache, und Rache bedeutete, dass Drew die Tat geplant hatte, um Kiera zu schützen. Geplantes Handeln bedeutete Vorsatz, und das hieß Todesstrafe.

Vielleicht würde er die Frage nie stellen. Er hatte immer noch große Bedenken, Drew überhaupt aussagen zu lassen und so der Gefahr auszusetzen, dass ihn der Bezirksstaatsanwalt einem gnadenlosen Kreuzverhör unterzog.

Während Jake ihm beim Rechnen zusah, konnte er sich nicht vorstellen, den Jungen einer Jury auszuliefern. Es war eine Entscheidung, die sich ein Verteidiger bis zum letzten Augenblick vorbehalten durfte. Im Bundesstaat Mississippi musste die Verteidigung nicht vor der Verhandlung mitteilen, ob der Angeklagte aussagen würde oder nicht. Jake hatte Richter Noose und Lowell Dyer zu verstehen gegeben, dass Drew es nicht tun würde, aber das war Teil seines Plans, mit dem er die Anklage zwingen wollte, Kiera als Zeugin aufzurufen. Abgesehen von ihrem Bruder war sie die einzige Augenzeugin.

»Hier«, sagte Drew und gab Carla sein Papier. Sie lächelte und reichte ihm ein zweites Blatt. »Gut, jetzt probier mal die hier.« Es waren etwas anspruchsvollere Additionen.

Während er damit beschäftigt war, korrigierte Carla die ersten Aufgaben. Vier von zehn waren falsch. Es lag noch viel Arbeit vor ihr.

Nach einer Stunde war Buford wieder da, und Jake hatte auch nichts mehr zu besprechen. Er ließ Drew aufstehen, um ihm kräftig die Hand zu drücken und sich zu verabschieden. Carla bereitete gerade eine kurze Lektion zu den Ureinwohnern vor, die einst in ihrem Bundesstaat gelebt hatten.

Jake ging die dreihundert Meter zum Clanton Square zu Fuß, wo er einen Termin hatte, den er sich gern erspart hätte. Er betrat die Security Bank und wartete fünf Minuten in der Eingangshalle, bis ihn Stan Atcavage in sein großzügiges Büro winkte. Sie begrüßten sich wie gute Freunde, was sie auch waren, aber beiden graute vor dem Gespräch.

»Kommen wir zum Thema, Stan«, sagte Jake schließlich.

»Also gut, Jake, wie schon gesagt, sind wir nicht mehr dieselbe Bank wie vor zwei Jahren. Damals gehörte die Bank einem Ortsansässigen, und Ed ließ mir freie Hand. Ich konnte praktisch tun, was ich wollte. Aber wie du weißt, hat Ed die Bank verkauft und sich ins Privatleben zurückgezogen, und seit die Leute in Jackson das Sagen haben, weht ein anderer Wind.«

»Das habe ich alles schon von dir gehört.«

»Dann hörst du es eben noch mal. Wir sind seit vielen Jahren befreundet, und ich würde alles in meiner Macht Stehende tun, um dir zu helfen. Aber es liegt nicht mehr in meiner Hand.«

»Wie viel wollen sie?«

»Ihnen gefällt das mit dem Kredit grundsätzlich nicht, Jake. Geld für die Prozessführung. Sie fanden das von Anfang an zu riskant und hatten Bedenken. Ich habe sie davon überzeugt, dass du weißt, was du tust, und dass *Smallwood* eine Goldgrube ist. Jetzt, wo der Prozess auf der Kippe steht, fühlen sie sich bestätigt. Sie wollen die Hälfte von den siebzigtausend, und zwar schnell.«

»Damit wären wir wieder bei meinem Antrag auf Umschuldung. Wenn die Bank mir eine neue Hypothek auf mein Haus gibt und die Darlehenssumme erhöht, habe ich mehr flüssige Mittel, mit denen ich arbeiten kann. Dann kann ich einen Teil des Prozesskredits zurückzahlen und weiterarbeiten.«

»Dein Geschäftsmodell gefällt ihnen nicht. Sie haben sich deine Finanzdaten angesehen und sind nicht überzeugt.«

Der Gedanke, dass ein paar aufgeblasene Banker seine finanzielle Lage unter die Lupe nahmen und die Nase über sein Einkommen rümpften, trieb ihn zur Weißglut. Er hasste Banken und schwor sich wieder einmal, nie wieder etwas mit ihnen zu tun zu haben. Aber im Augenblick schien das unmöglich.

»Letztes Jahr hattest du Bruttoeinnahmen von neunzigtausend und hast fünfzigtausend netto vor Steuern verdient«, fuhr Stan fort.

»Das weiß ich selbst. Glaub mir. Aber im Jahr davor hatte ich einen Bruttoumsatz von einhundertvierzigtausend. Du weißt, wie hart umkämpft die Mandanten hier in der Kleinstadt sind. Von den Sullivans einmal abgesehen, geht es bei allen Anwälten rund um den Clanton Square auf und ab.«

»Stimmt, aber im Jahr davor hattest du Sondereinnahmen aus dem Rechtsstreit um das Hubbard-Erbe.«

»Ich will mich wirklich nicht mit dir streiten, Stan. Ich habe das Haus vor zwei Jahren für zweihundertfünfzig von Willie Traynor gekauft, das ist für Clanton viel Geld, aber es ist auch ein tolles Haus.«

»Und ich habe das Darlehen durchgewunken. Aber die Leute in Jackson sind bei deiner Bewertung skeptisch.«

»Wir wissen doch beide, dass die Schätzung ziemlich hoch gegriffen ist. Aber diese Typen in Jackson wohnen bestimmt in Häusern, die viel mehr als dreihunderttausend kosten.«

»Das spielt überhaupt keine Rolle, Jake. Sie geben dir keine neue Hypothek. Es tut mir leid. Wenn ich entscheiden könnte, wäre deine Unterschrift Sicherheit genug.«

»Nicht übertreiben, Stan. Du bist immerhin Banker.«

»Ich bin dein Freund, Jake, und es tut mir leid, dass ich keine besseren Neuigkeiten habe.« Einen Augenblick lang sahen beide sich an.

»Okay, ich frage herum«, sagte Jake schließlich. »Wann wollen sie ihr Geld?«

»In zwei Wochen.«

Jake schüttelte ungläubig den Kopf. »Dann werden wohl meine mageren Ersparnisse dran glauben müssen.«

»Es tut mir leid, Jake.«

»Ich weiß, Stan, du kannst nichts dafür. Mach dir keine Gedanken deswegen. Ich komme schon zurecht. Irgendwie.«

Sie schüttelten sich die Hände, und Jake konnte es kaum erwarten, aus der Bank zu kommen.


Er nahm die Seitenstraßen, um niemandem über den Weg zu laufen, und hatte wenige Minuten später seine Kanzlei erreicht. Dort erwartete ihn eine weitere unangenehme Überraschung.

Josie saß bei Portia am Empfang. Sie tranken Kaffee und schienen sich nett zu unterhalten. Josie hatte keinen Termin, und Jake war überhaupt nicht in der Stimmung, ihr wieder einmal Mut zuzusprechen, aber er konnte sie schlecht wegschicken. Sie ging mit nach oben in sein Büro und setzte sich ihm gegenüber an seinen überquellenden Schreibtisch. Sie sprachen kurz über Drew, und Jake berichtete, Carla sei im Gefängnis und gebe ihm seinen ersten Nachhilfeunterricht. Er übertrieb ein wenig und behauptete, Drew scheine die Zuwendung zu genießen. Dann kam das Gespräch auf Kiera, die Josie zufolge einsam, gelangweilt und verängstigt war. Mrs. Golden von der Kirche besuche sie dreimal pro Woche und erteile ihr Unterricht. Sie gebe ihr ziemlich viele Hausaufgaben, um Kiera einigermaßen zu beschäftigen. Charles und Meg McGarry kämen jeden zweiten Tag vorbei, um nach ihr zu sehen. Josie ging nicht mehr in den Gottesdienst, weil Kiera nicht mitkonnte. Die Schwangerschaft sei ihr nun doch anzusehen und dürfe natürlich nicht bekannt werden.

Josie holte mehrere Briefe aus ihrer Handtasche und reichte sie ihm. »Zwei von den Krankenhäusern, hier und in Tupelo, und eine vom Arzt dort. Insgesamt sechzehntausend Dollar und ein bisschen was, und der Ton ist ziemlich unfreundlich. Was soll ich tun, Jake?«

Jake überflog eilig die Zahlen und war wieder einmal entsetzt, wie teuer die medizinische Versorgung war.

»Ich habe mittlerweile drei Teilzeitjobs, alle zum Mindestlohn, und wir kommen mit Müh und Not über die Runden, aber ich kann diese Rechnungen nicht bezahlen. Außerdem braucht mein Auto ein neues Getriebe. Wenn es ausfällt, ist es vorbei, so einfach ist das.«

»Sie könnten sich für zahlungsunfähig erklären.« Jake machte um Insolvenzverfahren immer einen großen Bogen, genau wie um Scheidungen, aber manchmal geriet ein Mandant in eine Notlage, und dann ging es nicht anders.

»Aber ich brauche meinen Arzt noch, Jake. Da kann ich nicht einfach sagen, ich bin pleite. Außerdem habe ich mich schon vor zwei Jahren in Louisiana für zahlungsunfähig erklärt, zum zweiten Mal. Das geht doch nicht beliebig oft, oder?«

»Ich fürchte, das stimmt.« Durch ihre finanziellen Probleme, Vorstrafen und Scheidungen wusste Josie wahrscheinlich mehr über die gesetzlichen Vorschriften als die meisten Anwälte. Er bewunderte sie für ihren Mut und ihre Entschlossenheit, ihre Kinder zu schützen, aber es fiel ihm schwer, Verständnis für ihre Fehler aufzubringen.

»Das kommt also nicht mehr infrage. Was schlagen Sie vor?«

Am liebsten hätte er ihr gesagt, sie solle sich einen anderen Anwalt suchen. Er hatte schon mit ihrem Sohn alle Hände voll zu tun und würde deswegen vermutlich selbst in der Insolvenz landen. Er hatte sich nie verpflichtet, sie zu vertreten. Ganz im Gegenteil, Drews Verteidigung hatte er nur unter Druck übernommen. Aber nun war er der Anwalt der Familie und saß in der Falle.

Harry Rex hätte sie verscheucht, aus seinem Büro geworfen und kein Mitgefühl gezeigt. Lucien hätte sie als Mandantin angenommen und dann an einen unterbezahlten Mitarbeiter abgeschoben, während er eine großspurige Verteidigung ihres Sohnes vorbereitete. Diesen Luxus konnte sich Jake nicht leisten. Außerdem sagte er nur selten Nein, wenn es um mittellose Mandanten in Not ging. Manchmal hatte er das Gefühl, dass er die halbe Zeit pro bono arbeitete, entweder weil das von vornherein so vereinbart war oder weil sich Monate später herausstellte, dass er sein Honorar abschreiben musste.

Besonders kompliziert war die Sache deswegen, weil die Zeit lief. Kiera bekam in drei Monaten ihr Baby. Die Gespräche mit Carla waren ihm noch sehr gut in Erinnerung.

»Okay, ich rufe im Krankenhaus und bei den Ärzten an, vielleicht lassen sie mit sich reden.«

Sie wischte sich über die Augen. »Ist Ihr Gehalt schon mal gepfändet worden?«

Welches Gehalt? »Nein, das ist mir noch nie passiert.«

»Es ist furchtbar. Man schuftet und erledigt für andere die

Drecksarbeit, und wenn man endlich sein Geld bekommen sollte, findet man einen gelben Zettel in dem Umschlag mit der Lohnabrechnung. Eine Bank oder ein Kredithai oder ein schmieriger Gebrauchtwagenhändler hat sich die Hälfte vom Lohn geschnappt. Es ist furchtbar. So ist mein Leben, Jake. Ein einziger Kampf. Ich versuche, die Brötchen zu verdienen, und habe ständig irgendwen am Hals. Leute, die mir böse Briefe schreiben. Mir Inkassobüros auf den Hals hetzen. Die mich bedrohen, irgendwer droht mir ständig. Ich habe kein Problem mit harter Arbeit, aber ich muss mich irgendwie über Wasser halten und überleben. An mehr ist sowieso nicht zu denken.«

Natürlich hatte sie ihre Probleme mitverschuldet, hatte sich selbst in diese schlimme Situation gebracht, aber das war leicht gesagt, denn hatte sie je eine Chance gehabt? Sie war zweiunddreißig und hatte es von Anfang an schwer gehabt. Unter den richtigen Umständen wirkte sie bestimmt attraktiv, was ihr mit Sicherheit Schwierigkeiten mit den falschen Männern eingebracht hatte. Vielleicht hatte sie auch immer die falschen Entscheidungen getroffen.

»Ich telefoniere herum und verschaffe Ihnen einen Aufschub«, sagte er, weil ihm nichts anderes einfiel und er dringend arbeiten musste, zur Abwechslung hoffentlich mal gegen Bezahlung.

»Ich brauche achthundert Dollar für ein neues Getriebe, Jake«, platzte sie heraus. »Ein gebrauchtes. Können Sie mir was leihen?«

In der Praxis eines Kleinstadtanwalts waren solche Ansinnen gar nicht so selten. Jake hatte auf die harte Art gelernt, dass man mittellosen Mandanten kein Geld lieh. *Es tut mir leid, aber das verstößt gegen die Standesregeln,* war die übliche Antwort, die meistens funktionierte.

*Warum?*

Warum? Weil ich das Geld vermutlich nie wiedersehe. Warum? Weil der Ethikausschuss der Rechtsanwaltskammer des Bundesstaats vor Jahrzehnten erkannt hat, dass seine Mitglieder, von denen die meisten in Kleinstädten praktizieren, vor solchen Ansinnen geschützt werden müssen.

Im Augenblick hatte er rund viertausend Dollar auf dem Geschäftskonto, Geld, das er in den kommenden Monaten dringend brauchen würde, um die Kanzlei am Laufen zu halten. Aber im Grunde war es auch schon egal. Sie brauchte das Geld viel dringender als er, und wenn ihr Auto den Geist aufgab, hatte er noch mehr Probleme am Hals, auf die er gut verzichten konnte. Er konnte länger arbeiten, mehr Mandanten akquirieren, Noose um Pflichtverteidigungen bitten, bei denen er auf eine Absprache hinarbeiten konnte. Er war stolz darauf, ein Anwalt für die kleinen Leute zu sein, nicht so ein gesichtsloser Anzugtyp in einer Großkanzlei, und wenn es hart auf hart ging, war es ihm bisher immer gelungen, noch mehr Mandate an Land zu ziehen.

Er nickte lächelnd. »Das bekomme ich hin. Sie müssen mir aber einen Schuldschein mit Fälligkeit in einem Jahr unterschreiben. Reine Formsache, wegen der Standesregeln.«

Sie weinte eine Weile, während Jake so tat, als würde er sich Notizen machen. »Es tut mir leid, Jake«, sagte sie, als die Tränen schließlich versiegt waren. »So leid.«

Er wartete, bis sie sich halbwegs gefasst hatte. »Josie, ich habe eine Idee«, sagte er dann. »Sie wollen aus der Kirche weg. Pastor McGarry und seine Gemeinde haben Sie und Kiera wunderbar unterstützt, aber dort können Sie nicht bleiben. Es wird schnell auffallen, dass Kiera schwanger ist, und dann wird die Gerüchteküche brodeln. Sie können die Rechnungen nicht bezahlen, und es ist unrealistisch zu glauben, dass Krankenhäuser und Ärzte auf ihr Geld verzichten.«

»Ich kann nicht weg, nicht solange Drew im Gefängnis sitzt und vor Gericht gestellt werden soll.«

»Drew können Sie im Augenblick nicht helfen. Tauchen Sie ab, und halten Sie sich bis zur Verhandlung irgendwo versteckt, wo Sie im Notfall in Reichweite sind.«

»Wo?«

»In Oxford. Das ist nur eine Stunde weit weg. Es ist eine Universitätsstadt mit vielen billigen Studentenwohnungen. Wir suchen Ihnen eine, die möbliert ist. Jetzt im Sommer sind die Studenten nicht da. Ich bin mit ein paar Rechtsanwälten in Oxford befreundet, die können Ihnen bestimmt ein oder zwei Jobs besorgen. Vergessen Sie die Rechnungen. Die Inkassobüros werden Sie nicht finden.«

»Das ist die Geschichte meines Lebens, Jake. Immer auf der Flucht.«

»Es gibt keinen Grund, warum Sie hierbleiben sollten, ohne Familie, ohne echte Freunde.«

»Was ist mit Kieras Arzt?«

»In Oxford gibt es ein regionales Krankenhaus mit vielen guten Ärzten. Wir kümmern uns darum, dass sie versorgt ist. Das hat oberste Priorität.«

Die Tränen waren versiegt, ihre Augen klar. »Für den Neustart müssten Sie mir noch was leihen.«

»Es gibt einen weiteren Grund, Josie. Sie wird das Baby irgendwann im September, nach der Verhandlung, bekommen, wenn jeder in Clanton von der Schwangerschaft weiß. Wenn sie in Oxford entbindet, wird das hier kaum jemand erfahren. Das gilt auch für die Kofers. Sie werden entsetzt sein, wenn sie erfahren, dass sie einen Enkel haben, und vermutlich nichts mit dem Kind zu tun haben wollen. Wie ich aus Erfahrung weiß, lässt sich aber nie vorhersagen, wie Menschen reagieren. Es besteht die Möglichkeit, dass sie Kontakt zu dem Kind haben wollen. Das darf nicht passieren.«

»Es wird auch nicht passieren.«

»Wir wickeln die Adoption in Oxford ab, das ist ein anderer

Gerichtsbezirk. Kiera wird auf eine andere Schule gehen, und ihre neuen Freunde werden nichts von ihrer Schwangerschaft erfahren. Die Stadt zu verlassen ist das Beste für Kiera und für Sie.«

»Ich weiß nicht, was ich tun soll, Jake.«

»Sie haben doch immer alles geschafft, Josie. Gehen Sie weg. Für Sie und Ihre Tochter gibt es in diesem County keine Zukunft. Vertrauen Sie mir.«

Sie biss sich auf die Lippe und kämpfte wieder mit den Tränen. »Einverstanden«, sagte sie leise.

Richter Reuben Atlees stattliches Anwesen war nur zwei Blocks von Jakes Haus im Zentrum von Clanton entfernt. Es war so alt, dass es sogar einen Namen hatte, Maple Run, und der Richter wohnte seit Jahrzehnten dort. Am späten Nachmittag parkte Jake hinter einem großen Buick und klopfte an die Insektenschutztür. Atlee war für seine Knauserigkeit bekannt und weigerte sich, eine Klimaanlage einbauen zu lassen.

Eine Stimme rief ihn ins Haus, und Jake trat in die schwüle, stickige Luft der Eingangshalle. Richter Atlee erschien mit zwei Gläsern, die mit einer braunen Flüssigkeit gefüllt waren, Whiskey Sour, den er sich gern zum Feierabend gönnte. Ein Glas gab er Jake. »Setzen wir uns auf die Veranda.« Sie gingen nach draußen, wo die Luft deutlich angenehmer war, und ließen sich auf den Schaukelstühlen nieder.

Richter Atlee herrschte seit vielen Jahren am Chancery Court und zog im County hinter den Kulissen häufig die Fäden. Er war für Familiensachen wie Scheidungen und Adoptionen zuständig, außerdem für Erb- und Grundstücksstreitigkeiten, alles, was mit dem Bebauungsplan zu tun hatte, und eine ganze Reihe von Rechtssachen, in denen es so gut wie nie zu einer Verhandlung vor einem Geschworenengericht kam. Er war weise, fair, streng und hatte nichts für zwielichtige oder faule Anwälte übrig.

»Ich sehe, Sie haben den Gamble-Fall am Hals«, begann er.

»Ja, leider.« Jake nippte an dem Whiskey, nicht gerade sein Lieblingsgetränk, und überlegte, wie er das Carla erklären sollte. Eigentlich ganz einfach. Wenn Richter Atlee einen zu einem Drink auf seine Veranda einlud, konnte man das als Anwalt nicht ablehnen.

»Noose hat mich um Rat gebeten. Ich habe gesagt, Sie sind der einzige Anwalt im gesamten County, der dieser Sache gewachsen ist.«

»Darauf hätte ich gut verzichten können.«

»So ist das als Anwalt, Jake. Man kann sich seine Mandanten nicht immer aussuchen.«

Warum eigentlich nicht? Warum konnten er und die anderen Anwälte Mandanten nicht einfach ablehnen? »Auf jeden Fall komme ich da nicht mehr raus.«

»Ich nehme an, Sie werden auf Schuldunfähigkeit plädieren.«

»Wahrscheinlich, obwohl er genau wusste, was er tat.«

»Eine traurige Sache. Es ist eine Tragödie. Zwei Leben sind zerstört, das des Polizeibeamten und das des Jungen.«

»Ich glaube nicht, dass der Junge mit viel Mitgefühl rechnen kann.«

Atlee trank einen Schluck und blickte auf die Dächer weiter unten am Hang. In der Ferne war das Dach von Hocutt House zu sehen. »Was ist eine gerechte Strafe, Jake? Ich halte nichts davon, für Kinder die Todesstrafe zu fordern, aber der Deputy ist tot, ganz gleich, wer abgedrückt hat. Der Mörder hat eine harte Strafe verdient.«

»Das ist die große Frage. Aber im Grunde ist es egal. Die Stadt will ein Todesurteil und die Gaskammer. Meine Aufgabe ist es, das zu verhindern.«

Atlee nickte und trank noch einen Schluck. »Sie haben gesagt, ich soll Ihnen einen Gefallen tun.«

»Das stimmt. Ich finde es nicht fair, wenn der Junge hier vor Gericht gestellt wird. Es wird unmöglich sein, eine unvoreingenommene Jury zu finden. Meinen Sie nicht?«

»Mit Geschworenen habe ich nichts zu tun, Jake. Das wissen Sie doch.«

Jake wusste auch, dass bis auf eine Handvoll Eingeweihte niemand mit der Sache so vertraut war wie Richter Atlee. »Aber niemand kennt Ford County so gut wie Sie, Richter Atlee. Ich will eine Verlegung des Verhandlungsorts beantragen, und dafür brauche ich Ihre Hilfe.«

»Inwiefern?«

»Sprechen Sie mit Noose. Sie beide stehen in Verbindung, auch wenn das kaum jemand weiß. Sie haben ja gerade gesagt, dass er Sie wegen der Bestellung eines Verteidigers konsultiert hat. Bringen Sie ihn dazu, dass er den Verhandlungsort verlegt.«

»Wohin?«

»Egal wohin, Hauptsache nicht hier. Er wird die Zuständigkeit nicht abgeben wollen, weil es sein Fall ist und ziemliches Aufsehen erregt hat. Das will er sich nicht entgehen lassen. Außerdem hat er nächstes Jahr vielleicht einen Gegenkandidaten, da will er gut dastehen.«

»Buckley?«

»Das sagt zumindest die Gerüchteküche. Buckley hat so etwas angedeutet.«

»Buckley ist ein Idiot und bei der letzten Wahl sang- und klanglos untergegangen.«

»Stimmt, aber kein amtierender Richter will einen Wahlkampf führen müssen.«

»Ist mir nie passiert«, sagte Atlee etwas zu selbstzufrieden. Kein Jurist bei klarem Verstand hätte Reuben Atlee herausgefordert.

»In dem Verfahren gegen Carl Lee Hailey hat sich Noose geweigert, den Verhandlungsort zu verlegen, weil die Sache solche

Wellen geschlagen hatte, dass jeder im Bundesstaat Mississippi die Einzelheiten kannte«, gab Jake zu bedenken. »Wahrscheinlich hatte er sogar recht. Diesmal ist es anders. Ein toter Cop macht zwar Schlagzeilen. Eine Tragödie, aber es passiert einfach. Die Presse bekommt schnell genug davon. Ich wette, in Milburn County spricht kein Mensch davon.«

»Da war ich letzte Woche. Der Fall wurde mit keinem Wort erwähnt.«

»Hier ist es anders. Die Kofers haben viele Freunde. Ozzie und seine Leute kochen vor Wut. Da werden sich die Gemüter nicht so schnell beruhigen.«

Der Richter nickte. Er trank noch einen Schluck. »Ich spreche mit Noose.«


# 28


Nachdem Harry Rex eine erneute Schimpftirade losgelassen hatte, überredete Stan seinen Vorgesetzten in Jackson, die Zahlung auf fünfundzwanzigtausend Dollar zu reduzieren. Jake plünderte seine Sparkonten und stellte einen Scheck über die Hälfte davon aus. Harry Rex trieb irgendwo Geld auf und stellte ebenfalls einen Scheck aus, begleitet von einer handschriftlichen Notiz an Stan, mit der er ihm für alle Zeiten die Freundschaft kündigte. Es fehlte nicht viel, und er hätte gedroht, ihm bei ihrer nächsten Begegnung am Clanton Square eine zu verpassen.

Harry Rex war wieder zuversichtlich, dass sie im *Smallwood*-Verfahren etwas herausholen konnten, und sei es ein symbolischer Vergleich, damit sich die Eisenbahngesellschaft die Kosten für die Verteidigung eines großen Prozesses sparte. Wann die Verhandlung stattfinden mochte, wusste niemand. Sean Gilder und die Leute von der Eisenbahn taten, was sie am besten konnten, und spielten auf Zeit, weil sie angeblich immer noch nicht den richtigen Sachverständigen gefunden hatten. Noose hatte sie über ein Jahr lang massiv unter Druck gesetzt, aber nach Jakes Debakel bei der Offenlegung der Beweismittel hatte er das Interesse an einer Beschleunigung des Verfahrens verloren. Gilders Partner, Doby Pittman, hatte angedeutet, dass sich die Eisenbahngesellschaft möglicherweise auf einen Vergleich einlassen würde, um sich die Sache vom Hals zu schaffen. »So um die hunderttausend«, hatte er nach ein paar Drinks in Jackson gemutmaßt.

Für den unwahrscheinlichen Fall, dass die Eisenbahngesellschaft und ihre Versicherung tatsächlich zahlten, wurden zuerst die Prozesskosten – bisher zweiundsiebzigtausend Dollar – erstattet. Was dann noch übrig war, würde zu zwei Dritteln an Grace Smallwood gehen, ein Drittel würde für Jake und Harry Rex übrig bleiben. Das bedeutete ein armseliges Honorar, aber zumindest wäre der unglückselige Prozesskredit zurückgezahlt.

Leider hatte Doby Pittman nicht das Sagen, und es wäre nicht das erste Mal gewesen, dass er sich getäuscht hatte. Nichts deutete darauf hin, dass Sean Gilder einknicken würde, ganz im Gegenteil, er schien sich sicher zu sein, dass er aus der Verhandlung als strahlender Sieger hervorgehen würde.

Am 8. Juni, einem Freitag, nahmen Lowell Dyer und Jerry Snook zusammen mit Ozzie und dessen Ermittler Kirk Rady im großen Konferenzraum von Jakes Kanzlei Platz. Ihnen gegenüber saß Jake mit Josie auf der einen und Kiera auf der anderen Seite.

Zu der Besprechung trug das Mädchen eine weite Jeans und ein Schlabber-Sweatshirt. Obwohl es über dreißig Grad warm war, schien keinem aufzufallen, dass das Sweatshirt nicht recht zur Temperatur passte. Vermutlich wussten alle Anwesenden, dass die

Familie auf Kleiderspenden angewiesen war. Kieras kleiner Baby-bauch war gut kaschiert.

Nach ein paar verlegenen Höflichkeitsfloskeln erklärte Dyer Kiera, dass sie als Zeugin des Verbrechens von der Staatsanwalt-schaft aufgerufen werden konnte, um auszusagen. »Hast du das verstanden?«, fragte er freundlich.

Sie nickte und sagte leise: »Ja.«

»Hat Mr. Brigance dir erklärt, was vor Gericht passieren wird?«

»Ja, wir haben darüber gesprochen.«

»Hat er dir gesagt, was du aussagen sollst?«

Sie zuckte unsicher mit den Schultern. »Glaub schon.«

»Und was sollst du aussagen?«

Jake reichte es. »Fragen Sie doch einfach, was passiert ist.«

»In Ordnung, Kiera, was ist in der Nacht damals passiert?«

Sie vermied jeden Blickkontakt und starrte angestrengt auf einen Schreibblock, der mitten auf dem Tisch lag, während sie ihre Geschichte erzählte: wie sie morgens um zwei noch wach war und darauf wartete, dass Stuart Kofer nach Hause kam, wie sie sich mit Drew in ihrem Zimmer versteckte, während ihre Mutter unten wartete, wie sie vor lauter Angst nicht schlafen konnte, bei abge-schlossener Zimmertür im Dunkeln mit ihrem Bruder auf dem Bett hockte, wie sie die Scheinwerfer sah, hörte, wie die Küchen-tür geöffnet und wieder zugeschlagen wurde, wie Kofer und ihre Mutter stritten, immer lauter wurden, wie er sie eine Hure und Lügnerin nannte, wie ihre Mutter wieder einmal verprügelt wurde und wie dann Stille eintrat, einige wenige Minuten, in denen sie warteten, Kofers schwere Schritte auf der Treppe, wie er ihren Na-men rief, als er immer näher kam, an der Tür rüttelte, gegen die Tür hämmerte, während sie weinten und vor Angst kaum atmen konn-ten, beteten, dass Hilfe kam, die kurze Stille, als er beschloss, sie in Ruhe zu lassen, seine Schritte, als er wieder nach unten ging, das entsetzliche Wissen, dass ihre Mutter verletzt sein musste, weil sie sich sonst schützend vor sie gestellt hätte, die lange furchtbare Stille, während sie warteten.

Ihre Stimme brach, und sie wischte sich die Wangen mit einem Papiertaschentuch ab.

»Ich weiß, dass das schwer für dich ist«, sagte Dyer, »aber bitte versuch, uns die ganze Geschichte zu erzählen. Das ist sehr wichtig.«

Sie nickte und biss entschlossen die Zähne zusammen. Als sie Jake ansah, nickte er. Erzähl alles.

Drew habe sich nach unten geschlichen und ihre Mutter bewusstlos vorgefunden. Daraufhin sei er wieder nach oben gelaufen und habe unter Tränen gesagt, sie sei tot. Sie seien beide in die Küche gegangen, wo Kiera ihre Mutter angefleht habe aufzuwachen, dann habe sie sich auf den Boden gesetzt und den Kopf ihrer Mutter in den Schoß genommen. Einer von ihnen, sie wisse nicht mehr wer, habe gesagt, sie müssten den Notruf wählen. Drew habe angerufen, während Kiera ihre Mutter gehalten habe, die nicht mehr geatmet habe. Sie seien ganz sicher gewesen, dass ihre Mutter tot war. Sie habe ihren Kopf gehalten, ihr über das Haar gestrichen und im Flüsterton auf sie eingeredet. Drew sei herumgelaufen, aber sie sei nicht sicher, was er getan habe. Er habe gesagt, Kofer liege völlig weggetreten auf seinem Bett. Dann habe Drew die Schlafzimmertür geschlossen, und Kiera habe den Schuss gehört.

Sie fing an zu schluchzen, und die Erwachsenen im Raum vermieden es angelegentlich, einander anzusehen. Nach ein oder zwei Minuten trocknete sie sich erneut die Wangen und sah Dyer an.

»Was hat Drew nach dem Schuss gesagt?«

»Er hat gesagt, er hat Stu erschossen.«

»Du hast also nicht selbst gesehen, wie er Stu erschossen hat?«

»Nein.«

»Hat Drew nach dem Schuss sonst noch etwas gesagt?«

Sie überlegte kurz. »Ich kann mich nicht erinnern, was er noch gesagt hat«, erwiderte sie schließlich.

»Okay, und was ist dann passiert?«

Eine weitere Pause. »Ich weiß nicht. Ich habe nur meine Mutter gehalten und konnte es nicht fassen, dass sie tot war.«

»Erinnerst du dich, wie ein Polizist gekommen ist?«

»Ja.«

»Und wo warst du, als du den Beamten gesehen hast?«

»Ich habe immer noch auf dem Boden gesessen und meine Mutter gehalten.«

»Weißt du noch, dass dich der Deputy gefragt hat, was passiert ist?«

»Ich glaube schon. Ja.«

»Und was hast du gesagt?«

»»Drew hat Stuart erschossen‹ oder so.«

Dyer setzte ein scheinheiliges Grinsen auf. »Danke, Kiera. Ich weiß, das ist nicht leicht. Hat deine Mutter geatmet, als du ihren Kopf gehalten hast?«

»Nein, ich glaube nicht. Ich habe ihren Kopf richtig lange gehalten, und ich war mir ganz sicher, dass sie tot war.«

»Hast du versucht, ihren Puls zu fühlen?«

»Ich glaube nicht. Habe ich mich nicht getraut. Wenn so was passiert, kann man gar nicht klar denken.«

»Das kann ich verstehen.« Dyer blickte auf seine Notizen und sprach erst nach einer kurzen Pause weiter. »Wenn ich mich nicht irre, hast du ›wieder einmal‹ gesagt, als du den Streit zwischen Kofer und deiner Mutter im Erdgeschoss beschrieben hast. Stimmt das?«

»Ja, das stimmt.«

»Das ist also schon mal vorgekommen?«

»Ja, oft.«

»Hast du diese Streitereien selbst gesehen?«

»Ja, aber das waren keine Streitereien. Meine Mutter hat nur versucht, nicht so viel abzubekommen, wenn er sie verprügelt hat.«

»Und das hast du gesehen?«

»Einmal, ja. Er ist spät nach Hause gekommen und war betrunken, wie üblich.«

»Hat er dich oder Drew je geschlagen?«

Jake unterbrach. »Das wird sie nicht beantworten.«

»Warum nicht?«, wollte Dyer wissen.

»Weil Sie ihr bei der Vernehmung in der Verhandlung diese Frage nicht stellen werden. Dann wird sie nämlich *Ihre* Zeugin sein.«

»Ich habe das Recht zu erfahren, welche Aussage sie machen wird.«

»In der Verhandlung, wenn sie als Ihre Zeugin aussagt. Sie haben kein Recht darauf zu erfahren, was sie im Kreuzverhör sagen könnte.«

Dyer ignorierte Jake, sah Kiera an und wiederholte seine Frage. »Hat Stuart Kofer dich oder Drew je geschlagen?«

»Darauf antwortest du nicht«, sagte Jake.

»Sie sind nicht ihr Anwalt, Jake.«

»Aber sie wird im Kreuzverhör meine Zeugin sein. Sagen wir, ihre Aussage im Kreuzverhör wird die Anklage nicht stützen.«

»Da täuschen Sie sich, Jake.«

»Dann besprechen wir das am besten mit Richter Noose.«

»So geht das nicht.«

»Das werden wir ja sehen, aber sie beantwortet diese Frage nicht, es sei denn auf richterliche Anordnung. Sie haben bekommen, was Sie wollten, lassen Sie die Sache auf sich beruhen.«

»Das werde ich nicht tun. Ich werde beantragen, die Beantwortung dieser Frage zu erzwingen.«

»Von mir aus. Und über diesen Antrag wird der Richter entscheiden.«

Dyer setzte aufreizend langsam die Kappe auf seinen Stift und sammelte seine Notizen ein. Ende der Besprechung. »Danke, dass du dir die Zeit genommen hast, Kiera«, sagte er.

Jake, Kiera und Josie blieben sitzen, während die anderen im Gänsemarsch den Raum verließen. Als sich die Tür hinter ihnen geschlossen hatte, klopfte Jake Kiera anerkennend auf den Arm. »Gut gemacht.«

Für eine Vierzehnjährige war es eine hervorragende Leistung.

Obwohl er pleite war, wollte Jake nicht auf ein Barbecue mit Freunden verzichten. Am späten Freitagnachmittag zündete er den Grill auf der Terrasse an, marinierte Hähnchenbrust und -schenkel und röstete Hotdog-Würstchen und Maiskolben, während Carla eine große Karaffe mit Limonade machte.

Der Hailey-Clan traf zuerst ein: Carl Lee und Gwen mit ihren vier Kindern, Tonya, die mittlerweile siebzehn war, aber so tat, als wäre sie zwanzig, und die drei Jungen, Carl Lee junior, Jarvis und Robert. Sie waren immer etwas unsicher, wenn sie in dieser schicken weißen Wohngegend eingeladen waren, so etwas war in Clanton nicht üblich. Jake war nie auf einer Grillparty oder gar einer Hochzeit gewesen, zu der Schwarze eingeladen waren. Seit dem Prozess gegen Carl Lee vor fünf Jahren hatten er und Carla beschlossen, das zu ändern. Sie hatten die Haileys und Ozzie mit Familie viele Male auf ihrer Terrasse bewirtet. Und sie waren bei den Haileys gewesen, wenn die ganze Großfamilie zu Besuch kam und bekocht wurde, als einzige Weiße. Für die Schwarzen in Ford County konnte Jake Brigance nichts falsch machen. Er war ihr Anwalt. Das Problem war, dass sie sich die Honorare kaum leisten konnten und die meisten ihrer rechtlichen Probleme in die Kategorie »pro bono« fielen. Jakes Spezialität.

Ozzie war eingeladen gewesen, blieb aber unter einem Vorwand fern.

Josie und Kiera kamen zusammen mit Charles und Meg McGarry. Meg war im neunten Monat, und das Kind konnte jederzeit kommen. Kiera trug trotz der Hitze das bekannte Schlabber-Sweatshirt.

Harry Rex war immer eingeladen, zusammen mit seiner aktuellen Ehefrau, erschien aber selten, weil es kein Bier gab. Lucien tauchte gelegentlich auf und hatte einmal sogar Sallie mitgebracht, das einzige Mal, dass die beiden in der Öffentlichkeit gemeinsam gesehen wurden. Aber es ging ihm wie Harry Rex: Ein Barbecue ohne Alkohol machte keinen Spaß. Außerdem war er stolz darauf, als eingefleischter Einzelgänger zu gelten.

Stan Atcavage war früher immer gekommen, doch das war vorbei. Seine Frau, Tilda, hielt nichts davon, mit der Unterschicht zu fraternisieren.

Während die Kinder Badminton spielten und die Frauen auf der Terrasse über Megs bevorstehende Entbindung redeten, tranken Jake und Carl Lee auf Liegestühlen im Schatten Limonade und tauschten sich über den neuesten Klatsch und Tratsch aus. Lester war immer ein Thema. Er war Carl Lees jüngerer Bruder und lebte in Chicago, wo er als gewerkschaftlich organisierter Stahlarbeiter hervorragend verdiente. Seine wilden Frauengeschichten sorgten stets für Unterhaltung.

Als alle anderen beschäftigt waren, wurde Carl Lee ernst. »Sieht aus, als hättest du dir wieder Ärger eingehandelt.«

»Das kannst du laut sagen«, stimmte Jake mit einem Lächeln zu.

»Wann ist die Verhandlung?«

»Im August, in zwei Monaten.«

»Warum wählst du nicht mich als Geschworenen?«

»Du meinst, das lassen sie mir durchgehen, Carl Lee?«

Beide genossen das entspannte Geplänkel. Carl Lee arbeitete

immer noch in einer Sägemühle und war jetzt Vormann. Er besaß ein eigenes Haus und zwei Hektar Grund, und er und Gwen erzogen ihre Kinder nach strengen Regeln. Jeden Sonntag den Gottesdienst besuchen, fleißig im Haushalt helfen, die Hausaufgaben erledigen und gute Noten schreiben, respektvoll mit älteren Menschen umgehen. Seine Mutter wohnte keinen Kilometer von ihnen entfernt und sah ihre Enkel jeden Tag.

»Willie mochte Kofer noch nie«, sagte Carl Lee. Willie Hastings war Gwens Cousin zweiten Grades und der erste schwarze Deputy, den Ozzie eingestellt hatte.

»Wundert mich nicht.«

»Schwarze waren für ihn das Letzte. Bei Ozzie hat er sich natürlich eingeschleimt, aber er hatte eine dunkle Seite. Richtig übel. Willie meint, er wurde bei der Army traumatisiert. Er ist beim Militär rausgeflogen, wusstest du das?«

»Ja. Unehrenhafte Entlassung. Aber Ozzie mochte ihn, und er war ein guter Polizist.«

»Willie sagt, Ozzie wusste mehr, als er zugibt. Er sagt, bei der Polizei wussten alle, dass Kofer es ständig krachen ließ, trank, Drogen nahm, sich in Kneipen herumprügelte.«

»Solche Gerüchte habe ich auch gehört.«

»Das sind keine Gerüchte, Jake. Weißt du, was ›ein Lokal klarmachen‹ ist?«

»Nein.«

»Es ist ein idiotisches Spiel, bei dem eine Gruppe besoffener Schläger eine Kneipe überfällt, in die sie selbst nie gehen würden. Auf ein Stichwort fangen sie einen Streit an, dreschen auf die Leute ein und verprügeln jeden, der ihnen über den Weg läuft, dann verschwinden sie wieder. Sozusagen eine extreme Form der Kneipenschlägereien, die es jeden Freitag gibt. Besonders lustig ist anscheinend, dass man nie weiß, was einen in dem Lokal erwartet. Vielleicht nur alte Männer, die sich nicht wehren können, vielleicht harte Burschen, die Flaschen zerschlagen und zu den Billardstöcken greifen.«

»Und da hat Kofer mitgemacht?«

»Und ob. Er und seine Leute waren berüchtigt dafür, aber normalerweise haben sie aufgepasst, dass es nicht hier im County war. Vor ein paar Monaten, nicht lange vor Kofers Tod, haben sie sich eine schwarze Spelunke in Polk County vorgeknöpft, gleich hinter der Grenze. Wahrscheinlich wollte Kofer als aufrechter Hüter des Gesetzes nicht in Ford County erwischt werden.«

»Sie haben ein Lokal für Schwarze überfallen?«

»Ja, das hat Willie mir erzählt. Moondog heißt das Ding.«

»Davon habe ich mal gehört. Ich hatte vor Jahren einen Mandanten, der dort an einer Messerstecherei beteiligt war. Da geht es ziemlich zur Sache.«

»Allerdings. Am Samstagabend wird immer um viel Geld gewürfelt. Kofer und vier andere Weiße kamen durch die Tür und prügelten und traten sofort auf die Leute ein. Schluss mit dem Würfelspiel. Eine Riesenschlägerei. Die schrecken vor nichts zurück, Jake.«

»Und sie sind lebend wieder rausgekommen?«

»Auf jeden Fall war es knapp. Irgendwer hat eine Waffe gezogen und gegen die Wände geschossen. Das haben die Weißen genutzt, um die Flucht zu ergreifen.«

»Das ist Wahnsinn, Carl Lee.«

»Völlig durchgeknallt. Sie hatten Glück, dass sie nicht alle abgestochen oder abgeknallt wurden.«

»Und Willie wusste davon?«

»Ja, aber er ist ein Cop und hängt keinen anderen Cop hin. Ich glaube nicht, dass Ozzie davon weiß.«

»Das ist ja völlig irre.«

»Kofer *war* irre, und seine Kumpel genauso. Wirst du das in der Verhandlung verwenden?«

»Ich weiß nicht. Warte mal kurz.« Jake sprang auf und ging zum Grill, um die Hähnchenteile umzudrehen und noch mal mit Soße zu bestreichen. Dort lief er Pastor McGarry über den Weg, der genug von Frauengesprächen hatte und Jake zu Carl Lee und den Liegestühlen im Schatten folgte. Das Gespräch wechselte von Stuart Kofer zu dem Badminton-Spiel, bei dem Hanna und Tonya auf der einen Seite des Netzes verzweifelt versuchten, mit den drei Hailey-Jungen auf der anderen Seite mitzuhalten. Schließlich rief Tonya ihren Vater zu Hilfe, damit sie überhaupt eine Chance hatten. Carl Lee griff sich einen Schläger und warf sich ins Getümmel.

Als es dunkel wurde, setzten sie sich an einen Picknicktisch und aßen Hähnchen, Hotdogs und Kartoffelsalat. Das Gespräch drehte sich um sommerliche Unternehmungen – Ausflüge an den See, Fischen, Baseball- und Softballspiele, Familientreffen.

Der bevorstehende Mordprozess schien ganz weit weg zu sein.

# 29

Vier Tage danach, am 12. Juni, brachte Meg McGarry im Ford County Hospital ein gesundes Baby zur Welt. Nach der Arbeit fuhren Jake und Carla zu einem kurzen Besuch dorthin. Sie brachten ihr Blumen und Pralinen mit, obwohl sie bereits bestens mit Essen versorgt war. Die Gemeinde der Good Shepherd Bible Church war schon während der Wehen in Scharen über das Krankenhaus hereingebrochen, und im Wartezimmer stapelten sich Aufläufe und Kuchen.

Nach einem kurzen Besuch bei Meg und einem Blick auf das Neugeborene in den Armen seiner Mutter wurden Jake und Carla von den Damen der Kirchengemeinde so eindringlich zu Kaffee und Kuchen eingeladen, dass sie nicht ablehnen konnten. Sie blieben länger, als sie vorgehabt hatten, in erster Linie, weil Jake gern unter Menschen war, die ihn schätzten.

Am folgenden Tag kam Libby Provine von der Kids Advocacy Foundation in Washington und brachte einen Star-Psychiater von der Baylor University mit. Dr. Thane Sedgwick war im Bereich Jugendkriminalität tätig und konnte einen Lebenslauf vorweisen, der ganze Bände gefüllt hätte. Ganz abgesehen von seinen Referenzen war er auch noch in einer ländlichen Gegend von Texas in der Nähe von Lufkin aufgewachsen und sprach mit einem näselnden Akzent, mit dem er im Norden des Bundesstaats Mississippi nirgends auffallen würde. Seine Aufgabe war, nach einer mehrstündigen Begutachtung ein Profil von Drew zu erstellen. In der Verhandlung würde er bis zur Verurteilung im Hintergrund bleiben und erst in dem durchaus wahrscheinlichen Fall in den Zeugenstand gerufen werden, dass Drew für schuldig befunden wurde und die Verteidigung um sein Leben kämpfen musste.

Seinem Lebenslauf zufolge war Dr. Sedgwick in den vergangenen dreißig Jahren in zwanzig Verfahren als Sachverständiger aufgetreten, und es war immer ein letzter verzweifelter Versuch gewesen, dem Mandanten die Todeszelle zu ersparen. Jake mochte ihn auf Anhieb. Er war umgänglich, geradezu witzig, entspannt, und sein Akzent war schwer zu überbieten. Jake fragte sich, wie jemand, der vier Hochschulabschlüsse und eine langjährige Laufbahn in Wissenschaft und Lehre vorweisen konnte, so ausgeprägtes Texanisch sprechen konnte.

Zusammen mit Portia fuhren sie zum Gefängnis und trafen sich mit Drew in dem Raum, der für ihn zum Klassenzimmer geworden war. Nach dreißig Minuten Small Talk gingen Jake, Portia und Libby wieder, und Dr. Sedgwick begann mit der Arbeit.

Um zwei Uhr nachmittags machten sie sich auf den Weg zum großen Gerichtssaal auf der anderen Straßenseite. Lowell Dyer und sein Assistent saßen bereits an dem mit Unterlagen bedeckten Tisch der Staatsanwaltschaft. Jake stellte Libby vor. Dyer war freundlich, obwohl er Widerspruch gegen Jakes Antrag eingelegt hatte, ihm Libby für die Verhandlung als zweite Verteidigerin beizuordnen. Jake fand das Manöver dumm, weil Richter Noose wie jeder andere Richter in Mississippi Anwälte aus einem anderen Bundesstaat einmalig zuließ, wenn nachweislich eine Verbindung zu einem Rechtsanwalt vor Ort bestand.

Während sie sich unterhielten, ließ Jake seinen Blick durch den Gerichtssaal wandern und war überrascht, wie viele Zuschauer da waren. Hinter der Staatsanwaltschaft saß eine Gruppe, die aus dem Kofer-Klan mit Freunden bestand. Jake erkannte Earl Kofer, weil Dumas Lee kurz nach dem Mord ein Foto von ihm in der Zeitung abgedruckt hatte. Neben ihm saß eine Frau, die aussah, als hätte sie seit Monaten nur geweint. Das war bestimmt die Mutter, Janet Kofer.

Earl warf ihm hasserfüllte Blicke zu, und Jake tat so, als würde er nichts merken. Aber er sah immer wieder unauffällig zur Gruppe hin, weil er sich die Gesichter der Brüder und Cousins von Kofer einprägen wollte.

Um halb drei nahm Richter Noose seinen Platz ein und gab den Anwesenden ein Zeichen, sich zu setzen. Er räusperte sich, zog das Mikrofon näher zu sich heran und begann mit einer Ankündigung. »Das Gericht wird heute über mehrere Anträge entscheiden, aber zunächst möchte ich einen Neuzugang begrüßen. Mr. Brigance, würden Sie die Vorstellung übernehmen?«

Jake erhob sich. »Gern, Euer Ehren. Ms. Libby Provine von der Kids Advocacy Foundation wird die Verteidigung unterstützen. Sie ist in Washington, D. C., Virginia und Maryland als Anwältin zugelassen.«

Libby erhob sich lächelnd und nickte dem Richter zu. »Herzlich willkommen, Ms. Provine«, sagte er. »Ich habe Ihren Antrag und Ihren Lebenslauf geprüft und bin zu dem Schluss gekommen, dass Sie mehr als qualifiziert sind, die Verteidigung zu unterstützen.«

»Danke, Euer Ehren.« Sie setzte sich, und Noose griff nach einigen Dokumenten. »Dann befassen wir uns direkt mit dem Antrag der Verteidigung auf Verlegung des Verhandlungsorts. Mr. Brigance.«

Jake ging zum Rednerpult und wandte sich an den Richter. »Euer Ehren, unser Antrag enthält mehrere beeidete Erklärungen von Bürgern, die es für schwierig bis unmöglich halten, in diesem County zwölf unvoreingenommene Geschworene zu finden. Vier davon sind örtliche Rechtsanwälte, die dem Gericht wohlbekannt sind. Einer ist der frühere Bürgermeister der Stadt Karaway. Ein weiterer ist der Pastor der Methodistenkirche hier am Ort. Außerdem liegen Erklärungen eines pensionierten Leiters der Schulaufsichtsbehörde aus Lake Village vor, eines Farmers aus Box Hill und des Organisators einer Bürgerplattform.«

»Ich habe die beeideten Erklärungen gelesen«, erwiderte Noose kurz.

Die Nicht-Juristen waren allesamt frühere Mandanten, die Jake massiv unter Druck gesetzt hatte und die ihre Erklärungen nur unter der Bedingung abgegeben hatten, dass sie nicht vor Gericht erscheinen mussten. Viele der von Jake Kontaktierten hatten sich rundheraus geweigert, und er konnte es ihnen nicht verübeln. Kaum jemand wollte als Unterstützer der Verteidigung gelten.

Die beeideten Erklärungen hatten alle denselben Wortlaut. Die Zeugen seien seit vielen Jahren im County ansässig, hätten einen großen Bekanntenkreis, seien gut über das Verfahren informiert, hätten es mit Familie und Freunden besprochen, von denen sich die meisten bereits eine Meinung gebildet hätten, und bezweifelten, dass in Ford County eine faire, unparteiische und mit dem Prozess nicht vertraute Jury gefunden werden könne.

»Beabsichtigen Sie, diese Personen heute als Zeugen aufzurufen?«, fragte Noose.

»Nein. Die Erklärungen sind eindeutig und enthalten alles, was sie vor Gericht aussagen könnten.«

»Ich habe auch Ihren ziemlich ausführlichen Antrag gelesen. Möchten Sie dem etwas hinzufügen?«

»Nein. Darin ist alles enthalten.«

Wie Richter Atlee hatte auch Noose nichts für Rechtsanwälte übrig, die in ihren Plädoyers wiederholten, was sie schon schriftlich ausgeführt hatten. Jake hütete sich, noch einmal alles durchzukauen. Der Antrag war ein dreißigseitiges Meisterwerk, an dem Portia wochenlang gearbeitet hatte. In dem Schriftsatz skizzierte sie die Geschichte der Verlegung des Verhandlungsorts in Mississippi sowie in weniger konservativen Bundesstaaten. Es komme nur selten zu einer Verlegung des Verhandlungsorts, und sie war der Ansicht, dies geschehe viel zu selten, was immer wieder dazu führe, dass ein Prozess nicht fair verlaufe. Allerdings stelle der Oberste Gerichtshof die Entscheidung des zuständigen Richters praktisch nie infrage.

Lowell Dyer sah die Sache ganz anders. In Erwiderung auf Jakes Antrag hatte er selbst einen Stapel von insgesamt achtzehn beeideten Erklärungen eingereicht, die von hartgesottenen Vertretern der Recht-und-Gesetz-Fraktion abgegeben worden waren und eher für einen Schuldspruch plädierten als für eine unvoreingenommene Jury. Sein sechsseitiger Schriftsatz zitierte vor allem Präzedenzfälle und entbehrte jeden kreativen Arguments. Das Gesetz war auf seiner Seite, so die unmissverständliche Botschaft.

»Haben Sie vor, Zeugen aufzurufen, Mr. Dyer?«, erkundigte sich Noose.

»Nur wenn die Verteidigung es tut.«

»Das ist nicht erforderlich. Ich werde mir die Sache durch den Kopf gehen lassen, es ergeht demnächst ein Beschluss. Kommen wir zum nächsten Antrag, Mr. Brigance.«

Dyer setzte sich, während Jake wieder ans Rednerpult trat.

»Euer Ehren, wir beantragen, die Anklage wegen Mord mit Androhung der Todesstrafe abzulehnen, weil sie ›grausam und ungewöhnlich‹ im Sinne des Achten Verfassungszusatzes ist. Bis vor zwei Jahren wäre diese Anklage gar nicht möglich gewesen, weil Stuart Kofer nicht im Dienst getötet wurde. Wie Sie wissen, hat der Gesetzgeber im Jahr 1988 in dem irregeleiteten Bestreben, Kriminalität noch härter zu bekämpfen und Hinrichtungen zu beschleunigen, das Gesetz zur Stärkung der Todesstrafe verabschiedet. Bis dahin stand auf die Ermordung eines Polizeibeamten nur dann die Todesstrafe, wenn dieser im Dienst war. Die Todesstrafe gibt es in sechsunddreißig Staaten, und in vierunddreißig davon ist diese Strafandrohung nur zulässig, wenn der Beamte im Dienst war. Mississippi wollte nach dem Vorbild von Texas die Zahl der Hinrichtungen steigern und beschloss daher, bei noch mehr Straftaten die Möglichkeit der Todesstrafe einzuführen. Mord allein reicht allerdings nicht. Es muss Mord mit Vergewaltigung, Mord in Verbindung mit Raub oder Mord mit Entführung sein. Mord an einem Kind. Auftragsmord. Und jetzt, gemäß diesem neuen, unsinnigen Gesetz, Mord an einem Polizeibeamten, der nicht im Dienst ist. Ein Polizeibeamter, der nicht im Dienst ist, hat dieselbe Rechtsstellung wie jeder andere Bürger. Die vom Staat Mississippi vorgenommene Ausweitung verstößt gegen den Achten Verfassungszusatz.«

»Die Entscheidung des Obersten Gerichtshofs der Vereinigten Staaten steht noch aus«, wandte Noose ein.

»Das stimmt, aber ein Fall wie dieser könnte den Gerichtshof durchaus veranlassen, das neue Gesetz zu kippen.«

»Ich glaube nicht, dass ich das entscheiden kann, Mr. Brigance.«

»Das ist mir klar, aber Sie sehen doch bestimmt ein, dass das Gesetz gegen den Grundsatz der Gleichbehandlung verstößt, und könnten die Anklage aus diesem Grund ablehnen. Dann müsste die Staatsanwaltschaft erneut Anklage erheben und den Tatvorwurf ändern.«

»Mr. Dyer?«

Dyer stand an seinem Tisch auf. »Gesetz ist Gesetz, und jeder kann es nachlesen. So einfach ist das. Das Parlament entscheidet frei darüber, welche Gesetze es verabschiedet, und wir sind verpflichtet, uns daran zu halten. Solange das Gesetz nicht von einem höheren Gericht geändert oder verworfen wird, bleibt uns keine Wahl.«

»Sie sind für den Wortlaut der Anklage verantwortlich und entscheiden, welche Strafvorschriften anzuwenden sind«, konterte Jake. »Niemand hat Sie gezwungen, die Todesstrafe zu fordern.«

»Es war kaltblütiger Mord, Mr. Brigance. Darauf steht die Todesstrafe.«

»Im Gesetz steht nichts von ›kaltblütigem Mord‹, Mr. Dyer. Diese reißerischen Ausdrücke sind völlig überflüssig.«

»Meine Herren«, sagte Noose laut. »Ich habe die Schriftsätze zu dieser Frage gelesen und beabsichtige nicht, die Anklage abzulehnen. Sie entspricht den gesetzlichen Vorschriften, ganz gleich was wir von diesen Vorschriften halten. Der Antrag ist abgelehnt.«

Jake war nicht überrascht. Aber wenn es zu einer Verurteilung kam und er Rechtsmittel einlegte, konnte er diesen Einwand in der nächsten Instanz nur geltend machen, wenn er ihn jetzt vortrug. Er hatte sich längst damit abgefunden, dass er sich noch jahrelang für Drew durch die Instanzen kämpfen würde, und das Fundament dafür musste zum Großteil bereits vor der Verhandlung gelegt werden. Das Gesetz war noch nicht vom Obersten Gerichtshof der Vereinigten Staaten überprüft worden, aber das würde mit Sicherheit irgendwann passieren.

Noose blätterte in seinen Unterlagen. »Ihr nächster Antrag bitte.«

Portia reichte Jake einen Schriftsatz, und er ging wieder zum Rednerpult. »Euer Ehren, wir beantragen, den Angeklagten bis zur Verhandlung in eine Jugendhaftanstalt zu verlegen. Er sitzt seit mittlerweile zweieinhalb Monaten hier im County-Gefängnis ein, das für einen Sechzehnjährigen völlig ungeeignet ist. In einem Jugendgefängnis wäre er zumindest zusammen mit anderen Jugendlichen untergebracht und hätte wenigstens eingeschränkte Kontaktmöglichkeiten. Vor allem aber hätte er Zugang zu Bildung. Er hat einen schulischen Rückstand von mindestens zwei Jahren.«

»Ich dachte, ich hätte Privatunterricht genehmigt.« Noose spähte über seine Lesebrille, die ständig auf der äußersten Spitze seiner langen Hängenase saß.

»Ein paar Stunden pro Woche, das reicht nicht. Die Lehrerin ist mir bestens bekannt, und sie sagt, er braucht täglich Unterricht. Er kommt sowieso kaum mit und wird nur noch weiter zurückfallen. Ich habe mit dem Leiter einer Einrichtung in Starkville gesprochen, der mir versichert hat, der Angeklagte wäre bei ihm sicher untergebracht. Eine Flucht wäre unmöglich.«

Noose runzelte die Stirn. Er sah den Bezirksstaatsanwalt an. »Mr. Dyer.«

Dyer erhob sich, blieb aber wieder an seinem Tisch stehen. »Euer Ehren, ich habe bei allen drei Jugendhaftanstalten in unserem Bundesstaat nachgefragt, und nirgends ist ein Angeklagter inhaftiert, dem Mord vorgeworfen wird. So funktioniert unser System einfach nicht. Bei einem solchen Verbrechen bleibt der Angeklagte immer in dem County in Haft, in dem die Tat begangen wurde. Mr. Gamble wird nach Erwachsenenstrafrecht abgeurteilt werden.«

»Erwachsene haben zumindest« die Schule hinter sich«, sagte

Jake. »Viele im Gefängnis vielleicht nicht sehr erfolgreich, aber sie sind aus dem entsprechenden Alter heraus. Bei meinem Mandanten ist das anders. Sogar in Parchman gibt es Bildungsangebote, auch wenn die bestimmt unzureichend sind.«

»Dort wäre er im Hochsicherheitstrakt untergebracht«, sagte Dyer. »Wie alle Mörder, die auf ihre Hinrichtung warten.«

»Bisher ist er noch nicht verurteilt. Was spricht dagegen, ihn in eine Haftanstalt zu verlegen, in der er zusammen mit anderen Jugendlichen untergebracht ist und zumindest die Chance hat, etwas zu lernen? Es gibt keine Vorschrift, die dagegensprechen würde. Normalerweise werden die Angeklagten in einem solchen Verfahren zwar in dem County inhaftiert, in dem die Tat begangen wurde, aber davon steht nichts im Gesetz. Das liegt im Ermessen des Gerichts.«

»Solch eine Entscheidung wäre völlig neu«, wandte Dyer ein. »Warum sollte das Gericht ausgerechnet in diesem Fall eine Ausnahme machen?«

Noose setzte der Debatte ein Ende. »Ich habe nicht vor, den Angeklagten zu verlegen. Er ist nach Erwachsenenstrafrecht angeklagt und wird nach Erwachsenenstrafrecht abgeurteilt werden. Also wird er auch wie ein Erwachsener behandelt. Der Antrag ist abgelehnt.«

Auch das kam für Jake nicht überraschend. Er war fest davon überzeugt, dass Richter Noose einen fairen Prozess gewährleisten und keine Seite bevorzugen würde. Ihn jetzt um einen Gefallen zu bitten war daher Zeitverschwendung.

»Ihr nächster Antrag, Mr. Brigance?«

»Die Verteidigung hat keine weiteren Anträge. Mr. Dyer beantragt, über die Zulassung eines Beweismittels im weiteren Verfahren zu entscheiden, und ich schlage vor, unter Ausschluss der Öffentlichkeit fortzufahren.«

»Ich halte das ebenfalls für sinnvoll«, stimmte Dyer zu. »Es geht um ein sensibles Thema, das nicht in öffentlicher Sitzung erörtert werden sollte, zumindest nicht zum jetzigen Zeitpunkt.«

»In Ordnung. Die Sitzung wird vertagt und unter Ausschluss der Öffentlichkeit fortgesetzt.«

Als er wieder zu seinem Tisch ging, konnte sich Jake einen Seitenblick auf die Kofers nicht verkneifen. Wenn Earl Kofer eine Waffe gehabt hätte, dann hätte er vermutlich das Feuer eröffnet.

Im Richterzimmer legte Noose seine Robe ab und ließ sich auf seinen Thron am Ende des Tisches fallen. Jake, Libby und Portia saßen auf der einen Längsseite. Ihnen gegenüber hatten Lowell Dyer und sein Assistent, ein erfahrener Staatsanwalt namens D. R. Musgrove, Platz genommen. Die Protokollführerin setzte sich mit Stenografiermaschine und Tonbandgerät etwas abseits.

Noose zündete seine Pfeife an, ohne auch nur ein Fenster zu öffnen. Während er einen vor ihm liegenden Schriftsatz überflog, paffte er nachdenklich vor sich hin. »Das gibt mir sehr zu denken.«

Da es Dyers Antrag war, ergriff dieser zuerst das Wort. »Wir sind der Ansicht, dass die Zeugenaussagen in der Verhandlung eingeschränkt werden müssen. Offenkundig wurde Stuart Kofer nach einem hässlichen Streit mit Josie Gamble getötet. Wir werden sie nicht als Zeugin aufrufen, aber die Verteidigung wird dies mit Sicherheit tun. Daher wird sie Fragen zu der damaligen Auseinandersetzung und früheren Streitigkeiten sowie möglicherweise anderen körperlichen Misshandlungen durch den Verstorbenen beantworten. Das könnte völlig aus dem Ruder laufen, da die Verteidigung im Endeffekt Stuart Kofer vor Gericht stellen würde. Er kann sich aber nicht mehr verteidigen. Das ist einfach nicht fair. Daher beantragt die Staatsanwaltschaft, dass das Gericht eine strikte Beschränkung jeglicher Aussagen zu mutmaßlichen körperlichen Misshandlungen anordnet.«

Noose blätterte durch den von Dyer eingereichten Antrag und die Begründung dazu, obwohl er den Schriftsatz bereits gelesen hatte. »Mr. Brigance.«

Libby räusperte sich. »Wenn ich das übernehmen dürfte, Euer Ehren?«

»Selbstverständlich.«

»Der Ruf des Verstorbenen genießt grundsätzlich keinen besonderen Schutz, vor allem nicht, wenn wie hier Gewalt im Spiel war.« Sie drückte sich präzise und deutlich aus, der schottische Akzent verlieh ihr zusätzliche Autorität. »In unserem Schriftsatz erläutern wir, wie dieses Thema im Bundesstaat Mississippi in den vergangenen Jahrzehnten gehandhabt wurde. Es gibt kaum Fälle, in denen Aussagen zu einer etwaigen Gewalttätigkeit des Verstorbenen ausgeschlossen wurden, insbesondere wenn der Angeklagte ebenfalls Gegenstand der Misshandlungen war.«

»Der Junge wurde misshandelt?«, fragte Noose.

»Ja, das haben wir jedoch nicht in unseren Schriftsatz aufgenommen, weil wir nicht wollten, dass es öffentlich bekannt wird. Mr. Kofer hat Drew mindestens viermal ins Gesicht geschlagen und ihn immer wieder bedroht. Er lebte in ständiger Angst vor dem Mann, genau wie Josie und Kiera.«

»Welches Ausmaß hatten diese körperlichen Misshandlungen?«

Libby schob ihm rasch ein Farbfoto im Format zwanzig mal fünfundzwanzig über den Tisch zu, das Josie mit verbundenem Gesicht im Krankenhaus zeigte. »Wir können mit Josie Gamble in der fraglichen Nacht beginnen. Er hat ihr ins Gesicht geschlagen und den Kiefer gebrochen, sodass sie das Bewusstsein verlor und später operiert werden musste.«

Noose starrte das Foto an. Dyer musterte seinen Abzug mit finsterer Miene.

»Josie wird aussagen, dass sie regelmäßig und mit zunehmender Häufigkeit geschlagen wurde«, fuhr Libby fort. »Sie wollte Kofer verlassen und hatte dies bereits angedroht, wusste aber nicht, wohin. Die Familie lebte in ständiger Angst, und das aus gutem Grund. Drew wurde geschlagen und bedroht. Und Kiera wurde sexuell missbraucht.«

»Jetzt reicht es aber!«, zischte Dyer.

»Ich bin nicht davon ausgegangen, dass Ihnen das gefällt, Mr. Dyer, aber es ist die Wahrheit und muss in der Verhandlung zur Sprache kommen.«

»Genau das ist das Problem, Richter Noose«, sagte Dyer wütend, »und genau deswegen habe ich beantragt, die Zeugenaussage des Mädchens zu erzwingen. Mr. Brigance hat ihr nicht erlaubt, meine Fragen zu beantworten. Ich habe das Recht zu erfahren, was sie in der Verhandlung sagen wird.«

»Sie wollen in einem Strafverfahren eine Zeugenaussage erzwingen?«

»Ja, genau. Das ist nur fair. Die Verteidigung versucht, in der Verhandlung einen Überraschungscoup zu landen.«

Der Ausdruck gefiel Jake. *Warte bloß, bis du ihren Bauch siehst.*

»Aber wenn Sie das Mädchen in den Zeugenstand rufen, ist es Ihre Zeugin«, wandte Noose ein. »Sie können doch keine Aussage Ihrer eigenen Zeugin erzwingen.«

»Ich muss sie notgedrungen als Zeugin aufrufen«, sagte Dyer. »Am Tatort waren drei Zeugen zugegen. Die Mutter war bewusstlos und hat den Schuss nicht gehört. Der Angeklagte wird wohl kaum aussagen. Bleibt die Tochter. Jetzt höre ich, dass sie sexuell missbraucht wurde. Das ist nicht fair, Euer Ehren.«

»Ich habe nicht vor, einem Antrag stattzugeben, der sie zum jetzigen Zeitpunkt zum Reden zwingen würde.«

»Gut, dann rufen wir sie eben nicht in den Zeugenstand.«

»Aber wir«, sagte Jake.

Dyer warf ihm einen wütenden Blick zu, ließ sich wieder auf seinen Stuhl fallen und verschränkte die Arme über der Brust. Er war geschlagen. Für einen Augenblick brütete er vor sich hin, und die Spannung wuchs. »Das ist einfach nicht fair«, sagte er dann. »Sie dürfen nicht zulassen, dass die Verhandlung zu einer Verleumdungskampagne gegen einen toten Polizeibeamten ausufert.«

»Tatsachen sind Tatsachen, Mr. Dyer«, erwiderte Jake. »Daran lässt sich nichts ändern.«

»Nein, aber das Gericht kann den Aussagen dieser Zeugin enge Grenzen setzen.«

»Ein ausgezeichneter Vorschlag, Mr. Dyer. Ich werde Ihren Antrag im Hinterkopf behalten und in der Verhandlung entscheiden, wenn ich weiß, wie sich die Dinge entwickeln. Dann können Sie Ihren Antrag noch einmal stellen, und Einspruch gegen bestimmte Äußerungen der Zeugin können Sie sowieso erheben.«

»Aber dann wird es zu spät sein«, beklagte sich Dyer.

Wie recht du doch hast, dachte Jake im Stillen.

Carla schmorte Hähnchenschenkel mit Kirschtomaten und Morcheln, und sie aßen auf der Terrasse, als es schon dunkel war. Ein Gewitter war durchgezogen und hatte einen Großteil der Luftfeuchtigkeit mitgenommen.

Sie taten ihr Bestes, das Thema Mord und Prozesse gegen jugendliche Täter zu vermeiden und über angenehmere Dinge zu sprechen. Libby erzählte von ihrer Kindheit und Jugend in Schottland, in einer kleinen Stadt in der Nähe von Glasgow. Ihr Vater war ein bekannter Rechtsanwalt gewesen und hatte sie ermutigt, ebenfalls Jura zu studieren. Ihre Mutter hatte an einer Universität in der Nähe Literatur gelehrt und wollte, dass sie Ärztin wurde. Eine amerikanische Lehrerin hatte den Anstoß zu einem Studium in den Vereinigten Staaten gegeben, und sie war geblieben. Als Jurastudentin an der Georgetown University hatte sie den herzzerreißenden Prozess gegen einen Siebzehnjährigen mit einer Lernbehinderung und einer tragischen Geschichte miterlebt. Er war zu einer lebenslangen Freiheitsstrafe ohne Möglichkeit der vorzeitigen Entlassung verurteilt worden, was einem Todesurteil gleichkam. Genug davon. Dann kam sie auf ihren ersten Ehemann zu sprechen, von dem allgemein erwartet wurde, dass er an den Obersten Gerichtshof berufen werden würde.

Dr. Thane Sedgwick hatte drei Stunden bei Drew in der Zelle verbracht und hatte genug von dem Thema. Am nächsten Vormittag war eine Besprechung geplant, und Sedgwick würde ein ausführliches Profil erstellen. Er war ein großer Geschichtenerzähler. Sein Vater war Rancher im ländlichen Texas gewesen, und er hatte seine Kindheit im Sattel verbracht. Sein Urgroßvater hatte einmal zwei Viehdiebe erschossen, die Leichen in seinen Planwagen geladen und war damit zwei Stunden weit gefahren, um sie beim nächsten Sheriff abzuliefern. Der Sheriff hatte sich bei ihm dafür bedankt.

»Ich weiß gar nicht, ob wir Sie bei diesem Prozess brauchen werden«, sagte Libby zu Sedgwick, als der Abend schon weit fortgeschritten war.

»Aha. Optimistisch, was?«

»Nein«, erwiderte Jake. »Optimismus wäre völlig unangebracht.«

»Ich glaube, der Prozess wird für beide Seiten schwer zu gewinnen sein«, sagte Libby.

»Sie kennen diese Geschworenen nicht«, erwiderte Jake. »Trotz allem, was Sie heute gehört haben, wird es große Sympathie für den Verstorbenen geben, und das Bild, das wir in der Verhandlung von ihm zeichnen werden, dürfte bei einigen gar nicht gut ankommen. Wir müssen sehr vorsichtig sein.«

»Genug davon«, sagte Carla. »Wer möchte ein Stück Pfirsichkuchen?«

# 30

Am folgenden Samstag gaben Jake und Carla Hanna in Karaway bei ihren Großeltern ab, wo sie den ganzen Tag verbringen sollte. Sie sah Jakes Eltern jede Woche, konnte aber gar nicht genug von ihnen bekommen. Nach einer schnellen Tasse Kaffee verabschiedeten sie sich, und es war schwer zu sagen, wer sich mehr freute: Hanna oder Mr. und Mrs. Brigance.

Jake und Carla fuhren nach Oxford, einer Stadt, die ihnen besonders am Herzen lag, weil sie dort studiert hatten. Sie hatten sich auf einer Feier einer Studentenvereinigung kennengelernt, als sie beide im dritten Studienjahr waren, und waren seitdem zusammen. Besonders gern besuchten sie samstags ein Footballspiel der Ole Miss und begingen den Anlass auf dem Campus mit alten Freunden von der Uni. Mehrmals im Jahr fuhren sie die eine Stunde, nur um aus Clanton herauszukommen. Dann parkten sie am malerischen Courthouse Square, stöberten bei Square Books in den Büchern und genossen ein ausgiebiges Mittagessen in einem der vielen ausgezeichneten Restaurants, bevor sie sich auf den Heimweg machten.

Auf dem Rücksitz standen Geschenke zur Einweihung der Wohnung – ein Toaster und eine Platte mit Carlas Schokoladenkeksen. Eigentlich hatte sie Babyausstattung mitbringen wollen, weil Kiera gar nichts hatte, aber Jake war dagegen gewesen. Als Anwalt hatte er aus erster Hand miterlebt, wie katastrophal es sich auswirken konnte, wenn eine junge Mutter ihr Baby sah, im Arm hielt und sofort eine Bindung zu ihrem Kind aufbaute. Oft überlegten die Frauen es sich dann anders und weigerten sich, der Adoption zuzustimmen. Josie würde das natürlich nie zulassen. Trotzdem war ihm wichtig, dass sie nichts taten, um Muttergefühle zu wecken.

Vor zwei Jahren hatte er einmal einen ganzen Tag im Krankenhaus in Clanton verbracht und darauf gewartet, dass eine fünfzehnjährige Mutter die endgültige Unterschrift leistete. Seine Mandanten, ein kinderloses Ehepaar Anfang vierzig, saßen unterdessen in seiner Kanzlei und ließen das Telefon nicht aus den Augen. Es war schon spät, als die Verwaltungsdirektorin des Krankenhauses Jake mitteilte, angesichts dieser Unentschlossenheit könne sie ihre Zustimmung nicht geben. Sie habe das Gefühl, die Mutter werde von ihrer eigenen Mutter, der frischgebackenen Großmutter, unter Druck gesetzt und könne sich nicht frei entscheiden. Während Jake noch wartete, wurde ihm schließlich mitgeteilt, die Entscheidung sei gefallen und das Kind werde doch nicht zur Adoption freigegeben.

Er fuhr zu seiner Kanzlei und informierte seine Mandanten. Das Erlebnis war für alle so schmerzlich gewesen, dass er sich lieber nicht daran erinnern wollte.

Er und Carla hatten noch nicht über den Familienzuwachs entschieden. Sie hatten stundenlang darüber gesprochen, waren aber nur übereingekommen, dass sie noch Gesprächsbedarf hatten. Ein befreundeter Arzt in Clanton hatte eines Morgens um vier einen Anruf erhalten. Seine Frau und er waren sofort nach Tupelo gefahren und mittags mit einem drei Tage alten Baby zurückgekommen, ihrem zweiten Adoptivkind. Sie hatten sich auf Anhieb entschieden, aber sie hatten auch lange gesucht. Sie wussten, was sie wollten, und ihr Entschluss stand fest. Jake und Carla waren noch nicht so weit. Vor Kiera hatten sie viele Jahre lang nicht mehr über eine Adoption nachgedacht.

Die Sache war nicht unproblematisch. Jake behauptete zwar, es sei ihm egal, was man in der Stadt von ihm hielt, aber er wollte sich nur ungern vorwerfen lassen, sich das Baby seiner Mandantin angeeignet zu haben. Carla meinte, die kritischen Stimmen würden mit der Zeit verstummen, wenn das Kind in einer liebevollen Familie aufwuchs und glücklich war. Außerdem habe Jake es sich sowieso schon mit allen verscherzt. Sollten sie doch reden. Ihre Familien und Freunde würden sich für sie freuen und hinter ihnen stehen. War es nicht im Grunde egal, was die anderen dachten?

Jake fürchtete, dass die Herkunft des Kindes bekannt werden könnte. Der Junge war durch eine Vergewaltigung entstanden. Sein echter Vater war ermordet worden. Seine leibliche Mutter war selbst noch ein Kind. Carla konterte mit dem Argument, dass der Junge das nie erfahren musste. »Niemand sucht sich seine Eltern aus«, sagte sie gern. Das Kind würde so behütet und geliebt werden, wie man es sich nur wünschen konnte, und mit der Zeit würde es um seiner selbst willen akzeptiert werden. An seiner Herkunft ließ sich nichts ändern.

Jake gefiel der Gedanke nicht, dass die Kofers immer in der Nähe sein würden. Er konnte sich nicht vorstellen, dass sie an dem Kind Interesse zeigen würden, auszuschließen war es aber nicht. Carla war davon überzeugt, dass das nicht passieren würde. Außerdem kannten weder sie noch Jake die Kofers. Sie lebten in einem anderen Teil des Countys, und ihre Wege hatten sich bisher nicht gekreuzt. Die private Adoption würde in Oxford stattfinden, in einem anderen Gerichtsbezirk und in einem vertraulichen Verfahren, das der Geheimhaltung unterlag, und die braven Bürger von Clanton, deren Meinung Jake angeblich so egal war, würden wahrscheinlich nie irgendwelche Einzelheiten erfahren.

Obwohl er das Thema nicht ansprach, machte sich Jake auch wegen der Kosten Gedanken. Hanna war neun, und sie hatten noch nicht einmal angefangen, für ihr Studium zu sparen. Außerdem hatten sie ihre mageren Ersparnisse soeben erst geplündert, und ihre finanzielle Zukunft sah düster aus. Ein zweites Kind bedeutete, dass Carla mindestens die nächsten ein bis zwei Jahre zu Hause bleiben würde, und sie brauchten ihr Gehalt.

Die Gambles konnten ihn durchaus in den Ruin treiben. Von

dem absurden Plan, mit dem ihm Noose eine angemessene Bezahlung verschaffen wollte, erwartete er sich nicht viel. Zuerst hatte er Josie achthundert Dollar für ein neues Getriebe geliehen. Dann noch einmal sechshundert Dollar für die Kaution, die erste Monatsmiete sowie die Anmeldung bei den Versorgungsunternehmen. Der Vermieter wollte einen Sechsmonatsvertrag, den Jake in seinem Namen unterzeichnete. Auch Telefon, Gas und Strom liefen auf ihn. Josies Name tauchte nirgends auf, und er riet ihr, sich einen Job als Kellnerin zu suchen, bei dem sie Lohn und Trinkgeld in bar erhielt. Das erschwerte es den Inkassobüros, sie zu finden. Das Arrangement war nicht gesetzwidrig, trotzdem hatte er ein schlechtes Gefühl dabei. Aber in Anbetracht der Umstände blieb ihm keine Wahl.

Als Josie zwei Wochen zuvor Ford County verlassen hatte, hatte sie immerhin drei Teilzeitstellen gehabt, selbst wenn sie schlecht bezahlt waren. Sie versprach, alles bis auf den letzten Cent zurückzuzahlen, aber Jake war nicht überzeugt. Die Miete belief sich auf dreihundert Dollar pro Monat, und sie hatte fest vor, zumindest die Hälfte davon zu übernehmen.

Die nächste Ausgabe würden die Arzt- und Krankenhauskosten für Kiera sein. Sie war fast im siebten Monat, und bisher hatte es keine Komplikationen gegeben. Jake hatte keine Ahnung, wie teuer das alles werden würde.

Beunruhigend war, dass Josie am Telefon nach Geld für die Adoption gefragt hatte. Jake hatte ihr erklärt, dass die Adoptiveltern immer die Kosten für die Entbindung und die Rechtsanwaltsgebühren trugen. Josie müsse gar nichts bezahlen. Sie hatte dann ein wenig um den heißen Brei herumgeredet, bis sie zum Punkt gekommen war. »Ist für die Mutter auch was drin?« Mit anderen Worten: Geld als Gegenleistung für das Kind.

Jake hatte das erwartet und reagierte sofort. »Nein, das ist nicht erlaubt.«

Was nicht stimmte. Er hatte vor Jahren eine Adoption abgewickelt, bei der die künftigen Eltern der jungen Mutter zusätzlich fünftausend Dollar zahlten, was bei privaten Adoptionen durchaus vorkam. Agenturen verlangten eine Gebühr, die unter der Hand teilweise an die Mutter weitergeleitet wurde. Aber er wollte auf keinen Fall, dass Josie sich völlig überzogene Vorstellungen von möglichen Profiten machte. Er hatte ihr versprochen, dass er und Pastor McGarry ein gutes Heim für das Baby finden würden. Sie sollte auf keinen Fall auf die Suche nach dem Höchstbietenden gehen.

Sie parkten am Courthouse Square im Zentrum von Oxford und drehten eine Runde um den Platz, um die Schaufenster der Läden zu inspizieren, die sie noch aus ihrer Studentenzeit kannten. Sie stöberten bei Square Books in den Büchern und tranken auf der Veranda im ersten Stock einen Kaffee, während sie den Blick auf den Rasen vor dem Gerichtsgebäude genossen, wo William Faulkner einst allein gesessen und die Stadt beobachtet hatte. Zum Mittagessen holten sie sich Sandwiches.

Der Wohnblock war ein paar Hundert Meter vom Courthouse Square entfernt und lag in einer Seitenstraße mit billigen Studentenunterkünften. Jake hatte während des Jurastudiums drei Jahre lang ganz in der Nähe gewohnt.

Josie öffnete die Tür mit einem strahlenden Lächeln, offenbar freute sie sich, bekannte Gesichter zu sehen. Sie bat sie herein und zeigte ihnen stolz ihre neue Kaffeemaschine, ein Geschenk der Damen der Kirchengemeinde. Als Charles McGarry erzählt hatte, dass Josie und Kiera in eine eigene Wohnung ziehen würden, hatte die gesamte Gemeinde gebrauchte Bettwäsche, Handtücher, Geschirr, noch mehr Kleidung und ein paar kleinere Haushaltsgeräte für sie gesammelt. Die Wohnung war nur notdürftig ausgestattet: Sofa, Stühle, Tisch und Betten, die von mittlerweile längst vergessenen Studenten malträtiert worden waren.

Während sie am Küchentisch saßen und Kaffee tranken, tauchte Kiera auf und umarmte sie. In T-Shirt und Shorts war die Schwangerschaft nicht mehr zu übersehen, obwohl man ihr nicht anmerkte, dass sie hochschwanger war, wie Carla später sagte. Kiera sagte, ihr gehe es gut, sie langweile sich ohne Fernseher, aber dafür lese sie jede Menge Taschenbücher, die die Kirchengemeinde gestiftet hatte.

Wie erwartet, hatte Josie bereits eine Stelle als Kellnerin in einem Diner im Norden der Stadt gefunden. Zwanzig Stunden pro Woche, bar auf die Hand plus Trinkgeld.

Carla hatte während der Woche vier Stunden mit Drew verbracht und schilderte begeistert seine Fortschritte. Nach einem zähen Beginn zeigte er jetzt Interesse an den Naturwissenschaften und der Geschichte von Mississippi, während er für Mathe immer noch nichts übrighatte. Das Gespräch machte Josie traurig, und ihre Augen wurden feucht. Sie wollte am Sonntag zu einem ausgiebigen Besuch zum Gefängnis fahren.

Alle vier stellten fest, dass sie hungrig waren. Kiera zog sich eine Jeans und Sandalen an, und sie fuhren zum Campus der Ole Miss, der an einem Samstag im Juni menschenleer war. Sie parkten in der Nähe der parkähnlichen Anlage von »The Grove«, dem Herzen der Universität. Unter einer alten Eiche setzten sie sich an einen Picknicktisch, und Carla packte Sandwiches, Kartoffelchips und Softdrinks aus. Während sie aßen, deutete Jake auf die juristische Fakultät ganz in der Nähe und das Gebäude der Studentenvereinigung nicht weit davon und erzählte, wie bei Footballspielen Zehntausende Fans im Schatten der Bäume feierten. Dort drüben, unter dem Baum in der Nähe der Bühne, habe er seine Freundin mit einem Verlobungsring überrascht und gefragt, ob sie ihn heiraten wolle. Zum Glück habe sie Ja gesagt.

Kiera war fasziniert von der Geschichte und wollte alle Einzelheiten wissen. Offenkundig träumte sie von einer solchen Zukunft, von einem Unistudium, einem gut aussehenden Jungen, der ihr einen Heiratsantrag machte, einem Leben, das ganz anders war als alles, was sie kannte. Sie wurde immer hübscher. Die ungewollte Schwangerschaft bekam ihr, zumindest äußerlich. Carla fragte sich, ob sie jemals auf einem Hochschulcampus gewesen war. Sie mochte Kiera sehr, und es tat ihr in der Seele weh, wenn sie daran dachte, was dem Mädchen bevorstand. Die Angst vor der Entbindung, davor, das Kind hergeben zu müssen, das Stigma, vergewaltigt und mit vierzehn schwanger geworden zu sein. Sie brauchte eine Therapie, und zwar dringend, aber das lag außerhalb ihrer Möglichkeiten. Wenn alles optimal lief, würde sie Ende September entbinden und sich dann in Oxford an der Highschool anmelden, als wäre nichts gewesen. Ein Studienkollege von Jake war Anwalt der Stadtverwaltung und würde seine Kontakte spielen lassen.

Nach dem Mittagessen machten sie einen langen Spaziergang auf dem Campus. Jake und Carla übernahmen abwechselnd die Führung. Sie kamen am Footballstadion vorbei, am Lyceum und an der Kapelle und kauften sich an der Studentenvereinigung ein Eis. Als sie durch die Sorority Row mit den Häusern der Studentinnenverbindungen schlenderten, zeigte Carla ihnen Phi Mu House, wo sie im zweiten und dritten Studienjahr gewohnt hatte. »Was ist eine Studentinnenverbindung?«, fragte Kiera im Flüsterton.

Während ihres gemächlichen Spaziergangs überlegte Carla, was passieren würde, wenn sie das Baby adoptierten. Mussten sie dann so tun, als hätte es Kiera und Josie nie gegeben? Jake war felsenfest davon überzeugt. Er meinte, bei einer Adoption sei es am sichersten, jeden Kontakt mit der wirklichen Mutter zu unterbinden. Zugleich fürchtete er, dass die Gambles noch viele Jahre lang Teil ihres Lebens sein würden. Wenn Drew verurteilt wurde, stand Jake ein endloser Weg durch die Instanzen bevor. Falls die Geschworenen zu keiner Entscheidung kamen, würde ein weiteres Verfahren folgen, und dann vielleicht noch eins. Nur ein Freispruch konnte ihm die Familie vom Hals schaffen, und der war höchst unwahrscheinlich.

Es war alles extrem kompliziert und unvorhersehbar.

Am Sonntagmorgen machten sich die Brigances für den Kirchgang fein und fuhren los. Am Stadtrand meldete sich Hanna auf dem Rücksitz zu Wort. »Hey, wo fahren wir überhaupt hin?«

»Wir gehen heute in eine andere Kirche«, sagte Jake.

»Warum?«

»Du sagst doch immer, die Predigten sind so langweilig. Die Hälfte der Zeit schläfst du dabei ein. Es gibt mindestens tausend andere Kirchen in der Gegend, und wir wollten mal eine andere ausprobieren.«

»Ich habe doch gar nicht gesagt, dass ich woanders hingehen will. Was ist mit meinen Freundinnen in der Sonntagsschule?«

»Die siehst du schon wieder«, sagte Carla. »Du bist doch sonst so abenteuerlustig.«

»Zur Kirche gehen soll ein Abenteuer sein?«

»Nur Geduld. Ich glaube, dir wird es da gefallen.«

»Wo ist das?«

»Das siehst du dann schon.«

Hanna sagte nichts mehr und schmollte vor sich hin, während sie durch die ländliche Gegend fuhren. Als sie auf dem geschotterten Parkplatz der Good Shepherd Bible Church hielten, meldete sie sich wieder zu Wort. »Das soll es ein? Ganz schön klein.«

»Wir sind auf dem Land«, erwiderte Carla. »Da sind die Kirchen immer kleiner.«

»Gefällt mir nicht.«

»Wenn du dich gut benimmst, gehen wir nachher zum Mittagessen zu Nana.«

»Wir essen bei Nana? Okay!«

Nana, wie sie Jakes Mutter liebevoll nannten, hatte am Morgen angerufen und sie eingeladen, wie fast jeden Sonntag. Sie habe in ihrem Garten frischen Mais und Tomaten geerntet und Lust zu kochen.

Einige Männer rauchten im Schatten eines Baumes neben der Kirche noch eine Zigarette. Mehrere Frauen unterhielten sich an der Eingangstür. Im Eingangsbereich wurden sie von einer Frau in Empfang genommen, die sie herzlich begrüßte und ihnen ein gedrucktes Programm für den Gottesdienst aushändigte. Drinnen im schönen Gottesdienstraum erklang Klaviermusik, während sie auf einer der gepolsterten Bänke im mittleren Bereich Platz nahmen. Charles McGarry entdeckte sie sehr schnell und kam zu ihnen, um sie zu begrüßen. Meg sei zu Hause mit dem Baby, das erkältet, aber sonst wohlauf sei. Er bedankte sich für ihr Kommen und freute sich aufrichtig, sie zu sehen.

Als Städter hatten sie sich viel zu elegant angezogen, aber das schien niemanden zu stören. Jake sah nur einen einzigen dunklen Anzug in den Reihen. Dass sie die Blicke auf sich zogen, war offenkundig. Die Nachricht, dass Mr. Brigance im Haus war, verbreitete sich rasch, und auch andere Gemeindemitglieder hießen sie herzlich willkommen.

Um elf kam durch eine Seitentür ein kleiner Chor in blauen Roben herein, und Pastor McGarry trat an die Kanzel, um die Bekanntmachungen zu verlesen. Er sprach ein kurzes Gebet und übergab dann an die Chorleiterin, die die Gemeinde aufforderte, sich zu erheben. Nach drei Strophen setzten sie sich, um einem Solo zu lauschen.

Als die Predigt begann, machte Hanna es sich zwischen ihren Eltern gemütlich, um ein Nickerchen zu halten, nur um zu beweisen, dass sie bei jeder Predigt einschlafen konnte. Obwohl er so jung war und keine große Ausbildung hatte, schien Charles McGarry am richtigen Platz. Er predigte über den Brief des Apostels Paulus an Philemon, und es ging um Vergebung. Unsere Fähigkeit anderen zu vergeben, auch denen, die es nicht verdienten, sei ein Abbild der Vergebung Gottes durch Christus.

Jake hörte gern Predigten und ganz generell Reden. Er stoppte jedes Mal die Zeit. Von Lucien hatte er gelernt, dass nach zwanzig Minuten bei jedem Vortrag die Gefahr bestand, dass die Zuhörer abschweiften, insbesondere wenn es sich um das Schlussplädoyer vor einem Geschworenengericht handelte. Bei Jakes erstem Prozess mit einer Jury – es ging um bewaffneten Raubüberfall – hatte sein Schlussplädoyer ganze elf Minuten gedauert. Und es hatte funktioniert. Wie die meisten Prediger fand auch sein Pastor von der First Presbyterian Church oft kein Ende, und Jake hatte zu viele Predigten über sich ergehen lassen, die an Schwung verloren und langweilig wurden.

Charles McGarry war nach achtzehn Minuten fertig und fand einen gelungenen Abschluss. Als er sich wieder setzte, stimmte ein Kinderchor ein schwungvolles Lied an. Hanna wachte auf und genoss die Musik. Dann übernahm wieder der Pastor, der die Gemeinde aufforderte, erfreuliche Erlebnisse und Sorgen mit den anderen zu teilen.

Es war definitiv ein ganz anderer Gottesdienst, weniger förmlich, viel herzlicher und lebendiger. Nach dem Segen wurden Jake und Carla von Gemeindemitgliedern umringt, die dafür sorgen wollten, dass sie sich willkommen fühlten.

# 31

In der endlosen Reihe schlechter Tage versprach der Montag einer der schlimmsten zu werden. Jake, der sich ohnehin nicht konzentrieren konnte, starrte bis fünf vor zehn wie gebannt auf die Uhr und verließ dann sein Büro für einen kurzen Besuch auf der anderen Seite des Platzes.

In Clanton gab es drei Banken. Stan von der Security Bank hatte schon Nein gesagt. Die Sullivans führten die größte Anwaltskanzlei im County, und irgendwelche Cousins besaßen eine Mehrheitsbeteiligung an der größten Bank. Jake wollte sich nicht die Demütigung antun, dort um Geld zu betteln. Sie hätten sowieso Nein gesagt und sich dabei ins Fäustchen gelacht. Als er an ihrer Kanzlei vorbeikam, verfluchte er sie insgeheim und fluchte gleich weiter, als er die Bank passierte.

Das dritte Finanzinstitut, People's Trust, wurde von Herb Cutler geführt, einem stämmigen alten Haudegen, den Jake immer gemieden hatte. Er war kein schlechter Mensch, nur ein knauseriger Banker, der Geld ausschließlich gegen überzogene Sicherheiten verlieh. Eigentlich eine Unverschämtheit. Um von Cutler einen Kredit zu bekommen, musste man so viel besitzen, dass man kein Geld brauchte.

Als Jake die Eingangshalle betrat, fühlte er sich, als hätte man ihm die Pistole auf die Brust gesetzt. Die Rezeptionistin deutete auf eine Ecke, und um Punkt zehn Uhr betrat er ein großes, unaufgeräumtes Büro. Cutler, der wie üblich knallrote Hosenträger trug, saß hinter seinem Schreibtisch und stand auch nicht auf. Sie schüttelten sich die Hände und tauschten die üblichen Höflichkeitsfloskeln aus, wobei Cutler eigentlich kein Mann vieler Worte war und nicht um den heißen Brei herumredete.

Er schüttelte von vornherein den Kopf, als er zum Thema kam. »Bei dem Darlehen habe ich Bedenken, Jake, die Umschuldung Ihrer Hypothek, meine ich. Die Bewertung kommt mir sehr hoch vor. Dreihunderttausend ist schon sehr viel. Ich weiß, dass Sie vor zwei Jahren zweihundertfünfzigtausend für das Haus bezahlt haben, aber ich glaube, da hat Willie Traynor Sie über den Tisch gezogen.«

»Nein, Herb, das war ein gutes Geschäft. Außerdem wollte meine Frau das Haus unbedingt. Ich kann eine neue Hypothek stemmen.«

»Wirklich? Dreihunderttausend über dreißig Jahre zu zehn Prozent? Das macht zweitausendfünfhundert pro Monat.«

»Ich weiß, kein Problem.«

»Das Haus ist nicht so viel wert, Jake. Sie sind in Clanton, nicht in Jackson.«

Das wusste er selbst.

»Zuzüglich Steuern und Versicherung kommen Sie auf dreitausend. Das wäre für jeden hier in Clanton eine enorme Belastung.«

»Herb, das weiß ich, aber ich kann das stemmen.« Bei der Zahl wurde ihm schlecht, und er hatte den Verdacht, dass man ihm das ansah. Im gesamten Monat Mai hatte seine kleine, allzu ruhige Kanzlei keine zweitausend brutto eingenommen. Juni ließ sich noch schlechter an.

»Ich brauche jedenfalls irgendwelche Nachweise. Finanzunterlagen, Steuererklärungen, solche Belege. Ich hoffe, die sind zuverlässiger als Ihre Schätzung. Was für ein Bruttoeinkommen erwarten Sie dieses Jahr?«

Die Demütigung war unerträglich. Schon wieder würde ein Banker in seinen Büchern herumschnüffeln. »Sie wissen doch selbst, wie das in meinem Geschäft ist. Man weiß nie, wer so hereinschneit. Ich werde wahrscheinlich einhundertfünfzigtausend verdienen.«

Die Hälfte davon wäre der reinste Geldsegen.

»Also, ich weiß nicht. Stellen Sie mir ein paar Finanzdaten zusammen, dann sehe ich mir das an. Was haben Sie im Augenblick in der Pipeline?«

»Was meinen Sie damit?«

»Hören Sie, Jake, ich habe ständig mit Rechtsanwälten zu tun. Was ist in Ihrer Kanzlei der beste Fall?«

»Das *Smallwood*-Verfahren gegen die Eisenbahngesellschaft.«

»Ach wirklich? Ich habe gehört, der Prozess ist Ihnen um die Ohren geflogen.«

»Keineswegs. Richter Noose wird für den Spätherbst einen neuen Verhandlungstermin festsetzen. Wir liegen sozusagen im Plan.«

»Sehr witzig. Was ist Ihr nächstbester Fall?«

Den gab es nicht. Jesse Turnipseeds Mutter war auf irgendeiner Essigbrühe auf dem Boden eines Lebensmittelgeschäfts ausgerutscht und hatte sich den Arm gebrochen. Er heilte wunderbar. Die Versicherung bot siebentausend Dollar an. Jake konnte nicht mit einem Prozess drohen, weil die Frau gern in gut versicherten Geschäften stürzte, wenn niemand in der Nähe war. »Die üblichen Autounfälle und so«, sagte er, selbst nicht überzeugt.

»Das bringt nichts. Irgendwas von Wert?«

»Eigentlich nicht. Zumindest nicht im Augenblick.«

»Was ist mit anderen Vermögenswerten? Ich meine etwas von Bedeutung.«

Er konnte gar nicht sagen, wie er Banker hasste. Sein mageres Sparkonto hatte er geplündert, um Stan zu zahlen. »Einige Ersparnisse, Autos und so.«

»Schon klar. Was ist mit anderen Krediten? Sind Sie bis über beide Ohren verschuldet wie die meisten Anwälte hier?«

Kreditkarten, die monatliche Rate für Carlas Fahrzeug. Er traute sich nicht, den Prozesskredit zu erwähnen, damit Cutler nicht ausflippte. Allein der Gedanke, dass sich jemand so viel Geld lieh, um einen Prozess zu finanzieren. Im Augenblick kam es Jake selbst absurd vor. »Das Übliche, nichts Großes, nichts, das ich nicht schaffen könnte.«

»Kommen wir auf den Punkt, Jake. Stellen Sie mir ein paar Zahlen zusammen, dann sehe ich mir das an, aber ich kann Ihnen gleich sagen, dreihunderttausend sind nicht drin. Ich weiß noch nicht mal, ob zweihundertfünfzigtausend nicht zu viel sind.«

»Ich kümmere mich darum. Danke, Herb. Wir sehen uns.«

»Keine Ursache.«

Jake verließ fluchtartig das Büro und fühlte sich in seinem Hass auf die Banken bestätigt. Am Boden zerstört, schleppte er sich zurück in seine Kanzlei.

Sein nächster Termin würde noch unangenehmer werden. Drei Stunden später stürmte Harry Rex die Treppe zu seinem Büro hinauf, öffnete die Tür einen Spaltbreit und sagte: »Gehen wir.«

Sie nahmen denselben Weg wie Jake am Morgen, aber diesmal blieben sie an der Kanzlei Sullivan stehen. Eine attraktive Sekretärin führte sie zu einem pompösen Konferenzraum, in dem sie schon erwartet wurden. Auf der einen Seite des Tisches saß Walter Sullivan mit Sean Gilder und einem seiner vielen angestellten Rechtsanwälte. Die beiden Anwälte der Eisenbahngesellschaft waren auch dabei. Es dauerte eine Weile, bis sich alle höflich begrüßt und die Hände geschüttelt hatten. An einem Ende saß eine Gerichtsstenografin neben dem für den Zeugen reservierten Stuhl.

Auf sein Stichwort kam Mr. Neal Nickel herein und begrüßte die Anwesenden. Die Gerichtsstenografin ließ ihn den Eid ablegen, und er nahm Platz. Nachdem er auf Veranlassung von Gilder aussagte, erklärte dieser dem Zeugen den Ablauf und stellte eine lange Liste vorbereitender Fragen. Da Gilder nach Stunden bezahlt wurde, ließ er sich Zeit und arbeitete mit akribischer Genauigkeit.

Jake musterte Nickels Gesicht, das ihm sehr vertraut war. Allerdings nur, weil er ihn so oft auf den Fotos vom Unfallort gesehen hatte. Nickel trug auch jetzt einen dunklen Anzug und war redegewandt, gebildet und kein bisschen eingeschüchtert.

Sehr schnell kam die hässliche Wahrheit ans Licht. In der Unfallnacht sei er einem alten Pick-up gefolgt, der sich nur mit Mühe auf der Straße gehalten habe. Da er in Schlangenlinien von einem Bankett zum anderen geschlingert sei, habe Nickel möglichst viel Abstand gehalten. Als er eine Hügelkuppe erreichte, habe er am Fuß des Abhangs die roten Warnleuchten des Bahnübergangs blinken sehen. Es sei gerade ein Zug durchgefahren. Die Scheinwerfer des Pick-ups und des Autos vor diesem seien von den grellgelben Warnstreifen, die an allen Waggons angebracht waren, reflektiert worden. Plötzlich habe es eine Explosion gegeben. Der Pick-up habe abrupt gebremst, genau wie Nickel. Er sei ausgestiegen und zum Bahnübergang gerannt, wo das kleine Auto gestanden habe, das von der Wucht des Aufpralls um hundertachtzig Grad gedreht worden sei, sodass die völlig demolierte Front in Nickels Richtung gezeigt habe. Der Zug sei in normalem Tempo weitergefahren, als wäre nichts passiert. Der Fahrer des Pick-ups, ein Mr. Grayson, sei schreiend und mit den Armen fuchtelnd zum Auto gelaufen. Im Inneren des Fahrzeugs habe sich ein Bild des Schreckens geboten. Der Fahrer und eine Beifahrerin seien völlig verstümmelt und blutüberströmt gewesen. Auf dem Rücksitz hätten ein Junge und ein Mädchen gesessen, die bei dem Unfall geradezu zermalmt worden waren. Nickel habe sich am Straßenrand ins Gestrüpp übergeben, als der Zug endlich durchgefahren war. Ein weiteres Fahrzeug habe angehalten, dann noch eins, und während sich alle um das Auto drängten, sei ihnen klar geworden, dass sie nichts tun konnten. »Sie sind tot, sie sind alle tot«, habe Grayson immer wieder gesagt, während er um das Auto herumlief. Die anderen Fahrer seien ebenso entsetzt gewesen wie Nickel. Dann hätten sie Sirenen gehört, viele Sirenen. Die Rettungskräfte hätten schnell gemerkt, dass keine Dringlichkeit bestand – alle vier waren tot. Nickel habe weiterfahren wollen, aber die Straße sei blockiert gewesen. Da er nicht aus der Gegend war und die Ausweichrouten nicht kannte, habe er zusammen mit den anderen gewartet und die Ereignisse verfolgt. Drei Stunden lang habe er am Straßenrand gestanden und zugesehen, wie die Feuerwehr die Leichen aus dem Auto schnitt. Es sei ein entsetzlicher Anblick gewesen, den er nie vergessen werde. Er habe Albträume davon bekommen.

Die Aussage war das reinste Geschenk für Sean Gilder, der Nickels Aussage langsam und gründlich mit ihm durchging, um jedes Detail zu klären. Er gab ihm große Fotos der Blinklichtanlage, aber Nickel sagte, er habe in all dem Chaos nicht darauf geachtet. Zum Zeitpunkt des Zusammenstoßes hätten die Leuchten geblinkt, das war alles, was zählte.

Leider, zumindest für die Kläger, war Nickel weit glaubwürdiger als Hank Grayson, der immer noch behauptete, die Leuchten hätten nicht funktioniert, und er selbst habe den Zug erst gesehen, als er fast in das Auto der Smallwoods krachte.

Gilder, der die Situation gründlich genoss, wandte sich sodann den Ereignissen in den Monaten nach dem Unfall zu. Insbesondere der Begegnung mit einem Privatdetektiv in Nickels Büro in Nashville. Nickel sei überrascht gewesen, dass ihn jemand aufgespürt habe. Der Ermittler habe gesagt, er arbeite für einen Anwalt aus Clanton, aber keinen Namen genannt. Nickel habe bereitwillig kooperiert und die Ereignisse genauso geschildert, wie er es eben unter Eid getan habe. Der Privatdetektiv habe sich bei ihm bedankt und sei seiner Wege gegangen, ohne sich noch einmal zu melden. Im Februar sei er dann in der Nähe von Clanton unterwegs gewesen und habe beschlossen, einen Zwischenstopp beim Gericht einzulegen. Dort habe er sich nach dem Verfahren erkundigt und die Auskunft bekommen, die Akte sei öffentlich zugänglich. Er habe sie zwei Stunden lang studiert und festgestellt, dass Hank Grayson bei seiner ursprünglichen Aussage geblieben war. Das habe ihm zu denken gegeben, aber er habe nach wie vor nichts mit der Sache zu tun haben wollen, weil ihm die Smallwoods leidgetan hätten. Im Laufe der Zeit sei jedoch das Gefühl immer stärker geworden, dass er sich melden müsse.

Bei vorab aufgenommenen Zeugenaussagen legten manche Anwälte alle Karten auf den Tisch und ließen sich jedes Detail erzählen. Ihr Ziel war, aus der Befragung als Sieger hervorzugehen. Gilder war so ein Typ. Bessere Anwälte hielten sich zurück und gewährten keinen Einblick in ihre Strategie. Sie bewahrten sich ihre schlagenden Argumente für die Verhandlung auf. Brillante Anwälte nahmen oft vor der Verhandlung gar keine Zeugenaussagen auf und kannten dafür im Kreuzverhör kein Erbarmen.

Jake hatte keine Fragen an den Zeugen. Er hätte Nickel fragen können, warum er sich als Augenzeuge nicht bei der Polizei gemeldet hatte. Am Unfallort hatte es nur so gewimmelt von Beamten, und zwei State Trooper hatten die Menge befragt, aber Nickel hatte kein Wort gesagt. Er hatte schweigend danebengestanden und den Mund nicht aufgemacht. Sein Name tauchte in keinem der Berichte auf.

Jake hätte ihm eine Frage stellen können, die auf der Hand lag, die Gilder und sein Team jedoch bisher übersehen hatten. Der Zug hatte den Bahnübergang vollständig gequert, dann angehalten und zurückgesetzt, weil der Lokführer einen dumpfen Schlag gehört hatte. Auf den Gleisen verkehrten Züge in beide Richtungen. Warum hatte die Blinklichtanlage nicht funktioniert, als sich der Zug im Rückwärtsgang aus der entgegengesetzten Richtung näherte? Jake lagen Aussagen von einem Dutzend Zeugen vor, die schworen, dass die Leuchten nicht blinkten, als der Zug in der Nähe auf das Eintreffen der Rettungskräfte wartete. Gilder, der entweder seiner Sache zu sicher oder aber faul war, hatte mit diesen Zeugen nicht gesprochen.

Jake hätte nach seiner Vergangenheit fragen können. Nickel war siebenundvierzig. Mit zweiundzwanzig war er in einen furchtbaren Unfall verwickelt gewesen, bei dem drei Teenager ums Leben gekommen waren. Die Jugendlichen hatten Bier getrunken und waren in einer Freitagnacht mit einem gestohlenen Auto auf einer Landstraße frontal in das von Nickel gesteuerte Auto gerast. Wie sich herausstellte, hatten alle Beteiligten getrunken. Bei Nickel wurde ein Wert von 1,0 Promille festgestellt, und er wurde wegen Trunkenheit am Steuer festgenommen. Eine Anklage wegen Totschlag war im Gespräch, aber letztendlich wurde festgestellt, der Unfall sei nicht seine Schuld gewesen. Die Familien der drei Getöteten verklagten ihn, und das Verfahren zog sich vier Jahre lang hin, bevor Nickels Versicherung im Rahmen eines Vergleichs eine Abfindung zahlte, um sich das Verfahren vom Hals zu schaffen. Deswegen hatte er ursprünglich auch nichts mit dem Prozess zu tun haben wollen.

Diese wertvollen Hintergrundinformationen waren von einem Privatdetektiv aufgedeckt worden, der Jake dreitausendfünfhundert Dollar kostete. Geld, das ebenfalls zulasten des Prozesskredits ging, den er bei Stan aufgenommen hatte. Jake hatte also etwas in der Hand. Sean Gilder ahnte vermutlich nichts, weil er während der Protokollierung der Zeugenaussage nichts davon erwähnte. Jake freute sich schon auf den Augenblick, wenn er Nickel in Anwesenheit der Geschworenen damit konfrontierte und fertigmachte. Auf seine Glaubwürdigkeit würde sich das verheerend auswirken, aber seine Vergangenheit änderte natürlich nichts am Hergang des *Smallwood*-Unfalls.

Jake und Harry Rex hatten sich um die Strategie gestritten. Harry Rex wollte einen Frontalangriff bei der Aufnahme der Zeugenaussage, um die Verteidigung einzuschüchtern und Gilder vielleicht, wenn auch nur vielleicht, zu Vergleichsgesprächen zu bewegen. Sie brauchten verzweifelt Bargeld, aber Jake träumte immer noch von einem großen Sieg im Verhandlungssaal. Und er würde nicht auf einen Termin drängen. Es konnte ein Jahr dauern, bis sich die Gemüter wieder beruhigt hatten. Die Verhandlung gegen Drew Gamble musste vorher stattfinden, um diese Belastung aus dem Weg zu räumen.

Harry Rex fand das unrealistisch. Noch ein Jahr hielten sie nicht durch.

# 32

Am Montag arbeitete Jake bis spät, und es war bereits dunkel, als er aus dem Büro kam. Er hatte den Kopf so voll, dass er schon fast zu Hause war, als ihm einfiel, dass er Carla Milch, zwei Dosen passierte Tomaten und Kaffee mitbringen sollte. Er wendete und fuhr zu einem Kroger-Supermarkt im Osten der Stadt. Er stellte den roten Saab auf dem fast leeren Parkplatz ab, ging ins Geschäft, füllte seinen Einkaufskorb, zahlte, packte seine Einkäufe ein und war schon fast am Auto, als das Unheil über ihn hereinbrach. »Hey, Brigance«, sagte eine unfreundliche Stimme. Jake drehte sich um und sah einen Sekundenbruchteil lang ein Gesicht, das ihm vage bekannt vorkam. Da er die Einkäufe in der Hand hielt, konnte er sich nicht rechtzeitig ducken, um dem harten Schlag auszuweichen. Er traf ihn direkt auf der Nase, brach ihm den Knochen und schleuderte ihn auf den Asphalt neben seinem Auto. Eine Sekunde lang konnte er nichts sehen. Ein schwerer Stiefel trat gegen sein rechtes Ohr, während er versuchte, sich aufzurappeln. Er spürte eine Tomatendose in seiner Hand und schleuderte sie dem Mann direkt ins Gesicht. Der schrie auf, fluchte und trat erneut zu. Jake war schon fast wieder auf den Beinen, als sich von hinten ein zweiter Mann auf ihn stürzte. Er landete erneut unsanft auf dem Asphalt, schaffte es aber, den zweiten Angreifer am Haar zu packen. Aber dann traf ihn der schwere Stiefel an der Stirn, und Jake war so benommen, dass er sich nicht mehr wehren konnte. Er ließ die Haare los und versuchte, wieder auf die Beine zu kommen, wurde aber mit dem Gesicht nach oben zu Boden gedrückt. Der zweite Mann, ein dicker, massiger Kerl, drosch fluchend und schimpfend auf sein Gesicht ein, während der erste ihm in Rippen und Bauch und alle anderen ungeschützten Körperteile trat. Als er die Hoden erwischte, schrie Jake auf und verlor das Bewusstsein.

Zwei laute Schüsse knallten in der Dunkelheit. »Aufhören!«, brüllte eine Stimme.

Die beiden Schläger zuckten zusammen und ergriffen die Flucht. Im Spurt verschwanden beide um die Ecke des Supermarkts. Ein gewisser William Bradley rannte mit der Pistole in der Hand auf Jake zu. »Großer Gott!«, rief er entsetzt.

Jake war bewusstlos und sein Gesicht ein blutiger Brei.

Als Carla in der Notaufnahme eintraf, wurde Jake gerade geröntgt. »Er atmet selbstständig und ist ansprechbar. Mehr weiß ich im Moment auch nicht«, sagte eine Krankenschwester. Seine Eltern kamen eine halbe Stunde später und wurden von Carla im Wartezimmer in Empfang genommen. In einer Ecke stand William Bradley und sprach mit einem Beamten der Stadtpolizei von Clanton.

Mays McKee, ein Arzt, den sie aus der Kirche kannten, kam schon zum zweiten Mal vorbei, um sie auf den aktuellen Stand zu bringen. »Jake ist brutal zusammengeschlagen worden«, sagte er ernst. »Aber er ist wach und stabil und außer Lebensgefahr. Platzwunden, Prellungen, eine gebrochene Nase. Er ist noch beim Röntgen und bekommt Morphium. Er hat starke Schmerzen. Ich bin gleich wieder da.« Er verschwand, und Carla setzte sich zu Jakes Eltern.

Parnell Johnson, ein Deputy der Polizei von Ford County, traf ein und unterhielt sich kurz mit ihnen. Dann sprach er mit Mr. Bradley und dem Beamten der Stadtpolizei, bevor er sich Carla gegenüber an einen Couchtisch setzte. »Es sieht so aus, als wären sie zu zweit gewesen. Jake wurde überfallen, als er vor dem Supermarkt in sein Auto steigen wollte. Mr. Bradley da drüben hatte gerade geparkt, sah die Schlägerei und griff nach seiner Waffe. Er schoss zweimal und schlug sie so in die Flucht. Er hat beobachtet, wie ein grüner General-Motors-Pick-up auf einer Nebenstraße hinter dem Geschäft davonraste. Im Augenblick wissen wir noch nicht, wer das war.«

»Danke«, sagte Carla.

Eine endlose Stunde verging, bis Dr. McKee wiederkam. Er sagte, Jake sei in ein Einzelzimmer verlegt worden und wolle Carla sehen. Seine Eltern dürften im Augenblick nicht zu ihm, könnten ihn aber am nächsten Tag besuchen. Dr. McKee und Carla gingen in den zweiten Stock und blieben vor einer geschlossenen Tür stehen. »Er sieht furchtbar aus und ist ziemlich fertig«, flüsterte der Arzt. »Gebrochene Nase, zwei gebrochene Rippen, zwei ausgeschlagene Zähne, drei Platzwunden im Gesicht, die mit einundvierzig Stichen genäht werden mussten. Das hat Dr. Pendergrast übernommen. Er ist ein hervorragender Mann und glaubt nicht, dass auffällige Narben zurückbleiben werden.«

Carla holte tief Luft und schloss die Augen. Zumindest war er am Leben. »Kann ich heute Nacht hierbleiben?«

»Natürlich. Wir lassen eine Klappliege aufstellen.«

Er stieß die Tür auf, und sie betraten leise das Zimmer. Carla wurde fast ohnmächtig, als sie ihren Mann sah. Von den Augenbrauen an aufwärts steckte der Kopf in einem dicken Verband. Ein weiterer Verband bedeckte fast sein ganzes Kinn. Eine Reihe kleiner schwarzer Stiche zog sich über seine Nase. Seine Augen sahen furchtbar aus, sie waren auf die Größe eines Hühnereis angeschwollen, sodass er sie nicht mehr öffnen konnte. Seine Lippen waren unnatürlich dick und blutig. Ein Schlauch führte in seinen Mund, zwei Infusionen hingen über ihm. Sie schluckte mühsam und nahm seine Hand.

»Jake, Schatz, ich bin hier.« Sie küsste ihn vorsichtig auf die Wange, auf eine kleine freie Stelle, die nicht verbunden war.

Er stöhnte und versuchte zu lächeln. »Hallo, Liebling. Alles gut bei dir?«

Sie erwiderte sein Lächeln, obwohl er es nicht sehen konnte. »Mach dir um mich keine Sorgen. Ich bin hier, und du wirst wieder gesund.«

Er murmelte etwas Unverständliches, bewegte ein Bein und stöhnte.

Dr. McKee sagte. »Er hat einen heftigen Tritt zwischen die Beine bekommen, und die Hoden sind stark geschwollen. Diese Schwellung wird noch zunehmen.«

»Willst du mit mir in die Kiste steigen, Süße?«, witzelte Jake, der das gehört hatte, bemerkenswert deutlich.

»Nein, will ich nicht. Das muss ein paar Tage warten.«

»Mist.«

Ein langer Augenblick verging, während sie seine Hand drückte und seine Verbände anstarrte. Tränen traten ihr in die Augen und liefen ihr über das Gesicht. Als Jake einzudösen schien, deutete Dr. McKee mit dem Kopf zur Tür. »Er hat eine Gehirnerschütterung, die ich beobachten will«, sagte er draußen auf dem Gang, »er bleibt also ein paar Tage hier. Ich glaube nicht, dass es etwas Ernstes ist, aber wir müssen es im Auge behalten. Sie können gern hierbleiben, aber es ist wirklich nicht nötig. Sie können nichts tun, und er wird vermutlich bald einschlafen.«

»Ich bleibe. Jakes Eltern passen auf Hanna auf.«

»Wie Sie wollen. Die Sache tut mir wirklich sehr leid.«

»Danke, Dr. McKee.«

»Er kommt wieder in Ordnung. Eine Woche oder so wird er ziemliche Schmerzen haben, aber es wird nichts zurückbleiben.«

»Danke.«

Harry Rex erschien und beschimpfte die Krankenschwester, weil sie ihn nicht zu Jake ließ. Bevor er wieder ging, drohte er, sie zu verklagen.

Es war Mitternacht, und Jake hatte seit über einer Stunde keinen Laut von sich gegeben. Carla saß barfuß und immer noch in Jeans auf ihrer wackligen Liege und blätterte auf die Kissen gestützt im schwachen Licht der Tischlampe in einer Illustrierten. Sie versuchte, den Gedanken an die Täter zu verdrängen, aber sie wusste, dass der Zwischenfall mit Kofer zu tun hatte. Fünf Jahre war es her, dass der Ku-Klux-Klan während des Hailey-Prozesses ihr Haus angezündet und vor dem Gericht auf Jake geschossen hatte. Drei Jahre lang hatten sie mit Waffen und unter besonderen Sicherheitsvorkehrungen leben müssen, weil sie immer wieder bedroht wurden. Es schien ihr unfassbar, dass die Gewalt jetzt von vorn losging.

Was für ein Leben war das? Kein anderer Anwalt war solchen Einschüchterungsversuchen ausgesetzt. Warum sie? Warum musste sich ihr Ehemann auf gefährliche Fälle einlassen, für die er nicht einmal bezahlt wurde? Seit zwölf Jahren arbeiteten sie hart und versuchten zu sparen, um sich eine Zukunft aufzubauen. Jake konnte schuften wie kein Zweiter und wollte unbedingt ein erfolgreicher Prozessanwalt werden. Er war geradezu übertrieben ehrgeizig und träumte davon, große Prozesse zu gewinnen und von Geschworenengerichten hohe Schadenersatzsummen zugesprochen zu bekommen. Eines Tages würde er das ganz große Geld verdienen, davon war er fest überzeugt.

Und jetzt? Jake war brutal zusammengeschlagen worden. Seine Kanzlei siechte dahin, die Schulden wuchsen ihnen zusehends über den Kopf.

Bei ihrem Urlaub am Meer hatte ihr Vater sie wieder einmal beiseitegenommen, als Jake nicht in der Nähe war, und erwähnt, dass er für Jake eine Stelle im Finanzmanagement finden könne. Er habe Freunde im Investmentgeschäft, die meisten schon teilweise im Ruhestand, aber sie planten, einen Fonds für Investitionen in Krankenhäuser und Medizintechnik-Start-ups aufzulegen. Sie wusste nicht genau, was das bedeutete, und hatte es Jake gegenüber mit keinem Wort erwähnt. In jedem Fall würden sie in die Nähe von Wilmington ziehen und sich beruflich völlig neu orientieren müssen. Ihr Vater sprach sogar von einem Darlehen, um ihnen den Neustart zu erleichtern. Allerdings hatte er keine Ahnung, wie es um ihre Finanzen bestellt war.

Ein Umzug an die Küste würde auf jeden Fall mehr Sicherheit bedeuten.

Manchmal hatten sie darüber gesprochen, wie öde das Kleinstadtleben war. Dieselbe Routine, dieselben Freunde, kein nennenswertes Gesellschaftsleben. Für Kultur- und Sportveranstaltungen mussten sie eine Stunde weit fahren, nach Tupelo oder Oxford. Sie mochte ihre Freundinnen, aber es schien ständig darum zu gehen, wer das größte Haus, das teuerste Auto, den exotischsten Urlaub hatte. In einer Kleinstadt waren die Leute hilfsbereit, aber dafür gab es kein Privatleben. Vor zwei Jahren hatten sie für viel zu viel Geld Hocutt House gekauft, das war bei manchen ihrer Freundinnen nicht gut angekommen. Offenbar hatten sie den Eindruck, dass die Brigances zu schnell die Erfolgsleiter erklommen und die anderen zurückließen. Weit gefehlt.

Es herrschte ein ständiges Kommen und Gehen des Pflegepersonals, sodass an Schlaf nicht zu denken war. Die hell erleuchteten Monitore blinkten. Zumindest schienen die Opioide zu wirken.

War dies der Wendepunkt in ihrem Leben? Der letzte Tropfen, der das Fass zum Überlaufen brachte und Jake aus seiner Tretmühle als Brot-und-Butter-Anwalt befreite, der jeden Monat nur mit Mühe seine Rechnungen bezahlen konnte? Sie waren noch nicht einmal vierzig. Sie hatten noch viel Zeit, und es war der ideale Zeitpunkt, um ihrem Leben eine neue, bessere Richtung zu geben, Mississippi hinter sich zu lassen und einen angenehmeren Ort zu finden. Als Lehrerin konnte sie überall arbeiten.

Sie legte die Zeitschriften zur Seite und schloss die Augen. Warum standen sie nicht im August den Gamble-Prozess durch, adoptierten im September Kieras Baby und gingen dann aus Clanton weg? Für Drews Zukunft, so ungewiss sie auch sein mochte, würde dann ein anderer Anwalt zuständig sein, aber davon gab es schließlich genug. Wäre es nicht sicherer und klüger, ganz weit weg zu ziehen? Sie wären in der Nähe ihrer Eltern, die liebend gern auf Hanna aufpassen würden. Jake konnte beruflich ganz neu anfangen, endlich einmal jeden Monat sein Gehalt bekommen, und sie würden das ganze Jahr über am Meer leben.

Sie war hellwach, als um halb zwei eine Krankenschwester hereinkam und ihr eine Schlaftablette gab.

Zum Frühstück trank Jake mit einem Strohhalm Apfelsaft direkt aus dem Karton. Sein ganzer Körper schmerzte. Eine Krankenschwester erhöhte die Morphiumdosis, und er döste wieder ein.

Um sieben erschien Dr. McKee und erklärte Carla, er wolle eine Computertomografie von Jakes Gehirn und weitere Röntgenaufnahmen machen. Er schlug vor, Carla solle für ein paar Stunden nach Hause fahren, nach Hanna sehen und sich ein bisschen ausruhen.

Zu Hause angekommen, rief sie Jakes Eltern an, um sie auf dem Laufenden zu halten, und bat sie, Hanna vorbeizubringen. Dann telefonierte sie mit Harry Rex und berichtete ihm das wenige, was sie selbst wusste. Nein, sie habe Jake nicht gefragt, ob er die Täter erkannt habe. Sie rief Portia, Lucien, Stan Atcavage und Richter Noose an, die alle jede Menge Fragen hatten, aber sie hielt das Gespräch so kurz wie möglich. Sie würde sich später wieder melden. Sie fütterte den Hund, räumte die Küche auf, startete die

Waschmaschine und setzte sich schließlich mit einer Tasse Kaffee auf die Terrasse, um ihre Gedanken zu ordnen. Was sollte sie nur Hanna sagen? Sie konnte Jake nicht von seiner Tochter fernhalten, aber er würde noch tagelang völlig entstellt sein. Für ein Kind musste es traumatisch sein, den Vater so zu sehen, und verstehen konnte Hanna das bestimmt nicht. Für sie würde eine Welt zusammenbrechen, wenn sie hörte, dass es schlechte Menschen gab, die ihrem Vater Böses wollten.

Der Kaffee trug nichts dazu bei, ihre Nerven zu beruhigen, und schließlich rief sie ihre Mutter an und erstattete Bericht.

Um elf trafen Mr. und Mrs. Brigance mit Hanna ein, die tränenüberströmt zu ihrer Mutter lief und wissen wollte, wie es ihrem Daddy ging. Carla nahm sie in die Arme, sagte, er sei im Krankenhaus, aber es gehe ihm gut, und Hanna werde den Tag bei Becky verbringen. Vorher solle sie schnell baden und sich umziehen. »Was habt ihr ihr erzählt?«, fragte Carla Mrs. Brigance, nachdem Hanna widerwillig die Küche verlassen hatte.

»Nicht viel, nur dass er verletzt ist und im Krankenhaus liegt, aber bald nach Hause kommt, und dass sie sich keine Sorgen machen muss.«

»Wir wussten nicht recht, was wir sagen sollten«, erklärte Mr. Brigance, »aber sie merkt, dass etwas nicht stimmt.«

»In den nächsten Tagen kann sie ihn nicht sehen«, sagte Carla. »Der Schock wäre zu groß.«

»Wann können wir zu ihm?«, fragte Mrs. Brigance.

»Auf jeden Fall heute. Wir fahren gleich los.«

Das Wartezimmer wurde immer voller. Als sie eintrafen, waren Portia, Harry Rex, Stan und seine Frau sowie ihr Pastor, Dr. Eli Proctor, bereits da. Carla umarmte alle und sagte, sie werde nach Jake sehen und Bericht erstatten. Dr. McKee erschien und gab ihr ein Zeichen mitzukommen. Sie gingen zu Jakes Zimmer und fanden ihn im Bett sitzend vor, wie er sich mit einer Krankenschwester herumstritt, die ihm Kühlkompressen auf das Gesicht legen wollte. Carla redete ihm gut zu und nahm seine Hand. »Nichts wie weg hier«, sagte er.

»Immer mit der Ruhe, Jake«, sagte Dr. McKee. »Computertomografie und Röntgenbilder sehen gut aus, aber Sie bleiben noch ein paar Tage hier.«

»Tage? Soll das ein Scherz sein?« Jake bewegte ein Bein und zuckte vor Schmerz zusammen.

»Tut es weh?«, fragte Carla.

»Nur wenn ich atme.«

»Wo sitzt der Schmerz?«

»Du hast freie Wahl. Meine Eier fühlen sich an wie Grapefruits.«

»Sei nicht so ordinär, Jake. Deine Mutter wird gleich hier sein.«

»Muss das sein? Halt sie mir noch eine Weile vom Hals. Ich kann sie ja noch nicht mal sehen. Ich kann gar nichts sehen.«

Carla lächelte und sah Dr. McKee an. »Ich glaube, es geht ihm besser.«

»Das wird schon wieder. Es ist nur eine leichte Gehirnerschütterung. Alles andere heilt, aber das braucht seine Zeit.«

»Also keine zusätzlichen Hirnschäden?«, fragte sie.

»Nein, gar nichts.«

»Danke, Schatz«, sagte Jake. »Wo ist Hanna?«

»Bei den Palmers, sie spielt mit Becky.«

»Gut. Da ist sie bestens aufgehoben. Ich will nicht, dass sie mich als Zombie zu Gesicht bekommt.«

»Ich hole deine Eltern, okay?«

»Ich will niemanden sehen.«

»Stell dich nicht so an, Jake. Sie machen sich furchtbare Sorgen und bleiben sowieso nur ganz kurz.«

»Von mir aus.«

Carla und Dr. McKee verließen den Raum, während die Krankenschwester mit den Kühlkompressen erneut ihr Glück versuchte. »Probieren wir es noch einmal«, sagte sie geduldig.

»Wenn Sie mich anfassen, verklage ich Sie.«

Am späten Nachmittag döste Jake gerade, als Dr. McKee ihn sanft am Arm zupfte und sagte: »Jake, Sie haben Besuch.«

Er versuchte sich aufzusetzen, und zuckte erneut zusammen. »Ich will keinen Besuch mehr«, murmelte er.

»Es ist Sheriff Walls. Ich warte draußen.« Er ließ die beiden allein und schloss die Tür hinter sich.

Ozzie und Moss Junior Tatum traten an das Bett und versuchten, sich von dem Anblick, den Jakes Gesicht bot, nicht irritieren zu lassen. »Hallo, Jake«, sagte Ozzie.

Jake grunzte etwas. »Ozzie«, sagte er dann. »Was führt dich her?«

»Hallo, Jake.« Das war Tatum.

»Hallo. Ich kann nichts sehen, aber ich bin sicher, ihr seht so doof aus wie immer.«

»Kann schon sein«, erwiderte Ozzie. »Wie du aussiehst, behalte ich lieber für mich.«

»Ich hab ordentlich Prügel bezogen, was?«

»Allerdings«, erwiderte Ozzie und lachte. »Da drängt sich doch die Frage auf, wer das war. Konntest du was sehen?«

»Es waren mindestens zwei. Den Zweiten kannte ich nicht, aber der Erste war einer von den Kofer-Söhnen. Entweder Cecil oder Barry. Welcher, kann ich nicht sagen, weil ich die beiden nicht persönlich kenne. Ich habe sie bloß letzte Woche im Gericht gesehen.«

Ozzie sah Tatum an, und der nickte. Keine Überraschung.

»Bist du sicher?«, fragte Ozzie.

»Warum sollte ich Märchen erzählen?«

»Okay. Wir statten ihnen einen Besuch ab.«

»Möglichst bald. Ich habe eine Vierhundert-Gramm-Tomatendose nach dem Kofer-Sohn geworfen. Volltreffer mitten im Gesicht, hat bestimmt Spuren hinterlassen, aber in ein paar Tagen ist das verheilt.«

»Gut gemacht.«

»Sie haben mich aus dem Hinterhalt überfallen, Ozzie. Ich hatte keine Chance.«

»Natürlich nicht.«

»Die hätten mich umgebracht, wenn nicht jemand geschossen hätte.«

»Das war ein gewisser William Bradley, der gerade parken wollte, als er merkte, was los war.«

Nach einem Augenblick schüttelte Jake den Kopf. »Er hat mir das Leben gerettet. Sag ihm, ich werde mich bedanken, sobald ich dazu in der Lage bin.«

»Wird gemacht.«

»Und frag ihn, warum er nicht besser gezielt hat.«

»Wir fahren zu den Kofers.«


# 33


So nervig die Kühlkompressen auch waren, sie taten ihre Wirkung, und Jake hörte auf, sich darüber zu beschweren. Am Mittwochmorgen war die Schwellung so weit zurückgegangen, dass er die Augen öffnen und zumindest verschwommen sehen konnte. Der erste Anblick, der sich ihm bot, war das bezaubernde Gesicht seiner Ehefrau, das ihm noch nie so schön vorgekommen war, auch wenn es etwas unscharf war. Jake küsste sie zum ersten Mal seit einer Ewigkeit. »Ich gehe nach Hause«, verkündete er.

»O nein, das wirst du nicht tun. Du hast heute Vormittag Termine. Zuerst beim Augenarzt, dann beim Zahnarzt und noch ein paar Ärzten und zum Schluss beim Reha-Berater.«

»Ich mache mir mehr Sorgen um meine Hoden.«

»Ich auch, aber da kann man im Grunde nur abwarten. Ich habe letzte Nacht mal nachgesehen, als du vor dich hin geschnarcht hast, und sie sehen ziemlich beeindruckend aus. Dr. McKee sagt, dafür kann man nur Schmerzmittel nehmen und hoffen, dass es wieder in Ordnung kommt.«

»Welcher Spezialist ist für die Hoden zuständig?«

»Der Urologe. Der war schon da, als du weggetreten warst, und hat Fotos gemacht.«

»Du schwindelst.«

»Nein. Ich habe die Decke hochgehalten, und er hat geknipst.«

»Wofür braucht er Fotos?«

»Er hat gesagt, er will sie vergrößern und hinter seinem Empfang an die Wand hängen.«

Jake brachte ein mühsames Lachen zustande, das abrupt abbrach, als ihm der Schmerz wie eine glühende Klinge durch die Rippen zuckte. Er verzog das Gesicht. Der Schmerz würde noch viele Tage sein ständiger Begleiter sein, und er war entschlossen, sich nichts anmerken zu lassen, zumindest nicht vor seiner Frau.

»Wie geht es Hanna?«

»Ganz gut. Sie ist bei deinen Eltern und amüsiert sich bestens.«

»Das freut mich. Was hast du ihr gesagt?«

»Nicht die ganze Wahrheit. Ich habe gesagt, du hattest einen Unfall, bei dem du verletzt wurdest, und musst deswegen ein paar Tage im Krankenhaus bleiben. Sie ist sehr verstört und will dich unbedingt sehen.«

»Aber nicht hier. Ich will sie auch sehen, aber ich möchte sie nicht zu Tode erschrecken. Morgen komme ich nach Hause, dann machen wir eine kleine Familienfeier.«

»Wer sagt, dass du morgen nach Hause kommst?«

»Ich. Ich habe die Nase voll vom Krankenhaus. Die Knochen sind eingerichtet und die Platzwunden genäht. Ich kann zu Hause gesund werden, und du kannst mich rund um die Uhr pflegen.«

»Ich kann es kaum erwarten. Es gibt jede Menge Leute, die sich Sorgen um dich machen, Jake. Lucien wollte kommen, aber ich habe ihm gesagt, er soll warten. Harry Rex ruft ständig an.«

»Harry Rex war hier und hat mich ausgelacht, weil ich mich habe verprügeln lassen. Lucien kann warten. Ich habe mit Portia gesprochen, sie hält unsere Mandanten hin. Mehr als drei sind das wohl nicht.«

»Richter Noose hat angerufen.«

»Das ist ja auch das Mindeste. Schließlich hat er mich reingeritten.«

»Er ist sehr besorgt. Dell hat angerufen. Richter Atlee. Dr. Proctor. Pastor McGarry. Jede Menge Leute.«

»Die können alle warten. Im Augenblick will ich niemanden sehen, wenn es nicht unbedingt sein muss. Ich will nach Hause, die Tür hinter mir zumachen und mich in Ruhe erholen. Manche Leute sind einfach nur neugierig.«

»Und manche sehr besorgt.«

»Ich lebe noch, Carla. Ich werde schon wieder gesund. Ich kann keinen brauchen, der vorbeikommt, um mir die Hand zu halten.«


Cecil Kofer war Vormann eines Arbeitstrupps, der in der Nähe des Sees einen Kanal aushob. Am späten Vormittag parkten Moss Junior Tatum und Mick Swayze neben seinem Pick-up und gingen zum Bauwagen. Cecil telefonierte gerade im Stehen, sein Helm lag auf seinem Schreibtisch. Eine Bürokraft, die ganz in der Nähe saß, blickte auf. »Guten Morgen.«

Tatum warf ihr einen vernichtenden Blick zu. »Raus hier.«

»Wie bitte?«

»Raus hier, hab ich gesagt. Wir müssen mit dem Chef reden.«

»Kein Grund, unverschämt zu werden.«

»Du hast fünf Sekunden.«

Sie stand auf und rauschte empört davon. Cecil legte auf, als die beiden Polizeibeamten sich vor ihm aufbauten. »Hallo, Cecil«, sagte Tatum. »Darf ich vorstellen: Mick Swayze. Ozzie schickt uns.«

»Ist mir ein Vergnügen.«

Cecil war einunddreißig, untersetzt und schleppte bestimmt zwanzig Kilo zu viel mit sich herum. Aus unerfindlichen Gründen hatte er aufgehört, sich zu rasieren, und trug einen ungepflegten roten Bart, der ihn auch nicht schöner machte.

Tatum trat vor, bis er in Reichweite seiner Fäuste war. »Du warst Montagabend in der Stadt?«

»Weiß ich nicht mehr.«

»Ist ja auch schon lange her. Der grüne Pick-up da draußen ist deiner, oder?«

»Kann schon sein.«

»Kennzeichen 442ECS. Jemand hat ihn gegen neun Uhr abends mit überhöhter Geschwindigkeit vom Kroger-Supermarkt wegfahren sehen. Wahrscheinlich warst du das nicht selbst, was?«

»Vielleicht habe ich ihn einem Freund geliehen.«

»Wie heißt der?«

»Weiß ich nicht mehr.«

»Du hast ja ein ganz schönes Horn an der Stirn. Was ist unter dem Pflaster? Ist das genäht worden?«

»Korrekt.«

»Wie ist das denn passiert?«

»Ich bin in der Garage gegen ein Regal gelaufen.«

»Diese blöden Regale, ständig im Weg. Mick, sieht das für dich aus, als wäre er gegen ein Regal gelaufen?«

Swayze trat einen Schritt näher und musterte Cecils Stirn. »Nein, ich würde sagen, das war eine Vierhundert-Gramm-Tomatendose. So was kommt immer wieder vor.«

»Da hast du recht«, sagte Tatum. Bedächtig nahm er die Handschellen von seinem Gürtel und rasselte demonstrativ damit. Cecil holte tief Luft und ließ die Handschellen nicht aus den Augen.

»Es gibt einen feinen Unterschied zwischen einfacher Körperverletzung und schwerer Körperverletzung«, sagte Tatum. »Für die eine gibt es zwei Jahre, für die andere zwanzig.«

»Interessant.«

»Schreib's dir auf, wo du doch so ein schlechtes Gedächtnis hast. Zwei zu eins, mit der Absicht, jemandem schwere Verletzungen zuzufügen, das ist eindeutig erschwert. Das bedeutet Parchman. Wer kümmert sich um deine Frau und die drei Kinder, während du weg bist?«

»Ich gehe nirgendwohin.«

»Das bestimmst nicht du, Junge. Jake hat dich erkannt, und der Mann mit der Pistole hat gesehen, wie dein Auto vom Tatort weggefahren ist.«

Cecil ließ die Schultern hängen und sah sich suchend um. »Der kennt mich doch gar nicht.«

»Er hat dich bei Gericht gesehen und gesagt, es war der Kofer mit dem roten Zottelbart. Wir haben mit Barry gesprochen, und siehe da, sein Zottelbart ist schwarz und nicht rot. Warum kauft ihr euch nicht einen Rasierer?«

»Schreib ich mir auf.«

Tatum war noch längst nicht fertig. »Für dich ist Richter Omar Noose zuständig. Er hält viel von Jake und ist sehr wütend, dass einer seiner Anwälte wegen einer Sache an seinem Gericht grün und blau geschlagen wurde. Er bucht dich auf jeden Fall ein.«

»Keine Ahnung, wovon ihr redet.«

»Wir erstatten Ozzie Bericht, und er schickt uns morgen los, damit wir dich festnehmen. Hier oder bei dir zu Hause, vor deinen Kindern, was ist dir lieber?«

»Ich nehme mir einen Anwalt.«

»Nicht in diesem County. Hier findest du keinen, der es sich mit Richter Noose verderben will. Hier oder bei dir zu Hause?«

Cecil ließ die Schultern noch mehr hängen und war plötzlich gar nicht mehr so selbstsicher. »Wegen was?«

»Wegen der Festnahme. Wir bringen dich zum Gefängnis, nehmen deine Angaben auf, stecken dich in eine Zelle, und nachdem die Kaution so um die zehntausend sein wird, kannst du tausend in bar als Garantie hinterlegen und kommst erst mal frei. Hier oder bei dir zu Hause?«

»Dann lieber hier.«

»Bis morgen.«


Die Physiotherapeutin war eine große kräftige Frau namens Marlene, die Jake gleich herumkommandierte und sich zuerst einmal seine Hoden ansehen wollte. Er weigerte sich rundheraus. Das fand sie witzig, und Jake fragte sich, ob sich das gesamte Krankenhauspersonal auf seine Kosten amüsierte. Gab es in einem Krankenhaus überhaupt so etwas wie Privatsphäre?

Mit etwas Unterstützung von Carla schaffte er es, sich seitlich so aufzusetzen, dass seine Füße vom Bett hingen.

»Sie kommen hier nur weg, wenn Sie bis zur Tür und zurück gehen können«, sagte Marlene provozierend. Sie griff mit einer Hand unter seine Achsel, Carla übernahm die andere Seite. Jake ließ sich nach unten rutschen, bis seine nackten Füße den kalten Linoleumboden berührten, und verzog das Gesicht, als ein stechender Schmerz von den Leisten über die Rippen bis in seinen Hals und Schädel fuhr. Ihm wurde schwindlig, und er zögerte einen Augenblick, aber dann schloss er die Augen und biss die Zähne zusammen. Er tat einen kleinen Schritt, dann noch einen. »Loslassen«, sagte er. Sie lösten ihren Griff, und er schlurfte los. Seine riesigen Hoden schmerzten und hinderten ihn daran, normal zu gehen oder auch nur zu stehen, sodass er wie eine Ente mit O-Beinen zur Tür watschelte und am Griff abschlug. Stolz drehte er sich um und ging acht Schritte zurück zum Bett. »So. Jetzt will ich entlassen werden.«

»Nicht so schnell, Cowboy. Machen Sie das noch einmal.«

Seine Beine fühlten sich schwach und wacklig an, aber er schaffte es bis zur Tür und zurück. So schmerzhaft das Gehen war, die Tatsache, dass er nicht mehr im Bett lag und stattdessen etwas geradezu Normales tat, verlieh ihm neue Kräfte. »Können Sie Wasser lassen?«, fragte Marlene nach dem vierten kleinen Marsch.

»Ich muss nicht.«

»Versuchen Sie es trotzdem. Mal sehen, ob Sie es allein zur Toilette schaffen.«

»Wollen Sie zusehen?«

»Kein Bedarf.«

Jake watschelte ins Bad und schloss die Tür hinter sich. Er zog seinen Krankenhauskittel hoch und klemmte sich den Saum unter das Kinn. Langsam ließ er den Blick zu seinen monströsen Genitalien wandern und lachte ungläubig auf. Es war ein Gelächter, das sich schnell in ein schmerzerfülltes Jaulen verwandelte, sodass Carla an die Tür klopfte.

Am späten Mittwochnachmittag saß Jake aufrecht in seinem Krankenhausbett, mit Carla zu seinen Füßen. Sie sahen im Fernsehen die Nachrichten, als es an der Tür klopfte. Sie öffnete sich, noch bevor Jake »Herein« gesagt hatte. Ozzie und Moss Junior Tatum waren wieder da. Carla schaltete den Fernseher stumm.

»Der Arzt sagt, du wirst morgen entlassen«, begann Ozzie.

»Wird auch Zeit«, erwiderte Jake.

»Das klingt gut. Geht es dir besser?«

»Hundert Prozent.«

»Sie sehen immer noch furchtbar aus«, meinte Tatum.

»Danke. Dauert seine Zeit.«

»Kommt zur Sache, Jungs«, sagte Carla. Sie stellte sich auf die andere Seite des Betts und sah die Männer an. Ozzie nickte Tatum zu. »Wir haben heute Vormittag Cecil Kofer einen Besuch abgestattet, in der Arbeit. Er hat eine dicke Beule und eine Platzwunde an der Stirn. Natürlich streitet er alles ab, aber er ist unser Mann. Wir nehmen ihn morgen fest.«

»Ich erstatte keine Anzeige«, sagte Jake.

Ozzie sah Carla an, und sie nickte. Offenbar hatten sie darüber gesprochen und eine Entscheidung getroffen.

»Was soll das, Jake?«, sagte Ozzie. »Er darf nicht ungestraft davonkommen. Du hättest tot sein können.«

»Bin ich aber nicht. Ich erstatte keine Anzeige.«

»Warum nicht?«

»Ich will mir den Ärger ersparen, Ozzie. Ich habe schon genug am Hals. Außerdem hat die Familie es schwer genug. Die Wunden heilen, und dann ist die Sache vergessen.«

»Das glaube ich nicht. Ich bin einmal in Memphis von ziemlich üblen Gestalten überfallen und niedergeschlagen worden. Ich kann mich noch an jeden Schlag erinnern.«

»Ich habe mich entschieden, Ozzie. Keine Anzeige.«

»Ich kann ihn aber trotzdem festnehmen, das weißt du.«

»Lass es sein. Außerdem kannst du ihn ohne meine Aussage nicht überführen. Sag den Kofers nur, sie sollen mich in Ruhe lassen. Keine Anrufe mehr, keine Drohungen, keine Einschüchterungsversuche. Wenn sie mich auch nur schief ansehen, gebe ich unter Eid meine Aussage zu Protokoll und erstatte Anzeige. Das dürfte als Druckmittel reichen. Okay?«

Ozzie zuckte mit den Schultern. Was sollte er sich mit Jake anlegen? »Wenn du es so willst.«

»So will ich das. Und sag den Kofers, dass ich bewaffnet bin und einen Waffenschein habe. Noch einmal lasse ich mich nicht überrumpeln. Wenn sie mir wieder auf die Pelle rücken, wird es ihnen leidtun.«

»Ach komm, Jake«, murmelte Carla.

Seine dritte und letzte Nacht im Krankenhaus verbrachte er allein. Carla hatte Rückenschmerzen von der Klappliege, und Jake überredete sie, Hanna abzuholen und sich zu Hause auszuschlafen. Um neun Uhr telefonierten sie noch einmal, um sich eine gute Nacht zu wünschen.

Aber die Schlaftabletten wirkten nicht, und die Schmerzmittel versagten ebenfalls. Er bat eine Krankenschwester um etwas Stärkeres, doch sie sagte, er habe schon genug bekommen. Nach der zweiten Schlaftablette war er so aufgedreht, dass er um zwei Uhr morgens immer noch hellwach war. Der erste Schock ließ allmählich nach, und die Schwellungen gingen zurück, aber er würde noch lange unbeweglich und anfällig sein, von den Schmerzen ganz zu schweigen. Seine Knochen und Muskeln würden heilen. Wie es mit der Angst aussah, mit dem Entsetzen darüber, so verletzt worden zu sein, wusste er nicht. Mal fühlte er sich ganz fit und dachte daran, was als Nächstes zu erledigen war, dann lag er in Gedanken wieder halb bewusstlos und blutend auf dem Boden und bekam einen Schlag nach dem anderen ins Gesicht, während sein Körper mit Tritten malträtiert wurde. Auch achtundvierzig Stunden später schien ihm der Vorfall völlig unwirklich. Zweimal hatte er einen furchtbaren Albtraum gehabt, in dem er wieder das hasserfüllte Gesicht des Mannes über sich sah, der auf ihn eindrosch. Er spürte immer noch den harten Asphalt, gegen den sein Kopf mit jedem Schlag prallte.

Dann dachte er wieder an Josie und fragte sich, wie ein Mensch damit leben konnte, ständig körperlich bedroht zu werden. Jake war über einen Meter achtzig groß und wog gut achtzig Kilo, und wenn er die Gelegenheit dazu gehabt hätte, hätte er sich zumindest zur Wehr setzen können. Aber Josie wog höchstens fünfundfünfzig Kilo und hätte gegen einen Schläger wie Kofer keine Chance. Und wie furchtbar musste es für die Kinder gewesen sein, mit anzuhören, wie ihre Mutter wieder einmal verprügelt wurde.

## 34

Als Dr. McKee zu einer frühen Morgenvisite erschien, stand Jake mitten im Zimmer und reckte versuchsweise die Arme. Sein Krankenhauskittel lag auf dem Bett, und er trug ein T-Shirt und eine weite Jogginghose, die größte, die Carla hatte finden können. Außerdem hatte er Laufschuhe an, als wollte er gleich zu einer morgendlichen Joggingrunde aufbrechen.

»Was wird das?«, fragte McKee.

»Das sind Dehnübungen. Ich gehe nach Hause. Sie müssen nur noch die Entlassungspapiere unterschreiben.«

»Setzen Sie sich, Jake.«

Er ging rückwärts zum Bett und setzte sich auf den Rand. Der Arzt wickelte vorsichtig den Kopfverband ab und sah nach der Naht. »Die Fäden ziehen wir in einer Woche oder so«, sagte er. »Mit der Nase kann man nicht viel machen, nur warten, dass sie abheilt. Sie hat sich von selbst eingerichtet und wird kaum einen Knick haben.«

»Ich will keine schiefe Nase.«

»Wirkt aber besonders männlich«, behauptete McKee, während er den restlichen Verband entfernte. »Wie geht es den Rippen?«

»Sind noch alle da.«

»Stehen Sie auf, und ziehen Sie die Hose herunter.« Jake folgte der Anweisung und biss die Zähne zusammen, als der Arzt vorsichtig seine Hoden untersuchte. »Die Schwellung nimmt noch zu«, murmelte er.

»Wann kann ich Sex haben?«

»Warten Sie, bis Sie zu Hause sind.«

»Im Ernst.«

»In ein paar Jahren. Ich entlasse Sie, Jake, aber Sie müssen sich schonen. Das wird seine Zeit dauern.«

»Mich schonen? Was soll ich sonst tun? Ich kann mit den Dingern doch kaum laufen.«

Carla kam ins Zimmer, als Jake seine Jogginghose hochzog. »Ich bin ein freier Mann«, verkündete er stolz.

»Nehmen Sie ihn mit nach Hause«, sagte McKee zu ihr. »Aber die nächsten drei Tage bleibt er im Bett, und das meine ich ernst. Keinerlei körperliche Aktivität. Und wir reduzieren die Vicodin-Dosis. Das Zeug macht süchtig. Kommen Sie am Montag wieder.«

Als er gegangen war, gab Carla Jake eine Zeitung, die *Times* vom Vortag. BRIGANCE BEI ANGRIFF KRANKENHAUSREIF GESCHLAGEN verkündete eine fette Schlagzeile.

»Du hast es mal wieder auf die Titelseite geschafft«, meinte Carla. »Das freut dich doch bestimmt.«

Jake setzte sich auf die Bettkante und las die reißerische Schilderung der Attacke, die Dumas Lee verfasst hatte. Bisher gebe es keine Verdächtigen. Keinerlei Kommentar vom Opfer, seiner Familie oder seiner Kanzlei. Ozzie Walls habe nur gesagt, es werde in alle Richtungen ermittelt. Ein Archivbild zeigte Jake, wie er während des Hailey-Prozesses das Gericht betrat.

Eine Krankenschwester brachte ihm mehrere Papiere und ein Fläschchen Vicodin. »Zweimal pro Tag, fünf Tage lang, dann ist Schluss«, sagte sie, als sie Carla das Fläschchen aushändigte. Sie ging und kehrte mit einem Smoothie und einem Strohhalm zurück, Jakes üblichem Frühstück. Eine Stunde später schob ein Pflegehelfer einen Rollstuhl durch die Tür, der für Jake bestimmt war. Jake wollte aber unbedingt aufrecht gehend das Krankenhaus verlassen. Der Mann erwiderte, das sei gegen die Vorschrift. Was, wenn ein Patient stürzte und sich verletzte? Dann wurde bestimmt das Krankenhaus verklagt. Vor allem, wenn der Patient Anwalt war.

»Jetzt setz dich endlich hin, Jake«, fuhr Carla ihn an. Sie gab ihm eine Kappe und seine Sonnenbrille. »Ich hole das Auto.« Während er durch den Flur geschoben wurde, verabschiedete sich Jake vom Pflegepersonal und bedankte sich für die gute Betreuung. Er fuhr mit dem Aufzug nach unten und war schon am Haupteingang, als er Dumas Lee entdeckte, der mit seiner Kamera in der Nähe der Tür herumlungerte. Lee kam lächelnd auf ihn zu. »Hallo, Jake, haben Sie einen Augenblick für mich?«

Jake beherrschte sich. »Dumas, wenn Sie mich jetzt fotografieren, rede ich nie wieder mit Ihnen.«

Dumas Lee fasste seine Kamera nicht an, fragte aber nach. »Haben Sie eine Ahnung, wer das war, Jake?«

»Wer was war?«

»Der Überfall auf Sie.«

»Ach das. Nein, keine Ahnung und kein Kommentar. Verschwinden Sie, Dumas.«

»Meinen Sie, es hat was mit der Kofer-Sache zu tun?«

»Kein Kommentar. Verschwinden Sie. Und Finger weg von der Kamera.«

Ein Wachmann tauchte aus dem Nichts auf und stellte sich zwischen Jake und den Reporter. Der Rollstuhl wurde durch die breite Eingangstür geschoben, vor der Carla bereits am Randstein wartete. Zusammen mit dem Pflegehelfer hievte sie Jake auf den Vordersitz, schloss die Tür und fuhr los. Jake zeigte Lee den Stinkefinger.

»Musste das sein?«, fragte Carla. Jake antwortete nicht. »Ich weiß, dass du schlimme Schmerzen hast«, sagte sie, »aber mir gefällt nicht, wie du die Leute behandelst. Wir werden demnächst alle zusammen zu Hause sein, und ich möchte, dass du nett zu mir bist. Und zu Hanna.«

»Wer hat sich das denn ausgedacht?«

»Ich. Deine Chefin. Komm mal wieder runter und benimm dich.«

»Ja, Ma'am«, sagte Jake und kicherte in sich hinein.

»Was ist so witzig?«

»Nichts. Du hast nur kein Talent zur Krankenschwester.«

»Ganz bestimmt nicht.«

»Wenn du dafür sorgst, dass die Wärmflasche immer bereitliegt und ich mit Schmerzmitteln gefüttert werde, bin ich der reinste Engel.« Sie fuhren schweigend in Richtung Clanton Square. »Wer wartet zu Hause?«, fragte er.

»Deine Eltern und Hanna. Sonst niemand.«

»Meinst du, es ist ein Schock für Hanna?«

»Wahrscheinlich schon.«

»Ich habe dummerweise heute Morgen in den Spiegel gesehen. Mein kleines Mädchen wird entsetzt sein, wenn es seinen Vater sieht. Zugeschwollene Augen in schönstem Lila. Platzwunden und Prellungen. Eine Nase wie eine Kartoffel.«

»Dann zieh bloß nicht deine Hose aus.«

Jake brach in Gelächter aus und hätte am liebsten geweint, weil seine Rippen so schmerzten. »Die meisten Krankenschwestern haben ein mitfühlendes Wesen. Das fehlt mir bei dir.«

»Ich bin keine Krankenschwester. Ich bin deine Chefin, und du tust, was ich sage.«

»Ja, Ma'am.«

Sie parkte in der Einfahrt und half ihm beim Aussteigen Während er zum Haus watschelte, ging die Terrassentür auf und Hanna rannte auf ihn zu. Am liebsten hätte er sie gepackt, an sich gedrückt und durch die Luft gewirbelt, aber er beugte sich nur vor, damit sie ihn auf die Wange küssen konnte. Sie war vorgewarnt und versuchte gar nicht erst, ihn zu umarmen.

»Wie geht's meinem Mädchen?«, fragte er.

»Prima, Daddy. Und dir?«

»Schon viel besser. In einer Woche bin ich so gut wie neu.«

Sie nahm ihn an der Hand und führte ihn ins Haus, wo seine Eltern in der Küche warteten. Erschöpft ließ er sich auf einen Stuhl an dem kleinen Tisch in der Frühstücksecke sinken, der fast unter Torten, Kuchen, Platten mit Keksen und Unmengen von Blumen verschwand. Hanna setzte sich ganz dicht neben ihn und hielt seine Hand. Er unterhielt sich ein paar Minuten lang mit seinen Eltern, während Carla den Kaffee einschenkte.

»Nimmst du die Sonnenbrille nicht ab?«, fragte Hanna.

»Nein, heute nicht. Vielleicht morgen.«

»Aber dann siehst du hier drinnen doch gar nichts.«

»Ich kann dein liebes Gesicht sehr gut sehen, und das reicht mir.«

»Die Stiche sind ja furchtbar. Wie viele hast du? Tim Bostick hat sich letztes Jahr am Arm geschnitten und ist elfmal genäht worden. Der hat ganz schön angegeben.«

»Ich habe einundvierzig Stiche, ich gewinne.«

»Mom sagt, du hast zwei Zähne verloren. Lass mal sehen.«

»Hanna, das reicht«, schimpfte Carla. »Ich habe doch gesagt, wir reden nicht über das Thema.«


Richter Noose saß im Gericht von Gretna in Tyler County und arbeitete wieder einmal eine trostlose Liste von Zivilprozessen ab, laufende Verfahren, um die jeder Richter der Welt gern einen Bogen gemacht hätte. Die Rechtsanwälte der Kläger drängten halbherzig auf einen Verhandlungstermin, während die Anwälte der

Beklagten mit den üblichen Verschleppungstaktiken arbeiteten. Er unterbrach den Termin und zog sich ins Richterzimmer zurück, wo Lowell Dyer mit einer Ausgabe der *Ford County Times* wartete.

Noose legte die Robe ab und goss sich eine Tasse abgestandenen Kaffee ein. Dann las er den Artikel. »Haben Sie mit Jake gesprochen?«, erkundigte er sich.

»Nein. Sie?«

»Nein. Ich rufe ihn heute Nachmittag an. Ich habe mit Portia Lang geredet, die in der Kanzlei das Büro führt. Haben Sie eine Ahnung, wer dahintersteckt?«

»Ich habe mit Ozzie Walls gesprochen. Er hat mir unter dem Siegel der Verschwiegenheit verraten, dass es die Kofers waren, aber Jake will keine Anzeige erstatten.«

»Klingt ganz nach Jake.«

»Ich würde die Todesstrafe fordern.«

»Sie sind Staatsanwalt. Was bedeutet das für den Verhandlungsort?«

»Das fragen Sie mich? Sie sind doch der Richter.«

»Ich weiß, und ich versuche, zu einer Entscheidung zu kommen. Jake scheint nicht unrecht zu haben. Meine Quellen in Clanton meinen, das ist ein ganz heißes Eisen, und es könnte schwierig werden, Geschworene zu finden. Warum sollen wir das Risiko eingehen, wenn uns das in der nächsten Instanz zum Verhängnis werden könnte? Spielt es für die Staatsanwaltschaft wirklich eine Rolle, wo die Verhandlung stattfindet?«

»Ich weiß nicht recht. Wohin wollen Sie den Verhandlungsort verlegen?«

»Ich würde auf jeden Fall im Zweiundzwanzigsten bleiben. In den vier anderen Countys könnte man eine ähnliche Jury auswählen. Nur Ford County macht mir Sorgen.«

»Hier wäre gut.«

Noose lachte. »Hätte ich mir denken können. Direkt bei Ihnen vor der Haustür, das könnte Ihnen so passen.«

Dyer überlegte und trank einen Schluck Kaffee. »Was ist mit den Kofers? Denen wird es nicht gefallen, wenn der Verhandlungsort verlegt wird.«

»Sie haben das nicht zu bestimmen. Außerdem werden sie sich so oder so aufregen. Wissen Sie, Lowell, dieser Angriff auf Jake beschäftigt mich sehr. Ich habe ihm den Fall aufgezwungen, und jetzt ist er halb totgeschlagen worden. Wenn wir das durchgehen lassen, ist die ganze Rechtsordnung nichts mehr wert.«

Nachdem Ford County und Tyler County aus dem Rennen waren, blieben Polk, Milburn und Van Buren. Auf gar keinen Fall wollte Dyer, dass eine wichtige Verhandlung im alten Gerichtsgebäude von Chester stattfand, wo Noose praktisch zu Hause war. Allerdings wurde er das Gefühl nicht los, dass genau das der Plan war.

»Jake wird noch eine Weile außer Gefecht sein, Richter Noose. Meinen Sie, er braucht mehr Zeit und wird eine Vertagung beantragen? Die Verhandlung ist ja schon in sieben Wochen.«

»Ich frage ihn heute Nachmittag. Hätten Sie etwas dagegen, ihm mehr Zeit zu geben?«

»Nein, nicht in Anbetracht der Umstände. Aber so kompliziert ist der Prozess auch wieder nicht. Es steht ja außer Frage, wer abgedrückt hat. Offen ist nur das Thema Schuldunfähigkeit. Falls Jake darauf hinauswill, muss ich das rechtzeitig wissen, damit ich den Jungen noch einmal zur Begutachtung nach Whitfield schicken kann. Jake muss sich entscheiden.«

»Einverstanden. Ich spreche das an.«

»Nur aus Neugier, Richter Noose: Wie hat Jake die Geschworenen davon überzeugt, dass Hailey unzurechnungsfähig war?«

»Ich glaube, das hat er gar nicht. Hailey war nicht schuldunfähig, nicht nach unserer Definition. Er hat die Tötungen genau geplant und wusste, was er tat. Es war schlicht und einfach Vergeltung. Jake hat gewonnen, weil er die Geschworenen davon überzeugt hat, dass sie an Haileys Stelle genauso gehandelt hätten. Es war brillant.«

»Diesmal wird ihm das nicht so einfach gelingen.«

»Stimmt. Jedes Verfahren ist anders.«

Kaum war er zwei Stunden zu Hause, da langweilte Jake sich schon. Carla ließ die Rollos im Wohnzimmer herunter, steckte das Telefon aus, schloss die Tür und sagte ihm, er solle sich ausruhen. Er hatte einen Stapel von Vorabkopien von Entscheidungen des Obersten Gerichtshofs vor sich liegen, die jeder Anwalt angeblich verschlang, sobald sie verfügbar waren, aber er sah nur verschwommen und hatte Kopfschmerzen. Alles tat ihm weh, und das Vicodin wirkte nicht mehr richtig. Er döste immer wieder ein, nur war es nicht der Tiefschlaf, den er brauchte. Als seine persönliche Krankenschwester nach ihm sah, bestand er darauf, ins Fernsehzimmer zu dürfen. Sie erlaubte es, wenn auch ungern, und er zog von einem Sofa auf das andere um. Als Hanna vorbeikam und feststellte, dass er keine Sonnenbrille trug, bückte sie sich, um sein Gesicht genauer zu inspizieren, und brach in Tränen aus.

Dann bekam er Hunger und bestand darauf, dass er zum Mittagessen Eiscreme bekam. Hanna teilte die Portion mit ihm. Als sie sich später gerade einen Western ansahen, klingelte es an der Tür. Carla öffnete und berichtete, dass ein Nachbar, den sie kaum kannten und nur selten sahen, Jake unbedingt besuchen wollte.

Er blieb nicht der Einzige, aber Jake ließ sich nicht erweichen. Es würde Tage dauern, bis die Schwellung um seine Augen zurückging, und die Färbung würde von lila zu schwarz und blau wechseln. Das wusste er aus den Umkleiden der Footballmannschaften und von Mandanten, die in eine Kneipenschlägerei verwickelt gewesen waren. Sein Gesicht würde in den abscheulichsten Farben schillern, und das Ganze würde sich wochenlang hinziehen.

Nachdem Hanna den Schock überwunden hatte, kuschelte sie sich zu ihrem Vater unter seine Decke, und beide sahen stundenlang fern.

Nach langem Palaver beschloss Ozzie, dass zwei weiße Deputys die Sache in die Hand nehmen sollten. Er schickte Moss Junior Tatum und Marshall Prather, Stuarts besten Freund unter den Polizeibeamten. Sie meldeten sich telefonisch an, und Earl Kofer wartete am späten Donnerstagnachmittag draußen unter dem Sauerbaum auf sie. Nachdem sich alle eine Zigarette angezündet hatten, wollte Earl wissen, was los sei.

»Cecil«, sagte Tatum. »Jake hat ihn erkannt. Echt blöd von ihm, Earl, und das macht die Sache für dich und deine Familie ganz schön kompliziert.«

»Ich weiß nicht, wovon du redest. Brigance ist ja kein großes Licht, der hat sich bestimmt geirrt.«

Prather lächelte und wandte den Blick ab. Für das Reden war Tatum zuständig. »Okay. Wenn du meinst. Für schwere Körperverletzung gibt es zwanzig Jahre, das können sie vielleicht nicht nachweisen, aber auf jeden Fall bekommt der Junge auch für einfache Körperverletzung locker ein Jahr. Richter Noose ist stinksauer und lässt bestimmt nicht mit sich reden.«

»Über was reden?«

»Stell dich ruhig dumm. Jedenfalls erstattet Jake keine Anzeige, zumindest jetzt nicht, aber das kann er immer noch tun. Die Verjährungsfrist beträgt fünf Jahre. Außerdem kann er euch vor einem Zivilgericht verklagen, an dem wieder Richter Noose zuständig wäre, und sich seine Arztkosten erstatten lassen. Cecil hat das Geld bestimmt nicht.«

»Soll ich jetzt Angst kriegen?«

»Würde ich an deiner Stelle schon. Falls Jake Ernst macht, landet Cecil im Gefängnis und ist pleite. Nicht so schlau, sich mit einem Anwalt wie Jake anzulegen, Earl.«

»Wollt ihr was trinken?«

»Wir sind im Dienst. Folgendes kannst du deinem Sohn und seinem Bruder, seinen Cousins und dem ganzen restlichen Klan ausrichten: kein Ärger mehr. Verstanden, Earl?«

»Ich weiß nicht, was ihr von mir wollt.«

Die beiden Deputys drehten sich um und gingen zurück zu ihrem Streifenwagen.


# 35


Am Freitag würgte Jake zum Mittagessen eine Tasse pürierte Erbsensuppe herunter. Das Kauen war immer noch schmerzhaft, feste Nahrung undenkbar. Danach fuhren Carla und Hanna los, um shoppen zu gehen und einen Nachmittag unter Frauen zu verbringen. Sobald sie weg waren, rief Jake Portia an und bat sie vorbeizukommen. Sofort. Sie traf fünfundvierzig Minuten später ein, und nachdem sie sich von dem Anblick seines lädierten Gesichts erholt hatte, gingen sie ins Esszimmer und breiteten auf dem Tisch einen Stapel Akten aus, den sie mitgebracht hatte. Sie arbeiteten seine laufenden Fälle und anstehenden Gerichtstermine durch und überlegten, wie sie seine vorübergehende Abwesenheit überbrücken konnten.

»Irgendwas Neues?«, fragte er und fürchtete sich fast vor ihrer Antwort.

»Eigentlich nicht, Chef. Es kommen schon Anrufe, aber das sind vor allem Freunde und Studienkollegen, die wissen wollen, wie es Ihnen geht. Sie haben gute Freunde, Jake. Viele von ihnen würden Sie gern besuchen.«

»Nicht jetzt. Das kann warten. Die meisten wollen nur sehen, wie schlimm es mich erwischt hat.«

»Ziemlich schlimm, würde ich sagen.«

»Ja, ich hatte kaum eine Chance.«

»Und Sie erstatten keine Anzeige?«

»Nein. Meine Entscheidung steht fest.«

»Aber warum? Ich habe ausführlich mit Lucien und Harry Rex gesprochen, und wir sind uns einig, dass Sie sich die Kerle vorknöpfen und ihnen eine Lektion erteilen sollten.«

»Hören Sie, Portia, ich habe mich entschieden. Ich habe im Augenblick weder die mentale noch die körperliche Energie für einen Prozess gegen Cecil Kofer. Waren Sie im Gefängnis?«

»Nein, diese Woche nicht.«

»Tun Sie mir den Gefallen und besuchen Sie Drew jeden zweiten Tag. Er mag Sie und braucht jemanden. Sprechen Sie nicht über den Fall, spielen Sie einfach Karten oder was anderes mit ihm, und erinnern Sie ihn an seine Hausaufgaben. Carla sagt, er gibt sich mit dem Lernen mehr Mühe.«

»Wird gemacht. Wann kommen Sie wieder in die Kanzlei?«

»Sehr bald, hoffe ich. Meine Krankenschwester kommandiert mich ständig herum, und der Arzt lässt auch nicht mit sich reden, aber ich hoffe, er gibt mir grünes Licht, wenn er nächste Woche die Fäden gezogen hat. Ich habe gestern lange mit Noose gesprochen, und er drängt mich zu einer Entscheidung wegen der Schuldunfähigkeit. Ich glaube, ich werde ihm und Dyer mitteilen, dass ich mich auf die M'Naghten-Regel berufen und damit argumentieren werde, unser Mandant habe die Bedeutung seiner Tat nicht verstanden. Was meinen Sie?«

»Das war doch von Anfang an der Plan.«

»Im Grunde schon. Ein Problem ist allerdings das Geld für

einen Sachverständigen. Ich habe heute Morgen mit einem aus New Orleans gesprochen und finde den Mann sehr gut. Er war schon oft bei Gericht und kennt sich aus. Allerdings verlangt er fünfzehntausend Dollar, da habe ich gleich Nein gesagt. Unser Mandant ist mittellos, und das County zahlt bestimmt nicht so viel für einen Sachverständigen der Verteidigung. Das heißt, ich muss das Geld vorschießen und werde wahrscheinlich nicht einmal entschädigt. Er hat gesagt, er macht es für zehn. Immer noch zu viel. Ich habe mich bedankt und gesagt, wir denken darüber nach.«

»Was ist mit Libby Provine? Ich dachte, KAF versucht, Geld aufzutreiben.«

»Das stimmt, und sie kennt jede Menge Ärzte. Ich mache schon Druck. Noose hat gefragt, ob wir den Verhandlungstermin verschieben sollen, falls wir mehr Zeit brauchen, Dyer wäre einverstanden. Ich habe dankend abgelehnt.«

»Wegen Kiera?«

»Wegen Kiera. Am sechsten August ist sie mitten im siebten Monat, und ich will, dass sie bei ihrer Aussage schwanger ist.«

Portia warf einen Schreibblock auf den Tisch und schüttelte den Kopf. »Ich halte gar nichts davon, Jake. Es kommt mir nicht fair vor, ihre Schwangerschaft zu verschweigen. Richter Noose bekommt bestimmt einen Anfall, wenn er herausfindet, dass sie von Kofer schwanger ist. Und da wird er nicht der Einzige sein.«

»Sie ist nicht meine Mandantin. Ich vertrete Drew. Wenn die Staatsanwaltschaft sie in den Zeugenstand ruft, ist sie ihre Zeugin.«

»Das können Sie so oft sagen, wie Sie wollen, aber Dyer wird in die Luft gehen, und das ganze Verfahren könnte uns um die Ohren fliegen. Denken Sie nur an die Kofers, wenn sie hören, dass ihr Sohn ein Kind hinterlassen hat, von dem sie nichts wussten.«

»Es wird Sie vielleicht überraschen, aber im Moment sind mir die Kofers völlig egal, und es interessiert mich nicht, ob Noose einen Anfall bekommt und Dyer durchdreht. Denken Sie an die Geschworenen, Portia. Wichtig sind nur die Geschworenen. Wie viele von ihnen werden schockiert und empört sein, wenn die Wahrheit herauskommt?«

»Alle zwölf.«

»Kann sein. Ich glaube nicht, dass wir alle zwölf auf unserer Seite haben werden, aber drei oder vier sind genug. Wenn die Geschworenen zu keiner Entscheidung kommen, ist das ein Sieg für uns.«

»Geht es ums Gewinnen, Jake, oder um Wahrheit und Gerechtigkeit?«

»Was ist in diesem Fall Gerechtigkeit, Portia? In ein paar Monaten fangen Sie Ihr Jurastudium an und werden die nächsten drei Jahre zu hören bekommen, dass es bei Gerichtsverfahren immer um Wahrheit und Gerechtigkeit gehen sollte. Ja, so sollte es sein. Aber Sie sind auch alt genug, um Geschworenendienst zu leisten. Wie würden Sie im Fall des Jungen entscheiden?«

Sie überlegte einen Augenblick. »Ich weiß es nicht. Ich denke die ganze Zeit darüber nach und komme einfach zu keinem Entschluss. Der Junge hat getan, was er für richtig hielt. Er dachte, seine Mutter wäre tot …«

»Und er dachte, sie wären noch in Gefahr. Er dachte, Kofer könnte aufwachen und weiterwüten. Das war ja nichts Neues, er hatte sie immer wieder verprügelt und gedroht, sie umzubringen. Drew wusste vielleicht, dass Kofer besoffen war, aber nicht, dass er sich ins Koma getrunken hatte. In dem Augenblick damals dachte Drew, er müsste seine Schwester und sich selbst schützen.«

»Seine Handlung war also gerechtfertigt?«

Jake versuchte zu lächeln. Er deutete mit dem Finger auf Portia. »Ganz genau. Vergessen Sie die Schuldunfähigkeit. Es war eine gerechtfertigte Tötung.«

»Und wieso dann überhaupt ein Termin, um festzustellen, ob die M'Naghten-Regel anzuwenden ist?«

»Dazu wird es nicht kommen. Ich beantrage den nur, damit Dyer beschäftigt ist. Die Staatsanwaltschaft wird Drew nach Whitfield schicken und von ihren Ärzten untersuchen lassen, einer bestätigt bestimmt, dass der Junge genau wusste, was er tat. Dann ziehe ich den Antrag noch vor dem Termin zurück. Das verwirrt sie bestimmt.«

»Ist das ein Spiel?«

»Eine Schachpartie, aber eine, bei der sich die Regeln manchmal ändern.«

»Klingt gar nicht dumm. Ich bin mir sowieso nicht sicher, ob sich eine Jury davon überzeugen lässt, dass ein Sechzehnjähriger nicht gewusst hat, was er tut. Ich weiß, dass Schuldunfähigkeit keine medizinische Diagnose ist und dass Jugendliche alle möglichen psychischen Probleme haben können, aber es scheint merkwürdig, dass ein Teenager schuldunfähig sein soll.«

»Schön, dass Sie mir zustimmen. Vielleicht überlege ich es mir morgen wieder anders. Ich nehme Schmerzmittel und denke nicht immer klar. Machen wir mit den Akten weiter, damit wir fertig sind, bevor meine Krankenschwester zurückkommt. Ich darf eigentlich nicht arbeiten, und wenn sie uns erwischt, streicht sie mir die Eiscreme. Wie viel haben wir auf dem Konto?«

»Nicht viel. Knapp zweitausend Dollar.«

Jake rutschte hin und her und verzog das Gesicht, als eine Schmerzwelle durch Rippen und Leisten schoss.

»Alles in Ordnung, Chef?«

»Bestens. Als ich gestern mit Noose gesprochen habe, hat er gesagt, er teilt mir neue Pflichtverteidigungen in allen fünf Countys zu. Keine üppigen Honorare, aber zumindest kommt ein bisschen was zusammen.«

»Jake, ich möchte gern für den Augenblick auf mein Gehalt

verzichten. Ich wohne zu Hause und kann mir eine kleine Auszeit leisten.«

Er verzog erneut das Gesicht und verlagerte sein Gewicht. »Danke, Portia, aber ich werde dafür sorgen, dass Sie bezahlt werden. Sie brauchen für Ihr Jurastudium alles, was Sie kriegen können.«

»Wir können uns das Studium leisten, Jake, das haben wir Ihnen und dem alten Mr. Hubbard zu verdanken. Meine Mutter ist versorgt und wird es Ihnen nie vergessen.«

»Unsinn, Portia. Sie leisten tolle Arbeit, und dafür werden Sie bezahlt werden.«

»Lucien hat gesagt, er verzichtet für die nächsten Monate auf die Miete.«

Jake versuchte zu lächeln und lachte sogar ein wenig. Er blickte zur Decke und schüttelte vorsichtig den Kopf. »Nach dem Hailey-Prozess, für den ich das exorbitante Honorar von neunhundert Dollar bekommen habe, war ich genauso pleite wie jetzt, und Lucien hat ein paar Monate lang auf die Miete verzichtet.«

»Er macht sich Sorgen um Sie, Jake. Er hat mir gesagt, dass er zu seinen besten Zeiten der verhassteste Anwalt in Mississippi war, Todesdrohungen bekam, kaum noch Freunde hatte, bei den Richtern auf der schwarzen Liste stand, von den anderen Anwälten gemieden wurde und das alles genoss, dass er sich wohlfühlte in seiner Rolle als radikaler Anwalt – aber nie zusammengeschlagen wurde.«

»Ich hoffe, bei mir wird es auch das erste und einzige Mal sein. Ich habe mit Lucien gesprochen und weiß, dass er sich Sorgen macht. Wir stehen das durch, Portia. Sie legen sich voll ins Zeug, bis die Verhandlung vorbei ist, dann konzentrieren Sie sich auf Ihr Studium.«

Am späten Freitagnachmittag watschelte Jake barfuß in einem alten T-Shirt und weiten Gymnastikshorts auf der Terrasse herum und tat sein Bestes, sich zu bewegen, aktiv zu bleiben und die Beine zu dehnen, wie es ihm die Physiotherapeutin ans Herz gelegt hatte, als er in der Einfahrt vor dem Haus eine Autotür zufallen hörte. Sein erster Impuls war, sich ins Haus zu flüchten, damit ihn niemand sah. Er war schon fast an der Tür, als er eine vertraute Stimme hörte. »Hey, Jake.«

Carl Lee Hailey bog um die Hecke. »Hallo, Jake.«

Jake versuchte zu lächeln. »Was machst du denn hier?«

Sie schüttelten sich die Hände. »Ich will nur nach dir sehen«, sagte Carl Lee.

Jake deutete auf die Gartenmöbel. »Setz dich.« Sie machten es sich gemütlich.

»Du siehst furchtbar aus«, sagte Carl Lee.

»Ja, ich weiß, aber es sieht schlimmer aus, als es ist. Ich bin ganz altmodisch verprügelt worden.«

»Habe ich gehört. Kommst du wieder in Ordnung?«

»Natürlich, Carl Lee, ich bin schon auf dem Weg der Besserung. Was führt dich in die Stadt?«

»Ich habe von dem Überfall gehört und mir Sorgen um dich gemacht.«

Jake war gerührt und wusste nicht recht, was er sagen sollte. So viele Freunde hatten angerufen, Blumen und Gebäck geschickt und wollten vorbeikommen, aber mit Carl Lee hatte er nicht gerechnet.

»Das wird schon wieder, Carl Lee. Danke, dass du an mich denkst.«

»Ist Carla hier?«

»Im Haus, bei Hanna. Warum?«

»Dann komme ich gleich zum Thema, Jake. Als ich davon gehört habe, bin ich richtig wütend geworden, und ich bin immer noch total sauer. Hab die ganze Woche nicht viel geschlafen.«

»Willkommen im Club.«

»Ich habe gehört, du weißt, wer es war, willst aber keine Anzeige erstatten?«

»Komm schon, Carl Lee. Darüber will ich nicht sprechen.«

»Lass mich ausreden, Jake. Ich verdanke dir mein Leben, und bisher hatte ich nie Gelegenheit, mich bei dir zu revanchieren. Aber ich finde, jetzt reicht es. Ich habe ein paar Freunde, die mir helfen würden, für klare Verhältnisse zu sorgen.«

Jake schüttelte den Kopf. Er erinnerte sich an die vielen Stunden, die er im Vorfeld der Verhandlung bei Carl Lee im Gefängnis verbracht hatte, und an die geradezu ängstliche Scheu, die er in Anwesenheit eines Mannes empfunden hatte, der zu solch brutaler Gewalt fähig war. Carl Lee hatte die beiden Weißen erschossen, die seine Tochter vergewaltigt hatten, war durch ihr Blut gewatet und nach Hause gefahren, wo er darauf gewartet hatte, dass Ozzie ihn abholte. Fünfzehn Jahre davor war er für seinen Einsatz in Vietnam ausgezeichnet worden.

»Kommt nicht infrage, Carl Lee. Noch mehr Gewalt ist das Letzte, was wir brauchen.«

»Ich lasse mich nicht erwischen, und es gibt auch keine Toten, versprochen. Wir verpassen dem Kerl nur eine Abreibung, damit er weiß, wie sich das anfühlt, und es in Zukunft sein lässt.«

»Es wird nicht mehr vorkommen, Carl Lee, und du hältst dich da raus. Glaub mir, das würde alles nur noch komplizierter machen.«

»Gib mir den Namen, und ich sorge dafür, dass der Kerl gar nicht weiß, wie ihm geschieht.«

»Nein, Carl Lee. Die Antwort ist nein.«

Carl Lee biss die Zähne zusammen, nickte missbilligend und wollte gerade nachhaken, als Carla die Tür öffnete, um ihn zu begrüßen.

Am Sonntag parkte der alte Mazda mit dem Austauschgetriebe auf dem Parkplatz am Gefängnis, und Josie stieg aus. Kiera hätte ihren Bruder gern gesehen, aber sie wusste, dass das nicht ging. Sie kurbelte die Fenster herunter und schlug ein Taschenbuch auf, das Mrs. Golden ihr zwei Tage zuvor geliehen hatte.

Josie meldete sich am Empfang an, wo sie von Mr. Zack begrüßt wurde. Sie gingen durch den Gang zu Drews Zelle, und er schloss die Tür auf. Hinter ihr sperrte er wieder ab. Der Angeklagte saß an seinem Tisch, in dessen Mitte er fein säuberlich die Schulbücher gestapelt hatte. Er sprang auf und umarmte seine Mutter. Sie setzten sich, und Josie holte aus einer Papiertüte eine Packung Kekse und eine Getränkedose.

»Wo ist Kiera?«, wollte er wissen.

»Draußen im Auto. Sie kann nicht mehr reinkommen.«

»Weil sie schwanger ist?«

»Ja, deswegen. Jake will nicht, dass jemand davon erfährt.«

Er riss die Dose auf und nahm sich einen Keks. »Ich kann mir gar nicht vorstellen, dass sie ein Baby bekommt, Mom. Sie ist doch erst vierzehn.«

»Ich weiß. Ich war sechzehn, als du geboren wurdest, und das war viel zu jung.«

»Was wird mit dem Baby passieren?«

»Wir geben es zur Adoption frei. Ein nettes Paar irgendwo bekommt einen süßen kleinen Jungen, und er wird in einem schönen Zuhause aufwachsen.«

»Da hat er aber Glück.«

»Ja. Wird auch Zeit, dass jemand aus unserer Familie mal Glück hat.«

»Aber er gehört gar nicht richtig zu unserer Familie, oder?«

»Da hast du recht. Je weniger wir an ihn denken, desto besser. Kiera wird sich schon wieder erholen und kann in der Schule in Oxford neu anfangen. Niemand wird je von dem Kind erfahren.«

»Meinst du, ich kann das Baby mal sehen?«

»Ich glaube nicht. Jake kennt sich mit Adoptionen aus und hat gesagt, das Beste ist, wenn wir das Kind gar nicht erst sehen, sonst wird es nur noch schwerer.«

Er trank einen Schluck und ließ sich das durch den Kopf gehen.

»Willst du einen Keks?«

»Nein, danke.«

»Weißt du, Mom, vielleicht will ich das Kind gar nicht kennenlernen. Vielleicht sieht es ja aus wie Stuart.«

»Bestimmt nicht. Es wird genauso schön wie Kiera.«

Noch ein Schluck, auf den eine weitere lange Pause folgte.

»Weißt du, Mom, es tut mir immer noch nicht leid, dass ich ihn erschossen habe.«

»Mir schon. Sonst wärst du nämlich nicht hier.«

»Oder wir wären alle tot.«

»Ich wollte dich schon lange etwas fragen, Drew. Jake wollte das auch schon machen, hat es aber bisher nicht getan. Kiera sagt, du hast nicht gewusst, dass Stuart sie vergewaltigt hat. Stimmt das?«

Er schüttelte den Kopf. »Ich wusste das nicht. Sie hat niemandem was gesagt. Wahrscheinlich hat Stuart immer gewartet, bis er allein mit ihr im Haus war. Wenn ich das gewusst hätte, hätte ich ihn schon viel eher erschossen.«

»Das darfst du nicht sagen.«

»Es stimmt aber, Mom. Irgendwer musste uns beschützen. Stuart hätte uns alle umgebracht. Ich dachte damals, du wärst tot, das war einfach zu viel. Ich hatte keine Wahl, Mom.« Seine Unterlippe zitterte, und seine Augen wurden feucht.

Josie musste sich ebenfalls die Augen trocknen, als sie ihren armen kleinen Sohn so sah. Was für eine Tragödie, was für ein Chaos, was für ein furchtbares Leben hatte sie ihren Kindern zugemutet. Sie schleppte die Last vieler Fehlentscheidungen mit sich herum und fühlte sich schuldig, weil sie solch eine schlechte Mutter gewesen war.

»Wein doch nicht, Mom«, sagte er schließlich. »Irgendwann komme ich hier raus, und dann sind wir wieder zusammen, nur wir drei.«

»Das hoffe ich auch, Drew. Ich bete jeden Tag um ein Wunder.«


# 36

Acht Tage nach der Prügelattacke verbrachte Jake einen langen Nachmittag wie festgenagelt auf dem Stuhl eines Kieferchirurgen, der hämmerte und bohrte und seine Zähne mit einer Art Zement befestigte. Danach war er völlig erledigt, hatte Schmerzen und musste mit einem Provisorium herumlaufen, das nach drei Wochen durch die endgültigen Kronen ersetzt werden sollte. Am nächsten Tag zog Dr. Pendergrast die Fäden und bewunderte die eigene Arbeit. Die Narben würden winzig sein und Jakes Gesicht noch mehr Charakter verleihen. Seine Nase hatte fast wieder Normalgröße, aber die Schwellung um seine Augen schillerte jetzt in hässlichem Dunkelgelb. Da seine ganz persönliche Krankenschwester alle geschwollenen Körperteile mit Kühlkompressen traktiert hatte, waren sie fast wieder auf Normalgröße geschrumpft. Der Urologe, der ihn vorsichtig untersuchte, war von den Fortschritten schwer beeindruckt.

Jake plante seinen ersten Arbeitstag in der Kanzlei so, dass er in einer Seitenstraße parken und durch die Hintertür gehen konnte. Auf keinen Fall wollte er sich dabei erwischen lassen, wie er mit Baseballkappe und überdimensionaler Sonnenbrille getarnt über den Gehsteig schlurfte. Er schaffte es unbeschadet in die Kanzlei, umarmte Portia kurz, begrüßte Bev, die Kettenraucherin, die in ihrem verqualmten Kabuff hinter der Küche saß, und erklomm vorsichtig die Treppe zu seinem Büro. Als er endlich saß, war er völlig außer Atem. Portia brachte ihm eine Tasse frischen Kaffee und gab ihm eine lange Liste von Anwälten, Richtern und Mandanten, die er anrufen musste, dann überließ sie ihn sich selbst.

Es war der 28. Juni, fünf Wochen bis zur Hauptverhandlung im Verfahren gegen Drew Allen Gamble. Normalerweise hätte er jetzt ein Gespräch mit dem Bezirksstaatsanwalt über die Möglichkeit einer Absprache geführt, über einen Deal, der die Verhandlung mit den entsprechenden Vorbereitungen überflüssig machte. Aber ein solches Gespräch würde es diesmal nicht geben. Lowell Dyer konnte nur verlangen, dass sich Drew uneingeschränkt schuldig bekannte, und kein Verteidiger würde zulassen, dass sein Mandant ein Verbrechen gestand, für das er zum Tode verurteilt werden konnte. Falls sich Drew darauf einließ, würde das Urteil im Ermessen von Richter Omar Noose liegen, der ihn in die Gaskammer oder ohne die Möglichkeit einer vorzeitigen Entlassung lebenslang ins Gefängnis schicken, ihn aber auch zu einer kürzeren Freiheitsstrafe verurteilen konnte. Jake musste das noch mit Noose besprechen und wusste nicht, ob sich das überhaupt lohnte. Für den Richter war es eine zusätzliche Belastung, wenn er auch noch das Urteil sprechen musste. Sollten das doch die zwölf Geschworenen übernehmen, brave Bürger, die sich keine Sorgen um ihre Wiederwahl machen mussten. Wenn die Politik ins Spiel kam, würde Noose mit Sicherheit nicht viel Sympathie für einen Polizistenmörder aufbringen. Ein mildes Urteil wäre ausgeschlossen, ganz gleich wie die Faktenlage war.

Und was sollte Jake vorschlagen? Dreißig Jahre? Vierzig Jahre? So weit konnte ein Sechzehnjähriger noch nicht einmal denken. Jake bezweifelte sehr, dass sich Drew und Josie auf einen Schuldspruch einlassen würden. Was sollte er seinem Mandanten raten? Das Risiko einzugehen und sich auf sein Glück bei der Jury zu verlassen? Es reichte, wenn einer sich stur stellte, um einen Schuldspruch zu verhindern. Würde er diesen Menschen finden? Wenn sich die Geschworenen nicht einigen konnten, kam es zu einem neuen Verfahren – und dann noch einem. Eine deprimierende Aussicht.

Stirnrunzelnd studierte er die Liste und griff zum Telefon.

Nachdem Portia Feierabend gemacht hatte, kam Lucien herein, ohne anzuklopfen, und ließ sich Jake gegenüber in einen Ledersessel fallen. Erstaunlicherweise trank er nur Kaffee, obwohl es schon fast fünf war. Sarkastisch und bissig wie immer, war er in guter Stimmung und zeigte geradezu Mitgefühl. Während Jakes Genesung hatten sie zweimal miteinander telefoniert. Nach ein bisschen Small Talk kam er zum Thema. »Hören Sie, Jake, ich bin die ganze letzte Woche praktisch jeden Tag hier gewesen, und es ist offensichtlich, dass kein Mensch anruft. Ich mache mir Sorgen um Ihre Kanzlei.«

Jake zuckte mit den Schultern und versuchte ein Lächeln. »Da sind Sie nicht der Einzige. Portia hat im gesamten Monat Juni vier neue Vorgänge angelegt. Das Geschäft läuft immer schlechter.«

»Ich fürchte, die Stadt stellt sich gegen Sie.«

»Das stimmt, und außerdem muss man Akquise betreiben, um im Geschäft zu bleiben. Das habe ich natürlich nicht getan.«

»Jake, Sie haben mich nie um Geld gebeten.«

»Das wäre mir nie eingefallen.«

»Dann will ich Ihnen ein Geheimnis verraten. Mein Großvater hat im Jahr 1880 die First National Bank gegründet und zur größten Bank im County gemacht. Er war gerne Banker, für die Juristerei hatte er nichts übrig. Als mein Vater 1965 starb, habe ich den Großteil der Anteile geerbt. Ich hatte mit der Bank und den damaligen Managern rein gar nichts am Hut und wollte sie so schnell wie möglich loswerden. Die Commerce Bank in Tupelo hat sie mir

abgekauft. Ich bin kein Geschäftsmann, aber damals habe ich
mich so clever verhalten, dass ich mich heute noch darüber wun-
dere. Ich habe kein Bargeld genommen, weil ich das nicht nötig
hatte. Die Kanzlei brummte, und ich saß genau hier an diesem
Schreibtisch und hatte mehr als genug zu tun. Wie das bei Banken so üblich ist, wurde die Commerce Bank selbst auch weiter-
verkauft und fusioniert und so, aber ich behielt meine Anteile. Das
Institut heißt mittlerweile Third Federal, und ich bin der zweitgrößte Anteilseigner. Jedes Quartal wird eine Dividende ausge-
schüttet, die dafür sorgt, dass ich zurechtkomme. Ich habe keine
Schulden und gebe nicht viel aus. Ich habe gehört, Sie wollen Ihre
Hypothek umschulden, um wieder flüssig zu sein. Arbeiten Sie
noch daran?«

»Das hat sich wohl erledigt. Die Banken hier haben abgelehnt.
Außerhalb des Countys habe ich mich noch nicht umgesehen.«

»Wie viel?«

»Bob Skinner hat das Haus auf dreihunderttausend geschätzt,
aber das war wohl eher ein Freundschaftsdienst.«

»Wie viel schulden Sie?«

»Zweihundertzwanzig.«

»Ganz schön viel für Clanton.«

»Allerdings. Ich habe zu viel für das Haus bezahlt, aber wir wollten es unbedingt haben. Ich könnte es jetzt zum Verkauf anbieten,
aber ich glaube nicht, dass ich einen Käufer finde. Und Carla wäre
auch nicht glücklich.«

»Nein, bestimmt nicht. Verkaufen Sie nicht, Jake. Ich rufe bei
der Third Federal an und sorge dafür, dass das mit der Umschuldung klappt.«

»Einfach so?«

»Einfach so. Ich bin schließlich der zweitgrößte Anteilseigner.
Den Gefallen tun sie mir mit Sicherheit.«

»Ich weiß nicht, was ich sagen soll, Lucien.«

»Dann sagen Sie nichts. Das heißt aber noch mehr Schulden, Jake. Schaffen Sie das überhaupt?«

»Wahrscheinlich nicht, aber mir fällt nichts anderes ein.«

»Sie dürfen nicht aufgeben, Jake. Sie sind der Sohn, den ich nie hatte, und manchmal habe ich das Gefühl, ich lebe praktisch durch Sie. Diese Kanzlei macht nicht zu.«

Jake war so gerührt, dass es ihm die Sprache verschlug. Eine ganze Weile verging, während beide Männer dem Blick des anderen auswichen. »Setzen wir uns zu einem Drink auf die Veranda«, sagte Lucien schließlich. »Wir müssen reden.«

»Okay, aber ich bleibe bei Kaffee«, sagte Jake mit belegter Stimme.

Lucien ging vor, und Jake schlurfte zur Tür und auf die Veranda mit ihrem großartigen Blick auf den Clanton Square und das Gerichtsgebäude. Lucien kam mit einem Whiskey on the Rocks zurück und setzte sich neben ihn. Sie ließen den Verkehr des späten Nachmittags an sich vorbeiziehen und sahen den immer gleichen alten Männern zu, die im Schatten einer uralten Eiche in der Nähe des Pavillons schnitzten und gelegentlich Tabaksaft spuckten.

»Warum so geheimnisvoll?«, wollte Jake wissen.

»Wie oft habe ich Ihnen schon gesagt, Sie sollen nicht zu den Banken am Ort gehen? Sonst weiß jeder, was Sie tun und wie es auf Ihrem Konto aussieht. Man schließt einen lohnenden Vergleich, streicht ein nettes Honorar ein, und irgendwer weiß immer, was man auf sein Bankkonto einzahlt. Die Leute reden, ganz besonders hier. Dann hat man ein paar schlechte Monate, und auf dem Konto sieht es mau aus, und schon wieder weiß jemand Bescheid. Ich habe Ihnen doch gesagt, suchen Sie sich eine Bank in einer anderen Stadt.«

»Ich hatte keine Wahl. Die Security Bank gibt mir nur Geld, weil ich Stan kenne.«

»Das mag schon sein. Aber eines Tages, wenn es wieder besser läuft, sehen Sie zu, dass Sie von denen wegkommen.«

Jake wollte ihm nicht widersprechen. Lucien hatte offenbar etwas auf dem Herzen. Eine Zeit lang beobachteten sie den Verkehr. »Sallie hat mich verlassen, Jake«, sagte Lucien dann. »Sie ist weg.«

Jake war überrascht, aber vielleicht war es zu erwarten gewesen. »Das tut mir leid, Lucien.«

»Es war im Grunde eine einvernehmliche Trennung. Sie ist dreißig, und ich habe ihr geraten, sich einen anderen Mann zu suchen, einen, mit dem sie eine Familie gründen kann. Das war kein Leben mit mir. Sie ist zu mir gekommen, als sie achtzehn war, hat als Haushälterin angefangen, und eins führte zum anderen. Ich mochte sie sehr, das wissen Sie ja.«

»Es tut mir leid, Lucien. Ich mag Sallie, ich kann mir gar nicht vorstellen, dass sie nicht mehr da ist.«

»Ich habe ihr ein Auto gekauft, einen großzügigen Scheck ausgestellt und ihr zum Abschied nachgewinkt. Das Haus ist furchtbar still geworden. Aber wahrscheinlich finde ich jemand anderen.«

»Bestimmt. Wo ist sie hin?«

»Das wollte sie nicht sagen, aber ich habe meine Vermutungen. Ich glaube, sie hat schon jemanden gefunden, und ich versuche mir einzureden, dass das eine gute Sache ist. Sie braucht eine Familie, einen richtigen Ehemann, Kinder. Ich konnte den Gedanken nicht ertragen, dass sie mich im Alter versorgt. Mich zum Arzt fährt, mir Medikamente einflößt, Katheter einsetzt, die Bettpfanne wechselt.«

»Jetzt übertreiben Sie, Lucien, so weit ist es ja noch lange nicht. Sie haben doch noch schöne Jahre vor sich.«

»Wozu? Ich war leidenschaftlich gerne Rechtsanwalt und vermisse meine guten Tage, aber ich bin zu alt und zu festgefahren, um einen Neuanfang zu machen. Können Sie sich vorstellen, dass ein alter Trottel wie ich die Zulassungsprüfung macht? Ich würde durchfallen, und das würde mich fertigmachen.«

»Sie könnten es zumindest versuchen«, sagte Jake ohne Überzeugung. Das Letzte, was er brauchte, war ein Lucien, der mit seiner neuen Zulassung in der Tasche die Kanzlei aufmischte.

Lucien hob sein Glas. »Zu viel hiervon, Jake, und mein Kopf ist nicht, was er mal war. Vor zwei Jahren habe ich mir die Bücher vorgenommen und war fest entschlossen, die Prüfung zu machen, aber mein Gedächtnis macht nicht mehr mit. Ich konnte mir die Gesetze nicht einmal von einer Woche auf die andere merken. Sie wissen, wie schwierig das ist.«

»Allerdings.« Jake erinnerte sich mit Schrecken an den Druck, unter dem er bei der Zulassungsprüfung gestanden hatte. Sein bester Freund an der Uni war zweimal durchgefallen und nach Florida gezogen, wo er Eigentumswohnungen verkaufte. Eine tolle Karriere.

»Mein Leben ist sinnlos, Jake. Ich trödle so vor mich hin, die meiste Zeit sitze ich auf der Veranda und lese und trinke.«

In den zwölf Jahren, die er Lucien kannte, hatte er noch nie so ein Selbstmitleid erlebt. Tatsächlich beklagte sich Lucien nie über seine Probleme. Er konnte sich stundenlang über Ungerechtigkeiten, die Anwaltskammer, seine Nachbarn und die Inkompetenz anderer Juristen aufregen, trauerte manchmal alten Zeiten nach, in denen er selbst den einen oder anderen verklagt hatte, aber nie hatte er Jake hinter die Fassade blicken lassen und Gefühle gezeigt. Jake hatte immer geglaubt, seine Erbschaft hätte Lucien so viel Sicherheit gegeben, dass er sich glücklich schätzte.

»Sie sind in der Kanzlei immer willkommen, Lucien. Sie sind ein toller Gesprächspartner, wenn ich Feedback brauche, und ich weiß Ihre Meinung zu schätzen.« Das stimmte nur zum Teil. Als Lucien vor zwei Jahren davon gesprochen hatte, wieder als Anwalt zu arbeiten, war Jake ziemlich nervös geworden. Aber dann war das Pensum Lucien über den Kopf gewachsen, von der Prüfung war kaum noch die Rede gewesen, und er hatte sich stattdessen angewöhnt, fast jeden Tag einige Stunden vorbeizukommen.

»Sie brauchen mich nicht, Jake. Sie haben noch eine lange Karriere vor sich.«

»Sogar Portia respektiert Sie mittlerweile, Lucien.« Nach einem holprigen Start hatten die beiden einen unsicheren Waffenstillstand geschlossen, aber in den letzten sechs Monaten war daraus eine sehr angenehme Zusammenarbeit geworden. Portia war auch ohne Jurastudium eine Meisterin der Recherche, und Lucien zeigte ihr, wie man juristische Schriftsätze verfasste. Er war begeistert von ihrem Traum, die erste schwarze Anwältin der Stadt zu werden, und wollte unbedingt, dass sie bei seiner alten Kanzlei blieb.

»Respektieren ist vielleicht zu viel gesagt. Außerdem ist sie nur noch zwei Monate da.«

»Sie kommt ja wieder.«

Er ließ die Eiswürfel klirren und trank einen Schluck. »Wissen Sie, was ich am meisten vermisse, Jake? Den Gerichtssaal. Ich habe die Verhandlungen geliebt, mit den Geschworenen, Zeugen, einem guten Anwalt auf der anderen Seite und hoffentlich einem erfahrenen Richter, der für einen fairen Ablauf sorgt. Ich habe das Drama im Gerichtssaal geliebt. In einer öffentlichen Verhandlung werden Dinge ausgesprochen, die sonst nie jemand erwähnen würde. Weil es sein muss. Die Zeugen wollen nicht immer reden, aber sie müssen, weil es ihre Pflicht ist. Ich mag den Druck, wenn man die Geschworenen, anständige, aber skeptische Leute, überzeugen muss, dass man selbst das Recht auf seiner Seite hat und dass sie einem folgen sollen. Wissen Sie, wem sie folgen werden, Jake?«

Jake wusste gar nicht mehr, wie oft er diesen kleinen Vortrag gehört hatte. Er nickte und lauschte, als wäre es das erste Mal.

»Die Geschworenen lassen sich von einem Designeranzug

nicht beeindrucken. Die Geschworenen sind auch nicht durch eine brillante Rede zu gewinnen. Und schon gar nicht von einem, der alle Vorschriften auswendig herunterbeten kann. Nein, so läuft das nicht. Sie folgen dem, der die Wahrheit sagt.«

Wortwörtlich immer das Gleiche.

»Und was ist bei Drew Gamble die Wahrheit?«, fragte Jake.

»Dasselbe wie bei Carl Lee Hailey. Manche Leute haben den Tod verdient.«

»Das habe ich den Geschworenen damals aber nicht gesagt.«

»Nein, nicht mit diesen Worten. Aber Sie haben sie davon überzeugt, dass Hailey das getan hat, was sie an seiner Stelle auch getan hätten. Und das war brillant.«

»Ich fühle mich im Augenblick nicht so brillant. Ich habe keine Wahl, ich muss einen Toten vor Gericht stellen, einen Mann, der sich nicht mehr verteidigen kann. Es wird ein hässlicher Prozess, Lucien, aber ich wüsste nicht, wie sich das vermeiden ließe.«

»Es lässt sich nicht vermeiden. Ich will im Saal sein, wenn das Mädchen in den Zeugenstand tritt. Fast im achten Monat, und Kofer ist der Vater. Wenn das kein Drama ist, Jake. So was habe ich noch nie erlebt.«

»Dyer wird vermutlich darauf bestehen, dass das gesamte Verfahren für fehlerhaft erklärt wird.«

»Bestimmt.«

»Und was wird Noose tun?«

»Es wird ihm nicht gefallen, normalerweise kommt die Staatsanwaltschaft mit solch einem Antrag nicht durch. Ich glaube nicht, dass Noose sich darauf einlässt. Sie ist nicht Ihre Mandantin, und wenn Dyer sie zuerst aufruft, ist das sein Problem, nicht Ihres.«

Jake trank einen Schluck kalten Kaffee und beobachtete den Verkehr. »Carla will das Kind adoptieren.«

Lucien ließ seine Eiswürfel klirren und überlegte. »Wollen Sie das auch?«

»Ich weiß nicht. Sie ist überzeugt davon, dass es das Richtige ist, aber sie hat Angst, dass es, wie soll ich sagen, opportunistisch wirkt.«

»Irgendwer bekommt das Kind doch auf jeden Fall.«

»Stimmt. Kiera und Josie haben sich für eine Adoption entschieden.«

»Und Sie haben Angst, dass die Leute den falschen Eindruck haben könnten.«

»Ja.«

»Das ist Ihr Problem, Jake. Sie machen sich zu viele Gedanken wegen dieser Stadt und ihrer Klatschmäuler. Zum Teufel mit denen. Wo sind sie jetzt? Wo sind alle diese wunderbaren Menschen, wenn Sie sie brauchen? Ihre Freunde aus der Kirche. Ihre Bekannten aus den Vereinen. All die wichtigen Leute aus dem Coffee-Shop, für die Sie mal der große Star waren und die sich jetzt nicht um Sie scheren. Sie können sich auf keinen von denen verlassen, diese Leute haben keine Ahnung, was es bedeutet, ein richtiger Rechtsanwalt zu sein, Jake. Sie sind seit zwölf Jahren hier, und Sie sind pleite, weil Sie sich darum kümmern, was diese Leute sagen. Nichts davon zählt.«

»Aber was zählt dann?«

»Keine Angst zu haben, Fälle zu übernehmen, die kein anderer haben will, wie ein Löwe für die kleinen Leute zu kämpfen, für die sich sonst keiner einsetzt. Wenn Sie erst einmal den Ruf haben, dass Sie sich mit allen und jedem anlegen – der Regierung, den großen Konzernen, der Machthierarchie –, dann werden Sie gefragt sein. Sie müssen sich selbst so vertrauen, dass Sie in die Verhandlung gehen, ohne sich von irgendeinem Richter, Staatsanwalt oder Verteidiger eines Großkonzerns einschüchtern zu lassen, ohne auch nur einen Gedanken daran zu verschwenden, was die Leute über Sie sagen könnten.«

Noch so ein Vortrag, den er schon hundertmal gehört hatte.

»Ich nehme doch praktisch alle Mandanten, Lucien.«

»Ach ja? Die Gamble-Sache wollten Sie jedenfalls nicht und haben Ihr Bestes getan, sie loszuwerden. Ich erinnere mich noch an das Gejammer, als Noose Sie in die Sache hereingezogen hat. Alle anderen sind abgetaucht, und Sie waren sauer, dass es an Ihnen hängen geblieben ist. Aber genau von solchen Fällen rede ich, Jake. Genau bei solchen Verfahren erweist sich, wer ein richtiger Rechtsanwalt ist, wem es egal ist, was die Leute tuscheln, wer stolz darauf ist, einen Mandanten zu verteidigen, den kein anderer wollte. Und solche Fälle gibt es überall in Mississippi.«

»Ich kann mir nur nicht allzu viele davon leisten.« Wieder einmal wurde Jake klar, dass Lucien eben das Geld für seine radikalen Ansichten hatte. Niemand sonst besaß eine halbe Bank.

Lucien trank aus. »Ich muss los. Es ist Mittwoch, und mittwochs hat Sallie immer ein Hühnchen gegrillt. Das wird mir fehlen. Und nicht nur das.«

»Tut mir wirklich leid, Lucien.«

Lucien stand auf und streckte die Beine. »Ich rufe bei der Third Federal an. Suchen Sie Ihre Papiere zusammen.«

»Danke. Sie können sich gar nicht vorstellen, was das für mich bedeutet.«

»Einen Haufen neue Schulden bedeutet es, Jake, aber Sie werden sich erholen.«

»Mit Sicherheit. Es bleibt mir nichts anderes übrig.«

# 37

Im Jahr 1843 hing ein psychisch labiler schottischer Drechsler namens Daniel M'Naghten dem Wahn an, dass ihm der damalige britische Premierminister Robert Peel und dessen Tory-Partei nachstellten und ihn vor Gericht bringen wollten. Als M'Naghten den Premierminister in London auf der Straße entdeckte, schoss er ihm eine Kugel in den Hinterkopf. Doch er hatte den falschen Mann getötet. Das Opfer wurde als Edward Drummond identifiziert, Peels Privatsekretär und altgedienter Beamter des Vereinigten Königreichs. Im Prozess waren sich beide Parteien einig, dass M'Naghten an Halluzinationen und diversen anderen psychischen Störungen litt. Die Geschworenen befanden ihn wegen Geisteskrankheit für unschuldig. Sein Fall wurde berühmt und führte dazu, dass sich in Großbritannien, Kanada, Australien, Irland und weiten Teilen der Vereinigten Staaten, einschließlich Mississippi, Angeklagte vor Gericht auf Schuldunfähigkeit berufen dürfen.

Die sogenannte M'Naghten-Regel lautet: *Um die Verteidigung auf Schuldunfähigkeit stützen zu können, muss eindeutig bewiesen sein, dass der mutmaßliche Täter zum Zeitpunkt der Tat unter einer erheblichen Störung seiner Verstandesleistung infolge von Geisteskrankheit litt, sodass er sich der Art und Weise seines Handelns nicht bewusst war oder, sofern er sich dieser bewusst war, nicht erkennen konnte, dass sein Handeln falsch war.*

Jahrzehntelang war die M'Naghten-Regel Gegenstand erbitterter juristischer Debatten, in manchen Ländern wurde sie irgendwann nivelliert oder abgeschafft. In den meisten amerikanischen Bundesstaaten war sie im Jahr 1990 noch in Kraft, darunter auch in Mississippi.

Jake reichte einen entsprechenden Antrag ein, einschließlich eines dreißigseitigen Schriftsatzes, an dem er zusammen mit Portia und Lucien zwei Wochen lang gefeilt hatte. Am 3. Juli wurde Drew erneut in die staatliche psychiatrische Klinik in Whitfield gebracht, um von seinen Psychiaterinnen untersucht zu werden, von denen eine später vor Gericht gegen ihn aussagen würde. Zweifellos konnte Lowell Dyer mindestens einen Sachverständigen auftreiben, der bezeugen würde, dass Drew im Vollbesitz seiner geistigen Kräfte war und genau wusste, was er tat, als er die Waffe abfeuerte.

Die Verteidigung hatte dem nichts entgegenzusetzen. Bislang deutete in Drews Akte nichts darauf hin, dass er psychisch krank war. Jake und Portia hatten sich seine Prozessberichte besorgt, außerdem Aufnahme- und Entlassungsgespräche, Vorstrafen-register, Schulzeugnisse und die psychiatrischen Gutachten von Dr. Christina Rooker in Tupelo und Dr. Sadie Weaver in Whit-field. Insgesamt zeichneten sie das Bild eines Jugendlichen, der in seiner körperlichen, emotionalen und geistigen Entwicklung zurückgeblieben war und dessen erste sechzehn Lebensjahre er-schreckend chaotisch verlaufen waren. Er war durch Stuart Kofers wiederholte Drohungen traumatisiert, und in der Nacht des Ver-brechens war er fest davon überzeugt gewesen, dass Kofer seine Mutter ermordet hatte. Psychisch gestört war er jedoch nicht.

Jake wusste, dass er einen Sachverständigen finden konnte, der etwas anderes behaupten würde, doch er wollte vor Gericht keine Debatte über Schuldunfähigkeit anzetteln, die er nicht gewinnen konnte. Drew als psychisch gestört und unzurechnungsfähig dar-zustellen konnte sich bei der Jury als Bumerang erweisen. Jake plante, während der kommenden Wochen auf Schuldunfähigkeit zu setzen, doch noch vor Prozessbeginn wieder davon abzusehen. Es war wie beim Schach. Nichts sprach dagegen, einen Zug anzu-täuschen und Dyer damit auf eine falsche Fährte zu schicken.

Stan Atcavage saß an seinem Schreibtisch, als Jake eintrat. »Hast du kurz Zeit?«

Stan schien aufrichtig erfreut, ihn zu sehen. Jake war eine Wo-che zuvor – sobald Carla ihn gelassen hatte – bei ihm zu Hause vorbeigefahren, und sie hatten auf der Terrasse ein Glas Limo-nade zusammen getrunken.

»Schön zu sehen, dass du wieder auf den Beinen bist«, begrüßte Stan ihn.

Siebzehn Tage nach der Prügelattacke war Jake fast vollständig wiederhergestellt. Die Narben waren zwar noch sichtbar, aber seine Augen waren klar und kaum noch verschwollen.

»Ich bin auch froh«, erwiderte Jake und reichte Stan einige Unterlagen. »Hier – ein kleines Geschenk für dich und die Jungs in Jackson.«

»Was ist das?«

»Die Löschung meiner Hypothek. Sämtliche Forderungen der Security Bank sind befriedigt.«

»Glückwunsch.« Stan war irritiert. »Wer sind die glücklichen Nachfolger?«

»Die Third Federal Bank in Tupelo.«

»Wie schön. Wie viel geben sie dir?«

»Das geht dich wirklich nichts an. Ich transferiere übrigens alle meine Konten dorthin. Mitsamt den mickrigen Kontoständen.«

»Ach komm, Jake ...«

»Nein, im Ernst, die sind sehr entgegenkommend. Ich musste überhaupt nicht betteln. Sie haben mein wunderbares Haus großzügig bewertet und halten mich für kreditwürdig. Mal was ganz Neues.«

»Du weißt, wenn es nach mir ginge ...«

»Tut es aber nicht. Nicht mehr. Du hast es ab jetzt nur noch mit dem Kredit für die Prozessführung zu tun. Sag deinen Leuten, dass sie sich entspannt zurücklehnen können. Er wird bald getilgt sein.«

»Das bezweifle ich nicht. Aber du musst deine Geschäftskonten nicht abziehen. Verdammt, Jake, wir haben uns von Anfang an um deine Konten und Finanzierungen gekümmert.«

»Tut mir leid, Stan, aber diese Bank war für mich da, als ich dringend Hilfe brauchte.«

Stan warf die Unterlagen auf seinen Schreibtisch und ließ die Fingerknöchel knacken. »Okay, okay. Aber Freunde bleiben wir?«

»Für immer.«

Am Freitag, den 6. Juli, erwachte Jake im Dunkeln schweißgebadet aus einem Albtraum. Der Traum war immer der gleiche – sein Kopf wurde auf heißen Asphalt gepresst, während ein gesichtsloser Hüne auf sein Gesicht eindrosch. Sein Herz raste, er atmete schwer, doch es gelang ihm, ruhiger zu werden, ohne sich zu rühren und Carla zu wecken. Die Uhr zeigte 4.14. Langsam normalisierte sich sein Atem. Eine ganze Zeit lang wagte er nicht, sich zu bewegen, denn er spürte immer noch Schmerzen am ganzen Körper, und so starrte er an die dunkle Zimmerdecke und versuchte, die Bilder abzuschütteln.

Noch ein Monat bis Prozessbeginn. Sobald sich dieser Gedanke in seinem Kopf festgesetzt hatte, war an Schlaf nicht mehr zu denken. Um fünf Uhr schlug er behutsam die Decke beiseite und schwang seine steifen Beine über die Bettkante. Als er aufstand, ließ sich Carla vernehmen. »Wo willst du denn hin?«

»Ich brauche Kaffee. Schlaf weiter.«

»Was ist los?«

»Was soll los sein? Es ist alles okay, Carla, schlaf einfach weiter.«

Jake tapste leise in die Küche, machte sich einen Kaffee und trat auf die Terrasse hinaus. Die Luft war noch warm vom Vortag und würde sich in den kommenden Stunden wieder zu Höchsttemperaturen aufheizen. Er triefte vor Schweiß. Der Kaffee trug wenig zur Abkühlung bei, doch ohne ging es nicht. Kaffee war wie ein alter Freund. Den Tag ohne ihn zu beginnen, daran mochte Jake gar nicht denken. Denken – das war zurzeit seine größte Geißel. Es ging ihm viel zu viel im Kopf herum. Seine Gedanken blieben bei Cecil Kofer und der Prügelattacke hängen. Am liebsten hätte er ihn angezeigt und auf Schadenersatz verklagt, um wenigstens ein Minimum an Gerechtigkeit zu bekommen, ganz abgesehen von ein paar Dollar, um seine Arztrechnungen bezahlen zu können. Er dachte an Janet und Earl Kofer und deren tragischen Verlust. Selbst Vater, bemühte er sich redlich, Mitgefühl für sie zu empfinden.

Doch die Sünden ihres Sohnes hatten unermessliches Leid erzeugt, das noch Jahrzehnte nachwirken würde. Anteilnahme aufzubringen war unmöglich. Er malte sich aus, wie sie im Gerichtssaal einen Tiefschlag nach dem anderen wegstecken mussten, wenn er die Taten ihres Sohnes aufrollte. Doch die Fakten ließen sich nicht leugnen. Er dachte an Drew und versuchte wieder einmal vergeblich zu definieren, was Gerechtigkeit bedeutete. Töten musste bestraft werden. Doch ließ es sich nicht manchmal auch rechtfertigen? Wie jeden Tag grübelte er darüber nach, ob er Drew aussagen lassen sollte. Um das Verbrechen rechtfertigen zu können, musste man den Angeklagten selbst anhören, die grauenvolle Situation heraufbeschwören, den Geschworenen deutlich machen, welche Panik im Haus herrschte, während die Mutter reglos auf dem Boden lag und Kofer durch die Zimmer torkelte, auf der Suche nach den Kindern. Jake war sich einigermaßen sicher, dass er seinen Mandanten gut auf dessen Aussage vorbereiten konnte, wenn sie sich ein paar Stunden Zeit zum Proben nahmen.

Jetzt brauchte er erst einmal eine ausgiebige heiße Dusche, um sich den Schweiß abzuwaschen und seine Schmerzen zu lindern. Er ging in den Keller, um keinen Lärm zu machen. Als er im Bademantel in die Küche kam, saß Carla im Schlafanzug am Esstisch und trank Kaffee. Er küsste sie auf die Wange, sagte, dass er sie liebe, und setzte sich ihr gegenüber.

»Schlimme Nacht gehabt?«, fragte sie.

»Alles okay. Nur ein paar böse Träume.«

»Wie geht's dir jetzt?«

»Besser als gestern. Hast du gut geschlafen?«

»Wie immer. Ich würde gern morgen mit dir einen kleinen Tagesausflug nach Oxford machen, nur du und ich. Wir könnten mit Josie und Kiera picknicken, und ich könnte sie nach dem Baby fragen.«

Eine seltsame Formulierung. Als wollte sie um einen Gefallen, einen Rat oder ein Kochrezept bitten oder sich einen Gegenstand ausleihen wollen, etwa ein Buch. Ihre Augen waren feucht. Jake betrachtete sie eine ganze Weile lang. »Du hast dich entschieden?«

»Ja. Und du?«

»Ich bin mir nicht sicher.«

»Jake, wir müssen eine Entscheidung treffen. Ich kann nicht so weitermachen. Entweder wir sagen jetzt Ja, oder wir lassen es bleiben. Ich denke jeden Tag daran, jede Stunde, und ich bin überzeugt, dass es das Richtige ist. Schau, in ein, zwei oder fünf Jahren, wenn wir alles hinter uns haben, wenn die Sache mit Drew über die Bühne ist, wenn das Gerede sich beruhigt hat und die Leute darüber weggekommen sind, wenn der ganze Schlamassel vorbei ist, dann haben wir einen wundervollen kleinen Jungen, der für immer zu uns gehört. Jemand wird ihn bekommen, Jake, und ich wünsche mir, dass wir das sind. Dass er in unserem Haus aufwächst.«

»Wenn wir das Haus dann noch haben.«

»Ach, komm. Lass uns bitte heute Abend noch mal darüber reden.«

Dabei war die Entscheidung längst gefallen.

Um Punkt sechs Uhr morgens betrat Jake zum ersten Mal seit Wochen den Coffee-Shop. »Guten Morgen, schöner Mann«, begrüßte Dell ihn mit einem charmanten Augenaufschlag. »Lange nicht gesehen.«

Jake umarmte sie kurz, nickte den Stammgästen zu und nahm dann an seinem üblichen Tisch Platz, an dem Bill West bei einer Tasse Kaffee saß und die Lokalzeitung von Tupelo studierte. »Schau mal, wer da kommt. Schön, Sie zu sehen.«

»Guten Morgen«, sagte Jake.

»Es hieß, Sie wären tot.«

»Gerüchte verbreiten sich in dieser Stadt schneller als der Schall. Man darf wirklich nichts glauben.«

Bill musterte ihn kritisch. »Ihre Nase ist ein bisschen verbogen.«

»Sie hätten sie letzte Woche sehen sollen.«

Dell goss ihm Kaffee ein. »Das Übliche?«

»Warum sollte ich nach zehn Jahren plötzlich etwas anderes nehmen?«

»Wollte nur nett sein.«

»Lassen Sie's bleiben. Passt nicht zu Ihnen. Und sagen Sie der Köchin, sie soll sich beeilen. Ich komme um vor Hunger.«

»Wollen Sie sich noch eine Abreibung einfangen?«

»Ehrlich gesagt, nein, darauf kann ich verzichten.«

Vom Nachbartisch aus erkundigte sich ein Farmer namens Dunlap: »Sagen Sie, Jake, es heißt, Sie hätten die Jungs ganz aus der Nähe gesehen. Irgendeine Idee, wer es gewesen sein könnte?«

»Profis von der CIA, die mich zum Schweigen bringen wollten.«

»Ernsthaft, Jake. Verraten Sie uns, wer's war, und ich schicke unseren Willis hier hin, um es ihnen heimzuzahlen.«

Willis war achtzig, hatte nur noch einen Lungenflügel und ein Bein. »Allerdings.« Er klopfte auf seinen Gehstock. »Die Schweinehunde werde ich mir vorknöpfen.«

»Immer mit der Ruhe«, rief Dell, die reihum Kaffee nachschenkte, quer durch das Lokal.

»Danke, Freunde, aber ich habe wirklich keine Ahnung«, erwiderte Jake.

»Da habe ich aber etwas anderes gehört«, gab Dunlap zurück.

»Nun, wenn Sie's hier gehört haben, kann's auf keinen Fall stimmen.«

Spät am Abend zuvor hatte sich Jake zum Coffee-Shop geschlichen, um mit Dell zu reden. Er hatte zweimal mit ihr telefoniert, während er zu Hause lag, unter der Aufsicht seiner Krankenschwester, und wusste, was man im Coffee-Shop über ihn sprach. Zuerst war man entsetzt und aufgebracht gewesen, dann hatte man sich Sorgen gemacht. Alle gingen davon aus, dass die Attacke mit dem Kofer-Fall zusammenhing, was sich vier Tage danach zu bestätigen schien, als das Gerücht aufkam, es sei einer von Earls Söhnen gewesen. Am folgenden Tag war zu hören, dass Jake auf eine Anzeige verzichtete. Die eine Hälfte feierte ihn für diese Entscheidung, die andere forderte Gerechtigkeit.

Maisbrei und Toast kamen, und sie wandten sich dem Thema College-Football zu. Die Daten zum anstehenden Saisonbeginn waren herausgekommen, und das Team der Ole Miss stand besser da als erwartet. Einige freuten sich, andere reagierten empört. Jake atmete erleichtert auf, als sich das Gespräch wieder Alltäglichem widmete. Der Brei glitt problemlos hinunter, doch der Toast musste gekaut werden. Jake tat es langsam und vorsichtig, damit niemand merkte, dass sein Kiefer immer noch schmerzte und er seine provisorischen Kronen schonte. Eine Woche zuvor hatte er sich noch per Strohhalm von Smoothies ernährt.

Gegen Abend rief Harry Rex an, um sich nach seinem Befinden zu erkundigen. »Hast du die Bekanntmachungen in der *Times* gelesen?«

Alle Anwälte der Stadt studierten die wöchentlich erscheinende Rubrik, aus der man erfuhr, wer Scheidung oder Insolvenz beantragt hatte, ob ein Testament eröffnet oder ein Grundstück zwangsversteigert wurde. Die Bekanntmachungen standen klein gedruckt auf der letzten Seite bei den Anzeigen.

Jake hatte seine Zeitungslektüre vernachlässigt. »Nein, wieso?«

»Kofers Nachlass wird eröffnet. Er ist ohne Testament gestorben, und jetzt wird sein Land an seine Erben überschrieben.«

»Danke für den Hinweis. Ich werde es mir anschauen.«

Harry Rex ging die Bekanntmachungen jedes Mal Wort für Wort durch, um ja nichts zu übersehen. Jake überflog sie in der Regel nur, doch Kofers Nachlass interessierte ihn. Das County hatte das Haus samt dem über vier Hektar großen Grundstück mit hundertfünfzehntausend Dollar bewertet, es lagen keine Hypotheken oder sonstige Grundpfandrechte darauf. Das Anwesen war schuldenfrei. Alle potenziellen Gläubiger hatten ab dem 2. Juli neunzig Tage Zeit, ihre Ansprüche auf den Nachlass geltend zu machen. Kofer war seit über drei Monaten tot, und Jake fragte sich, was so lange gedauert hatte. Andererseits waren solche Verzögerungen durchaus üblich, denn der Bundesstaat sah für Testamentseröffnungen keine Frist vor.

Jake hielt mindestens zwei Klagen für möglich: eine zugunsten von Josie, deren Arztrechnungen sich inzwischen auf über zwanzigtausend Dollar beliefen – wobei die Schuldeneintreiber sie bislang nicht gefunden hatten –, und eine zugunsten von Kiera, auf Unterhalt. Außerdem konnte er selbst gegen Cecil Kofer klagen, wegen Körperverletzung und der dadurch entstandenen Kosten, die Jakes dürftige Versicherung nur zu fünfzig Prozent abdeckte.

Doch die Kofers zum jetzigen Zeitpunkt zu verklagen konnte sich als kontraproduktiv erweisen. Sein Mitleid für die Familie war auf dem Kroger-Parkplatz zwar schlagartig verpufft, doch sie hatten genug durchgemacht. Er würde Drews Prozess abwarten und dann die Lage neu bewerten. Das Letzte, was er jetzt gebrauchen konnte, war schlechte Presse. Ganz gleich, was Lucien sagte.

# 38

Anfang Juli, als Jake körperlich wieder fit genug war, begann Richter Noose, ihm aus dem gesamten 22. Gerichtsbezirk Mandanten zu schicken, die sich keinen Rechtsbeistand leisten konnten und Anspruch auf einen vom Gericht bestellten Anwalt hatten. Es war nicht ungewöhnlich, dass Strafverteidiger nicht nur in ihrem eigenen, sondern auch in den umliegenden Countys tätig wurden. Jake hatte das in seiner Berufslaufbahn immer wieder getan. Die ortsansässigen Kollegen beschwerten sich nicht darüber, denn die meisten waren ohnehin nicht scharf auf solche Mandate. Das Honorar war mäßig – fünfzig Dollar pro Stunde –, doch zumindest war es garantiert. Zudem gab es in Mississippi die gängige Praxis, für die Fahrten zwischen den Gerichten ein paar Extrastunden abzurechnen, um den bescheidenen Lohn etwas aufzustocken. Noose stimmte die Fälle sogar zeitlich ab, sodass Jake nur einmal die neunzigminütige Fahrt nach Temple in Milburn County antreten musste, um gleich vier neue Beschuldigte auf einmal zu ihrem ersten Termin vor Gericht begleiten zu können. Jakes Einsätze führten ihn außerdem in das südlich gelegene Smithfield in Polk County und bis nach Van Buren County mit seinem baufälligen Gerichtsgebäude außerhalb dem kleinen Nest Chester, in dem Richter Noose wohnte. In Ford County bekam er jedes Mandat zugeteilt, bei dem das Armenrecht griff.

Er hatte den Verdacht, dass Richter Reuben Atlee den Kollegen Noose beiseitegenommen und ihm eine kollegiale Ansage gemacht hatte, nach dem Motto: »Sie haben ihm den Gamble-Fall eingebrockt, jetzt helfen Sie ihm gefälligst aus der Patsche.«

Zwei Wochen vor dem Gamble-Prozess befand sich Jake in Gretna, der Hauptstadt von Tyler County, um drei Autodiebe zu ihrem ersten Termin zu begleiten. Lowell Dyer vertrat die Staatsanwaltschaft. Nachdem die Mühlen der Justiz den ganzen Vormittag gemahlen hatten, rief Richter Noose sie zu sich nach vorn. »Meine Herren, lassen Sie uns in meinem Büro zusammen zu Mittag essen. Wir haben ein paar Dinge zu besprechen.«

Da sich Dyers Büro auf dem gleichen Flur befand, beauftragte er seine Sekretärin, Sandwiches zu bestellen. Jake bat um Eiersalat, weil er den am wenigsten kauen musste. Als die Bestellung eintraf, zogen sie ihre Jacketts aus, lockerten die Krawatten und begannen zu essen.

»Gibt es in der Gamble-Sache noch offene Fragen, meine

Herren?« Noose wusste genau, welche Dinge vor Prozessbeginn geklärt werden mussten, doch das Treffen war ebenso informell wie inoffiziell, und so ließ er die Anwälte spontan die Agenda bestimmen.

»Nun, als Erstes muss der Verhandlungsort verlegt werden«, sagte Jake.

»Ich neige dazu, Ihnen zuzustimmen, Jake«, erwiderte Noose. »Es könnte schwierig werden, in Clanton unparteiische Geschworene zu finden. Ich werde den Ort verlegen. Lowell?«

»Euer Ehren, wir haben unseren Einspruch und die entsprechenden schriftlichen Erklärungen eingereicht. Mehr haben wir dazu nicht zu sagen.«

»Gut. Ich wurde umfassend informiert und habe lange darüber nachgedacht.«

Außerdem hat dir Richter Atlee ordentlich die Meinung gesagt, dachte Jake.

»Wir werden den Fall nach Chester verlegen«, beschied Noose.

Für die Verteidigung war jeder Ort außer Clanton gut. Das abbruchreife Gericht von Van Buren County allerdings war kein großer Gewinn. Jake nickte und versuchte, sich nichts anmerken zu lassen. Der staubige alte Saal, vollbesetzt mit Menschen, würde sich im August in eine Sauna verwandeln. Fast bedauerte er, auf einer Verlegung bestanden zu haben. Polk County hatte ein modernes Justizgebäude mit funktionierenden Toiletten. Warum gingen sie nicht dorthin? Oder nach Milburn County, wo das Gericht kürzlich saniert worden war?

»Es ist vielleicht nicht das, was Sie sich vorgestellt haben«, räumte Noose ein und traf damit den Nagel auf den Kopf. »Aber ich werde den Saal ein wenig auf Vordermann bringen lassen. Ich habe bereits neue Klimageräte für die Fenster bestellt, damit es drinnen schön kühl bleibt.«

Die einzige Möglichkeit, die Bruchbude, die der Richter so

mochte, auf Vordermann zu bringen, war, sie abzubrennen. Zeugen zu vernehmen würde unter dem Dröhnen überforderter Klimaanlagen eine echte Herausforderung werden.

Noose versuchte wortreich, seine Entscheidung zu rechtfertigen, die er eindeutig mehr im Hinblick auf seine eigene Bequemlichkeit gefällt hatte als zum Wohle der Prozessbeteiligten, und versprach: »Die Verhandlung beginnt in zwei Wochen, bis dahin ist der Saal bereit.« Jake hatte den Verdacht, dass es dem Richter vor allem darum ging, in seinem eigenen Revier zu glänzen. Egal. Jake bot die Verlegung immerhin einen klitzekleinen Vorteil, auch wenn die Staatsanwaltschaft im Prozess die Oberhand behalten würde, ganz gleich wo er stattfand.

»Wir werden vorbereitet sein«, erklärte Dyer. »Ich mache mir nur Gedanken über den psychiatrischen Sachverständigen der Verteidigung, Euer Ehren. Wir haben zweimal um seinen Namen und Lebenslauf gebeten, aber noch nichts erhalten.«

»Ich werde nicht auf Schuldunfähigkeit plädieren«, sagte Jake. »Ich werde den Antrag zurückziehen.«

»Haben Sie etwa keinen Sachverständigen gefunden?«, platzte Dyer erschrocken heraus.

»Nein. Die gibt es wie Sand am Meer«, erwiderte Jake trocken. »Ich habe nur meine Strategie geändert.«

Auch Noose war überrascht. »Wann haben Sie das beschlossen?«

»In den letzten paar Tagen.« Einen Moment lang aßen sie schweigend und überdachten die Konsequenzen dieser Entscheidung.

»Das dürfte den Prozess zusätzlich verkürzen«, freute sich Noose. Keine Partei war scharf auf einen Schlagabtausch unter Sachverständigen, dem die wenigsten Geschworenen inhaltlich folgen konnten. Schuldunfähigkeit wurde in weniger als einem von hundert Strafprozessen angeführt. Die Verteidigung profitierte in den seltensten Fällen davon, doch man konnte mit Sicherheit davon ausgehen, dass die Jurys jedes Mal verwirrt und verstört waren.

»Haben Sie noch weitere Überraschungen auf Lager, Jake?«, fragte Lowell.

»Im Augenblick nicht.«

»Ich schätze Überraschungen nicht, meine Herren«, warf Noose ein.

»Eine wichtige Sache gibt es noch zu klären, Euer Ehren«, sagte Dyer, »die Sie aber nicht überraschen wird. Die Staatsanwaltschaft erachtet es als offenkundig unfair, dass der Prozess in eine Verleumdungskampagne gegen das Opfer ausarten soll, einen anständigen Gesetzeshüter, der sich nicht mehr selbst verteidigen kann. Es wird ihm Misshandlung, ja sogar sexueller Missbrauch vorgeworfen werden, und wir haben keine Möglichkeit festzustellen, was an den Vorwürfen dran ist. Die einzigen Zeugen sind Josie Gamble und ihre Kinder, vorausgesetzt, Drew wird selbst eine Erklärung abgeben, was ich bezweifle. Jedenfalls können diese drei praktisch über Stuart Kofer erzählen, was sie wollen. Wie soll ich feststellen, ob sie die Wahrheit sagen?«

»Sie werden unter Eid stehen«, sagte Noose.

»Sicher. Doch sie haben auch größtes Interesse daran, zu übertreiben, zu lügen und Tatsachen zu verdrehen. Für Drew geht es vor Gericht um Leben und Tod. Ich bin mir sicher, dass seine Mutter und Schwester ein möglichst düsteres Bild vom Opfer zeichnen werden. Es ist einfach nicht fair.«

Jake schlug eine Akte auf und entnahm ihr zwei vergrößerte Farbfotos von Josie in ihrem Krankenhausbett, das Gesicht verschwollen und bandagiert. Er schob eines davon über den Tisch zu Dyer und reichte das andere dem Richter. »Wozu lügen?«, fragte er. »Das hier spricht für sich.«

Dyer kannte die Fotos bereits. »Wollen Sie die als Beweisstücke vorlegen?«

»Selbstverständlich. Wenn Josie ihre Aussage macht.«

»Ich werde beantragen, dass die Jury weder diese noch andere Bilder zu sehen bekommt.«

»Sie können beantragen, was Sie wollen. Sie wissen, dass die Fotos zugelassen werden.«

»Das werde ich dann im Prozess entscheiden«, erinnerte Noose daran, wer das Sagen hatte.

»Was ist mit dem Mädchen?«, erkundigte sich Dyer. »Ich nehme an, sie wird aussagen, dass Kofer ihr sexuelle Gewalt angetan hat.«

»Korrekt. Sie ist wiederholt vergewaltigt worden.«

»Aber woher wissen wir das? Hat sie es ihrer Mutter erzählt? Hat sie es überhaupt irgendjemandem erzählt? Die Polizei hat sie jedenfalls nicht gerufen.«

»Weil Kofer gedroht hat, sie umzubringen, wenn sie das tut.«

Dyer warf die Hände hoch. »Sehen Sie, Euer Ehren? Woher sollen wir wissen, ob sie wirklich vergewaltigt wurde?«

Wart's nur ab, Lowell, dachte Jake. Du wirst es bald mit eigenen Augen sehen.

»Es ist nicht fair, Euer Ehren«, fuhr Dyer fort. »Sie können über Stuart Kofer sagen, was sie wollen, und wir haben dem nichts entgegenzusetzen.«

»Die Fakten sprechen für sich, Lowell«, sagte Jake. »Ihr Leben war ein Albtraum, und sie haben nicht gewagt, jemandem davon zu erzählen. Das ist die Wahrheit, die wir weder verschleiern noch verbiegen können.«

»Ich will mit dem Mädchen reden«, sagte Dyer. »Ich habe das Recht zu erfahren, was sie sagen wird, falls ich sie als Zeugin aufrufen muss.«

»Wenn Sie sie nicht aufrufen, werde ich es tun.«

»Wo ist sie?«

»Das darf ich nicht sagen.«

»Kommen Sie schon, Jake. Verstecken Sie wieder mal eine Zeugin?«

Jake atmete tief durch und biss sich auf die Zunge.

Noose hob die geöffneten Hände. »Wir werden doch jetzt nicht zanken, meine Herren. Jake, wissen Sie, wo sich die beiden aufhalten?«

Den Blick auf Dyer gerichtet, sagte Jake: »Das ging unter die Gürtellinie, Herr Kollege.« Zu Noose gewandt, fuhr er fort: »Ja, ich weiß es, aber ich bin zu Stillschweigen verpflichtet, Euer Ehren. Sie befinden sich nicht weit von hier und werden pünktlich zu Prozessbeginn erscheinen.«

»Verstecken sie sich?«

»So könnte man sagen. Nach dem Überfall auf mich bekamen sie panische Angst und haben die Gegend verlassen. Das kann man ihnen wirklich nicht verdenken. Josie hatte außerdem Schuldeneintreiber am Hals. Deshalb ist sie untergetaucht. Im Grunde ist das nichts Neues für sie. Sie war fast ihr ganzes Leben auf der Flucht. Umgezogen ist sie öfter als wir drei zusammen. Aber Mutter und Tochter werden vor Gericht erscheinen, wenn der Prozess eröffnet wird, das garantiere ich. Sie werden als Zeuginnen aussagen, und sie werden für Drew da sein.«

»Ich möchte trotzdem mit ihr reden«, beharrte Dyer.

»Das haben Sie bereits zweimal getan, beide Male in meiner Kanzlei. Sie hatten mich gebeten, es möglich zu machen, und das habe ich.«

»Werden Sie den Angeklagten aussagen lassen?«, fragte Dyer.

»Weiß ich noch nicht«, erwiderte Jake mit einem unverbindlichen Lächeln. Er musste diese Frage nicht beantworten. »Ich werde abwarten, wie der Prozess verläuft.«

Noose biss von seinem Sandwich ab und kaute eine Zeit lang schweigend. »Mir gefällt die Vorstellung nicht, dass der Tote vor Gericht gezerrt wird«, sagte er dann. »Andererseits hat es unmittelbar

465

vor seinem Ableben offensichtlich eine gewalttätige Begegnung mit der Mutter gegeben. Es wird ihm vorgeworfen, dass er die Kinder missbraucht und sie durch Drohungen zum Schweigen gebracht hat. Alles in allem sehe ich nicht, wie man das den Geschworenen vorenthalten kann. Ich möchte Sie bitten, Schriftsätze zu diesem Punkt einzureichen. Wir werden das vor Prozessbeginn noch einmal besprechen.«

Sie hatten bereits Schriftsätze dazu eingereicht. Es gab nichts hinzuzufügen. Noose versuchte lediglich, Zeit zu schinden, weil er sich vor einer unangenehmen Entscheidung drücken wollte. »Sonst noch was?«, fragte er.

»Was ist mit der Liste potenzieller Geschworener?«, wollte Jake wissen.

»Die wird Ihnen nächsten Montag, neun Uhr, per Fax an Ihre jeweiligen Adressen zugestellt. Ich arbeite zurzeit daran. Wir haben letztes Jahr auf meine Anweisung hin unsere Wählerlisten ausgemistet. Dieses County ist gut aufgestellt. Zur Auswahl werden wir rund hundert Personen vorladen. Aber ich warne Sie beide, halten Sie sich von den Leuten fern. Jake, wenn ich mich recht entsinne, gab es da beim Hailey-Prozess Gerüchte.«

»Nicht was mich angeht, Richter Noose. Rufus Buckley war derjenige, der sich nicht zurückhalten konnte. Die Staatsanwaltschaft hat den Leuten aufgelauert.«

»Wie dem auch sei, dies ist ein kleines County, ich kenne die meisten Menschen hier. Wenn jemand angesprochen wird, würde ich davon erfahren.«

»Aber wir dürfen grundsätzliche Ermittlungen durchführen, oder?«, fragte Dyer. »Wir haben das Recht, so viel Hintergrundinformationen zu sammeln wie möglich.«

»Ja, aber ohne direkten Kontakt aufzunehmen.«

Jake dachte bereits an Harry Rex und überlegte, wen der in Van Buren County kennen könnte. Gwen Hailey, Carl Lees Frau, stammte aus Chester und war nicht weit vom Gericht aufgewachsen. Vor Jahren hatte Jake eine sympathische Familie bei Streitigkeiten um Ländereien vertreten und die Sache für sie gewonnen. Und Morris Finley, einer der wenigen verbliebenen Rechtsanwälte in Chester, war ein alter Bekannter.

Lowell Dyer wälzte ähnliche Gedanken. Wenn es darum ging, mögliche Geschworenen auszukundschaften, hatte er die Nase vorn, denn Ozzie konnte seinen Sheriffkollegen vor Ort löchern. Der Mann war ein Urgestein im Amt und kannte sein County in- und auswendig.

Der Wettkampf war eröffnet.

Auf dem Weg aus dem Gerichtsgebäude in Gretna rief Jake Harry Rex an und berichtete, dass der Prozess in Chester stattfinden würde. Harry Rex fluchte. »Warum in dieser Bruchbude?«

»Das ist die große Preisfrage. Wahrscheinlich weil Noose den Prozess in seinem Revier abhalten will, damit er mittags zum Essen nach Hause gehen kann. Mach dich an die Arbeit.«

Jake hatte knapp die Grenze zu Ford County überfahren, da fing neben dem Tacho ein rotes Warnlämpchen an zu blinken. Der Motor verlor an Leistung, und vor einer einsamen Kirche blieb der Wagen schließlich stehen. Weit und breit war niemand zu sehen. Jetzt war es wohl passiert. Sein geliebter 1983er Saab und er hatten 432.000 Kilometer zusammen zurückgelegt. Ihre gemeinsame Reise war zu Ende. Er rief in der Kanzlei an und bat Portia, einen Abschleppwagen zu schicken. Dann setzte er sich auf die schattigen Stufen vor der Kirche und betrachtete eine Stunde lang sein Lieblingsstück.

Der Saab war lange Zeit die coolste Karre der Stadt gewesen. Jake hatte ihn nach einem erfolgreich abgeschlossenen Arbeitsrechtsfall in Memphis gekauft und über fünf Jahre abbezahlt. Er hätte schon vor zwei Jahren sein Honorar aus dem Hubbard'schen

Erbstreit in ein neues Auto investieren sollen, doch er wollte das Geld nicht ausgeben. Außerdem wollte er sich nicht von dem einzigen roten Saab im County trennen. Andererseits waren die Reparaturen sündhaft teuer geworden, weil es in Clanton keinen Mechaniker gab, der das verdammte Ding anzufassen wagte. Zur Inspektion musste er einen Tagesausflug nach Memphis machen; wobei er sich das nie entgehen ließ, bei der Aufmerksamkeit, die sein Wagen auf sich zog. Er war aufgefallen, als er damals von Stan nach Hause fuhr, an dem Abend, als Mike Nesbit ihn angehalten und um ein Haar wegen Alkohol am Steuer verdonnert hätte. Und ganz sicher war der Überfall auf ihn auf dem Kroger-Parkplatz schon deshalb kein Problem gewesen, weil man dem roten Saab kinderleicht folgen konnte.

Der Fahrer des Abschleppwagens hieß B. C. Nachdem der Mann das Auto aufgeladen hatte, nahm Jake neben ihm im Führerhaus Platz. Jake war noch nie in einem Abschleppwagen mitgefahren.

»Darf ich fragen, wofür ›B. C.‹ steht?«, fragte er und lockerte seine Krawatte.

B. C. hatte den Mund voller Tabak, den er in eine alte Pepsi-Flasche spuckte. »Battery Charger.«

»Cool. Wie sind Sie zu dem Namen gekommen?«

»Als Kind habe ich Batterien aus Autos gestohlen. Ich habe sie zu Mr. Orville Grays Tankstelle gebracht, mich nachts reingeschlichen, sie aufgeladen und dann für zehn Dollar verkauft. Reingewinn ohne Unkosten.«

»Sind Sie je erwischt worden?«

»Nein, dazu war ich zu clever. Aber meine Kumpel wussten davon, und so bin ich zu dem Spitznamen gekommen. Komisches Auto da hinten, wenn ich das so sagen darf.«

»Das stimmt.«

»Wo wollen Sie es reparieren lassen?«

»Nicht hier in der Nähe. Bringen wir es in die Chevrolet-Werkstatt.«

Bei Goff Motors drückte Jake B. C. hundert Dollar in bar in die Hand und ein paar Visitenkarten. »Verteilen Sie die bei der nächsten Autopanne«, sagte er lächelnd.

B. C. kannte das Spiel. »Mein Anteil?«

»Zehn Prozent.«

»Hört sich gut an.« Er stopfte die Banknoten und Karten in seine Hosentasche und fuhr davon. Jake musterte eine Reihe auf Hochglanz polierter Impalas und entdeckte einen grauen Viertürer. Während er das Preisschild prüfte, erschien wie aus dem Nichts ein Verkäufer und streckte ihm freundlich die Hand entgegen. Es folgten die üblichen Verkaufsphrasen, bis Jake sagte: »Ich würde gern meinen alten Wagen in Zahlung geben.« Er nickte in Richtung des Saab.

»Was ist das?«, fragte der Verkäufer.

»Ein Saab Baujahr 1983 mit einem Haufen Kilometern auf dem Buckel.«

»Ich glaube, den habe ich in der Stadt schon mal gesehen. Was ist er wert?«

»Etwas über fünftausend.«

Der Verkäufer runzelte die Stirn. »Das erscheint mir ein bisschen hoch gegriffen.«

»Kann mir General Motors ein Finanzierungsangebot machen?«

»Wir finden bestimmt eine Lösung.«

»Ich würde mich nur gern von den Banken in dieser Gegend fernhalten.«

»Kein Problem.«

Mit zusätzlichen Schulden belastet, fuhr Jake eine Stunde später in einem geleasten Impala davon, dessen graue Lackierung sich unauffällig in den Verkehr einfügte. Es war eine gute Zeit, um nicht mehr aufzufallen.

# 39

Am Montagmorgen um neun Uhr standen Jake und Portia mit ihrem Kaffee am Faxgerät und warteten ungeduldig auf die von Richter Noose versprochene Liste. Zehn Minuten später kam sie – drei Seiten mit siebenundneunzig Namen in alphabetischer Reihenfolge. Name, Adresse, Alter, ethnische Zugehörigkeit, Geschlecht, sonst nichts. Es gab kein Standardformular für die Daten potenzieller Geschworener, nicht einmal innerhalb des Bundesstaats.

Jake kannte niemanden auf der Liste, was ihn nicht überraschte. Van Buren County hatte siebzehntausend Einwohner und war damit bevölkerungsmäßig das kleinste von den fünf Countys, die zum 22. Gerichtsbezirk gehörten. In den zwölf Jahren seiner Anwaltstätigkeit war Jake so gut wie nie dort gewesen. Es hatte nie einen Anlass gegeben. Abermals fragte er sich, ob es richtig gewesen war, auf der Verlegung des Verhandlungsorts zu bestehen. In Ford County würde er wenigstens ein paar Namen kennen und Harry Rex noch ein paar mehr.

Portia machte zehn Kopien und verabschiedete sich mit einer davon, um nach Chester ans Gericht zu fahren, wo sie die nächsten drei Tage damit verbringen würde, die öffentlich einsehbaren Behördenaufzeichnungen nach Grundstücksübertragungen, Scheidungen, Testamenten, Kfz-Darlehen und Strafanzeigen zu durchforsten. Jake faxte die Liste an Harry Rex und Hal Fremont, einen Kollegen von gegenüber am Platz, der mit seiner Kanzlei ein paar Jahre zuvor nach Clanton gezogen war, nachdem es in Chester keine Arbeit mehr für ihn gegeben hatte. Auch Morris Finley bekam das Fax, der einzige Kollege, den er in Van Buren County kannte.

Um zehn Uhr traf sich Jake mit Darrel und Rusty, zwei Brüdern, die in Clanton bei der Stadtpolizei angestellt und nebenbei als Privatdetektive tätig waren. Wie in kleinen Bezirken üblich, hatte die Stadtpolizei gegenüber dem Sheriff nichts zu melden, man pflegte eine herzliche Feindschaft. Darrel kannte Stuart Kofer flüchtig, Rusty gar nicht, aber das spielte keine Rolle. Für fünfzig Dollar die Stunde übernahmen sie den Job gern.

Jake händigte ihnen die Liste aus, mit der nachdrücklichen Anweisung, beim Herumschnüffeln in Van Buren County möglichst unauffällig zu bleiben. Sie sollten die Wohnorte und Umgebung sowie die Fahrzeuge der potenziellen Geschworenen finden und nach Möglichkeit fotografieren. Als sie gingen, sagte Jake leise zu sich selbst: »Die werden aus dem Fall eine größere Sache machen als ich.«

Der Raum im Erdgeschoss, den sie als *Smallwood*-Einsatzzentrale genutzt hatten, war zum provisorischen Hauptquartier für die Gamble-Jury umfunktioniert worden. An einer Wand hing eine große Karte des County, auf der Jake und Portia sämtliche Kirchen, Schulen, Highways, Landstraßen und jeden Kramerladen markiert hatten. Eine zweite Karte zeigte die Stadt Chester. Jake machte sich daran, die Namen von der Liste auswendig zu lernen und so viele Adressen wie möglich auf dem Stadtplan zu finden.

Beinahe hatte er die Jury bildlich vor Augen. Überwiegend weiß, vielleicht zwei oder drei Schwarze. Idealerweise mehr Frauen als Männer. Durchschnittsalter fünfundfünfzig. Ländlich, konservativ, religiös.

Alkohol würde unter Umständen eine große Rolle im Prozess spielen. Van Buren County war immer noch Prohibitionsgebiet, und das ohne Wenn und Aber. Die letzte Abstimmung hatte 1947 stattgefunden, die alkoholfreundliche Fraktion hatte damals haushoch verloren. Seither war jeder Anlauf, neu abzustimmen, von den Baptisten unterbunden worden. Die Countys waren selbst für die entsprechenden Gesetze zuständig, im halben Bundesstaat herrschte noch Alkoholverbot. Natürlich florierte das Schmugglergewerbe in den betreffenden Regionen, doch alles in allem galt Van Buren County als abstinent aus Überzeugung.

Wie würden die Abstinenzler reagieren, wenn sie hörten, dass Stuart Kofer zum Zeitpunkt seines Todes sturzbetrunken gewesen war? Dass ihn der Alkoholpegel in seinem Blut allein hätte umbringen können? Dass er den ganzen Nachmittag über Bier getrunken und anschließend mit seinen Freunden Schwarzgebrannten hinterhergekippt hatte?

Die Geschworenen wären wahrscheinlich entsetzt, andererseits würden sie als Konservative den Mann in Uniform respektieren. Auf die Tötung eines Vollstreckungsbeamten stand die Todesstrafe, die sich in diesen Landesteilen großer Unterstützung erfreute.

Um zwölf Uhr verließ Jake die Stadt und fuhr zwanzig Minuten bis zu einem Sägewerk weit draußen auf dem Land. Im Schatten eines kleinen Pavillons saßen Carl Lee Hailey und dessen Männer und aßen Sandwiches. Jake blieb in seinem unauffälligen neuen Wagen sitzen, bis sie mit Essen fertig waren. Dann ging er hinüber und sagte Hallo. Carl Lee war überrascht, ihn zu sehen, und rechnete erst einmal mit Ärger. Jake erklärte, warum er gekommen war, und reichte ihm die Liste der Geschworenen, mit der Bitte, sich mit Gwen zusammen die Namen anzusehen und unauffällig Erkundigungen einzuholen. Gwens große Familie lebte noch in Van Buren County, nicht weit von Chester entfernt.

»Das ist doch nicht illegal, oder?« Carl Lee blätterte eine Seite um.

»Würde ich dich je auffordern, etwas Illegales zu tun?«

»Ich denke nicht.«

»Bei Prozessen mit Geschworenen ist so etwas durchaus üblich. Du kannst mir glauben, dass wir das für dich auch gemacht haben.«

»Irgendwas muss bei mir ja funktioniert haben.« Carl Lee lachte und blätterte weiter. »Jake«, sagte er, plötzlich wieder ernst. »Dieser Typ hier ist mit Gwens Cousine väterlicherseits verheiratet.«

»Wie heißt er?«

»Rodney Cote. Ich kenne ihn ziemlich gut. Er saß bei meinem Prozess in der Jury.«

Jake jubelte innerlich, bemühte sich aber, es nicht zu zeigen. »Kann man mit ihm reden?«

»Was meinst du?«

»Ich meine, könntest du mal mit ihm reden? Du weißt schon. Ohne dass jemand davon erfährt. Bei einem Bier.«

Carl Lee lächelte. »Ich verstehe.«

Sie gingen zu Jakes Wagen. »Was ist das?«, wunderte sich Carl Lee.

»Mein neuer fahrbarer Untersatz.«

»Was ist mit dem verrückten roten Flitzer?«

»Hat den Geist aufgegeben.«

»Kein Wunder.«

Auf dem Weg zurück in die Stadt war Jake bester Laune. Mit einer Portion Glück und ein wenig Vorbereitung durch Carl Lee würde Rodney Cote beim Auswahlverfahren das Trommelfeuer der Fragen überstehen und in die Jury gewählt werden. War er mit Drew Gamble verwandt? Natürlich nicht. Kannte er jemanden aus der Familie des Angeklagten? Nein. Niemand kannte die Gambles. Hatte er den Getöteten gekannt? Nein. Kannte er jemanden aus der Staatsanwaltschaft oder der Verteidigung? An dieser Stelle musste Rodney vorsichtig sein. Obwohl er Jake nie persönlich kennengelernt hatte, wusste er sicherlich, wer Rechtsanwalt Brigance war. Doch das wäre noch lange kein Grund, ihn auszusortieren. In Kleinstädten war es gang und gäbe, dass potenzielle Geschworene Anwälte kannten. Rodney sollte sich da einfach bedeckt halten. Ist

Mr. Brigance jemals für Sie oder jemanden aus Ihrer Familie anwaltlich tätig geworden? Auch hier sollte Rodney nicht die Hand heben. Jake hatte Carl Lee vertreten, nicht Gwen. Als Ehemann der Cousine war er zudem nicht blutsverwandt, sodass weitere Nachfragen nicht erforderlich waren, zumindest nicht nach Jakes Ansicht.

Jake war plötzlich versessen darauf, Rodney Cote in die Jury zu bekommen. Doch dazu würde er ein Quäntchen Fortune brauchen. Nächsten Montag würden die Kandidaten in unbestimmter Reihenfolge im Gerichtssaal Platz nehmen. Jeder würde eine Nummer aus einem Hut ziehen. Sollte Rodney unter den ersten vierzig sein, hätte er gute Chancen, es unter die letzten zwölf zu schaffen, wenn Jake ein wenig nachhalf. Eine hohe Nummer würde bedeuten, dass er es nicht schaffte.

Das Problem wäre Gwens Cousin mütterlicherseits, Willie Hastings, der erste schwarze Deputy, den Sheriff Walls eingestellt hatte. Ozzie hatte zweifellos längst im Auftrag der Staatsanwaltschaft mit seinen Deputys über die Sache gesprochen. Sollte Willie ihm gegenüber Rodney Cotes Namen erwähnt haben, würde dieser aus gutem Grund nach Hause geschickt werden.

Vielleicht sprach Ozzie aber nicht mit Hastings. Vielleicht kannte Hastings Cote gar nicht. Wobei das unwahrscheinlich war.

Jake wollte schon umdrehen, um noch einmal mit Carl Lee zu reden, beschloss dann aber, das auf später zu verschieben.

Am Mittwoch waren die Wände des ehemaligen *Smallwood*-Raums mit weiteren Karten behängt, an denen mit bunten Stecknadeln Namensschildchen befestigt waren, sowie Dutzende vergrößerter Fotos, von Pkw und alten Pick-ups, hübschen Stadthäuschen und Wohnwagen auf dem Land, Farmhäusern, Kirchen, Kiesauffahrten ohne Haus, kleinen Läden mitsamt ihren Mitarbeitern und Fabriken, in denen gegen Billiglohn Schuhe und Lampen produziert wurden. Der Durchschnittshaushalt im County verdiente einunddreißigtausend Dollar im Jahr, kaum genug zum Überleben. Die Bilder illustrierten das. Der Wohlstand war an Van Buren County vorbeigegangen, die Bevölkerung wanderte ab – ein trauriger Trend, aber nicht ungewöhnlich für den ländlichen Raum Mississippi.

Harry Rex hatte sieben Namen ermittelt, Morris Finley weitere zehn. Auch Hal Fremont kannte ein paar Kandidaten von der Liste. So klein das County auch war, es war trotz allem mühselig, aus siebzehntausend Menschen siebenundneunzig herauszufiltern. Darrel und Rusty hatten elf Kirchenregister zutage gefördert, in denen sich einundzwanzig Kandidaten fanden. Es gab jedoch mindestens hundert Kirchengemeinden, und die meisten davon waren zu klein, um überhaupt Mitgliederlisten zu führen. Portia durchkämmte nach wie vor die Behördenaufzeichnungen, fand aber wenig Verwertbares. Ein Kandidat hatte im Vorjahr achtzig Hektar Land gekauft. Zwei waren wegen Alkohol am Steuer festgenommen worden. Inwieweit diese Auskünfte bei der Auswahl helfen sollten, war keinem im Team klar.

Am Donnerstag waren sie so weit, dass sie sich gegenseitig Namen abfragen konnten. Jake nannte einen aus der Liste, Portia ratterte aus dem Gedächtnis das wenige herunter, was sie über die Person wussten, oder räumte ein, dass sie keinerlei Informationen über sie hatten. Dann wählte Portia einen Namen aus, und Jake sagte Alter, Ethnie, Geschlecht und alle sonstigen bekannten Details auf. Bis spät in die Nacht verglichen sie ihre Erkenntnisse, gaben den Kandidaten Spitznamen und lernten alles auswendig. Der Auswahlprozess konnte langwierig und mühsam werden, doch unter Umständen würde Jake blitzschnell reagieren und sich spontan entscheiden müssen, ehe der nächste Kandidat an die Reihe kam. Da es ein Mordprozess war, würde Noose geduldig sein. Vielleicht würde er den Anwälten doch noch erlauben, sich mit einer Person von der Liste persönlich zu treffen, um mehr über sie zu erfahren. Beide Parteien würden zwölf Kandidaten ohne Angabe von Gründen ablehnen dürfen, gewissermaßen per Wildcard. Wenn Jake jemandes Grinsen nicht gefiel, durfte er ihn ohne weitere Begründung verwerfen. Dieses Privileg war wertvoll und musste mit Bedacht eingesetzt werden.

Jeder Kandidat, jede Kandidatin konnte infrage gestellt werden. Ehemann bei der Polizei? Und tschüs. Verwandt mit dem Opfer? Auf Wiedersehen. Gegnerin der Todesstrafe? Bye-bye. Selbst schon mal Opfer häuslicher Gewalt gewesen? Dann tun Sie sich das besser nicht an. Besonders hoch ging es stets dann her, wenn geklärt werden musste, inwieweit eine Ablehnung begründet war. Wenn nämlich der Richter einen Grund zur Befangenheit sah, entließ er selbst die Person, ohne dass Staatsanwaltschaft oder Strafverteidigung eine ihrer Wildcards opfern mussten.

Nach Jakes Erfahrung wollten die meisten Menschen, die eine Vorladung erhalten und sich die Mühe gemacht hatten, zum Auswahlverfahren zu erscheinen, tatsächlich als Geschworene dienen. Das galt insbesondere für den ländlichen Raum, wo Prozesse selten vorkamen und eine willkommene Abwechslung darstellten. Sobald jedoch die Todesstrafe ins Spiel kam, wollte plötzlich keiner mehr.

Je länger er die Liste betrachtete, umso mehr war er davon überzeugt, dass er genauso gut blind zwölf Namen auswählen konnte. Hauptsache, Rodney Cote war darunter.

Am Freitagnachmittag kam Harry Rex in die Kanzlei gestürmt und verkündete, sie alle bräuchten jetzt eine Pause. Portia war in der Tat fix und fertig. Jake schickte sie nach Hause und schloss die Kanzlei zu. Weil er darauf bestand, selbst zu fahren, stiegen sie in seinen nagelneuen Impala und begaben sich, ohne Zwischenstopp für ein Bier, nach Chester, um weitere Erkundigungen anzustellen. Auf dem Weg diskutierten sie Prozessstrategien und -szenarien.

Harry Rex war inzwischen sicher, dass Richter Noose das Verfahren für gescheitert erklären würde, wenn Kiera der Jury eröffnete, wer sie geschwängert hatte; Dyer würde jedenfalls aus allen Wolken fallen. Jake war nicht überzeugt, zumal er bezweifelte, ob ihm der Überraschungscoup jetzt noch gelingen würde. Irgendwann im Laufe des Montagvormittags, vermutlich noch ehe die Auswahl der Jurykandidaten begann, würde Dyer Kiera sehen wollen, um noch einmal durch ihre Zeugenaussage zu gehen. Ihre Schwangerschaft war inzwischen so weit fortgeschritten, dass sie sich nicht mehr verbergen ließ.

Sie berieten, ob sie Drew aussagen lassen sollten. Jake hatte viele Stunden mit ihm verbracht und war nicht sicher, ob der Junge ein schonungsloses Kreuzverhör durchhalten würde. Harry Rex war der festen Überzeugung, dass Angeklagte sich grundsätzlich nicht im eigenen Prozess äußern sollten.

Wie immer freitags war im Gericht nicht mehr viel los. Sie zogen Jacken und Krawatten aus und gelangten, ohne jemandem zu begegnen, nach oben in den Sitzungssaal. Drinnen schlug ihnen überraschend kühle Luft entgegen. Obwohl Noose' neue Klimageräte auf Hochtouren liefen, waren sie nicht übermäßig laut. Vermutlich würden sie das ganze Wochenende durchlaufen. Der Saal war gründlich gereinigt worden, es war nirgends auch nur ein Körnchen Staub oder Schmutz zu sehen. Zwei Maler strichen fleißig die Wände weiß, ein dritter pinselte auf den Knien die hölzerne Front der Richterbank.

»Jetzt laust mich aber der Affe«, murmelte Harry Rex. »So gut hat's hier noch nie ausgesehen.«

Die verblassten Ölgemälde verblichener Richter und Politiker waren entfernt und zweifellos in den Keller verbannt worden, wo sie hingehörten. Die nackten Wände schimmerten frisch gestrichen, die alten Sitzbänke waren mit einer neuen Lackschicht versehen worden. Im Geschworenenbereich standen zwölf neue

Stühle mit bequemen Sitzkissen. Die große Galerie war von ausgemusterten Aktenschränken und Aufbewahrungskisten befreit und mit zwei Reihen Leihstühlen ausgestattet worden.

»Noose hat Geld lockergemacht«, flüsterte Jake.

»Wurde auch Zeit. Ich denke, das soll sein großer Auftritt werden. Sieht so aus, als würde er ein volles Haus erwarten.« Sie hatten kein Interesse daran, dem Richter in die Arme zu laufen, und wandten sich nach ein paar Minuten wieder zur Tür. Als Jake stehen blieb, um sich noch einmal umzusehen, wurde ihm bewusst, dass sein Magen rebellierte.

Vor seinem ersten Geschworenenprozess hatte Lucien zu ihm gesagt: »Wenn Sie kein höllisches Lampenfieber haben, bevor Sie den Saal betreten, sind Sie nicht bereit.« Vor dem Hailey-Prozess hatte sich Jake in eine WC-Kabine eingeschlossen und übergeben.

Auf dem Flur trat Harry Rex in eine Toilette. Als er Augenblicke später wieder heraustrat, sagte er: »Mich laust wirklich der Affe. Die Spülungen funktionieren. Der Alte hat Tabula rasa gemacht.«

Sie ließen Chester hinter sich und fuhren ohne Eile Richtung Osten. Sobald sie die Grenze zu Ford County passiert hatten, hielt Jake beim ersten Laden, und Harry Rex ging hinein, um ein Sixpack zu kaufen. Sie fuhren zum Lake Chatulla und suchten den unter einem schattigen Baum gelegenen Picknicktisch am Steilufer, wo sie schon öfter Zuflucht gesucht hatten, gemeinsam und jeder für sich.

# 40

Montag, 6. August. Jake lag den überwiegenden Teil der Nacht wach und grübelte mit aufgerissenen Augen darüber nach, was alles schiefgehen konnte. Sein Traum war es, ein großer Anwalt zu werden, doch wie immer unmittelbar vor Eröffnung eines Prozesses fragte er sich, warum er sich den Stress antat. Die gewissenhafte Vorbereitung im Vorfeld eines Verfahrens war mühselig und nervenaufreibend, aber ein Kinderspiel im Vergleich zum eigentlichen Auftritt vor Gericht. Im Saal, in Gegenwart der Geschworenen, musste ein Anwalt stets an mindestens zehn Dinge gleichzeitig denken, die alle kriegsentscheidend waren. Er musste sich auf die Zeugen konzentrieren, auf seine eigenen genauso wie auf die der Staatsanwaltschaft, und ihren Einlassungen Satz für Satz konzentriert folgen. Sollte er Einspruch einlegen? Wenn ja, mit welcher Begründung? Hatte er alle Fakten beisammen? Hörten die Geschworenen zu, und wenn ja, glaubten sie dem Zeugen? Fanden sie die Zeugin sympathisch? Was, wenn sie nicht aufpassten? War das vielleicht sogar hilfreich? Er musste jeden Zug seines Gegners minutiös beobachten und voraussehen, was er als Nächstes tun würde. Was war seine Strategie? Änderte er zwischendurch den Plan? Stellte er eine Falle? Wer trat als Nächstes in den Zeugenstand? Wer war die Person? Wenn sie gegen den Angeklagten aussagte, wie viel Schaden konnte sie anrichten? Wenn sie zugunsten des Angeklagten aussagen sollte, wie gut war sie? War sie überhaupt erschienen? War sie ausreichend gecoacht? Dass in Strafprozessen prozesswichtige Beweise nicht offengelegt werden mussten, erhöhte den Druck, weil man nie sicher sein konnte, was die Zeugen wirklich aussagten. Dann der Richter – war er bei der Sache? Hörte er zu? Oder döste er vor sich hin? War seine Haltung ablehnend, wohlgesinnt oder neutral? Waren die Beweisstücke ordentlich präpariert und einsatzbereit? Würde es über deren Zulassung Uneinigkeit geben, und wenn ja, konnte er im Zweifel das Beweisrecht richtig zitieren?

Lucien hatte ihm gepredigt, wie wichtig es war, cool und entspannt zu bleiben und sich durch nichts aus der Ruhe bringen zu lassen, egal wie die Verhandlung lief. Den Geschworenen entging nichts, jede Regung des Anwalts wurde wahrgenommen. Schauspielern war wichtig: Zweifel zu heucheln bei einer vernichtenden Aussage, Mitgefühl zu zeigen, wenn es angebracht war, hin und wieder im richtigen Moment kurz Zorn aufflackern zu lassen. Zu viel des Guten aber war verheerend, zumal wenn es gekünstelt wirkte. Humor konnte tödlich sein. Zwar empfand jeder in einer angespannten Situation einen guten Witz als Erleichterung, doch dieses Mittel musste sparsam eingesetzt werden. Das Leben eines Menschen stand auf dem Spiel, da konnte eine launige Bemerkung rasch nach hinten losgehen. Man musste die Geschworenen ständig im Blick behalten, durfte ihnen jedoch nicht das Gefühl geben, dass man sie beobachtete.

Waren alle Anträge korrekt eingereicht worden? Waren die Anweisungen an die Jury fertig? Das Schlussplädoyer war oft der dramatische Höhepunkt eines Prozesses, doch es im Vorfeld vorzubereiten war schwer, weil man die Zeugen noch nicht gehört hatte. Er hatte Haileys Freispruch mit einer brillanten Rede erreicht. Würde ihm das wieder gelingen? Würde er die magische Formel finden, die seinen Mandanten rettete?

Den größten Coup würde er landen, wenn er die Staatsanwaltschaft mit Kieras Schwangerschaft konfrontierte. Stundenlang hatte er in schlaflosen Nächten darüber nachgegrübelt. Aber wie sollte er das Geheimnis bewahren, bis zum letzten Moment, in einem Gerichtssaal voller Menschen?

Er nickte wieder ein und erwachte schließlich aus dem Tiefschlaf, als ihm der entfernte Duft von gebratenem Speck in die Nase stieg. Es war Viertel vor fünf, Carla stand am Herd. Er wünschte ihr einen guten Morgen, küsste sie, goss sich Kaffee ein und ging rasch duschen.

Sie aßen ihre Eier und den Speck mit Toast schweigend. Jake hatte das Wochenende über wenig zu sich genommen und verspürte auch jetzt keinen Appetit.

»Ich würde gern noch mal den Ablauf durchgehen, wenn's dir nichts ausmacht«, sagte Carla.

»Klar. Du bist praktisch zum Babysitten da.«

»Wie schön, sich so gebraucht zu fühlen.«

»Dein Job ist superwichtig, glaub mir. Lass hören.«

»Um zehn Uhr treffe ich mich mit Josie und Kiera vor dem Gericht und warte dann mit ihnen auf dem Flur im Erdgeschoss, während die Auswahlprozedur läuft. Was soll ich tun, wenn Dyer mit ihnen sprechen will?«

»Gute Frage. Dyer wird nachher viel um die Ohren haben. Genau wie ich wird er sich über die Jurykandidaten den Kopf zerbrechen. Sollte er sich nach den beiden erkundigen, werde ich ihm sagen, dass sie unterwegs sind. Das Auswahlverfahren wird sich den ganzen Vormittag, vielleicht sogar bis in den Nachmittag hinziehen. Ich schicke dir dann Anweisungen. Sobald ich Pause machen kann, komme ich dich suchen. Sie sind vorgeladen, also müssen sie in der Nähe bleiben.«

»Was, wenn Dyer uns über den Weg läuft?«

»Er darf mit Kiera sprechen, aber nicht mit Josie. Es wird ihm sicher auffallen, dass sie schwanger ist, aber ich kann mir nicht vorstellen, dass er sich traut, nach dem Erzeuger zu fragen. Denk dran: Das Einzige, was Dyer von ihr will, ist die Bestätigung, dass Drew Kofer erschossen hat. Ich glaube nicht, dass er weiter bohren wird.«

»Das schaffe ich«, sagte sie nervös.

»Natürlich schaffst du das. Das Gericht wird voller Menschen sein, versuch einfach, in der Menge unterzutauchen. Irgendwann kommt ihr dann in den Saal, wenn wir den Kandidatenkreis eingeengt haben und uns daranmachen, die endgültigen zwölf auszusuchen.«

»Was genau soll ich im Saal tun?«

»Schau dir die Kandidaten an, vor allem die in den vorderen vier Reihen. Ganz besonders die Frauen.«

Er aß ein paar Bissen und sagte: »Ich muss jetzt los. Wir sehen uns dort.«

»Du musst was essen, Jake.«

»Ich weiß. Aber wahrscheinlich würde ich es eh nicht bei mir behalten.«

Er küsste sie auf die Wange und verließ das Haus. Im Wagen entnahm er seinem Aktenkoffer eine Pistole, die er unter dem Sitz versteckte. Er parkte vor der Kanzlei, schloss die Tür auf und schaltete das Licht ein. Portia kam eine halbe Stunde später. Um sieben Uhr erschien Libby Provine in einem hautengen rosa Designerkleid, hohen Schuhen und einem grellbunten Paisleyschal. Sie war erst spät am Vorabend in Clanton eingetroffen, und sie hatten bis elf Uhr abends gearbeitet.

»Sie sehen umwerfend aus«, sagte Jake zurückhaltend.

»Gefällt's Ihnen?«, gab sie zurück.

»Ich weiß nicht. Ziemlich gewagt. Wir werden bestimmt kein zweites rosa Kleid heute im Gerichtssaal sehen.«

»Ich falle gern auf«, sagte sie in breitestem Schottisch. »Ich weiß, dass das unkonventionell ist, aber nach meiner Erfahrung haben die Geschworenen, vor allem die Männer, nichts gegen ein paar modische Akzente zwischen all den dunklen Anzügen. Sie sehen richtig gut aus, Jake.«

»Danke. Mein neuestes Prozessoutfit.«

Portia musterte immer noch Libbys rosa Kleid.

»Warten Sie erst einmal ab, bis man mich reden hört.«

»Man wird wahrscheinlich kein Wort verstehen.«

Viel sagen würde Libby ohnehin nicht, jedenfalls nicht zu Beginn. Ihre Rolle war es, Jake in der zweiten Phase des Prozesses, nach dem Urteil, zu unterstützen und sich bis dahin zurückzuhalten. Sollte Drew wegen Mord verurteilt werden, würde sie sich aktiv einschalten, wenn um das Strafmaß gerungen wurde. Dr. Thane Sedgwick stand in Baylor auf Abruf bereit, um dem Jungen das

Leben zu retten, falls das nötig wurde. Jake betete, dass es dazu nicht kommen würde, aber er rechnete damit. Heute Morgen aber hatte er keine Zeit, sich darüber Gedanken zu machen.

Jake sah Libby an. »Erzählen Sie mir von Luther Redford.«

Die Antwort kam wie aus der Pistole geschossen. »Weiß, männlich, Alter zweiundsechzig, lebt auf dem Land, Adresse: Pleasant Valley Road, züchtet Biohühnchen und verkauft sie an die besten Restaurants in Memphis. Vierzig Jahre mit derselben Frau verheiratet, drei erwachsene Kinder, alle ausgezogen, ein Haufen Enkel. Mitglied der Church of Christ.«

»Was bedeutet das?«

»Tiefgläubig, extrem konservative, reaktionäre Ansichten, die Gemeinde ist sein Ein und Alles, strenger Verfechter von Recht und Ordnung und null Toleranz bei Gewaltverbrechen. Ganz sicher ein Abstinenzler, der für Alkohol und Trunksucht keinerlei Verständnis hat.«

»Würden Sie ihn nehmen?«

»Eher nicht, aber man weiß nie. Vor zwei Jahren haben wir in Oklahoma einen Siebzehnjährigen vertreten. Sein Verteidiger hat Church-of-Christ-Mitglieder gemieden, ebenso wie viele Baptisten und Pfingstler.«

»Und?«

»Er wurde trotzdem schuldig gesprochen. Es war ein schreckliches Verbrechen. Immerhin haben wir dafür gesorgt, dass sich die Geschworenen nicht auf die Todesstrafe einigen konnten und lebenslänglich ohne Aussicht auf vorzeitige Entlassung herauskam. Das war wohl ein Erfolg.«

»Würdest du ihn nehmen, Portia?«

»Nein.«

»Wir können das auf der Fahrt zum Gericht durchspielen. Über wie viele der Kandidaten wissen wir noch gar nichts?«

»Siebzehn«, sagte Portia.

»Das sind viele. Okay, ich packe das Auto, während ihr beiden die Hitliste der Kandidaten durchgeht, die wir ausschließen wollen.«

»Das haben wir mindestens schon zweimal gemacht«, sagte Portia. »Ich kann die Liste auswendig.«

»Das werden wir ja sehen.«

Jake ging nach draußen und lud drei große Kisten mit Akten in den Kofferraum seines Impala, der über wesentlich mehr Fassungsvolumen verfügte als sein alter Saab. Um halb acht Uhr brach das Team der Verteidigung aus Clanton auf, mit Portia am Steuer. Jake saß auf der Rückbank und betete die Namen von Unbekannten herunter, die sie in Kürze kennenlernen würden.

Josie parkte vor dem Gefängnis und wies Kiera an, im Auto zu bleiben. Auf dem Rücksitz lagen, sorgfältig auf einen Kleiderbügel drapiert und ordentlich ausgebreitet, ein dunkelblauer Blazer samt grauer Hose, ein weißes Hemd und eine Krawatte zum Anstecken, Drews Outfit für den Prozess. Josie hatte die Sachen letzte Woche in Discountläden in und um Oxford herum zusammengestellt, auf Jakes genaue Anweisungen hin, und den Vortag damit verbracht, sie zu waschen und zu bügeln. Die Schuhe seien nicht so wichtig, hatte Jake gesagt. Er wollte, dass sein Mandant nett und ordentlich aussah, aber nicht übertrieben schick. Drews Secondhand-Turnschuhe waren völlig in Ordnung.

Mr. Zack wartete am Empfang und führte sie den Flur entlang zur Jugendzelle. »Er hat geduscht, obwohl er partout nicht wollte«, sagte er leise und entriegelte die Tür. Josie trat ein, und er schloss hinter ihr wieder ab.

Der Angeklagte saß an seinem Tisch und legte eine Patience. Er stand auf und umarmte seine Mutter, wobei ihm ihre geröteten Augen auffielen. »Hast du wieder geweint, Mom?«

Statt zu antworten, legte sie seine Kleidung auf die untere Matratze des Etagenbetts und entdeckte dabei auf der oberen einen unberührten Teller mit Eiern und Speck. »Warum hast du nichts gefrühstückt?«

»Kein Hunger, Mom. Das ist wohl heute mein großer Tag, was?«

»Ja. Komm, zieh dich an.«

»Das soll ich alles anziehen?«

»Ja, Sir. Du sollst vor Gericht richtig anständig aussehen, hat Jake gesagt. Gib mir den Overall.« Kein Sechzehnjähriger zog sich gern vor seiner Mutter aus, ganz gleich unter welchen Umständen. Doch Drew wusste, dass er sich nicht beklagen durfte. Er trat aus dem orangefarbenen Gefängnisoverall heraus, und sie reichte ihm die Hose.

»Woher hast du die Sachen?« Er griff danach und schlüpfte rasch hinein.

»Unterschiedlich. Du sollst das jetzt jeden Tag anziehen, hat Jake gesagt.«

»Wie viele Tage werden es sein, Mom? Wie lange wird es dauern?«

»Bestimmt bis zum Ende der Woche.« Sie half ihm, das Hemd überzustreifen, und knöpfte es für ihn zu. Er stopfte den Saum in die Hose und sagte: »Es kommt mir ein bisschen zu groß vor.«

»Tut mir leid, aber was Besseres haben wir nicht.« Sie griff nach der Krawatte, steckte sie an seinen Hemdkragen und zupfte sie zurecht. »Wann hast du zum letzten Mal eine Krawatte getragen?«

Er schüttelte abwehrend den Kopf und wollte sich schon beschweren, aber wozu. »Noch nie.«

»Dachte ich mir. Im Gerichtssaal werden lauter Rechtsanwälte und andere wichtige Leute sein, da sollst du anständig aussehen, okay? Jake meinte, die Geschworenen werden dich genau unter die Lupe nehmen. Es ist wichtig, wie du aussiehst.«

»Will er, dass ich wie ein Anwalt aussehe?«

»Nein. Er will, dass du wie ein anständiger junger Mann aussiehst. Und glotz die Geschworenen nicht an.«

»Ich weiß, ich weiß. Ich habe seine Anweisungen hundertmal

485

durchgelesen. Sitz gerade, pass gut auf, zeig keine Gefühle. Wenn mir langweilig wird, soll ich was auf ein Blatt Papier kritzeln.«

Die ganze Familie hatte von ihrem Anwalt seitenweise schriftliche Verhaltenstipps bekommen.

Sie half ihm in den blauen Blazer, auch das ein erstes Mal, und trat einen Schritt zurück, um ihn zu bewundern. »Du siehst toll aus, Drew.«

»Wo ist Kiera?«

»Draußen im Auto. Es geht ihr gut.«

Josie log. In Wahrheit war Kiera ein Häuflein Elend, genau wie sie. Alle drei waren sie nichts als verlorene Seelen auf dem Weg in die Höhle des Löwen, hilflos dem Schicksal ausgeliefert. Sie zauste seinen blonden Schopf und wünschte sich, sie hätte eine Haarschere zur Hand. Dann zog sie ihn an sich und drückte ihn fest. »Es tut mir so leid, Kind. Es tut mir so leid. Ich habe uns in diesen Schlamassel reingeritten. Es ist alles meine Schuld. Alles meine Schuld.«

Steif wie ein Brett ließ Drew die Umarmung über sich ergehen. Als sie ihn endlich losließ, blickte er in ihre tränenfeuchten Augen. »Wir haben schon darüber gesprochen, Mom. Ich habe getan, was ich tun musste, und ich bereue es nicht.«

»Sag das nicht, Drew. Nicht jetzt, und auch nicht später vor Gericht. Sag das zu niemandem, hörst du?«

»Ich bin ja nicht dumm.«

»Nein, natürlich nicht.«

»Was ist mit meinen Schuhen?«

»Jake meinte, du kannst deine Turnschuhe anziehen.«

»Die passen nicht recht zu den übrigen Sachen, oder?«

»Tu einfach, was er sagt. Tu immer, was er sagt, Drew. Du siehst prima aus.«

»Und du wirst da sein, Mom?«

»Natürlich. In der ersten Reihe, direkt hinter dir.«

# 41

Gegen 8.30 Uhr trafen nach und nach die Jurykandidaten vor dem alten Gerichtsgebäude ein, wo drei grellbunte Übertragungswagen sie erwarteten, einer vom Sender aus Tupelo, einer von einer angegliederten Nachrichtenstation in Jackson und einer aus Memphis. Vor dem Haupteingang wurden Scheinwerfer und Kameras installiert, so nahe es der für die Sicherheit abgestellte Deputy erlaubte. Das kleine Nest Chester hatte sich noch nie so bedeutsam gefühlt.

Die Kandidaten, alle mit ihrer Vorladung in der Hand, wurden am Haupteingang von einem höflichen Justizangestellten begrüßt, der ihre Unterlagen prüfte, etwas in seine Liste eintrug und sie aufforderte, nach oben in den Gerichtssaal im ersten Stock zu gehen, wo sie weitere Anweisungen erhalten würden. Der Saal war noch abgeschlossen und von Uniformierten bewacht, die sie baten, ein paar Minuten zu warten. Alsbald bildete sich auf dem Flur eine Traube von Menschen, die, nervös und neugierig, untereinander flüsterten. Ihre Vorladung erwähnte nicht, was verhandelt wurde, doch es gab wilde Gerüchte. In Windeseile sprach sich herum, dass eine Strafsache um einen ermordeten Deputy aus dem benachbarten Ford County anstand.

Harry Rex, gekleidet wie ein einfacher Kerl aus der Gegend, John-Deere-Kappe auf dem Kopf, in der Hand ein Blatt Papier, das auch eine Vorladung sein konnte, mischte sich unter die Einheimischen und belauschte ihre Gespräche. Obwohl er hier niemanden kannte und ihn keiner der Kandidaten je gesehen hatte, wollte er möglichst anonym bleiben, falls Lowell Dyer oder sonst jemand von der Staatsanwaltschaft auftauchte. Er sprach kurz mit einer Frau, die ihm erzählte, dass sie sich den Einsatz bei Gericht zeitlich gar nicht erlauben könne, weil sie zu Hause gebraucht werde, wo sie ihre betagte Mutter betreue. Einen älteren Mann hörte er sagen, er habe kein Problem mit der Todesstrafe, oder etwas in diesem Sinne. Er fragte eine jüngere Frau, ob es stimme, dass hier der Polizistenmord in Clanton vom letzten März verhandelt werde. Sie wusste es nicht, erschrak aber zutiefst bei der Vorstellung, über eine so schwerwiegende Sache entscheiden zu müssen. Als sich immer mehr Menschen auf dem Flur drängten, verlegte er sich darauf, nur noch zu lauschen, um Wortfetzen und Bemerkungen aufzuschnappen, die unter Umständen später im Auswahlverfahren als Hintergrundwissen Gold wert sein konnten.

Zu den Kandidaten gesellten sich jetzt auch Besucher. Als Harry Rex die Kofers kommen sah, schlüpfte er in eine Toilette und entledigte sich seiner Kappe.

Um 8.45 Uhr öffnete sich die Tür zum Saal. Ein Gerichtsdiener bat die Kandidaten, einzutreten und auf der linken Seite Platz zu nehmen. Sie strömten den Mittelgang entlang, offensichtlich beeindruckt von dem frisch renovierten großen Raum, den die meisten von ihnen noch nie von innen gesehen hatten. Ein weiterer Gerichtsdiener deutete auf die Bankreihen zur Linken. Die rechte Seite würde noch eine Zeit lang frei bleiben.

Offenbar hatte Noose angeordnet, dass die Klimageräte das Wochenende über auf Hochtouren liefen, denn die Luft war spürbar heruntergekühlt. An diesem 6. August wurden draußen bis zu fünfunddreißig Grad Celsius erwartet, doch in dem frisch renovierten Gerichtssaal herrschte eine erstaunlich angenehme Temperatur.

Jake, Portia und Libby standen um den Tisch der Verteidigung herum und besprachen im Flüsterton noch ein paar wichtige Punkte, während sie insgeheim die Jurykandidaten musterten. Wenige Meter entfernt standen Lowell Dyer und D. R. Musgrove und unterhielten sich mit Jerry Snook, ihrem Ermittler. Vor dem Richtertisch tummelten sich Gerichtsdiener und Justizangestellte.

Dyer kam herüber und sagte zu Jake: »Ich gehe davon aus, dass Ms. Gamble und ihre Tochter hier sind.«

»Sie werden hier sein, Lowell. Ich habe Ihnen mein Wort gegeben.«

»Haben Sie ihnen die Vorladungen überreicht?«

»Ja.«

»Ich würde gern im Laufe des Vormittags mit Kiera sprechen.«

»Kein Problem.«

Dyer wirkte nervös und zappelig, offenbar ging ihm sein erstes großes Verfahren schwer an die Nieren. Jake gab sich redlich Mühe, den routinierten Gerichtsveteranen zu mimen, doch obwohl er mehr Prozesserfahrung besaß als sein Gegner, hatte er Bauchschmerzen. Dyer konnte zwar noch keine großen Schuldsprüche vorweisen, doch als Vertreter des Staates hatte er in dem Spiel Gut gegen Böse, Gendarm gegen Räuber, Finanzkraft gegen Armut zwangsläufig die besseren Karten.

Der Angeklagte kam im Fond des auf Hochglanz polierten Dienstwagens des Sheriffs vorgefahren, Ozzie saß selbst am Steuer. Für die Augen der Presse wurde unmittelbar vor dem Gericht gehalten, wo Ozzie und Moss Junior grimmig, aber leidenschaftslos die hintere Tür aufrissen und den mutmaßlichen Mörder herauszerrten, der anständig gekleidet und an Händen und Füßen gefesselt war. Sie packten ihn an seinen dünnen Oberarmen und führten ihn demonstrativ an den klickenden Kameras der Pressevertreter vorbei zum Haupteingang des Gerichtgebäudes. Drinnen schoben sie ihn durch eine Tür zu einem der zahlreichen Anbauten, wo sie alsbald vor dem Konferenzraum des Verwaltungsrats von Van Buren County standen. Ein Deputy der örtlichen Polizei öffnete die Tür und sagte zu Ozzie: »Den Raum habe ich für Sie sichern lassen, Sheriff.«

Das Zimmer hatte keine Fenster und auch sonst keine Lüftung. Drew setzte sich auf den ihm zugewiesenen Stuhl, während Ozzie und Moss Junior wieder nach draußen traten und die Tür hinter sich schlossen.

Es sollten drei Stunden vergehen, ehe sie sich wieder öffnete.

Um 9.15 Uhr hatten alle Kandidaten auf einer Seite des Ganges Platz genommen; die andere Seite war noch leer, da die Zuschauer draußen auf dem Flur warteten. Ein Gerichtsdiener rief den Saal zur Ordnung und forderte alle Anwesenden auf, sich zu erheben, während Richter Omar Noose durch eine Tür hinter der Richterbank heraustrat. Die Anwälte versammelten sich an ihren jeweiligen Tischen, und die Justizangestellten nahmen ihre Posten ein.

Mit wehender Robe trat Noose von seinem Podium herab auf die Schranke zu, die den Zuschauerraum abtrennte. Jake, der nur ein paar Meter entfernt saß, flüsterte Libby zu: »O nein, das Robenritual.« Sie blickte ihn verständnislos an.

Gelegentlich, vor allem dann, wenn Wahlen anstanden, suchten die Richter das Bad in der Menge ihrer Wähler und begrüßten sie statt von ihrer erhöhten Richterbank aus von unten, auf Augenhöhe, nur durch die Schranke getrennt.

Noose stellte sich seinen Mitbürgern vor, hieß sie herzlich willkommen und bedankte sich für ihr Kommen. Als wären sie freiwillig hier. Er ging kurz darauf ein, wie bedeutsam der Dienst der Geschworenen für den ordentlichen Justizbetrieb sei, und drückte seine Hoffnung aus, dass er nicht allzu beschwerlich werden würde. Ohne ins Detail zu gehen, beschrieb er den Fall und erklärte, dass ein Großteil dieses ersten Prozesstages darauf verwandt werden würde, die Jury zusammenzustellen. Er blickte auf ein Blatt Papier. »Ich wurde darüber informiert, dass drei Mitglieder des Geschworenen-Pools nicht erschienen sind. Mr. Robert Giles, Mr. Henry Grant und Mrs. Inez Bowen. Die Personen haben ordnungsgemäß eine Vorladung bekommen, es aber nicht für nötig gehalten, sich heute Morgen hier zu melden. Ich werde den Sheriff bitten, sie zu Hause abzuholen.« Er nickte dem Sheriff, der neben der Geschworenenbank stand, mit finsterer Miene zu, als hätte er gerade eine Gefängnisstrafe verhängt, die es zu vollstrecken galt.

»Wir haben vierundneunzig Kandidaten hier. Als Erstes müssen wir feststellen, wer befreit werden kann. Wenn Sie fünfundsechzig oder älter sind, müssen Sie nach dem Gesetz des Bundesstaats keinen Geschworenendienst leisten. Fühlt sich jemand angesprochen?«

Noose hatte die Senioren zusammen mit der Geschäftsstellenleitung bereits im Vorfeld anhand der Wählerlisten aussortiert, dennoch befanden sich acht unter den Kandidaten, die zwischen fünfundsechzig und siebzig Jahre alt waren. Er wusste aus Erfahrung, dass nicht alle die Befreiung in Anspruch nehmen würden.

In der ersten Reihe sprang ein Mann auf und machte winkend auf sich aufmerksam.

»Sie sind?«

»Harlan Winslow. Ich bin achtundsechzig und habe Besseres zu tun.«

»Sie dürfen gehen, Sir.«

Winslow entfernte sich beinahe im Laufschritt. Er wohnte weit draußen auf dem Land und hatte einen Aufkleber der Nationalen Schusswaffenvereinigung NRA auf seinem Pick-up. Jake hatte nichts dagegen, seinen Namen zu streichen.

Drei weitere meldeten sich ab und verließen den Saal. Blieben noch neunzig.

»Als Nächstes kommen wir zu den Personen mit gesundheitlichen Problemen«, sagte Noose. »Wenn Sie ein ärztliches Attest haben, treten Sie bitte jetzt vor.« Es knarzte und raschelte in den Reihen, während einige der Kandidaten aufstanden, um im Mittelgang eine Warteschlange vor dem Richter zu bilden. Es waren insgesamt elf. Der erste, ein phlegmatischer junger Mann, der krankhaft übergewichtig aussah und den Eindruck machte, als könnte er jeden Augenblick ohnmächtig zusammenbrechen, hatte ein

Schreiben dabei, das Noose sorgfältig durchlas, bevor er lächelnd sagte: »Sie dürfen gehen, Mr. Larry Sims.« Das Gesicht des jungen Mannes hellte sich auf, und er schleppte sich zum Ausgang.

Während Noose die medizinischen Fälle einen nach dem anderen durchging, studierten die Anwälte ihre Notizen, strichen Namen und musterten die verbleibenden Kandidaten.

Zwei von den elf Kandidaten mit Attest standen auf der Liste derer, über die Jake bislang gar nichts herausbekommen hatte. Er war froh, als sie gingen. Vierzig zähe Minuten später waren alle elf weg. Blieben neunundsiebzig.

»Wenn Sie jetzt noch hier sind«, fuhr Noose fort, »sind Sie zum Auswahlverfahren zugelassen. Es wird so ablaufen, dass wir Sie in unbestimmter Reihenfolge mit Namen aufrufen. Werden Sie aufgerufen, nehmen Sie bitte Platz auf dieser Seite hier, beginnend mit der ersten Reihe.« Er schwenkte den Arm nach links in Richtung der leeren Sitzreihen. Eine Justizangestellte trat vor und überreichte ihm einen Pappkarton, den er auf dem Tisch der Verteidigung abstellte.

Das kleine Lotteriespiel entschied über den gesamten Auswahlprozess. Die letzten zwölf Kandidaten würden mit ziemlicher Sicherheit aus den ersten vier Reihen kommen, also unter den ersten vierzig Namen sein, die aus dem Karton gezogen wurden.

Die Anwälte schoben eilends ihre Stühle auf die andere Seite ihrer Tische, sodass sie mit Blick auf die Kandidaten saßen, die Schranke im Rücken.

Noose zog einen gefalteten Papierstreifen und las laut vor: »Mr. Mark Maylor.« Ein Mann erhob sich zögerlich und schob sich an seiner Sitzreihe entlang zum Mittelgang vor.

Maylor: weiß, männlich, achtundvierzig, seit vielen Jahren Mathematiklehrer an der einzigen Highschool im County. Zwei Jahre Studium an einem Juniorcollege, dann Studium der Mathematik an der University of Southern Mississippi mit Abschluss. Verheiratet mit seiner ersten Frau, drei Kinder, von denen das jüngste noch zu Hause wohnte. Mitglied der First Baptist Church von Chester. Jake wollte ihn.

Nachdem Maylor am Ende der ersten Reihe Platz genommen hatte, rief Noose den nächsten Namen auf: Reba Dulaney. Weiß, weiblich, fünfundfünfzig, Hausfrau, wohnte im Ort und spielte Orgel in der Methodistenkirche. Sie setzte sich neben Mark Maylor.

Nummer drei war Don Coben, ein sechzigjähriger Farmer, dessen Sohn Polizist in Tupelo war. Jake würde ihn für befangen erklären, und wenn er damit nicht durchkam, würde er eine seiner Wildcards einsetzen, um ihn sicher loszuwerden.

Nummer vier war die erste Schwarze: May Taggart. Sie war vierundvierzig und arbeitete beim Ford-Händler am Ort. Im Team der Verteidigung waren sich alle einig, sogar Harry Rex und Lucien, dass Schwarze von Vorteil wären, weil sie meist weniger Mitleid mit weißen Polizisten zeigten. Da jedoch sowohl der Angeklagte als auch das Opfer weiß waren, würde Dyer sie für befangen erklären können, ohne Bedenken wegen Rassismus haben zu müssen.

Nach einer Stunde Stehen verspürte der Richter eine leichte Verspannung in der Lendenwirbelsäule. Als die erste Reihe voll war, zog er sich hinter seinen Tisch zurück und richtete sich auf dem bequemen Stuhl mit dem dicken Sitzkissen ein.

Jake betrachtete die ersten zehn Kandidaten. Zwei würde er definitiv nehmen, drei nicht. Über die übrigen würde danach zu reden sein. Noose griff in seinen Karton und zog den ersten Namen für die zweite Reihe.

Um zehn Uhr betrat Carla die Eingangshalle des Gerichts, die voller Männer in Uniform war. Sie begrüßte Moss Junior und Mike Nesbit und entdeckte noch ein paar weitere Bekannte. Jake hatte Ozzies gesamte Truppe vorgeladen.

Sie ging weiter in einen Anbau, wo sich die Steuerabteilung des County befand. In dem Büro saßen auf billigen Plastikstühlen, offensichtlich völlig überfordert mit der Situation, Josie und Kiera. Sie waren überglücklich, ein freundliches Gesicht zu sehen, und drückten Carla erst einmal dankbar an sich, ehe sie ihr nach draußen zu ihrem Wagen folgten. Nachdem alle eingestiegen waren, fragte Carla: »Haben Sie heute Morgen schon mit Jake gesprochen?«

»Wir haben mit niemandem gesprochen«, sagte Josie. »Was passiert da drin?«

»Die Geschworenen werden ausgewählt. Das kann den ganzen Tag dauern. Wie wär's mit einem Kaffee?«

»Dürfen wir denn weg?«

»Sicher. Jake meinte, das wäre okay. Haben Sie Mr. Dyer oder sonst jemand von der Staatsanwaltschaft gesehen?«

Josie schüttelte den Kopf. Sie fuhren los und hielten Minuten später in der Main Street von Chester. »Haben Sie schon gefrühstückt?«, erkundigte sich Carla.

»Ich komme um vor Hunger«, platzte Kiera heraus. »Tut mir leid.«

»Laut Jake ist das hier das einzige Café in der Stadt. Kommen Sie.«

Auf dem Gehsteig konnte sich Carla zum ersten Mal ein Bild von Kiera machen. Sie trug ein einfaches Baumwollkleid, das auf Taille geschnitten war und ihren Zustand kaum verbarg. Überspielen ließ sich der Babybauch vermutlich ein wenig, wenn sie ihre übergroße, flauschige Sommerstrickjacke vorn übereinanderschlug. Carla glaubte nicht, dass Jake die Kleidungsstücke ausgesucht hatte, aber mit Sicherheit hatte er das Outfit mit Josie besprochen.

In einem Gerichtssaal wurde die Mittagspause vermutlich sehnsüchtiger erwartet als anderswo. Nach drei Stunden intensiver

Arbeit konnten alle die Unterbrechung kaum noch erwarten. Es war unerträglich, wenn der Magen knurrte, und die wenigsten Richter hielten es bis in den Nachmittag hinein aus. Noose hatte die neunundsiebzig verbliebenen Kandidaten auf acht Reihen verteilt. Drei davon hatten um Befreiung gebeten: eine Großmutter, die täglich die Kinder ihrer Tochter betreute; eine Zweiundsechzigjährige, die aussah wie zweiundachtzig und ihren sterbenden Ehemann pflegte; ein Herr in Jackett und Krawatte, der um seinen Job fürchtete. Noose hörte aufmerksam zu, gab sich jedoch unbeeindruckt. Er versprach, sich in der Mittagspause Gedanken darüber zu machen. Nach seiner Erfahrung war es unklug, solchen Bitten vor versammeltem Plenum stattzugeben. Wenn er zu viel Verständnis zeigte, würden sich noch mehr Kandidaten melden und allerlei Verhinderungsgründe ins Feld führen.

Die drei würde er gleich nach der Mittagspause ohne großes Aufheben entlassen.

Das Team der Verteidigung einschließlich Harry Rex begab sich in die Main Street, wo Morris Finleys Kanzlei lag, die ihnen während des Prozesses als Hauptquartier diente. Finley hatte Sandwiches und Getränke bereitgestellt, und sie machten sich heißhungrig darüber her.

Rodney Cote, Gwen Haileys Cousin, war Kandidat Nummer siebenundzwanzig und somit eine realistische Option. Jake wusste, dass Carl Lee sich mit ihm getroffen und über den Fall gesprochen hatte. Dass Cote beim Hailey-Prozess dabei gewesen war, ging Jake immer noch nicht aus dem Kopf. Was er nicht wusste, war, ob Willie Hastings Ozzie von der Verbindung erzählt hatte. Jake hatte an diesem Vormittag mehrfach versucht, Blickkontakt zu Cote aufzunehmen, der interessiert, aber unverbindlich wirkte. Aber was sollte er auch tun? Jake zuzwinkern? Ihm den hochgereckten Daumen zeigen?

Finley, der zwei Jahre vor Jake an der Ole Miss seinen Abschluss in Jura gemacht hatte, wischte sich mit einer Papierserviette über den Mund. »Meine Damen und Herren«, verkündete er pathetisch. »Wir haben eine potenzielle Verbündete unter den Kandidaten.«

»Perfekt«, sagte Harry Rex.

»Lassen Sie hören«, sagte Jake.

»Auf Ihre Veranlassung hin, Jake, habe ich die Kandidatenliste an etwa zehn befreundete Kollegen in benachbarten Countys geschickt, einfach so, auf gut Glück. Ich dachte mir, wer weiß, probieren kann man's ja. Vielleicht klappt's mit einem oder zwei Namen. Was soll ich sagen? Wir haben einen Treffer gelandet. Kandidatin Nummer fünfzehn ist Della Fancher, weiß, vierzig; sie lebt auf einer Farm unweit der Grenze zu Polk County, mit Ehemann Nummer zwei oder drei. Sie haben zwei Kinder, die Ehe ist wohl stabil, aber es scheint sie niemand zu kennen. Ein Kumpel von mir – Jake, erinnern Sie sich an Skip Salter drüben in Fulton?«

»Nein.«

»Jedenfalls, Skip hat die Liste überflogen und wurde bei Della Fancher stutzig. Della ist ein ungewöhnlicher Vorname, zumindest hier. Der Blick in eine alte Akte und ein paar Telefonanrufe genügten, um zu bestätigen, was er vermutet hatte. Vor fünfzehn Jahren hieß sie McBride, war die Ehefrau von David McBride, den sie damals unbedingt loswerden wollte. Skip reichte in Dellas Namen die Scheidung ein. Als Mr. McBride die Papiere zugestellt bekam, prügelte er sie krankenhausreif, und das nicht zum ersten Mal. Es wurde eine schlimme Scheidung. Viel Geld war nicht im Spiel, doch McBride wurde immer gewalttätiger, übergriffiger und bedrohlicher. Es gab mehrere Kontaktverbote. Er lauerte ihr bei der Arbeit auf, um sie zu belästigen. Skip boxte schließlich die Scheidung für sie durch, und sie verließ die Gegend. Irgendwann landete sie hier und begann ein neues Leben.«

»Überrascht mich, dass sie sich als Wählerin hat registrieren lassen«, sagte Jake.

»Das könnte ein Riesenvorteil für uns sein«, sagte Harry Rex. »Ein echtes Opfer von häuslicher Gewalt in der Jury.«

»Schon möglich.« Jake war eindeutig von der Geschichte fasziniert. »Aber so weit ist es noch nicht. Lasst uns gut überlegen. Der Pool wird ausführlich befragt werden – von mir, von Dyer, wahrscheinlich sogar von Noose. Das wird den ganzen Nachmittag in Anspruch nehmen. Irgendwann wird die Sprache auf häusliche Gewalt kommen. Ich will den Punkt auf jeden Fall ansprechen, falls von den anderen niemand darauf kommt. Sollte Della sich melden und ihre Geschichte erzählen, würde sie für befangen erklärt und nach Hause geschickt werden. Es würde auch nichts nützen, wenn ich Widerspruch einlege, sie wäre trotzdem draußen. So viel steht fest. Aber was, wenn sie schweigt? Wenn sie davon ausgeht, dass niemand in diesem County etwas über ihre Vergangenheit weiß?«

»Das würde bedeuten«, sagte Morris, »sie hat noch ein Hühnchen zu rupfen, eine Rechnung offen, wie auch immer man es nennen will.«

»Entschuldigung«, meldete sich Libby, »aber wann werden die Kandidaten über den Fall informiert?«

»Jetzt gleich nach der Mittagspause«, sagte Jake, »wenn der Termin fortgesetzt wird.«

»Della wird also schon vor ihrer Befragung wissen, dass es um häusliche Gewalt geht.«

»Ja.«

Die vier Anwälte dachten einen Augenblick schweigend über die möglichen Szenarien nach. Dann sagte Portia: »Sorry, ich bin nur eine einfache Rechtsanwaltsassistentin und zukünftige Jurastudentin, aber ist sie nicht von Rechts wegen verpflichtet zu reden?«

Alle vier nickten synchron. »Ja«, stimmte Jake zu. »Sie ist dazu verpflichtet, aber es ist nicht strafbar zu schweigen. Das kommt ständig vor. Man kann Menschen nicht dazu zwingen, bei einem Juryauswahlverfahren ihre intimsten Geheimnisse auszuplaudern und entsprechende Tendenzen zu offenbaren.«

»Das erscheint mir aber nicht richtig.«

»Ist es auch nicht, aber es passiert selten, dass Geschworene im Nachhinein auffliegen. Bedenke, Portia, sie könnte andere Motive haben. Vielleicht hat sie so endgültig mit ihrer Vergangenheit abgeschlossen, dass sie nicht will, dass die Leute hier davon erfahren. Es gehört Mut dazu, zuzugeben, dass man Opfer häuslicher Gewalt geworden ist. Wenn sie schweigt, könnte das aber auch heißen, dass sie in die Jury will. Und da wird es spannend. Könnte es für uns nach hinten losgehen?«

»Auf keinen Fall«, sagte Libby. »Wenn sie in diese Jury will, dann nur deshalb, weil sie keinerlei Mitleid mit Stuart Kofer hat.«

Erneut entstand eine Pause, in der sie sich ausmalten, was alles passieren konnte. »Nun«, sagte Jake schließlich, »wir werden es erst wissen, wenn es so weit ist. Vielleicht springt sie sofort von ihrem Stuhl hoch und nimmt Reißaus, sobald sie nur den Hauch einer Chance dazu bekommt.«

»Das bezweifle ich«, sagte Libby. »Wir haben ein paarmal Blicke getauscht. Ich bin mir sicher, dass sie auf unserer Seite ist.«

# 42

Um 13.30 Uhr nahmen die Kandidaten wieder ihre Plätze ein. Nachdem ein Gerichtsdiener die letzten drei Antragsteller stillschweigend nach Hause geschickt hatte, waren es jetzt noch sechsundsiebzig. Als alle saßen, wurden die Türen für die Besucher geöffnet, und ein Strom von Menschen ergoss sich in den Saal. Mehrere Reporter eilten nach vorn, um sich in der ersten Reihe links gleich hinter der Verteidigung Plätze zu sichern. Die Kofers und ihre Freunde traten ein, nachdem sie stundenlang im schwülheißen Flur ausgeharrt hatten. Dutzende weiterer Zuschauer rangelten um freie Sitze. Harry Rex hielt sich weiter hinten, so weit wie möglich von den Kofers entfernt. Lucien suchte sich einen Platz in einer mittleren Reihe, um die Kandidaten beobachten zu können. Oben auf der Galerie begann es zu knarzen und zu rascheln, als auch dort Zuschauer eingelassen wurden und sich auf die Klappstühle verteilten.

Carla hatte einen Platz weiter vorn, unweit von Jake. Sie hatte Josie und Kiera zu Finley in die Kanzlei gebracht, wo sie den Nachmittag über warten würden. Sollte Dyer mit Kiera sprechen wollen, wäre sie nur einen Anruf entfernt.

Als die Anwälte ihre Plätze eingenommen hatten, erschien Richter Noose und machte es sich hinter der Richterbank bequem. Mit grimmiger Miene ließ er prüfend den Blick über den Saal schweifen, dann zog er das Mikrofon heran. »Ich sehe, es haben sich einige Besucher auf der Galerie zu uns gesellt. Willkommen. Ruhe und Ordnung werden während des gesamten Verfahrens aufrechterhalten. Wer stört und sich danebenbenimmt, wird entfernt.«

Bislang hatte es nicht den Hauch einer Störung gegeben.

Er blickte einen Gerichtsdiener an. »Bringen Sie den Angeklagten herein.«

Neben dem Bereich für die Geschworenen öffnete sich eine Tür, und ein Deputy trat ein, gefolgt von Drew, dem man Handschellen und Fußfesseln abgenommen hatte. Zuerst wirkte er überwältigt von der Größe des Raumes und der Menge von Menschen, die ihm entgegenstarrten, dann senkte er den Blick zu Boden und ließ sich zum Tisch der Verteidigung führen, wo er zwischen Jake und Libby Platz nahm. Portia saß hinter ihnen vor der Schranke.

Noose räusperte sich. »Nun«, begann er, »in den kommenden Stunden werden wir versuchen, eine Jury zusammenzustellen aus zwölf Geschworenen und zwei Ersatzkandidaten. Es wird nicht besonders spannend sein. Zeugen werden frühestens morgen aussagen, vorausgesetzt, wir haben bis dahin eine Jury. Verhandelt wird *Der Bundesstaat Mississippi gegen Drew Allen Gamble*, eine Strafsache aus Ford County. Mr. Gamble, würden Sie sich bitte erheben und die Kandidaten ansehen.«

Jake hatte ihm gesagt, dass das passieren würde. Drew stand auf, wandte sich um und blickte mit ernster Miene, ohne den Hauch eines Lächelns, in den Saal. Mit einem Kopfnicken setzte er sich wieder. Jake beugte sich zu ihm und flüsterte: »Hübsch, das Jackett und die Krawatte.«

Drew nickte, wagte aber nicht zu lächeln.

»Wir werden jetzt nicht näher auf den Sachverhalt eingehen«, fuhr Noose fort, »ich will Ihnen nur rasch eine Zusammenfassung der Anklage vorlesen. Dem Angeklagten, Drew Allen Gamble, sechzehn, wird vorgeworfen, am 25. März 1990 in Ford County, Mississippi, vorsätzlich einen Vollstreckungsbeamten, Stuart Lee Kofer, durch einen Schuss getötet zu haben. Gemäß Teil 97 Kapitel 3 § 19 der Strafprozessordnung des Staates Mississippi ist die Tötung eines Vollstreckungsbeamten, ungeachtet dessen, ob er sich im Dienst befand oder nicht, ein Mord, auf den die Todesstrafe steht. Mithin, meine Damen und Herren, ist dies ein Mord, und der Staat fordert die Todesstrafe.«

Offenbar hatte Noose dem County sogar noch Geld für eine neue Verstärkeranlage aus den Rippen geleiert. Seine Stimme war laut und deutlich zu hören, und das Wort »Todesstrafe« hallte sekundenlang unter der Decke, ehe es unsanft auf die Geschworenenkandidaten herabsank.

Als Nächstes stellte Noose ausgiebig die Anwälte vor. Von Natur aus humorlos und trocken, gab er sich bewusst jovial, damit man sich an seinem Gericht wohlfühlte. Das war sicher gut gemeint, doch angesichts der angespannten Atmosphäre und der Menge Arbeit, die vor ihnen lang, wollten alle einfach nur möglichst zügig fortfahren.

Noose erklärte dem Saal, dass der Auswahlprozess in Etappen durchgeführt würde. Als Erstes würde er den Pool befragen. Viele seiner Fragen seien gesetzlich vorgeschrieben. Er rief die Kandidaten auf, frei zu sprechen und sich nicht daran zu stören, dass alle zuhörten. Nur ein offener und ehrlicher Austausch könne gewährleisten, dass eine faire und unvoreingenommene Jury zustande komme. Anschließend begann er mit seinen Fragen, die allerdings kaum dazu geeignet waren, Gespräche anzuregen, sondern nur die Zuhörerschaft einschläferten. Viele davon drehten sich um den Dienst in der Jury und die dafür erforderlichen Qualifikationen, und wenn Noose zu diesem Zeitpunkt Sympathien auf seiner Seite hatte, verlor er sie an dieser Stelle wieder. Alter, gesundheitliche Einschränkungen, Medikamente, ärztliche Verordnungen, Ernährungsvorschriften, Abhängigkeiten. Nach einer halben Stunde hatte sich noch niemand gemeldet. Alle langweilten sich zu Tode.

Während die Kandidaten mit ihrer Aufmerksamkeit beim Richter waren, wurden sie ihrerseits von den Anwälten beobachtet. In der ersten Reihe saßen neun weiße Personen und eine schwarze Frau, May Taggart. In der zweiten Reihe waren es sieben weiße Frauen, einschließlich Della Fancher, die Nummer fünfzehn, und drei schwarze Männer. Vier Schwarze unter den ersten zwanzig, das war kein schlechter Schnitt. Jake überlegte zum x-ten Mal, ob es stimmte, dass Schwarze mehr Mitgefühl zeigten. Lucien ging davon aus, weil ein weißer Cop beteiligt war. Harry Rex hatte seine Zweifel, weil es ein Verbrechen unter Weißen war und die Hautfarbe keine Rolle spielte. Jake argumentierte, dass die Hautfarbe in Mississippi immer eine Rolle spielte. Angesichts der bestehenden

Auswahl würde er auf jeden Fall auf junge Frauen setzen, gleich welcher ethnischen Herkunft. Er nahm an, dass Lowell Dyer ältere weiße Männer lieber waren.

In der dritten Reihe gab es nur einen Schwarzen, Mr. Rodney Cote, die Nummer siebenundzwanzig.

Während Noose weitschweifig fortfuhr, blickte Jake gelegentlich zu den Zuschauern hinüber. Seine wunderbare Frau war mit Abstand die attraktivste Person im Raum. Weiter hinten entdeckte er Harry Rex im karierten Hemd. Für eine Sekunde fing er Cecil Kofers Blick auf, der sich ein Grinsen hinter seinem roten Zottelbart nicht verkneifen konnte, als wollte er sagen: »Ich habe dich einmal drangekriegt, und es wird mir wieder gelingen.« Jake schüttelte den Gedanken ab und wandte sich seinen Notizen zu.

Als der Richter mit seinem Katalog der Pflichtfragen zu Ende war, rückte er seine Unterlagen zurecht und straffte den Rücken. »Nun, der Verstorbene, das Opfer in dieser Strafsache, war ein County-Polizist namens Stuart Kofer und zum Zeitpunkt seines Ablebens dreiunddreißig Jahre alt. Er wurde in Ford County geboren und hat dort noch Verwandte. Hat ihn jemand von Ihnen gekannt?«

Keine Meldungen.

»Kennt einer unter Ihnen jemanden aus seiner Familie?«

In der vierten Reihe erhob sich eine Hand. Endlich, nach einer Stunde, eine Reaktion aus dem Kandidaten-Pool, von der Nummer achtunddreißig, Mr. Kenny Banahand.

»Sir, bitte erheben Sie sich, nennen Sie Ihren Namen und erläutern Sie Ihr Verhältnis zur Familie Kofer.«

Banahand stand langsam auf und sagte etwas verlegen: »Nun, Euer Ehren, ich kenne die Familie eigentlich gar nicht. Mein Sohn hat mal mit Barry Kofer zusammengearbeitet, in dem Vertriebszentrum in der Nähe von Karaway.« Jake blickte Barry an, der neben seiner Mutter saß.

»Danke sehr, Mr. Banahand. Haben Sie Barry Kofer je persönlich kennengelernt?«

»Nein, Sir.«

»Danke. Bitte nehmen Sie Platz. Sonst noch jemand?« Niemand rührte sich. »Gut. Den Angeklagten, Mr. Drew Allen Gamble, haben Sie ja bereits gesehen. Kennt ihn einer von Ihnen?«

Natürlich nicht. Die heutige Fahrt vom Gefängnis hierher war Drews erster Ausflug nach Van Buren County.

»Seine Mutter ist Josie Gamble, seine Schwester Kiera Gamble. Kennt die beiden einer von Ihnen?«

Noose wartete einen Augenblick lang und fuhr dann fort. »An diesem Prozess sind vier Anwälte beteiligt. Sie wurden Ihnen bereits vorgestellt. Ich fange mit Mr. Jake Brigance an. Ist jemand unter Ihnen, der ihn kennt?«

Keine Meldungen. Jake kannte die Liste auswendig und war sich der traurigen Tatsache bewusst, dass seine schwächelnde Auftragslage und sein schlechter Ruf nicht sehr weit über die Grenzen von Ford County hinausreichten. Es konnte sein, dass ein paar der Kandidaten seinen Namen aus dem Hailey-Prozess kannten. Die Frage war aber: Waren sie ihm je begegnet? Nein. Der Prozess lag fünf Jahre zurück.

»Waren Sie oder jemand aus Ihrer unmittelbaren Verwandtschaft je in ein Verfahren verwickelt, in dem Mr. Brigance als Anwalt tätig war?«

Keine Meldungen. Rodney Cote saß regungslos, geradezu stoisch da und verzog keine Miene. Wenn er später dazu befragt würde, könnte er sagen, das Wort »unmittelbar« hätte ihn irritiert. Gwen Hailey, Carl Lees Frau, sei eine entfernte Cousine, die Rodney nicht als »unmittelbare« Verwandte betrachte. Er sah zu Jake herüber, ihre Blicke trafen sich.

Noose machte mit Libby Provine weiter und stellte sie als gebürtige Schottin aus Washington, D. C., vor, die erst heute früh

angereist sei und zum ersten Mal das County besuche. Wenig überraschend, dass keiner der Kandidaten je von ihr gehört hatte.

Lowell Dyer wurde als gewählter Amtsträger eingeführt, der
in Gretna in Tyler County wohne. »Ich bin sicher, dass viele von
Ihnen Mr. Dyer im Laufe seines Wahlkampfes vor drei Jahren begegnet sind«, führte Noose aus. »Vielleicht bei einer Veranstaltung
oder einem Bürger-Barbecue. Er hat sechzig Prozent der Wählerstimmen in diesem County bekommen – gehen wir mal davon aus,
dass die meisten von Ihnen für ihn gestimmt haben.«

»Alle natürlich, Euer Ehren«, warf Lowell genau im richtigen
Moment ein, und alle lachten. Der kleine Scherz wurde dankbar
aufgenommen.

»Also alle. Nun ist die Frage nicht, ob Sie Mr. Dyer mal irgendwo
getroffen haben, sondern ob Sie ihn persönlich kennen.«

Mrs. Gayle Oswalt, Nummer sechsundvierzig, stand auf und
sagte stolz: »Meine Tochter und seine Frau waren an der Mississippi State University in derselben Verbindung. Wir kennen Lowell
seit vielen Jahren.«

»Okay. Inwieweit würde die Tatsache, dass Sie ihn gut kennen,
Sie davon abhalten, fair und unvoreingenommen zu sein?«

»Ich weiß nicht, Euer Ehren. Kann ich nicht sagen.«

»Denken Sie, Sie würden ihm eher glauben als Mr. Brigance?«

»Tja, keine Ahnung, aber ich denke, ich würde alles glauben,
was Lowell sagt.«

»Danke, Mrs. Oswalt.«

Jake kritzelte zwei Buchstaben über ihren Namen: »W. C.«, für
Wildcard.

Dyers Assistent, D. R. Musgrove, war Mitarbeiter der Staatsanwaltschaft von Polk County und so weit weg von zu Hause ein
Unbekannter.

»Mr. Dyer, Sie dürfen nun die Kandidaten befragen«, verkündete Noose und versuchte, auf seinem Stuhl eine entspannende

Position zu finden. Lowell stand auf, trat an die Absperrung und lächelte die Zuschauer an. »Als Erstes«, fing er an, »möchte ich Ihnen allen danken, dass Sie mich gewählt haben.« Erneut Gelächter, das die angespannte Stimmung auflockerte. Da nun alle Augen auf dem Staatsanwalt lagen, konnte Jake die Mienen und die Körpersprache der Kandidaten in der ersten Reihe studieren.

Nachdem das Eis ein wenig gebrochen war, fragte Dyer zunächst, wer bereits einmal Jurydienst abgeleistet hatte. Ein paar Hände gingen hoch. Er erkundigte sich danach, was und wie es gewesen sei. Straf- oder Zivilsache? Bei einer Strafsache, war es zu einer Verurteilung gekommen? Wie haben Sie sich entschieden? Alle hatten den jeweiligen Angeklagten für schuldig befunden. Vertrauen Sie dem Geschworenensystem? Ist Ihnen bewusst, welche Tragweite es hat? Simple, grundsätzliche Fragen aus dem Lehrbuch, nichts Aufregendes. Bei der Auswahl der Geschworenen bildeten dramatische Zwischenfälle eher eine Ausnahme.

Sind Sie schon einmal Opfer eines Verbrechens geworden? Ein paar Hände erhoben sich. Hauseinbrüche, ein gestohlenes Auto – darüber hinaus gab es in Van Buren County kaum Kriminalität. Gibt es in Ihrer Familie Opfer eines Gewaltverbrechens? Nummer zweiundsechzig, Lance Bolivar, stand langsam auf. »Ja, Sir. Mein Neffe wurde vor acht Jahren drüben im Delta ermordet.« Also doch noch ein wenig Drama.

Dyer wandte sich ihm zu und hakte freundlich nach, wobei er es mit dem Mitleid übertrieb. Ohne auf Einzelheiten des Verbrechens einzugehen, erkundigte er sich nach Ermittlungen und Langzeitfolgen. Man erfuhr, dass der Mörder für schuldig befunden worden war und nun eine lebenslange Haftstrafe absaß. Die Erfahrung sei entsetzlich gewesen, und die Familie werde sich niemals davon erholen. Mr. Bolivar glaubte nicht, dass er unparteiisch sein könnte.

Jake machte sich um ihn keine Gedanken, weil er viel zu weit hinten saß.

Dyer kam nun zu den Fragen über die »Gesetzeshüter«, wie er sie nannte, und wollte wissen, ob jemand jemals Uniform getragen oder einen Polizisten in der Familie habe. Eine Frau hatte einen Bruder, der State Trooper war. Sie war Nummer einundfünfzig, und Jake markierte auch ihren Namen mit »W. C.«, auch wenn er bezweifelte, dass er davon Gebrauch würde machen müssen. Nummer drei, Don Coben, gab widerstrebend zu, dass sein Sohn bei der Polizei in Tupelo tätig war. Sein Verhalten deutete klar darauf hin, zumindest nach Jakes Ansicht, dass er genommen werden wollte. Mr. Coben hatte sein Urteil längst gefällt.

Nach Vorstrafen fragte Dyer nicht. Das konnte zu peinlichen Situationen führen und war das Risiko nicht wert. In der Regel durften verurteilte Straftäter nicht wählen, und diejenigen, deren Vorstrafen gelöscht worden waren, ließen sich meist nicht in die Wählerlisten eintragen. Nummer vierundvierzig allerdings, Joey Kepner, war vor zwanzig Jahren wegen eines Drogendelikts verurteilt worden. Er hatte zwei Jahre Haft abgesessen, ehe er clean wurde und seine Vorstrafen löschen ließ. Portia hatte die alte Anklageschrift gefunden und eine Akte über ihn angelegt. Die Frage war: Wusste Dyer von seiner Vergangenheit? Höchstwahrscheinlich nicht, denn es gab ja kein Vorstrafenregister mehr. Jake wollte ihn unbedingt in der Jury. Der Mann war für eine kleine Menge Marihuana hart bestraft worden und hatte vermutlich für die Polizei nicht viel übrig.

Stuart Kofers schlechte Angewohnheiten würden während des Auswahlverfahrens nicht zur Sprache kommen. Jake bezweifelte, dass Dyer das Thema anschnitt, weil er seine Anklagestrategie nicht gleich zu Anfang untergraben wollte. Auch Jake würde die Finger davon lassen. Man würde noch früh genug davon hören, und er wollte nicht als übereifriger Strafverteidiger dastehen, der es nicht abwarten konnte, dem Opfer des Verbrechens die Schuld zuzuschieben.

Dyer ging methodisch vor und reagierte blitzschnell, wenn es sein musste. Er lächelte viel, während er zunehmend zu Form auflief, und ging gut auf die Kandidaten ein. Er hielt sich an sein Skript, schweifte nicht ab und hängte sich nicht an Trivialitäten auf. Als er fertig war, bedankte er sich und nahm Platz.

Jake löste ihn an der Absperrung ab. Es fiel ihm schwer, gelassen zu bleiben. Er nannte seinen Namen und erklärte, dass er seit zwölf Jahren in Ford County eine Kanzlei führe. Dann stellte er Libby als Abgesandte einer Nichtregierungsorganisation aus Washington, D. C., vor und Portia als Angestellte seiner Kanzlei, damit die Geschworenen wussten, wer die Frauen am Tisch der Verteidigung waren.

Er erklärte, dass er selbst nie für ein Verbrechen angeklagt worden sei, dass er aber viele Menschen vertreten habe, die in dieser Situation gewesen seien. Es sei verstörend und angsteinflößend, insbesondere wenn man glaube, nicht schuldig zu sein oder vernünftig gehandelt zu haben. Er erkundigte sich, ob jemand unter den Kandidaten jemals wegen eines schweren Verbrechens angeklagt worden sei.

Joey Kepner meldete sich nicht. Jake war erleichtert. Wahrscheinlich fühlte sich Kepner frei von Schuld, weil seine Vorstrafen gelöscht waren. Außerdem hielt er vermutlich den Besitz von dreihundert Gramm Dope nicht für ein schweres Verbrechen.

Jake kündigte an, dass im Prozess Anschuldigungen gegen Stuart Kofer wegen häuslicher Gewalt zur Sprache kommen würden. Er wolle hier nicht in die Details gehen – das würden später die Zeugen tun. Allerdings sei es wichtig zu wissen, ob jemand von den Kandidaten jemals Opfer häuslicher Gewalt geworden sei. Er blickte Della Fancher nicht an, doch Libby und Portia ließen sie nicht aus den Augen. Nichts. Keine Regung außer einem leichten Blick nach rechts. Sie stand auf ihrer Seite. So sah es zumindest aus.

Jake ging zu einem noch heikleren Thema über: die Tötung und ihre verschiedenen Varianten. Man unterscheide unter anderem Totschlag, fahrlässige Tötung, Notwehr und vorsätzliche Tötung, also Mord. So laute die Anklage gegen seinen Mandanten. Ob irgendjemand unter den Kandidaten glaube, dass es für die Tötung eines Menschen jemals eine Rechtfertigung geben könne? Dyer rutschte auf seinem Stuhl herum und sah aus, als wollte er jeden Moment Einspruch einlegen.

Jakes Frage war zu vage, um Wortmeldungen hervorzurufen. Da sie keine Einzelheiten kannten, war es für die Kandidaten schwierig, sich dazu zu äußern. Einige wanden sich unbehaglich und blickten ausweichend umher, doch ehe jemand etwas sagen konnte, erklärte Jake, er wisse, dass das eine schwierige Frage sei. Er erwarte darauf keine Antwort. Doch der Zweifel war gesät.

Er sagte, Drews Mutter, Josie Gamble, habe eine schillernde Vergangenheit. Ohne weiter darauf einzugehen, erklärte er, dass sie als Zeugin aussagen und dass die Jury dabei erfahren werde, dass sie vorbestraft war. Vorstrafen würden immer offengelegt, bei allen Zeugen. Ob sie fänden, dass das Josies Glaubwürdigkeit beeinträchtige? Ihre Vergangenheit habe nichts mit den Ereignissen rund um den Tod von Stuart Kofer zu tun. Er berichte nur davon, weil er mit offenen Karten spielen wolle.

Die Kandidaten zeigten keine Reaktion.

Mit offenen Karten spielen? Seit wann ging es bei der Auswahl einer Jury um volle Transparenz?

Jake fasste sich mit seinen Fragen kurz und nahm nach dreißig Minuten wieder Platz. Dyer und er würden gleich die Gelegenheit bekommen, die Kandidaten individuell zu befragen.

Als Nächstes bat Noose die ersten zwölf, sich in den für die Geschworenen reservierten Bereich zu begeben. Ein Justizangestellter führte sie zu ihren zugewiesenen Plätzen, und sie richteten sich ein, als wären sie bereits ausgewählt worden und hätten sich jetzt Zeugenaussagen anzuhören. So weit war man allerdings noch lange nicht. Noose erläuterte, dass nun mit Einzelinterviews der ersten vierzig Kandidaten begonnen werde. Alle Nummern über fünfzig dürften für eine Stunde den Gerichtssaal verlassen.

Der Beratungsraum der Jury war geräumiger und weniger vollgestellt als sein Büro, und so schickte er die Anwälte dorthin. Die Gerichtsstenografin folgte ihnen auf dem Fuß. Man versammelte sich um den langen Tisch, an dem die Geschworenen später über den Fall entscheiden würden. Sobald Noose an einem Ende Platz genommen hatte, die Verteidigung zu einer, die Staatsanwaltschaft zur anderen Seite, sagte er zu einem Gerichtsdiener: »Holen Sie die Nummer eins herein.«

»Euer Ehren«, meldete sich Jake, »darf ich einen Vorschlag machen?«

»Was denn?« Noose zog eine Grimasse wegen der Schmerzen in der Lendengegend und nagte an seiner erloschenen Pfeife.

»Es ist kurz vor drei, und es sieht ganz danach aus, dass wir mit den Zeugenvernehmungen heute nicht mehr anfangen. Dürfen wir die vorgeladenen Zeugen bis morgen nach Hause schicken?«

»Gute Idee. Mr. Dyer?«

»Kein Problem, Euer Ehren.«

Ein kleiner Sieg für die Verteidigung. Damit konnten sie Kiera erst einmal aus der Gefahrenzone schaffen.

Mark Maylor, der erste Jurykandidat, sank auf einen alten Holzstuhl und sah aus, als hätte er ein schlechtes Gewissen. Der Richter ergriff das Wort. »Mr. Maylor, ich darf Sie daran erinnern, dass Sie unter Eid stehen.« Sein Ton war beinahe vorwurfsvoll.

»Das ist mir bewusst, Euer Ehren.«

»Es wird nicht lange dauern. Nur ein paar Fragen von mir und den Anwälten. In Ordnung?«

»Ja, Sir.«

»Wie gesagt, handelt es sich um Mord. Wenn der Staat seine Anschuldigungen beweisen kann, müssen Sie sich damit auseinandersetzen, ob Sie für die Verhängung der Todesstrafe stimmen können. Werden Sie dazu in der Lage sein?«

»Ich weiß nicht. Ich bin noch nie dazu aufgefordert worden.«

»Wie stehen Sie persönlich zur Todesstrafe?«

Maylor sah erst Jake an, dann Dyer und sagte schließlich: »Ich denke, ich bin dafür, aber daran zu glauben ist eine Sache. Jemanden tatsächlich in die Gaskammer zu schicken ist etwas anderes. Zumal er noch ein halbes Kind ist.«

Jake blieb kurz das Herz stehen.

Dyer lächelte. »Danke, Mr. Maylor«, sagte er. »Die Todesstrafe ist nun mal Gesetz in diesem Staat, ob Ihnen oder uns das gefällt oder nicht. Glauben Sie, dass Sie dem Gesetz des Staates Mississippi Folge leisten können?«

»Sicher, ich glaube schon.«

»Sie scheinen sich nicht ganz sicher zu sein.«

»Es trifft mich ein bisschen unvorbereitet, Mr. Dyer. Ich kann nicht sagen, ob ich mich so oder so entscheiden würde. Aber ich kann sagen, dass ich mein Bestes geben werde, um den Gesetzen Folge zu leisten.«

»Danke. Sie wissen wirklich nichts über den Fall?«

»Nur das, was ich heute Vormittag hier im Gericht darüber erfahren habe. Ich meine, ich erinnere mich an die Zeitungsmeldung, damals, als es passiert ist. Wir beziehen die Zeitung aus Tupelo. Ich glaube, es stand gleich auf der ersten Seite, verschwand dann aber recht schnell wieder aus den Nachrichten. Ich habe die Geschichte nicht weiter verfolgt.«

Noose sah Jake an. »Mr. Brigance.«

»Mr. Maylor«, übernahm Jake das Wort, »als Sie damals im März über die Geschichte lasen, dachten Sie da so etwas wie: Der ist bestimmt schuldig?«

»Bestimmt. Tun wir das nicht alle, wenn wir erfahren, dass jemand verhaftet wurde?«

»Leider ja. Aber der Begriff der Unschuldsvermutung sagt Ihnen etwas, ja?«

»Sicher.«

»Also halten Sie zum jetzigen Zeitpunkt Drew Gamble für unschuldig, so lange, bis seine Schuld bewiesen ist?«

»Ich denke schon.«

Jake hatte noch mehr Fragen, aber er wusste, dass Maylor wegen seiner Vorbehalte gegen die Todesstrafe ohnehin nicht in die Jury kommen würde. Dyer wollte zwölf unerschütterliche Fans der Todesstrafe, und der Saal war voll davon.

»Danke, Mr. Maylor«, sagte Noose. »Sie dürfen sich für eine Stunde entfernen.«

Maylor stand rasch auf und verschwand. Draußen wartete, im Beisein einer Justizangestellten, Mrs. Reba Dulaney, die Organistin der Methodistenkirche, mit strahlendem Lächeln im Gesicht. Die Bedeutsamkeit des Augenblicks schien ihr zu gefallen. Noose wollte wissen, ob sie etwas über den Fall wusste, was sie verneinte. Dann fragte er sie, ob sie glaube, die Todesstrafe verhängen zu können.

Die Frage traf sie überraschend. »Das Kind da draußen in den Tod schicken?«, stieß sie aus. »Auf keinen Fall.«

Jake hörte das gern, wusste aber sofort, dass auch ihr Weg in die Jury an dieser Stelle zu Ende war. Er beschränkte sich auf ein paar oberflächliche Fragen.

Noose bedankte sich und rief die Nummer drei auf, Don Coben, einen knorrigen alten Farmer, der behauptete, nichts über den Fall zu wissen, und fest an die Todesstrafe glaubte.

Nummer vier war May Taggart, die erste Schwarze. Sie hatte Bedenken bei der Todesstrafe, überzeugte aber mit ihrer Beteuerung, dem Gesetz Folge leisten zu können.

Die Parade setzte sich zügig fort, da Noose sich mit Fragen zurückhielt und die Anwälte dazu ermahnte, sich kurzzufassen. Worauf es ihm hauptsächlich ankam, waren ganz offensichtlich zwei Dinge: Wussten die Kandidaten etwas über den Fall, und was dachten sie über die Todesstrafe? Immer wenn einer fertig war und den Raum verlassen hatte, wurde ein weiterer aus dem Pool angewiesen, im Geschworenenbereich im Saal Platz zu nehmen. Als die ersten vierzig abgearbeitet waren, beschloss Noose, sich auch noch die aus der fünften Reihe vorzunehmen, vermutlich deshalb, weil bislang bereits mehrfach Vorbehalte gegen die Todesstrafe geäußert worden waren, die zu einem begründeten Ausschluss führen würden.

Die Zuschauer draußen im Gerichtssaal kamen und gingen und versuchten, sich die Zeit zu vertreiben. Der Einzige, der sich nicht vom Fleck bewegte, war Drew Gamble, der am Tisch der Verteidigung saß, flankiert von zwei Deputys, für den Fall, dass er Reißaus nehmen wollte.

Um 16.45 Uhr brauchte Noose wieder seine Arzneien. Er erklärte den Anwälten, dass er fest entschlossen sei, die Auswahl noch vor dem Abendessen abzuschließen, damit gleich am nächsten Morgen mit den Zeugenaussagen begonnen werden könne. »Wir treffen uns um Punkt 17.15 Uhr in meinem Büro und gehen die Liste durch.«

Morris Finley beschlagnahmte einen Raum im Grundstücksregister im Erdgeschoss, und das Team der Verteidigung, bestehend aus Portia, Jake und Libby, setzte sich dort zusammen; einen Augenblick später gesellten sich Carla, Harry Rex und Lucien dazu. Gemeinsam gingen sie rasch die Namen durch. »Dyer wird wahrscheinlich alle Schwarzen rausschmeißen, was denkt ihr?«, meinte Harry Rex.

»Davon können wir ausgehen«, stimmte Jake zu. »Da es in den ersten fünf Reihen nur elf Schwarze sind, blicken wir auf eine rein weiße Jury.«

»Darf er das?«, fragte Carla. »Nach der Hautfarbe entscheiden?«

»Ja, das darf er, und das wird er sicher auch tun. Sowohl Opfer als auch Angeklagter sind weiß, also greift hier das *Batson*-Urteil nicht.«

Als Juristengattin wusste Carla, dass das *Batson*-Urteil den Ausschluss potenzieller Geschworener lediglich aufgrund ihrer Hautfarbe verbot. »Erscheint mir trotzdem nicht richtig«, sagte sie.

»Was halten Sie von Della Fancher?«, wollte Jake von Libby wissen.

»Ich würde an ihr festhalten.«

»Sie hätte sich melden sollen«, sagte Portia. »Ich glaube, sie will in die Jury.«

»Dann würde ich mir Sorgen machen«, meinte Lucien. »Mir ist jeder suspekt, der bei einem Mordprozess freiwillig in die Jury will.«

»Morris?«, fragte Jake.

»Normalerweise würde ich Lucien recht geben. Andererseits, was soll's. Sie könnte auf unserer Seite sein, oder? Sie ist eine geprügelte Ehefrau, die ihre Geschichte verschweigt. Sie muss einfach Mitleid mit Josie und deren Kindern haben.«

»Ich mag sie nicht«, sagte Carla. »Sie hat einen harten Blick und eine negative Körpersprache. Sie will nicht hier sein. Außerdem hat sie etwas zu verbergen.«

Jake blickte Carla skeptisch an, sagte aber nichts. Seine Frau hatte fast immer recht, insbesondere wenn es um andere Frauen ging.

»Portia?«

»Ich weiß nicht. Mein erster Impuls war, sie zu nehmen. Doch inzwischen sagt mir mein Bauchgefühl, besser nicht.«

»Großartig. Damit verlieren wir Rodney Cote und Della Fancher, zwei von dreien, die potenziell auf unserer Seite stehen. Bleibt uns nur noch Joey Kepner, unser verurteilter Drogendealer.«

»Sie nehmen also an, dass Dyer nichts über ihn weiß?«, fragte Lucien.

»Ja. Aber natürlich könnten wir mit allen unseren Spekulationen auf dem Holzweg sein.«

»Viel Glück, mein Freund«, sagte Lucien. »Es ist jedes Mal ein Vabanquespiel.«

Richter Noose hatte sich der Robe entledigt, die Krawatte gelockert und seine Medikamente eingenommen. Nun steckte er mit einer fauchenden Flamme seine Pfeife an, sog fest daran, blies eine giftige Rauchwolke aus und sagte: »Mr. Dyer, gibt es von Ihrer Seite aus begründete Ablehnungen?«

Dyer hatte drei Kandidaten, die er loswerden wollte. Zwanzig Minuten lang feilschten sie erbittert. Es war offensichtlich, dass der Staatsanwalt die Kandidaten nur deshalb für ungeeignet hielt, weil sie mit der Todesstrafe haderten. Jake setzte alles daran, sie zu behalten und seine Wildcards zu sparen, die nur zum Streichen von Kandidaten, aber nicht zum Behalten eingesetzt werden konnten. Irgendwann sagte Noose: »Wir streichen die Orgelspielerin, Mrs. Reba Dulaney, weil sie ganz offensichtlich Probleme mit der Todesstrafe hat. Mr. Brigance?«

Jake wollte Mrs. Gayle Oswalt aussortiert haben, weil sie mit Dyer befreundet war, und Noose gab seinen Segen dazu. Als Nächstes bat er darum, Don Coben zu streichen, die Nummer drei, weil dessen Sohn Polizist war, auch hier war Noose einverstanden. Dann wollte Jake Nummer dreiundsechzig, Mr. Lance Bolivar, heimschicken, weil dessen Neffe ermordet worden war. Noose nickte auch das ab. Als Jake jedoch Calvin Banahand ausschließen wollte, weil dessen Sohn früher mit Barry Kofer zusammengearbeitet hatte, sagte Noose Nein.

Nachdem die begründeten Ablehnungen erledigt waren, setzte Dyer sieben seiner Wildcards ein und überreichte eine Liste mit zwölf Namen für seine persönliche Topjury – zehn ältere Männer, zwei ältere Frauen, alle weiß. Damit hatten sich Jakes Vermutungen bestätigt. Er steckte mit Libby und Portia auf ihrer Seite des Tisches die Köpfe zur Beratung zusammen. Sechs von den zwölf mussten weg, einschließlich Della Fancher. Es war extrem anstrengend, sich die Gesichter hinter den auswendig gelernten Namen und die Körpersprache der einzelnen Kandidaten ins Gedächtnis zu rufen, gleichzeitig zu versuchen, Dyers nächsten Schritt zu erahnen, und vorauszusehen, wie viele der wartenden Kandidaten noch zum Zuge kämen. Die Uhr tickte, während der Richter wartete und Dyer über seinen abgegriffenen Listen grübelte. Jake verbrauchte sechs seiner wertvollen Wildcards und spielte den Ball zurück über den Tisch.

Der Staatsanwalt reichte daraufhin eine zweite Liste mit zwölf Namen ein; er blieb bei seiner Strategie, Schwarze zu ignorieren und ältere weiße Männer zu bevorzugen. Zehn seiner Wildcards waren inzwischen verbraucht, eine davon war für Rodney Cote draufgegangen. Auch Jake setzte drei weitere ein. Dyer hob sich seine letzten beiden Freischüsse für zwei jüngere Frauen auf, eine weiße und eine schwarze, und verriet damit unfreiwillig, dass er nichts von Joey Kepners Drogenstrafe wusste. Um Kepner zu bekommen, musste Jake zwei Frauen ausschließen, die er wirklich gern als Geschworene gesehen hätte. Kepner war der Letzte, der in die Jury gewählt wurde, die am Ende aus zwölf Weißen bestand – sieben Männern und fünf Frauen, zwischen vierundzwanzig und einundsechzig Jahre alt.

Es wurde noch ein wenig um die zwei Ersatzgeschworenen gefeilscht, wobei niemand damit rechnete, dass sie zum Einsatz kommen würden. Der Prozess würde höchstens drei Tage dauern.

# 43

Der Dienstag begann in düsterer Gewitterstimmung, die sich schließlich in eine Tornado-Warnung für Van Buren und die benachbarten Countys ausweitete. Eine Stunde vor Prozessbeginn umtosten schwere Regenfälle und Starkwinde das alte Gerichtsgebäude. Richter Noose stand mit der Pfeife am Fenster und überlegte, ob er vertagen sollte.

Während sich der Saal füllte, wurden die Geschworenen zu ihren Plätzen geführt. Alle bekamen eine Blechmarke, auf der in dicken roten Buchstaben das Wort »Jury« prangte. Mit anderen Worten: nicht ansprechen, Distanz wahren. Jake, Libby und Portia warteten bewusst bis 8.55 Uhr, ehe sie den Saal betraten und anfingen, ihre Aktenkoffer auszupacken. Jake wünschte Lowell Dyer einen guten Morgen und gratulierte ihm zu seiner hübschen weißen Jury. Dem Staatsanwalt, der tausend Dinge im Kopf hatte, entging die Stichelei. Sheriff Ozzie Walls und seine gesamte uniformierte Truppe saßen in den ersten beiden Reihen hinter dem Tisch der Staatsanwaltschaft, eine eindrucksvolle Demonstration der Stärke. Jake, der sie alle vorgeladen hatte, ignorierte seine ehemaligen Freunde und versuchte, auch die anderen Menschen im Saal auszublenden. Die Kofers drängten sich hinter den Deputys und sahen aus, als wären sie zu allem bereit. Harry Rex saß im Freizeitoutfit drei Reihen hinter dem Tisch der Verteidigung und hatte die Augen überall. Lucien hatte in der letzten Reihe auf der Seite des Staatsanwalts Stellung bezogen und tat, als würde er Zeitung lesen, dabei entging ihm nichts. Carla, die heute Jeans trug, suchte sich einen Platz in der dritten Reihe hinter der Verteidigung. Jake brauchte alle, denen er vertrauen konnte, um die Jury zu beobachten. Um neun Uhr wurde Drew durch eine Seitentür in den Saal geführt, mit einem Polizeiaufgebot, das des Gouverneurs würdig gewesen wäre. Er lächelte seine

Mutter und Schwester an, die in der ersten Reihe keine drei Meter hinter ihm saßen.

Lowell Dyer blickte über die Zuschauerschar. Als er Kiera entdeckte, steuerte er auf Jake zu. »Das Mädchen ist ja schwanger!«

»Allerdings.«

»Sie ist erst vierzehn«, brachte er irritiert heraus.

»Ein einfacher biologischer Vorgang.«

»Irgendeine Idee, wer der Vater ist?«

»Bestimmte Dinge sind nicht für die Öffentlichkeit bestimmt, Lowell.«

»Ich würde trotzdem gern in der ersten Pause mit ihr sprechen.«

Jake schwenkte seinen Arm in einer unbestimmten Geste über die vordere Reihe. »Sprechen Sie, mit wem Sie wollen. Sie sind der Staatsanwalt.«

Ganz in der Nähe zuckte ein Blitz, und die Beleuchtung flackerte. Als ein Donnerschlag das alte Gebäude zum Erbeben brachte, war die Verhandlung für einen Moment vergessen. Dyer fragte Jake: »Denken Sie, wir sollten Noose bitten zu vertagen?«

»Noose macht sowieso, was er will.«

Regen begann gegen die Fenster zu prasseln, während erneut die Lampen im Saal aufflackerten. Ein Gerichtsdiener stand auf und rief das Gericht zur Ordnung. Alle erhoben sich respektvoll, als der Richter mit steifen Schritten hinter seine Bank trat und Platz nahm. Er zog das Mikrofon näher und sagte: »Bitte setzen Sie sich.« Unter dem Knarren von Bänken und Bodendielen ließen sich alle wieder nieder. »Guten Morgen«, begann Noose. »Vorausgesetzt, das Wetter spielt mit, werden wir jetzt fortfahren. Ich möchte meine Belehrung an die Adresse der Geschworenen wiederholen, in Sitzungspausen nicht den Prozess zu erörtern. Sollte Sie jemand ansprechen oder sonst in irgendeiner Form Kontakt zu Ihnen aufnehmen, will ich sofort darüber informiert werden.

Mr. Brigance und Mr. Dyer, ich nehme an, Sie wollen, dass die Regel zur Anwendung kommt.«

Beide nickten. Die »Regel« schrieb vor, dass alle potenziellen Zeugen dem Sitzungssaal bis zu ihrer Vernehmung fernblieben. Darauf durften sich beide Parteien berufen. »In Ordnung«, sagte der Richter und wandte sich an den Zuschauerraum. »Wenn Sie also vorgeladen wurden, um in diesem Verfahren als Zeuge auszusagen, darf ich Sie bitten, den Saal jetzt zu verlassen und im Flur oder an anderer Stelle im Gebäude zu warten. Ein Gerichtsdiener wird Sie holen, wenn Sie gebraucht werden.« Es entstand ein wildes Durcheinander, als Jake und Dyer ihre Zeugen zum Gehen aufforderten. Earl Kofer passte die Anordnung ganz und gar nicht, und er stürmte wutentbrannt nach draußen. Ozzie und seine dreizehn Deputys, allesamt von Jake vorgeladen, mussten ebenfalls gehen. Josie und Kiera folgten Jakes geflüsterter Aufforderung und suchten Zuflucht im Grundstücksregister. Gerichtsdiener und Justizangestellte deuteten hierhin und dorthin und begleiteten die Zeugen aus dem Saal.

Als sich die Lage beruhigt hatte, blickte der Richter auf die Jury. »Der Prozess beginnt nun mit den kurzen Eröffnungsplädoyers der Anwälte. Da die Beweispflicht stets beim Ankläger liegt, wird ihm der Vortritt gewährt. Mr. Dyer.«

Der Regen war versiegt und der Donner weitergezogen, als Lowell Dyer ans Pult vortrat und seine Augen auf die Geschworenen richtete. Gegenüber der Jury hing an einer Wand eine große weiße Leinwand; auf einen Knopfdruck hin erschien ein Porträt von Stuart Kofer, lächelnd, gut aussehend, in voller Deputy-Uniform. Dyer betrachtete es einen Moment lang und wandte sich dann an die Jury.

»Meine Damen und Herren, das war Stuart Kofer. Er war dreiunddreißig Jahre alt, als er ermordet wurde. Stuart war ein Einheimischer, geboren und aufgewachsen in Ford County, Absolvent der Clanton Highschool, Army-Veteran mit zwei Einsätzen in Asien und einer bemerkenswerten Karriere bei der Polizei, wo er sich für den Schutz seiner Mitbürger engagierte. In den frühen Morgenstunden des 25. März wurde er in seinem eigenen Bett im Schlaf erschossen, vom Angeklagten Drew Gamble, der dort drüben sitzt.«

Mit einer dramatischen Geste deutete er auf Drew, der sich zwischen Jake und Libby duckte. Als wüssten die Geschworenen nicht, über wen hier Gericht gehalten wurde.

»Der Angeklagte brachte Stuarts Dienstwaffe an sich, eine 9-Millimeter-Glock.« Dyer trat zu dem Tisch, an dem die Gerichtsstenografin saß und alles mitschrieb, und griff zum Beweisstück der Anklage Nummer eins, der Tatwaffe, um sie den Geschworenen zu zeigen. Nachdem er sie zurückgelegt hatte, fuhr er fort: »Er nahm sie, zielte willentlich und vorsätzlich auf Stuarts linke Schläfe und drückte aus einer Entfernung von zwei bis drei Zentimetern ab.« Dyer deutete auf seine eigene Schläfe, um die dramatische Wirkung zu erhöhen. »Stuart war auf der Stelle tot.«

Dyer blätterte eine Seite in seinen Notizen um und schien sich etwas konzentriert durchzulesen. Dann warf er den Block aufs Pult und trat näher an die Jury heran. »Stuart Kofer hatte persönliche Probleme. Die Verteidigung wird versuchen zu beweisen, dass …«

Jake konnte nicht anders, er sprang auf und unterbrach. »Einspruch, Euer Ehren. Das ist die Eröffnung der Anklage, nicht meine. Der Bezirksstaatsanwalt kann nicht kommentieren, was wir möglicherweise zu beweisen versuchen werden.«

»Stattgegeben«, sagte der Richter. »Mr. Dyer, halten Sie sich bitte zurück. Dies ist ein Eröffnungsplädoyer, meine Damen und Herren, ich weise Sie darauf hin, dass nichts von dem, was die Herren hier vorbringen, bereits bewiesen ist.«

Dyer nickte lächelnd, als hätte der Richter ihm recht gegeben.

»Stuart«, fuhr er fort, »trank zu viel und zu oft. Auch an dem Abend, an dem er umgebracht wurde, hatte er zu viel getrunken. Er war auch kein angenehmer Zeitgenosse, wenn er betrunken war, neigte zu Gewaltausbrüchen und schlechtem Benehmen. Seine Freunde machten sich Sorgen um ihn und überlegten, wie sie ihm helfen konnten. Stuart war alles andere als ein Waisenknabe und hatte schwer mit seinen Dämonen zu kämpfen. Dennoch erschien er jeden Morgen zum Dienst, hat keinen Tag je gefehlt und galt als einer der besten Deputys in Ford County. Sheriff Ozzie Walls wird das bezeugen.

Nun, der Angeklagte wohnte bei Stuart, zusammen mit seiner Mutter und seiner jüngeren Schwester. Josie Gamble, seine Mutter, und Stuart waren seit etwa einem Jahr ein Paar, und ihre Beziehung war, gelinde gesagt, ziemlich chaotisch. Josie Gambles Leben war insgesamt chaotisch verlaufen. Stuart bot ihr und ihren Kindern ein Heim, ein Dach über dem Kopf, genug zu essen, warme Betten, Schutz. Er bot ihnen Sicherheit, etwas, was sie bis dahin kaum gekannt hatten. Er nahm sie auf und kümmerte sich um sie. Eigentlich hatte er keine Kinder gewollt, dennoch hieß er die beiden willkommen und klagte nicht über die zusätzliche finanzielle Belastung. Stuart Kofer war ein guter, ehrlicher Mann, dessen Familie seit Generationen in Ford County lebt. Sinnlos ermordet, meine Damen und Herren, mit seiner eigenen Waffe in seinem eigenen Bett.«

Dyer begann auf und ab zu gehen, während die Geschworenen an seinen Lippen hingen. »Wenn die Zeugen aussagen, werden Sie schreckliche Dinge hören. Ich bitte Sie: Hören Sie zu, wägen Sie ab, aber überlegen Sie auch, wer was warum erzählt. Stuart kann sich nicht mehr verteidigen. Diejenigen, die versuchen, seinen guten Namen in den Schmutz zu ziehen, haben allen Grund, ihn als Monstrum darzustellen. Vielleicht ist es manchmal gar nicht leicht, ihre Motive zu hinterfragen. Vielleicht empfinden Sie sogar Mitleid mit ihnen. Stellen Sie sich nur immer wieder diese eine, simple

Frage: Musste der Angeklagte in dem einen, entscheidenden Moment die Waffe abfeuern?«

Dyer entfernte sich von den Geschworenen und trat näher an den Tisch der Verteidigung heran. Den Finger auf Drew gerichtet, sagte er: »Musste er die Waffe abfeuern?«

Dann kehrte er zu seinem Tisch zurück und setzte sich. Es war ein knapper, prägnanter und äußerst wirkungsvoller Auftritt gewesen.

»Mr. Brigance«, sagte der Richter.

Jake stand auf, trat ans Pult, nahm die Fernbedienung, drückte den Knopf, und das lächelnde Gesicht von Stuart Kofer auf der Leinwand erlosch. »Euer Ehren«, sagte Jake, »ich verzichte, bis die Anklage ihre Beweisführung abgeschlossen hat.«

Noose traf Jakes Ankündigung ebenso unerwartet wie Dyer. Die Verteidigung durfte ihr Eröffnungsplädoyer gleich oder im späteren Verlauf des Prozesses halten. Es kam jedoch so gut wie nie vor, dass ein Strafverteidiger die Chance ausließ, gleich zu Beginn Zweifel zu säen. Während Jake sich wieder setzte, starrte Dyer ihn entgeistert an.

»Ganz wie Sie wollen«, sagte Noose. »Mr. Dyer, bitte rufen Sie Ihren ersten Zeugen auf.«

»Euer Ehren, die Anklage ruft Mr. Earl Kofer in den Zeugenstand.«

Ein Gerichtsdiener am Eingang trat in den Flur hinaus, um den Zeugen hereinzuholen, kurz darauf erschien Earl. Er wurde zum Zeugenstand geführt, wo er die rechte Hand hob und schwor, die Wahrheit zu sagen. Er nannte Namen und Anschrift und sagte, dass er sein ganzes Leben in Ford County verbracht habe. Er sei dreiundsechzig Jahre alt, seit fast vierzig Jahren mit seiner Frau Janet verheiratet und habe drei Söhne und eine Tochter.

Dyer drückte die Fernbedienung, und auf der Leinwand erschien das Bild eines Jungen. »Ist das Ihr Sohn?«

Earl blickte auf das Foto. »Das war Stuart mit vierzehn.« Er schwieg eine Sekunde. »Das ist mein Sohn, ja, mein Ältester.« Seine Stimme brach, er senkte den Blick auf seine Füße.

Dyer nahm sich Zeit, ehe er den Knopf wieder drückte. Das nächste Bild zeigte Stuart im Trikot seines Highschool-Football-teams. »Wie alt ist Stuart auf diesem Foto, Mr. Kofer?«

»Siebzehn. Er spielte zwei Jahre, dann verletzte er sich am Knie.« Kofer ächzte laut ins Mikrofon und wischte sich die Augen. Die Geschworenen musterten ihn mit unverhohlenem Mitgefühl. Dyer drückte wieder den Knopf, Stuart erschien zum dritten Mal auf der Leinwand, diesmal als lächelnder Einundzwanzigjähriger in einer schneidigen Army-Uniform. »Wie lange hat Stuart seinem Land gedient?«, wollte Dyer wissen.

Earl knirschte mit den Zähnen, wischte sich erneut die Augen und versuchte sich zusammenzunehmen. »Sechs Jahre«, brachte er mühsam heraus. »Es gefiel ihm bei der Army, er wollte sich dauer-haft verpflichten.«

»Was hat er nach dem Ausscheiden getan?«

Earl wand sich gequält und sagte dann ruhig: »Er kam nach Hause, nahm verschiedene Farmjobs an und beschloss dann, zur Polizei zu gehen.«

Das Soldatenfoto wurde ersetzt durch das bereits bekannte Porträt des lächelnden Stuart im vollen Schmuck seiner Deputy-Uniform.

»Wann haben Sie Ihren Sohn zum letzten Mal gesehen, Mr. Kofer?«

Er sank in sich zusammen, Tränen liefen ihm über die Wangen. Nach einer längeren, unbehaglichen Pause biss er die Zähne auf-einander und sagte laut, deutlich und verbittert: »Beim Bestatter. In seinem Sarg.«

Dyer betrachtete ihn einen Augenblick lang schweigend, um die Dramatik zu erhöhen, und sagte dann: »Ich habe keine Fragen mehr.«

In der Prozessvorbereitungsphase hatte Jake vorgeschlagen, den Tod Stuart Kofers von Beginn an als gegeben vorauszusetzen, doch Dyer hatte abgelehnt. Auch nach Noose' Ansicht gehörten zum Auftakt eines anständigen Mordprozesses Tränen von der Opferseite, und damit stand er nicht allein da. Praktisch jeder Richter in Mississippi ließ solche überflüssigen Aussagen zu. Es gab dazu sogar ein jahrzehntealtes Urteil vom Obersten Gerichtshof des Bundesstaats.

Jake stand auf und trat ans Pult. Den Ruf eines Verstorbenen anzuschwärzen war eine scheußliche Aufgabe, aber ihm blieb keine Wahl.

»Mr. Kofer, war Ihr Sohn zum Zeitpunkt seines Todes verheiratet?«

Earl blickte ihn mit unverhohlenem Hass an. »Nein«, sagte er knapp.

»War er geschieden?«

»Ja.«

»Wie oft?«

»Zweimal.«

»Wann hat er zum ersten Mal geheiratet?«

»Das weiß ich nicht.«

Jake ging zu seinem Tisch und holte ein paar Unterlagen, mit denen er ans Pult zurücktrat. »Ist es wahr, dass er im Mai 1982 eine gewisse Cindy Rutherford heiratete?«

»Wenn Sie das sagen, wird es wohl stimmen.«

»Das Paar wurde dreizehn Monate später geschieden, im Juni 1983?«

»Wird wohl stimmen.«

»Im September 1983 heiratete er eine gewisse Samantha Pace?«

»Wird wohl stimmen.«

»Und wurde achtzehn Monate später wieder geschieden?«

»Wird wohl stimmen.« Sein Ton war schneidend und giftig,

ganz offensichtlich war ihm dieser Mr. Brigance äußerst zuwider. Seine Wangen, die noch Augenblicke zuvor tränenfeucht gewesen waren, glühten feuerrot. Die Wut kostete ihn Sympathien bei den Geschworenen.

»Sie sagten, Ihr Sohn habe eine Laufbahn in der Army angestrebt. Warum hat er es sich anders überlegt?«

»Das weiß ich nicht. Kann mich wirklich nicht erinnern.«

»Könnte es sein, dass er in Wahrheit rausgeflogen ist?«

»Das stimmt nicht.«

»Ich habe hier eine Kopie seiner unehrenhaften Entlassung. Möchten Sie sie sehen?«

»Nein.«

»Keine weiteren Fragen, Euer Ehren.«

»Sie dürfen den Zeugenstand verlassen, Mr. Kofer«, sagte der Richter, »und irgendwo im Saal Platz nehmen. Mr. Dyer, rufen Sie Ihren nächsten Zeugen auf.«

»Die Anklage ruft Deputy Moss Junior Tatum in den Zeugenstand.«

Der Zeuge wurde vom Flur hereingeholt. Als Tatum eintrat, herrschte in dem voll besetzten Saal Totenstille. Auf dem Weg nach vorn nickte er Jake zu und blieb dann vor der Gerichtsstenografin stehen. Er trug Uniform und Waffe. »Deputy Tatum«, sprach der Richter ihn an, »die Strafprozessordnung des Bundesstaats verbietet das Tragen von Waffen im Zeugenstand. Bitte legen Sie die Ihre dort auf dem Tisch ab.« Als wäre die Szene einstudiert, platzierte Tatum seine Glock neben der Tatwaffe, direkt im Blickfeld der Geschworenen. Er legte den Eid ab, nahm seinen Platz ein und beantwortete Dyers einleitende Fragen.

Als Nächstes kam die Tatnacht zur Sprache. Der Notruf sei um 2.29 Uhr eingegangen, berichtete Tatum, er sei zum Tatort geschickt worden. Ja, er habe gewusst, dass es sich um die Adresse seines Kollegen von der Truppe, Stuart Kofer, handle. Die Eingangstür sei unverschlossen und nur leicht angelehnt gewesen. Er sei vorsichtig hineingegangen und habe im Wohnzimmer Drew Gamble vorgefunden, der auf einem Stuhl gesessen und aus dem Fenster geblickt habe. Er habe ihn angesprochen, und Drew habe erwidert: »Meine Mutter ist tot. Stuart hat sie umgebracht.« Auf die Frage: »Wo ist sie?«, sagte er: »In der Küche.« Tatum fragte nach Stuart, und Drew sagte: »Er ist auch tot, liegt da hinten in seinem Schlafzimmer.« Tatum bewegte sich vorsichtig weiter durchs Haus. In der Küche lag die Frau auf dem Boden, neben ihr kauerte das Mädchen, den Kopf der Mutter im Schoß. Am Ende des Flurs sah er durch eine offene Tür Füße, die von der Bettkante hingen. Er ging ins Schlafzimmer, wo Stuart quer auf dem Bett lag, seine Dienstwaffe nur Zentimeter neben seinem Kopf. Alles war voller Blut. Daraufhin kehrte er in die Küche zurück und fragte das Mädchen, was passiert war. Sie sagte: »Er hat meine Mutter umgebracht.« Darauf fragte Tatum: »Wer hat Stuart erschossen?«

An dieser Stelle blickte Dyer zu Jake hinüber, der sich wie einstudiert von seinem Stuhl erhob und sagte: »Euer Ehren, ich erhebe Einspruch gegen diese Zeugenaussage mit der Begründung, dass es sich um Hörensagen handelt.«

Der Richter schien bereits darauf gewartet zu haben. »Ihr Einspruch kommt ins Protokoll, Mr. Brigance. Ich möchte außerdem vermerkt haben, dass die Verteidigung im Vorfeld des Verfahrens den Antrag gestellt hat, diesen Teil der Einlassung einzuschränken. Die Anklage hat auf den Antrag reagiert, und am 16. Juli fand dazu ein Termin statt. Nach einer ebenso umfassenden wie leidenschaftlich geführten Debatte und voller Aufklärung meinerseits hat das Gericht entschieden, die Aussage vollumfänglich zuzulassen.«

»Danke, Euer Ehren«, sagte Jake und setzte sich.

»Sie dürfen fortfahren, Mr. Dyer.«

»Nun, Deputy Tatum, als Sie das Mädchen, also Ms. Kiera Gamble, fragten, wer Stuart erschossen hat, was hat sie geantwortet?«

»Sie sagte: ›Drew hat ihn erschossen.‹«

»Was hat sie sonst noch gesagt?«

»Nichts. Sie hat geweint und ihre Mutter im Arm gehalten.«

»Was haben Sie dann getan?«

»Ich bin ins Wohnzimmer gegangen und habe den Jungen, ich meine, den Angeklagten, gefragt, ob er Stuart erschossen hat. Er reagierte nicht. Er saß nur da und starrte aus dem Fenster. Als klar wurde, dass er nicht sprechen würde, bin ich raus zu meinem Wagen gegangen und habe Verstärkung angefordert.«

Aufmerksam verfolgte Jake die Einlassung seines Freundes. Er kannte den Mann seit Beginn seiner Berufstätigkeit, Tatum war Stammgast im Coffee-Shop, ein alter Kumpel, der alles für Jake tun würde. Für einen kurzen Augenblick fragte er sich, ob sein Leben jemals wieder sein würde wie zuvor. Gewiss würde nach Monaten und Jahren alles wieder zur Normalität zurückkehren. Er würde nicht für alle Ewigkeit bei der Polizei als Verbrecherfreund gelten. Jake schüttelte den Gedanken ab und nahm sich vor, vier Wochen abzuwarten, ehe er wieder über die Zukunft nachdachte.

»Danke, Deputy Tatum«, sagte Dyer. »Ich habe keine Fragen mehr.«

»Mr. Brigance?«

Jake stand auf und ging zum Pult. Er sah auf den Schreibblock mit seinen Notizen und blickte dann den Zeugen an. »Deputy Tatum, als Sie das Haus betraten, fragten Sie Drew, was passiert sei.«

»Das war meine Aussage, ja.«

»Wo genau befand er sich?«

»Wie gesagt, er saß im Wohnzimmer auf einem Stuhl und sah aus dem vorderen Fenster.«

»Als wartete er auf die Polizei?«

»Schon möglich. Keine Ahnung, worauf er wartete. Er saß einfach da.«

»Hat er Sie angesehen, als er sagte, dass seine Mutter und Stuart tot seien?«

»Nein. Er hat aus dem Fenster geschaut.«

»Wirkte er benommen? Hatte er Angst?«

»Ich weiß nicht. Ich habe mir nicht die Zeit genommen, ihn zu analysieren.«

»Hat er geweint, schien er aufgewühlt?«

»Nein.«

»Stand er vielleicht unter Schock?«

Dyer stand auf und sagte: »Einspruch, Euer Ehren. Ich glaube nicht, dass der Zeuge befähigt ist, eine Meinung über den Geisteszustand des Angeklagten abzugeben.«

»Stattgegeben.«

Jake fuhr fort. »Dann entdeckten Sie Josie Gamble und Stuart Kofers Leiche und sprachen mit dem Mädchen. Anschließend gingen Sie zurück ins Wohnzimmer. Wo befand sich der Angeklagte?«

»Wie gesagt, er saß immer noch am Fenster und schaute hinaus.«

»Sie stellten ihm eine Frage, aber er reagierte nicht, richtig?«

»Das habe ich ausgesagt, ja.«

»Hat er Sie angesehen, Ihre Frage oder Ihre Anwesenheit zur Kenntnis genommen?«

»Nein. Er saß, wie gesagt, einfach nur da.«

»Keine weiteren Fragen, Euer Ehren.«

»Mr. Dyer?«

»Nein, Euer Ehren.«

»Deputy Tatum, Sie dürfen gehen. Bitte nehmen Sie Ihre Waffe mit, und suchen Sie sich einen Platz im Saal. Wer ist als Nächster dran?«

»Sheriff Ozzie Walls«, sagte Dyer.

Einen Moment lang passierte nichts. Jake flüsterte Libby etwas zu und versuchte, die Blicke der Geschworenen zu ignorieren.

Dann stolzierte Ozzie mit der Überheblichkeit eines Profi-Footballspielers den Mittelgang entlang und durch die Schranke zum Zeugenstand, wo er die Waffe abgab und seinen Eid ablegte.

Dyer begann mit den üblichen Fragen zu seinem Hintergrund, zu Wahl und Wiederwahl und zu seiner Ausbildung. Wie alle guten Staatsanwälte ging er strukturiert und gewissenhaft vor. Da nicht mit einem langwierigen Prozess gerechnet wurde, konnte man sich getrost Zeit lassen.

»Sheriff Walls«, fragte Dyer, »wann haben Sie Stuart Kofer eingestellt?«

»Im Mai 1985.«

»Hatten Sie Bedenken wegen seiner unehrenhaften Entlassung aus der Army?«

»Keineswegs. Wir sprachen darüber, und ich gab mich mit der Auskunft zufrieden, dass man ihm übel mitgespielt hatte. Er freute sich sehr, zur Polizei zu kommen, und ich brauchte einen Deputy.«

»Sagen Sie bitte etwas zu seiner Ausbildung.«

»Ich habe ihn nach Jackson auf die Polizeiakademie geschickt, für das zweimonatige Trainingsprogramm.«

»Wie hat er abgeschnitten?«

»Hervorragend. Stuart war der Zweitbeste seines Jahrgangs und bekam in allen Fächern sehr gute Noten, insbesondere in Waffenkunde und Umgang mit der Schusswaffe.«

Dyer blickte in Richtung der Geschworenen und sagte, ohne seine Notizen zu konsultieren: »Bis zu seinem Tod tat er rund vier Jahre Dienst in Ihrer Truppe, richtig?«

»Das ist richtig.«

»Wie würden Sie seine Arbeit als Deputy einschätzen?«

»Stuart leistete hervorragende Arbeit. Er wurde rasch einer der Besten, ein knallharter Cop, der sich jeder Gefahr stellte und auch vor den schlimmsten Einsätzen nicht zurückschreckte. Vor etwa drei Jahren bekamen wir den Tipp, dass eine Drogenbande aus Memphis an einer abgelegenen Stelle nicht weit vom See eine Übergabe plante. Stuart hatte Dienst und bot von sich aus an, der Sache nachzugehen. Wir erwarteten nicht viel – der Informant war nicht besonders zuverlässig –, doch als Stuart hinkam, geriet er in einen Hinterhalt und wurde von ein paar richtig miesen Typen unter Beschuss genommen. Binnen Minuten waren drei davon tot, der vierte ergab sich. Stuart war leicht verletzt, blieb aber nicht einen Tag der Arbeit fern.«

Ein dramatischer Bericht, mit dem Jake gerechnet hatte. Er hatte ursprünglich wegen Irrelevanz Einspruch dagegen einlegen wollen, doch Noose hätte ihn höchstwahrscheinlich abgewiesen. Sie hatten im Team ausführlich darüber diskutiert und waren schließlich übereingekommen, dass die Heldengeschichte Drew möglicherweise sogar nutzen konnte. Dyer sollte Stuart ruhig als Draufgänger und Haudegen darstellen, als Typ, der Furcht und Schrecken verbreitete – und das auch bei seiner Freundin und deren Kindern, die ihm hilflos ausgeliefert waren, wenn er sie betrunken verprügelte.

Ozzie berichtete der Jury, dass er rund zwanzig Minuten nach Tatums Anruf am Tatort eingetroffen sei. Der Deputy habe ihn an der Eingangstür erwartet. Ein Krankenwagen sei bereits gewesen, die Frau, Josie Gamble, habe auf einer Bahre gelegen und sei auf den Transport ins Krankenhaus vorbereitet worden. Ihre beiden Kinder hätten im Wohnzimmer nebeneinander auf dem Sofa gesessen. Er habe sich von Tatum ins Bild setzen lassen und sei dann ins Schlafzimmer gegangen, wo er Stuarts Leiche vorgefunden habe.

Dyer sagte mit Blick auf Jake: »Euer Ehren, an dieser Stelle würde die Anklage den Geschworenen gern drei Fotos vom Tatort zeigen.«

Jake erhob sich. »Euer Ehren, die Verteidigung wiederholt

ihren Einspruch gegen diese Fotos. Sie sind reißerisch, hochgradig manipulativ und unnötig.«

»Ihr Einspruch wird im Protokoll vermerkt«, sagte Noose. »Protokolliert wird außerdem, dass die Verteidigung ihren Einspruch termingerecht eingereicht hat und am 16. Juli dazu ein Termin stattfand. Nach umfassender Inaugenscheinnahme hat das Gericht entschieden, alle drei Fotos zuzulassen. Ihr Einspruch, Mr. Brigance, wird abgelehnt. Ein Wort der Warnung an Jury und Zuschauer: Die Bilder sind grausam. Meine Damen und Herren Geschworenen, Sie müssen sich die Bilder ansehen. Alle anderen dürfen selbst entscheiden. Fahren Sie fort, Mr. Dyer.«

Ganz gleich wie schockierend und schrecklich Tatortfotos waren, in Mordprozessen wurden sie selten ausgelassen. Dyer reichte Ozzie ein zwanzig mal fünfundzwanzig Zentimeter großes Farbbild und sagte: »Sheriff Walls, das ist Beweisstück Nummer zwei der Anklage. Können Sie es identifizieren?«

Ozzie sah es an und verzog das Gesicht. »Es ist ein Foto von Stuart Kofer, aufgenommen von der Tür zu seinem Schlafzimmer aus.«

»Stellt es dar, was Sie vor Ort gesehen haben?«

»Leider ja.« Ozzie ließ das Foto sinken und wandte den Blick ab.

»Euer Ehren, ich bitte um Erlaubnis, den Geschworenen drei Abzüge dieses Fotos aushändigen und das Bild an die Leinwand werfen zu dürfen.«

»Erteilt.«

Jake hatte dagegen protestiert, das Blutbad im Großformat zu zeigen, doch Noose hatte auch diesen Einspruch abgelehnt. Schon war Stuart auf der Leinwand zu sehen, quer auf dem Bett liegend, die Beine über der Bettkante, die Waffe neben dem Kopf, inmitten einer dunkelroten Lache Blut, das Bettdecke und Matratze tränkte.

Aus dem Zuschauerraum war Keuchen und Ächzen zu hören. Jake wagte ein paar verstohlene Blicke auf die Geschworenen.

Manche hatten ihre Augen von der Leinwand abgewandt, andere starrten mit offener Verachtung auf Drew.

Das zweite Foto war vom Fußende des Betts aus aufgenommen und zeigte Stuarts Kopf in Nahaufnahme, den zerschossenen Schädel, Hirnmasse und wieder Unmengen von Blut.

Hinter Jake schluchzte eine Frau auf, zweifelsohne Janet Kofer.

Dyer ließ sich Zeit. Die Tatortfotos waren sein größter Trumpf, und er schlachtete sie weidlich aus. Das dritte Foto war wieder ein größerer Ausschnitt und zeigte deutlich, wie Kissen, Kopfteil des Betts und Wand über und über mit Blut und Hirnmasse bespritzt waren.

Die meisten Geschworenen hatten bald genug von dem Gemetzel und beobachteten lieber ihre Füße. Der ganze Saal stand unter Schock, als hätte es ein Attentat gegeben. Noose spürte, dass alle genug gesehen hatten. »Das reicht, Mr. Dyer«, sagte er. »Wir machen fünfzehn Minuten Pause. Die Geschworenen begeben sich bitte in ihren Beratungsraum.« Er ließ seinen Hammer niedersausen und entschwand.

Portia hatte bei ihren Recherchen zu den letzten fünfzig Jahren nur zwei Fälle gefunden, in denen der Oberste Gerichtshof des Bundesstaats aufgrund unzumutbar grausiger Tatortfotos ein Urteil in einem Tötungsdelikt gekippt hatte. Sie hatte dafür plädiert, dass Jake Einspruch einlegte, wenn auch nur der Form halber. Das Blutbad konnte ihren Mandanten in der nächsten Instanz vielleicht sogar retten. Jake war davon nicht überzeugt. Der Schaden war angerichtet und schien in diesem Moment irreparabel.

Nach der Pause eröffnete Jake das Kreuzverhör seines ehemaligen Freundes. »Sheriff Walls, gibt es in Ihrer Abteilung ein Standardprozedere für interne Angelegenheiten?«

»Selbstverständlich.«

»Wie gehen Sie vor, wenn ein Bürger gegen einen Ihrer Männer eine Beschwerde vorbringt?«

»Die Beschwerde muss schriftlich vorliegen. Ich sehe sie mir an und führe dann ein Vieraugengespräch mit dem betreffenden Beamten. Dann tritt ein Untersuchungsausschuss aus drei Personen zusammen, bestehend aus einem aktiven und zwei ehemaligen Deputys. Wir nehmen Beschwerden ernst, Mr. Brigance.«

»Wie viele Beschwerden wurden gegen Stuart Kofer vorgebracht, während seiner Zeit als Ihr Deputy?«

»Keine einzige.«

»War Ihnen bekannt, dass er private Probleme hatte?«

»Ich habe – hatte – vierzehn Deputys, Mr. Brigance. Ich kann mich nicht um deren private Probleme kümmern.«

»War Ihnen bekannt, dass Josie Gamble, Drews Mutter, zweimal bei der Polizei angerufen und um Hilfe gebeten hat?«

»Damals war es mir nicht bekannt.«

»Warum nicht?«

»Weil sie keine Anzeige erstattet hat.«

»Okay. Wenn ein Deputy nach einem Notruf zu einem häuslichen Streit entsandt wird, muss er dann anschließend einen Bericht verfassen?«

»Ja, das sollte er.«

»Gingen am 24. Februar dieses Jahres die Deputys Pirtle und McCarver einem Notruf nach, der von Stuart Kofers Adresse kam, und zwar in Form eines Anrufs von Josie Gamble, die meldete, dass Stuart Kofer betrunken sei und sie und die Kinder bedrohe?«

Dyer sprang auf und sagte: »Einspruch, Euer Ehren, Hörensagen.«

»Abgelehnt. Fahren Sie fort, Mr. Brigance.«

»Sheriff Walls?«

»Ich bin mir nicht sicher.«

»Nun, ich habe hier die Aufzeichnungen der Notrufzentrale. Möchten Sie sie hören?«

»Ich glaube Ihnen.«

»Besten Dank. Josie Gamble wird sich dazu äußern.«

»Ich sagte, ich glaube Ihnen.«

»Also gut, Sheriff, wo ist dann der Einsatzbericht?«

»Da muss ich in den Akten nachsehen.«

Jake ging auf drei große Kartons zu, die neben dem Tisch der Verteidigung aufgestapelt waren. Er deutete mit dem Finger darauf. »Die sind hier, Sheriff. Ich habe Kopien sämtlicher Einsatzberichte von Ihrer Dienststelle aus den letzten zwölf Monaten. Über den Einsatz der Deputys Pirtle und McCarver nach dem Notruf von Josie Gamble am 24. Februar ist keiner dabei.«

»Dann muss er falsch abgelegt worden sein. Bedenken Sie, Mr. Brigance, wenn keine Anzeige erstattet wird, ist nichts zu machen. Da können wir nicht viel tun. Oft fahren wir nach so einem Notruf los und regeln die Situation vor Ort, ohne dass eine schriftliche Meldung aufgenommen wird. Der Bericht ist oft nicht so wichtig.«

»Offensichtlich nicht. Deshalb gibt es hierzu auch keinen.«

»Einspruch«, sagte Dyer.

»Stattgegeben. Mr. Brigance, behalten Sie Ihre Schlussfolgerungen bitte für sich.«

»Jawohl, Euer Ehren. Sheriff Walls, wurde am 3. Dezember letzten Jahres Deputy Swayze zu derselben Adresse entsandt, nachdem ein Notruf von Josie Gamble eingegangen war? Erneut wegen häuslichem Streit?«

»Sie haben die Aufzeichnungen, Sir.«

»Aber was ist mit Ihnen? Haben Sie sie auch? Wo ist der Einsatzbericht von Deputy Swayze?«

»Der sollte bei den Akten sein.«

»Da ist er aber nicht.«

Dyer stand auf und sagte: »Einspruch, Euer Ehren. Will Mr. Brigance nun sämtliche Akten als Beweismittel zugelassen haben?« Er machte eine Geste in Richtung der Kartons.

»Wenn es sein muss, ja«, erwiderte Jake.

Noose nahm seine Lesebrille ab und rieb sich die Augen. »Worauf wollen Sie hinaus, Mr. Brigance?«

Eine Steilvorlage. »Euer Ehren«, hob Jake an, »wir werden beweisen, dass es bei Stuart Kofer wiederholt zu Missbrauch und häuslicher Gewalt gegen Josie Gamble und ihre Kinder kam und dass der Sheriff und sein Team dies vertuschten, um einen der Ihren zu schützen.«

»Euer Ehren«, warf Dyer ein, »Mr. Kofer steht hier nicht unter Anklage und ist auch nicht hier, um sich zu verteidigen.«

»Ich stoppe Sie an dieser Stelle erst einmal, Mr. Brigance«, sagte Noose. »Für meinen Geschmack haben Sie noch nicht hinreichend gezeigt, inwieweit das für unseren Fall sachdienlich ist.«

»In Ordnung, Euer Ehren«, sagte Jake. »Dann werde ich den Sheriff später als Zeugen der Verteidigung aufrufen. Keine weiteren Fragen.«

Der Richter wandte sich an den Zeugen. »Sheriff Walls, Sie dürfen vorläufig gehen, aber Sie sind noch nicht entlassen, das bedeutet, dass Sie nicht im Saal bleiben dürfen. Nehmen Sie auf dem Weg nach draußen Ihre Waffe wieder an sich.«

Ozzie maß Jake im Vorbeigehen mit einem vernichtenden Blick.

»Mr. Dyer, bitte rufen Sie Ihren nächsten Zeugen auf.«

»Die Anklage ruft Captain Hollis Brazeale von der Mississippi Highway Patrol in den Zeugenstand.«

In seinem schicken dunkelblauen Anzug, mit weißem Hemd und roter Krawatte wirkte Brazeale in dieser Umgebung völlig fehl am Platz. In wenigen Sätzen fasste er seine Referenzen und jahrelange Erfahrung als Sachverständiger zusammen und brüstete sich in Richtung der Geschworenen damit, an über hundert Mordermittlungen beteiligt gewesen zu sein. Er berichtete von seiner Ankunft am Tatort und wollte auf die Fotos zurückkommen, doch Noose hatte, genau wie alle anderen im Saal, genug Blut gesehen. Brazeale schilderte, wie das Spurensicherungsteam vom staatlichen kriminaltechnischen Labor den Tatort genauestens untersucht, Fotos und Videos gemacht sowie Proben von Blut und Hirnmasse genommen hätten. Das Magazin der Glock enthalte bei voller Ladung fünfzehn Patronen; es habe nur eine gefehlt, die sie unweit des Kopfteils tief in der Matratze gefunden hätten. Tests hätten bestätigt, dass sie aus der Pistole stamme.

Dyer reichte ihm einen kleinen Gefrierbeutel mit einer Patrone und erläuterte, dass es sich um die handle, die in der Matratze gefunden worden sei. Er bat seinen Zeugen, die Kugel zu identifizieren, und der hatte keinen Zweifel an ihrer Echtheit. Dyer drückte den Knopf auf der Fernbedienung, und an der Wand erschienen Bilder von Waffe und Patrone. Brazeale hob zu einem Kurzvortrag über die Vorgänge beim Auslösen eines Projektils an: Treibladung und Pulver detonierten in der Patrone und trieben das Geschoss durch den Waffenlauf nach draußen. Die bei der Detonation entweichenden Pulvergase setzten sich auf der Hand und häufig auch auf der Kleidung des Schützen ab. Gase und Pulverpartikel, die dem Projektil nachströmten, könnten Hinweise auf den Abstand zwischen Laufmündung und Einschusswunde geben.

In diesem Fall hätten ihre Untersuchungen ergeben, dass das Projektil lediglich eine sehr kurze Flugbahn beschrieben habe, seiner persönlichen Ansicht nach »unter fünf Zentimeter«.

Brazeale war sich seiner Sache bombensicher, und die Jury folgte aufmerksam seinen Erläuterungen. Jake fand, dass sich der Auftritt allmählich hinzog. Als er verstohlen zu den Geschworenen hinüberblickte, sah er, wie einer genervt um sich blickte, als wollte er sagen: »Okay, okay. Wir haben's kapiert. Schon klar, was passiert ist.«

Dyer machte ungerührt weiter, es sollten keine Fragen offenbleiben. Brazeale berichtete, wie sie sich nach dem Abtransport der Leiche die Bettlaken, zwei Decken und zwei Kopfkissen vorgenommen hätten. Eine einfache, standardisierte Untersuchung habe genügt. Die Todesursache stehe fest. Die Tatwaffe sei gesichert. Der Verdächtige habe die Tötung in Gegenwart eines glaubwürdigen Zeugen gestanden. An dem fraglichen Sonntagvormittag sei er später mit zwei Mitarbeitern ins Gefängnis gegangen und habe dem Verdächtigen Fingerabdrücke abgenommen. Darüber hinaus hätten sie Abstriche seiner Hände, Arme und Kleidung gemacht, um Schmauchspuren zu sichern.

Es folgte eine Vorlesung über Fingerabdrücke, die Brazeale mit einer Reihe von Dias unterlegte. Er erklärte, dass die Abdruckspuren auf der Glock, die sie gesichert hätten, mit den Referenzabdrücken übereinstimmten, die sie vom Angeklagten genommen hätten. Fingerabdrücke seien individuell einzigartig, sagte er und fügte, auf den an der Leinwand abgebildeten Daumenabdruck mit sogenannten gespannten Bögen deutend, hinzu, er sei sicher, dass die vier Abdrücke auf der Waffe – drei Finger und ein Daumen – vom Angeklagten stammten.

Als Nächstes kam eine langwierige, trockene Auswertung der chemischen Tests, anhand derer die Schmauchspuren analysiert worden waren. Niemand war überrascht, als Brazeale zu dem Schluss kam, dass Drew in der Tat den Schuss abgegeben hatte.

Als Dyer den Sachverständigen um 11.50 Uhr aus dem Zeugenstand entließ, stand Jake auf und zuckte mit den Schultern. »Die Verteidigung hat keine Fragen, Euer Ehren.«

Noose brauchte wie alle anderen im Saal dringend eine Pause.

Er sah den Gerichtsdiener an. »Die Sitzung wird unterbrochen. Steht das Mittagessen für die Geschworenen bereit?«

Der Mann nickte.

»Gut, dann unterbrechen wir bis 13.30 Uhr.«

# 44

Nachdem sich der Saal geleert hatte, saß Drew allein am Tisch und drehte unter dem gelangweilten Blick eines körperbehinderten Gerichtsdieners Däumchen. Moss Junior und Mr. Zack erschienen und erklärten, es sei Zeit fürs Mittagessen. Sie führten ihn durch eine Seitentür und über eine uralte baufällige Treppe hoch in die zweite Etage, in die ehemalige Gerichtsbibliothek. Auch dieser Raum hatte bessere Tage gesehen. Man konnte sich des Eindrucks nicht erwehren, dass in Van Buren County auf juristische Recherche nicht viel Wert gelegt wurde. Regale voller verstaubter Bücher hingen schief in den Angeln, manche dem Umfallen gefährlich nahe. In einem offenen Bereich stand ein Kartentisch mit zwei Klappstühlen. »Dort drüben«, sagte Moss Junior und deutete in die Richtung. Drew setzte sich. Mr. Zack förderte eine braune Papiertüte und eine Flasche Wasser zutage. Drew entnahm der Tüte ein in Folie gewickeltes Sandwich und eine Tüte Chips.

Moss Junior sagte zu Mr. Zack: »Hier sollte er sicher sein. Ich bin unten.« Er entfernte sich, und sie lauschten auf seine Schritte auf der Treppe.

Mr. Zack nahm Drew gegenüber Platz. »Was hältst du bislang von deinem Prozess?«, fragte er.

Drew zuckte mit den Schultern. Jake hatte ihm eingebläut, mit niemandem zu sprechen, der Uniform trug. »Sieht nicht so gut aus.«

Mr. Zack grunzte und lächelte. »Das kannst du laut sagen.«

»Ist nur so komisch, dass sie Stuart als einen netten Typ darstellen.«

»Er war nett.«

»Ja, zu Ihnen vielleicht. Es war was anderes, wenn man mit ihm zusammengelebt hat.«

»Isst du jetzt was?«

»Hab keinen Hunger.«

»Komm schon, Drew. Du hast kaum dein Frühstück angerührt. Du musst doch was essen.«

»Wissen Sie, das sagen Sie schon, seit ich Sie das erste Mal gesehen habe.«

Mr. Zack öffnete seine eigene Tüte und nahm ein Puten-Sandwich heraus.

»Haben Sie Spielkarten dabei?«, wollte Drew wissen.

»Ja.«

»Super. Blackjack?«

»Klar. Wenn du gegessen hast.«

»Sie schulden mir noch einen Dollar dreißig, stimmt's?«

Drei Kilometer entfernt, im Ortskern von Chester, hatte sich das Team der Verteidigung in Morris Finleys Besprechungsraum versammelt. Morris, selbst ein viel beschäftigter Anwalt, war unterwegs, weil er am Bundesgericht zu tun hatte. Er konnte es sich zeitlich nicht erlauben, tagelang den Prozess eines Kollegen zu verfolgen. Das Gleiche galt im Grunde auch für Harry Rex. Der allerdings hatte kein Problem damit, die Berge von Arbeit in seiner Kanzlei zu vernachlässigen, denn den Gamble-Prozess hätte er um nichts in der Welt verpassen wollen. Er, Lucien, Portia, Libby, Jake und Carla verdrückten rasch ihre Sandwiches und gingen dann die bisherigen Zeugenvernehmungen der Anklage durch. Die einzige Überraschung an diesem Vormittag war gewesen, dass der Richter Brazeale untersagt hatte, die schauerlichen Tatortfotos ein zweites Mal zu zeigen.

Ozzie hatte sich ganz ordentlich verkauft, auch wenn er bei der Frage nach den fehlenden Berichten nicht gut ausgesehen hatte. Es war ein kleiner Sieg für die Verteidigung, der allerdings rasch verpufft sein würde. Dass County-Deputys es mit dem täglichen Schreibkram nicht so genau nahmen, würde keine Rolle mehr spielen, wenn die Jury über Schuld oder Unschuld beriet.

Alles in allem war der Vormittag für die Anklage prächtig verlaufen, aber das war auch zu erwarten gewesen. Es war ein einfacher, klarer Fall mit eindeutiger Beweislage. Dyer hatte mit seinem Eröffnungsplädoyer auf die Geschworenen Eindruck gemacht. Nacheinander besprachen sie alle zwölf. Sechs Männer waren ganz offensichtlich von Drews Schuld überzeugt, und die fünf Frauen schienen auch keinen Deut mehr Mitgefühl zu haben. Nur Joey Kepners Mimik und Körpersprache ließen keine Rückschlüsse zu.

Der überwiegende Teil ihrer Mittagspause galt Kiera. Dyer hatte hinreichend bewiesen, dass Drew den Mord begangen hatte. Die Anklage brauchte Kieras Einlassung nicht, um den Vorwurf zu erhärten. Dass sie zu Tatum gesagt hatte, Drew habe Stuart erschossen, war protokolliert und lag mithin dem Gericht als Beweismittel vor.

»Andererseits ist er Staatsanwalt«, gab Lucien zu bedenken. »Die können normalerweise den Hals nicht vollkriegen. Kiera hat den Schuss und das Geständnis ihres Bruders gehört und kann das als Einzige bezeugen. Josie war zwar dabei, aber ohne Bewusstsein. Wenn Dyer Kiera nicht in den Zeugenstand ruft, werden sich die Geschworenen fragen, warum. Außerdem, was ist, wenn es zu einer Revision kommt? Die Obersten Richter könnten zu dem Schluss kommen, dass Tatums Aussage nicht gewertet werden durfte, weil sie Hörensagen enthielt. Dann könnte es knapp werden, oder?«

»Vielleicht, vielleicht auch nicht«, sagte Jake.

»Angenommen, wir gewinnen wegen Hörensagen. Vielleicht befürchtet Dyer genau das und lässt das Mädchen schon deshalb aussagen, um sicherzugehen.«

»Muss er das wirklich?«, fragte Libby. »Sind nicht auch so längst genügend objektive Beweise vorhanden?«

»Der Eindruck drängt sich auf«, sagte Jake.

»Dyer wäre dumm, wenn er Kiera vernehmen würde«, erklärte Harry Rex. »Schließlich ist er längst auf der sicheren Seite. Er könnte sich entspannt zurücklehnen und abwarten, was die Verteidigung macht.«

»Er wird sie aufrufen«, sagte Jake, »und dann mit allem, was er hat, dagegenhalten, sobald wir die häusliche Gewalt ins Spiel bringen.«

»Davon wird aber schon noch die Rede sein, oder?«, fragte Libby. »Absolut undenkbar, das unter den Teppich zu kehren.«

»Das hängt von Noose ab«, räumte Jake ein. »Er hat unseren Schriftsatz, in dem wir, wie ich finde, überzeugend dargelegt haben, dass die häusliche Gewalt relevant ist. Den Punkt auszuschließen wäre ein Revisionsgrund.«

»Wollen wir den Prozess gewinnen oder die Revision?«, fragte Carla.

»Beides.«

So ging es hin und her, während sie ihren Hunger mit ekelhaften Industrie-Sandwiches stillten.


Der nächste Zeuge der Anklage war Dr. Ed Majeski, der Pathologe, der die Obduktion an Stuart Kofer durchgeführt hatte. Dyer stellte ihm die üblichen trockenen Eingangsfragen zu seiner Qualifikation und hob besonders hervor, dass Majeski in seiner dreißigjährigen Berufslaufbahn zweitausend Obduktionen durchgeführt habe, darunter etwa dreihundert Schusswunden. Als Jake die

Gelegenheit bekam, seine Eignung zu überprüfen, winkte er ab. »Euer Ehren«, sagte er, »wir akzeptieren Dr. Majeskis Referenzen.«

Dyer trat daraufhin zum Richter vor, zusammen mit Jake, und flüsterte ihm zu, dass die Anklage gern vier Fotos zeigen würde, die während der Obduktion gemacht worden seien. Das kam nicht überraschend, denn die Bilder hatte er bereits im Vorfeld des Prozesses ins Spiel gebracht. Noose hatte wie gewöhnlich die Entscheidung bis zu diesem Moment aufgeschoben. Erneut betrachtete er die Fotos und schüttelte dann den Kopf. Am Mikrofon vorbei sagte er: »Das lassen wir lieber. Die Jury hat genug Blut gesehen. Dem Einspruch der Verteidigung wird stattgegeben.«

Offensichtlich machten dem Richter die Tatortfotos selbst zu schaffen.

Dyer projizierte das cartoonhaft anmutende Schaubild eines menschlichen Körpers auf die Leinwand, anhand dessen Dr. Majeski eine Stunde lang erörterte, was ohnehin längst allen klar war. In einem vor medizinischem Fachjargon strotzenden Vortrag erbrachte er seiner gelangweilten Zuhörerschaft den hinlänglichen Beweis, dass Stuart Kofer durch eine Schusswunde im Kopf zu Tode gekommen war, die die rechte Seite seines Schädels zerfetzt hatte.

Jake musste beim Zuhören unwillkürlich an Earl und Janet Kofer denken, die nicht weit von ihm entfernt saßen, und wie schmerzvoll es sein musste, solche Einzelheiten über den Tod ihres Sohnes zu erfahren. Wie immer, wenn er an die Eltern dachte, rief er sich ins Gedächtnis, dass er dafür kämpfte, ein Kind vor der Gaskammer zu retten. Es war nicht die Zeit für Mitleid.

Als Dyer endlich den Zeugen entließ, sprang Jake auf die Füße und trat ans Pult. »Dr. Majeski, haben Sie dem Toten eine Blutprobe entnommen?«

»Selbstverständlich. Das ist übliche Praxis.«

»Hat die Probe Auffälligkeiten gezeigt?«

»Wie zum Beispiel?«

»Wie zum Beispiel einen erhöhten Alkoholpegel?«

»Ja.«

»Bitte erläutern Sie der Jury und auch mir, wie der Alkohol-pegel bei einer Person bestimmt wird.«

»Selbstverständlich. Die Blutalkoholkonzentration, auch be-kannt unter dem Kürzel BAK, ist die Menge Ethanol beziehungs-weise Alkohol im Blut, Urin oder Atem einer Person. Sie wird in Gewichtsanteilen angegeben, als 0,1 Gramm pro hundert Milliliter Blut oder auch ein Promille.«

»Lassen Sie uns das ein wenig veranschaulichen, Doktor. In Mississippi liegt das Limit für Alkohol am Steuer bei einem Pro-mille BAK. Was bedeutet das?«

»Nun, es bedeutet, dass eine Blutalkoholkonzentration von 0,1 Gramm Alkohol pro hundert Milliliter Blut vorliegt, anders ausgedrückt, ein Promille Blutalkohol.«

»Gut, danke. Wie hoch war Stuart Kofers Alkoholpegel?«

»Ziemlich hoch. 0,36 Gramm pro hundert Milliliter Blut.«

»Also 3,6 Promille?«

»Korrekt.«

»Der Tote hatte also das Limit für Alkohol am Steuer um mehr als das Dreieinhalbfache überschritten?«

»Ja, Sir.«

Der Geschworene Nummer vier, weiß, männlich, fünfundfünf-zig Jahre alt, warf seinem Sitznachbarn, dem Geschworenen Nummer fünf, weiß, männlich, achtundfünfzig Jahre alt, einen Blick zu; Nummer acht, eine weiße Frau, wirkte schockiert. Joey Kepner schüttelte kaum merklich den Kopf.

»Dr. Majeski, wie lange war Mr. Kofer bereits tot, als Sie die Blutprobe nahmen?«

»Etwa zwölf Stunden.«

»Ist es denkbar, dass der Alkoholpegel innerhalb dieser zwölf Stunden bereits wieder gesunken war?«

»Unwahrscheinlich.«

»Aber denkbar wäre es?«

»Es ist unwahrscheinlich, aber man kann nie wissen. Es ist natürlich schwer zu bestimmen, unter den gegebenen Umständen.«

»Gut, dann bleiben wir bei 3,6 Promille. Haben Sie die Leiche gewogen?«

»Ja, wie immer. Das ist übliche Praxis.«

»Wie viel hat sie gewogen?«

»Neunzig Kilo.«

»Stuart Kofer war dreiunddreißig Jahre alt und wog neunzig Kilo, korrekt?«

»Korrekt. Das Alter sollte man aber nicht berücksichtigen.«

»Gut, dann ignorieren wir das Alter. Wie gut kann ein Mann seiner Statur mit diesem Alkoholpegel nach Ihrer Einschätzung noch Auto fahren?«

Dyer stand auf. »Einspruch, Euer Ehren. Die Frage sprengt den Rahmen der Aussage. Ich bezweifle, dass der Sachverständige die Kompetenz hat, dazu eine Meinung abzugeben.«

Der Richter blickte auf den Zeugen herab. »Dr. Majeski, haben Sie die Kompetenz?«

Der Pathologe grinste arrogant. »Und ob ich die habe.«

»Einspruch abgelehnt. Sie dürfen die Frage beantworten.«

»Nun ja, Mr. Brigance, ich würde mich jedenfalls ungern von ihm fahren lassen.«

Ein paar der Geschworenen lächelten kurz.

»Ich auch nicht, Doktor. Würden Sie ihn als sturzbetrunken bezeichnen?«

»Laienhaft könnte man das so ausdrücken, ja.«

»Welche anderen Folgen hat diese Menge Blutalkohol, laienhaft ausgedrückt?«

»Verheerende. Verlust der Koordinationsfähigkeit. Erheblich eingeschränkte Reflexe. Gehen und selbst Stehen erfordert Unterstützung. Undeutliche Artikulation, Sprachstörungen. Übelkeit, Erbrechen. Orientierungsstörungen. Starker Anstieg der Herzfrequenz. Unregelmäßige Atmung. Inkontinenz. Gedächtnisverlust. Vielleicht sogar Bewusstlosigkeit.«

Jake blätterte eine Seite auf seinem Block um, damit die Aufzählung der katastrophalen Folgen im Saal gebührend nachhallen konnte. Dann ging er zum Tisch der Verteidigung und holte ein paar Unterlagen. Bedächtig trat er ans Pult zurück. »Dr. Majeski, Sie sagten, Sie haben im Laufe Ihrer bemerkenswerten Karriere über zweitausend Obduktionen vorgenommen.«

»Das ist korrekt.«

»Wie oft war der Tod infolge von Alkoholvergiftung eingetreten?«

Dyer erhob sich erneut. »Einspruch, Euer Ehren, irrelevant. Wir befassen uns hier nicht mit irgendwelchen anderen Toten.«

»Mr. Brigance?«

»Euer Ehren, das ist ein Kreuzverhör, und mir steht ein Ermessensspielraum zu. Die Trunkenheit des Toten ist sehr wohl relevant.«

»Ich gebe vorläufig statt, aber warten wir erst einmal ab, worauf das hinausläuft. Sie dürfen die Frage beantworten, Dr. Majeski.«

Der Sachverständige wand sich leicht auf seinem Stuhl, freute sich aber ganz offensichtlich über die Chance, mit Erfahrung und Expertise glänzen zu können. »Genau weiß ich das nicht mehr, aber es waren ein paar.«

»Letztes Jahr haben Sie unten in Gulfport einen jungen Mann, Mitglied einer Studentenverbindung, obduziert. Nachname Cooney. Erinnern Sie sich?«

»Ja, ja, sehr traurige Geschichte.«

Jake blickte auf seine Unterlagen. »Sie bestimmten als Todesursache akute Alkoholvergiftung, korrekt?«

»Korrekt.«

»Erinnern Sie sich an den Alkoholpegel des jungen Mannes?«

»Nein, tut mir leid.«

»Ich habe Ihren Bericht hier. Möchten Sie ihn sehen?«

»Nein, helfen Sie meinem Gedächtnis gern auf die Sprünge, Mr. Brigance.«

Jake ließ die Blätter sinken und blickte die Jury an. »3,3 Promille.«

»Das dürfte stimmen«, sagte Dr. Majeski.

Jake kehrte zu seinem Tisch zurück, blätterte in seinen Unterlagen, nahm ein paar Seiten heraus und ging wieder zum Pult. »Erinnern Sie sich an eine Obduktion im August 1987 an einem Feuerwehrmann aus Meridian namens Pellagrini?«

Dyer stand mit ausgestreckten Armen auf. »Euer Ehren, bitte. Ich erhebe Einspruch gegen diese Fragen mit der Begründung, dass sie irrelevant sind.«

»Abgewiesen. Sie dürfen die Frage beantworten.«

Dyer ließ sich demonstrativ genervt auf seinen Stuhl fallen und erntete für seine Schauspielerei einen strengen Blick vom Richtertisch.

»Ja«, sagte Dr. Majeski. »Daran erinnere ich mich.«

Jake überflog die erste Seite, obwohl er sämtliche Einzelheiten auswendig kannte. »Hier steht, er war vierundvierzig Jahre alt und wog siebenundachtzig Kilo. Sie haben Alkoholvergiftung als Todesursache bestimmt. Deckt sich das mit Ihren Erinnerungen, Doktor?«

»Ja.«

»Wissen Sie noch, wie hoch sein Alkoholpegel war?«

»Nicht mehr genau, nein.«

Erneut ließ Jake die Blätter sinken, sah die Jury an und verkündete: »3,2 Promille.« Er sah Joey Kepner an und entdeckte den leisen Anflug eines Lächelns.

»Dr. Majeski, wäre es nicht korrekt zu sagen, dass Stuart Kofer durch seinen Alkoholkonsum ohnehin dem Tode nah war?«

Dyer schoss wieder hoch und sagte empört: »Einspruch, Euer Ehren. Reine Spekulation!«

»In der Tat. Einspruch stattgegeben.«

Jake hatte den Ball in die perfekte Position gespielt. Jetzt musste er ihn nur noch einlochen. Er schritt auf seinen Tisch zu, hielt inne, blickte die Geschworenen an. »Ist es nicht möglich, Dr. Majeski«, sagte er, »dass Stuart Kofer bereits tot war, als ihn der Schuss traf?«

»Einspruch, Euer Ehren!«, rief Dyer.

»Stattgegeben. Die Frage beantworten Sie nicht.«

»Keine weiteren Fragen«, sagte Jake mit Blick auf die Jury. Harry Rex grinste. Lucien in der letzten Reihe strahlte seinen Protegé an und platzte vor Stolz. Die Geschworenen wirkten fast alle geschockt.

Es war kurz vor fünfzehn Uhr, und der Richter brauchte die nächste Dosis Medikamente. »Wir machen eine Kaffeepause«, beschied er. »Die Herren Anwälte begeben sich bitte in mein Büro.«

Lowell Dyer kochte immer noch vor Wut, als sie im Büro des Richters am Besprechungstisch Platz nahmen. Noose stand ohne Robe an seinem Schreibtisch, reihte Pillenfläschchen auf und machte Dehnübungen. Mit einem Glas Wasser schluckte er eine Auswahl Tabletten und setzte sich dann zu ihnen. »Meine Herren«, sagte er lächelnd, »nachdem wir nicht über Schuldunfähigkeit streiten müssen, wird dieser Prozess zügig erledigt sein. Mein Kompliment an Sie beide.« Er sah den Staatsanwalt an. »Wer ist Ihr nächster Zeuge?«

Dyer versuchte, sich zu beruhigen und ebenso gelassen zu wirken wie sein Gegner. Er atmete tief durch. »Ich weiß nicht, Euer Ehren. Ich hatte vor, Kiera Gamble aufzurufen. Momentan bin ich mir aber nicht mehr so sicher, und das aus einem einfachen Grund: Wir würden sofort auf das Thema Missbrauch kommen. Wie schon gesagt, es wäre einfach nicht fair, diesen Leuten zu erlauben, über Vorgänge auszusagen, die ich im Kreuzverhör nicht nachhaltig widerlegen kann. Es wäre nicht fair, ihnen zu erlauben, Stuart Kofer zu verleumden.«

»Verleumden?«, wunderte sich Jake. »Eine Verleumdung wäre es nur bei Falschaussage, Lowell.«

»Woher wollen wir wissen, dass sie die Wahrheit sagen?«

»Sie werden unter Eid stehen«, sagte Noose.

»Das stimmt, aber sie haben auch größtes Interesse daran, den Missbrauch zu übertreiben. Es ist niemand hier, um zu widersprechen.«

»Fakten sind Fakten, Lowell. Wir können nicht ändern, was passiert ist. Die Wahrheit ist, dass diese drei durch eine Hölle aus Missbrauch und Drohungen gegangen sind. Das hat bei der Tötung eine bedeutende Rolle gespielt.«

»Es war also ein Racheakt?«

»Das habe ich nicht gesagt.«

»Meine Herren.« Noose verzog das Gesicht vor Schmerz und dehnte sich. »Es ist kurz vor vier. Um halb sechs habe ich einen Physiotherapietermin. Ich will nicht jammern, aber mein Lendenbereich braucht dringend etwas Zuwendung. Wir vertagen vorzeitig, entlassen für heute die Jury und kommen morgen früh um Punkt neun Uhr wieder zusammen.«

Die Nachricht hörte Jake gern. Wenn sie jetzt nach Hause gingen, würden die Geschworenen vor allem Kofers Komasuff im Gedächtnis behalten.

# 45

Zum Abendessen in Jakes Kanzlei gab es erneut Sandwiches, die allerdings deutlich besser schmeckten als die vom Lunch. Carla war rasch nach Hause gefahren, um mit Hanna, die sie auf dem Weg abgeholt hatte, Hühnchenfleisch anzubraten und Gourmet-Paninis für alle zu belegen. Zurück in der Kanzlei setzten sie sich mit Libby, Josie und Kiera zum Essen zusammen. Portia war ebenfalls heimgefahren, um nach ihrer Mutter zu sehen, und würde später wieder zum Team stoßen, für ein weiteres spätabendliches Meeting. Harry Rex hatte sich in seine Kanzlei begeben, um wenigstens die brisantesten Angelegenheiten zu klären, Lucien hatte sich verabschiedet, weil er dringend etwas zu trinken brauchte.

Beim Essen spielten sie die Ereignisse des vergangenen Tages durch, angefangen vom Eröffnungsplädoyer des Staatsanwalts bis zur letzten Zeugenaussage. Solange Josie und Kieras Einlassungen noch bevorstanden, durften sie nicht im Saal sitzen und waren gespannt darauf zu erfahren, wie es lief. Jake berichtete, dass es Drew gut gehe und er in guten Händen sei. Sie sorgten sich um seine Sicherheit, doch Jake beteuerte, dass ihm nichts passieren könne. Der Saal sei zwar voll mit Freunden und Verwandten der Kofers, und es sei mit Sicherheit eine schmerzvolle Erfahrung für sie alle, aber bislang habe sich noch niemand danebenbenommen.

Sie sprachen über die Geschworenen, als wären sie seit Langem mit ihnen befreundet. Libby fand, dass Nummer sieben, Mrs. Fife, von Kofers Alkoholismus besonders angewidert gewirkt hatte. Auch Nummer zwei, Mr. Poole, Ältester in der First Baptist Church und strenger Abstinenzler, schien irritiert gewesen zu sein.

»Wartet ab, bis sie den Rest der Geschichte gehört haben«, sagte Jake. »Im Vergleich dazu wird ihnen seine Sauferei lächerlich erscheinen.«

Sie besprachen alle zwölf. Carla mochte Nummer elf nicht, Ms. Twitchell, vierundzwanzig, die jüngste und als Einzige nicht verheiratete Person unter den Geschworenen. Sie trug beständig einen Ausdruck des Spotts im Gesicht und ließ Drew nicht aus den Augen.

Um acht Uhr hatte Hanna genug von den Erwachsenen und was auch immer sie in dem großen Raum taten und wollte nach Hause. Carla fuhr mit ihr heim, um sie ins Bett zu bringen. Trotz solcher langweiligen Momente hatte Hanna großen Spaß an diesem Verfahren, denn sie durfte den ganzen Tag mit Jakes Eltern verbringen.

Portia erschien wieder und ging sofort in die Bücherei, um weiter zu recherchieren. Jake wandte sich an Josie. »Sie werden morgen früh als erste Zeugin aufgerufen. Deshalb werden wir jetzt noch mal Wort für Wort Ihre Aussage durchgehen. Libby wird die Staatsanwältin spielen und Sie mit Fragen bombardieren.«

»Noch mal?« Josie war müde.

»Ja, bis zum Erbrechen. Kiera, du bist als Nächste dran. Josie, vergessen Sie nicht, dass Sie im Saal bleiben dürfen, wenn Sie aus dem Zeugenstand entlassen werden. Kiera wird nach Ihnen dran sein, und wir werden auch ihre Aussage jetzt noch mal proben. Passen Sie dabei genau auf, was sie sagt und tut.«

»Also gut. Packen wir's an.«


Bei Tagesanbruch legte ein weiteres Gewitter das Stromnetz lahm. Das automatische Notstromaggregat versagte ebenfalls den Dienst, und so eilte um 7.30 Uhr der leicht gebrechliche Hausmeistertrupp heran, um sich des Problems anzunehmen. Als Richter Noose um 8.15 Uhr eintraf, gab es immerhin flackerndes Licht, ein Zeichen der Hoffnung. Er rief den Stromversorger an und machte den Zuständigen die Hölle heiß, woraufhin eine halbe Stunde später alle Lampen angingen und auch anblieben. Auch die

Klimageräte in den Fenstern brummten los und legten sich gegen die feuchte Schwüle im Saal ins Zeug. Als Noose um neun Uhr seinen Platz hinter der Richterbank einnahm, war seine Robe bereits am Kragen verschwitzt.

»Guten Morgen«, dröhnte er in das voll aufgedrehte Mikrofon. »Sieht so aus, als wäre durch das Gewitter heute Morgen der Strom ausgefallen. Strom haben wir zwar wieder, aber die Hitze wird uns leider noch ein paar Stunden lang begleiten.«

Jake verwünschte den Richter erneut dafür, dass er diesen völlig ungeeigneten, baufälligen alten Kasten für einen Prozess im Hochsommer gewählt hatte, aber nur für einen Moment. Er hatte wichtigere Dinge im Kopf.

»Die Jury soll hereinkommen«, ordnete Noose an.

Einer nach dem anderen traten die Geschworenen ein, dem Wetter entsprechend bekleidet mit kurzärmligen Hemden und Baumwollkleidern. Während sie ihre Plätze einnahmen, teilte ein Gerichtsdiener Kirchenfächer aus – ein bunt bedrucktes Stück Pappe an einem Stiel –, als würde es Erleichterung bringen, wenn sie die stickige Luft vor ihrem Gesicht durcheinanderwirbelten. Viele der Zuschauer im Saal hatten Fächer mitgebracht.

»Meine Damen und Herren Geschworenen«, sagte Noose, »ich entschuldige mich für den Stromausfall und die Hitze, aber die Show muss weitergehen. Ich werde den Anwälten erlauben, ihre Jacketts abzulegen. Ihre Krawatten behalten Sie bitte an. Mr. Brigance.«

Ohne das Jackett auszuziehen, erhob sich Jake und drehte das Pult in Richtung der Geschworenen. »Guten Morgen, meine Damen und Herren Geschworenen«, begann er mit einem Lächeln. »An dieser Stelle möchte ich ein paar Dinge sagen, die, wie ich hoffe, zugunsten von Drew Gamble ausgelegt werden. Ich will mich nicht bei Ihnen unglaubwürdig machen, indem ich infrage stelle, wer den Schuss auf Stuart Kofer abgegeben hat. Das ist eindeutig. Mr. Lowell Dyer, unser freundlicher Bezirksstaatsanwalt, hat gestern beim Vortrag seiner Anklage hervorragende Arbeit geleistet. Nun ist es an der Verteidigung, Ihnen den Rest der Geschichte zu erzählen. Und da gibt es viel zu erzählen.

Wir werden versuchen darzulegen, was für ein Albtraum das Leben von Josie Gamble und ihren beiden Kindern war.« Jake klopfte mit der geballten Faust auf das Pult und sagte dazu im Takt: »*Es war die Hölle auf Erden.*« Er ließ eine Sekunde verstreichen, ehe er den nächsten Satz hämmerte: »*Sie können von Glück reden, dass sie noch am Leben sind.*«

Bisschen dick aufgetragen, dachte Harry Rex.

Viel zu zahm, kritisierte Lucien im Stillen.

Jake fuhr fort. »Vor einem Jahr lernte Stuart in einer Kneipe eine Frau kennen, die seinen Hang zu Bars und dunklen Spelunken teilte: Josie Gamble. Sie flunkerte ihm vor, sie komme aus Memphis und sei zu Besuch bei einer Freundin. In Wahrheit lebte sie allein mit ihren zwei Kindern in einem geborgten Wohnmobil auf dem Grundstück eines entfernten Verwandten. Nachdem der sie vertrieben hatte, wussten sie nicht mehr, wohin. Josie und Stuart kamen sich rasch näher, vor allem auf Josies Initiative hin, nachdem sie erfuhr, dass Stuart in seinem eigenen Haus wohnte und als Deputy in Ford County tätig war, somit über ein solides Einkommen verfügte. Josie ist eine attraktive Frau, sie mag enge Jeans und auch sonst Kleidung, die man als aufreizend bezeichnen könnte, und Stuart verknallte sich in sie. Sie können sich selbst gleich ein Bild von ihr machen, denn Josie ist die Mutter des Angeklagten und unsere erste Zeugin.

Sie bearbeitete Stuart so lange, bis er schließlich einwilligte, dass sie bei ihm einzog. Ihre Kinder wollte er nicht dabeihaben, weil er nach eigener Aussage nicht für die Vaterschaft geschaffen sei. Doch es gab nur alles oder nichts. Zum ersten Mal nach zwei Jahren hatten die Gambles ein echtes Dach über dem Kopf. Etwa vier

Wochen lang ging alles halbwegs gut. Ihr Leben war nicht unbedingt sorglos, aber erträglich. Dann fing Stuart an, sich zu beklagen, wie viel ihn das Ganze koste. Die Kinder fräßen ihm die Haare vom Kopf. Josie hatte zwei Jobs, wo sie jeweils Mindestlohn bekam. Sie gab sich redlich Mühe, zum Familienunterhalt beizutragen, aber mehr konnte sie nicht erwirtschaften.

Da fing es mit den Schlägen an, und Gewalt wurde Teil des Alltags. Sie haben bislang viel darüber gehört, was für eine anständige Person Stuart in nüchternem Zustand war. Zum Glück war er überwiegend nüchtern. Er meldete sich zuverlässig jeden Tag zum Dienst und erschien dort nie betrunken. Sheriff Walls hat ausgesagt, dass er ein guter Deputy war und Freude an der Polizeiarbeit hatte. Solange er nicht trank, war alles gut. Doch sobald Alkohol im Spiel war, verwandelte er sich in einen Gewalttäter. Er liebte das Nachtleben in dunklen Kaschemmen, wilde Besäufnisse mit seinen Kumpeln, Würfelspiele und Schlägereien. Fast jeden Freitag und Samstag nach dem Dienst zog er durch die Kneipen und kam danach volltrunken nach Hause. Manchmal wurde er dann aggressiv und fing Streit an, manchmal fiel er sofort ins Bett und schlief ein. Josie und die Kinder lernten, ihn in Ruhe zu lassen, wenn er heimkam. Sie versteckten sich in ihren Zimmern und beteten, dass es keinen Ärger gab.

Aber allzu häufig gab es Ärger. Die Kinder beschworen ihre Mutter auszuziehen. Aber wohin hätten sie gehen sollen? Als es mit den Schlägen immer schlimmer wurde, flehte Josie ihn an, sich Hilfe zu suchen, um sein Alkoholproblem in den Griff zu bekommen und sie nicht mehr zu verprügeln. Doch Stuart war außer Kontrolle. Josie drohte mehrfach, ihn zu verlassen, und das versetzte ihn jedes Mal in blinde Wut. Vor den Augen der Kinder beschimpfte und verfluchte er sie und verhöhnte sie als Trailerpark-Schlampe.«

Dyer stand auf. »Euer Ehren, ich erhebe Einspruch. Hörensagen.«

»Stattgegeben.«

Die Geschworenen Nummer drei und neun lebten in Trailerparks.

Jake ignorierte Dyer und Noose und konzentrierte sich auf die Gesichter von Nummer drei und neun. »Am Abend des 24. März«, fuhr er fort, »war Stuart ausgegangen. Genau genommen war er schon den ganzen Samstagnachmittag unterwegs gewesen, und Josie rechnete mit dem Schlimmsten. Sie warteten Stunde um Stunde. Es war nach Mitternacht. Die Kinder saßen oben in Kieras Zimmer im Dunkeln und beteten, dass ihre Mutter nicht wieder zusammengeschlagen würde. Sie hatten Kieras Zimmer gewählt, weil sie wussten, dass die Tür dort stabil war und das Schloss funktionierte. Sie war ersetzt worden, nachdem Stuart das alte Türblatt in einem seiner Wutanfälle eingetreten hatte. Josie war unten und wartete darauf, dass die Scheinwerfer in der Einfahrt auftauchten.« Er schwieg eine ganze Zeit lang, dann sagte er: »Wissen Sie, ich werde die beiden die Geschichte selbst erzählen lassen.«

Er trat hinter das Pult, blickte auf seine Notizen und wischte sich den Schweiß von der Stirn. Vom Flappen der Kirchenfächer und dem beständigen Summen der Klimageräte abgesehen, war es im Saal mucksmäuschenstill. »Meine Damen und Herren, wir haben es hier keineswegs mit einem eindeutigen Fall von Mord zu tun. Die grauenvolle Situation zur Tatzeit – die Mutter bewusstlos auf dem Boden, Stuart, der sturzbetrunken durchs Haus poltert, die Schwester, die schluchzend die Mutter anfleht, wieder zu sich zu kommen, beide Kinder schutzlos und allein – und die Vorgeschichte voller unbeschreiblicher Gewalt, die sich in ihre verängstigten Seelen eingebrannt hatte und sie glauben lassen musste, dass sie vor diesem Mann niemals sicher sein würden, lassen den Schluss zu, dass das, was der Junge auf der Anklagebank, Drew Gamble, getan hat, voll und ganz *gerechtfertigt* war.«

Jake nickte den Geschworenen zu und wandte sich dann an den

Richter. »Euer Ehren, wir sind bereit, unsere erste Zeugin zu hören: Josie Gamble.«

»Nun denn. Bitte rufen Sie sie in den Zeugenstand.«

Niemand rührte sich, als Josie eintrat. Jake empfing sie am Absperrgeländer, öffnete die niedere Schranke für sie und wies auf den Zeugenstand. Da sie ausgezeichnet vorbereitet war, blieb sie auf dem Weg dorthin vor der Stenografin stehen, schenkte ihr ein Lächeln und legte den Eid ab. Sie trug eine schlichte weiße Bluse ohne Ärmel, eine schwarze Leinenhose und flache braune Sandalen, kaum Make-up und keinen Lippenstift. Carla hatte sich um ihr Outfit gekümmert; nach eingehender Betrachtung der fünf weiblichen Geschworenen hatte sie ihr Bluse und Sandalen aus ihrem eigenen Schrank gegeben und die Hose besorgt. Josie sollte attraktiv genug aussehen, dass sie den Männern gefiel, ohne die Frauen einzuschüchtern. Die Zeit hatte es nicht gut mit ihr gemeint, und obwohl sie erst zweiunddreißig war, sah sie mindestens zehn Jahre älter aus. Dennoch war sie immer noch jünger als die meisten Geschworenen und körperlich besser in Form als die gesamte Jury.

Jake fing mit ein paar grundlegenden Fragen an und enthüllte dabei ihre aktuelle Adresse, die bislang nicht aktenkundig gewesen war. Die Geldeintreiber hatten sie in Oxford nicht ausfindig machen können, und er war sich nicht sicher gewesen, nach welcher Adresse er sie fragen sollte. Die Auskünfte zu Josies Lebenslauf blieben stichpunktartig: zwei Schwangerschaften, bevor sie siebzehn war, kein Highschool-Abschluss, zwei geschiedene Ehen, die erste Verurteilung wegen Drogenbesitzes mit dreiundzwanzig, ein Jahr Haft im County-Gefängnis, eine zweite Verurteilung in Texas, die ihr zwei Jahre Haft einbrachte. Sie stand zu ihrer Vergangenheit, sagte, sie sei nicht stolz darauf und würde alles dafür geben, die Zeit zurückdrehen zu können. Sie wirkte zugleich stoisch und verletzlich. Ein- oder zweimal brachte sie ein Lächeln in Richtung der Jury zustande, das dem Ernst der Situation angemessen war.

Am meisten bedaure sie, was sie ihren Kindern angetan habe und was für ein schlechtes Vorbild sie gewesen sei. Als sie von ihnen sprach, brach ihre Stimme leicht, und sie wischte sich mit einem Taschentuch über die Augen.

Obwohl sämtliche Fragen und Antworten gestellt waren, wirkte der Dialog authentisch. Die Geschichte ging Josie mal leichter, mal schwerer über die Lippen. Jake hielt einen Notizblock in der Hand, als bräuchte er seine Stichpunkte, dabei war jedes Wort auswendig gelernt und geprobt. Auch Libby und Portia konnten dieses Gespräch im Wortlaut wiedergeben.

»Josie.« Jake begann nun mit der eigentlichen Vernehmung. »Am 3. Dezember letzten Jahres haben Sie den Polizeinotruf gewählt. Was war passiert?«

Dyer stand auf. »Einspruch, Euer Ehren. Was hat das mit dem Mord am 25. März zu tun?«

»Mr. Brigance?«

»Euer Ehren, dieser Notruf ist der Jury bereits bekannt. Sheriff Walls hat gestern dazu ausgesagt. Er ist relevant für uns, weil er verdeutlicht, wie sehr diese Menschen unter Missbrauch, Gewalt und Angst gelitten haben, bevor es zu den Ereignissen am 25. März kam.«

»Einspruch abgewiesen. Bitte, Mr. Brigance.«

»Josie, erzählen Sie uns bitte, was sich am 3. Dezember zugetragen hat.«

Sie zögerte und atmete tief durch, als müsste sie sich erst dazu durchringen, die Erinnerungen an diese schreckliche Nacht wachzurufen. »Es war ein Samstag, gegen Mitternacht, Stuart kam schlecht gelaunt nach Hause, wie immer schwer betrunken. Ich hatte Jeans und ein T-Shirt an, ohne BH, und er fing an, mir vorzuwerfen, ich würde herumhuren. Das hat er ständig gemacht. Er hat mich andauernd Schlampe und Hure genannt, sogar im Beisein meiner Kinder.«

Dyer sprang erneut auf. »Einspruch. Hörensagen, Euer Ehren.«

»Stattgegeben«, sagte Richter Noose und blickte auf die Zeugin herab. »Ms. Gamble, ich darf Sie bitten, hier keine Äußerungen des Toten wiederzugeben.«

»Ja, Sir.« Es verlief genauso, wie Jake es vorhergesagt hatte. Ihre Worte würden trotz des Einspruchs bei den Geschworenen hängen bleiben.

»Sie dürfen fortfahren.«

»Jedenfalls«, nahm Josie ihren Faden wieder auf, »ist er ausgerastet und hat mich so heftig auf den Mund geschlagen, dass mir die Lippe aufplatzte und blutete. Er packte mich, ich versuchte, mich zu wehren, aber er war zu stark und zu wütend. Ich sagte ihm, dass ich ihn verlassen würde, wenn er mich noch einmal schlägt, aber das hat alles nur noch schlimmer gemacht. Ich konnte mich losreißen und rannte ins Schlafzimmer, wo ich von innen die Tür abschloss. Ich dachte, er würde mich umbringen. Ich wählte den Notruf und bat um Hilfe. Dann wusch ich mir das Gesicht und setzte mich aufs Bett. Die Kinder versteckten sich oben in ihren Zimmern. Ich horchte, ob er sie vielleicht belästigte. Nach ein paar Minuten ging ich ins Wohnzimmer. Er saß in seinem Sessel – den wir nicht anfassen durften –, trank ein Bier und schaute fern. Ich sagte ihm, dass die Polizei unterwegs ist, aber er hat mich ausgelacht. Er wusste genau, dass sie nichts unternehmen würden, weil er sie alle kannte und mit ihnen befreundet war. Er sagte, wenn ich ihn anzeige, würde er mich und die Kinder umbringen.«

»Kam denn die Polizei?«

»Ja, Deputy Swayze. Da hatte sich Stuart wieder beruhigt und tat so, als wäre alles in Ordnung. Nur ein bisschen Beziehungsstress. Der Deputy hat mir ins Gesicht gesehen. Meine Wange und meine Lippen waren geschwollen, und er sah das Blut in meinem Mundwinkel. Er wusste genau, was los war. Als er mich fragte, ob ich Anzeige erstatten will, sagte ich Nein. Sie rauchten draußen eine Zigarette zusammen wie zwei alte Kumpel, ich ging nach oben und verbrachte die Nacht mit den Kindern in Kieras Zimmer. Er hat uns dann in Ruhe gelassen.«

Sie tupfte ihre Augen mit dem Taschentuch ab und blickte Jake erwartungsvoll an.

»Am 24. Februar«, fuhr er mit der nächsten Frage fort, »wählten Sie erneut den Notruf. Was geschah da?«

Dyer stand auf und erhob Einspruch. Noose funkelte ihn an und sagte nur: »Abgewiesen.«

»Es war ein Samstag. Am Nachmittag kam ein Prediger vorbei, Bruder Charles McGarry, einfach so, um Hallo zu sagen. Wir hatten mal seinen Gottesdienst besucht, seine Kirche ist ganz in der Nähe von uns. Stuart fand das nicht gut. Als der Pastor an der Tür klopfte, holte sich Stuart ein Bier und verzog sich in den Garten. Aus irgendeinem Grund ging er an dem Abend nicht raus, sondern schaute die ganze Zeit Basketball im Fernsehen. Und trank. Ich habe mich zu ihm gesetzt und versucht, mich mit ihm zu unterhalten. Ich habe ihn gefragt, ob er am nächsten Tag mit uns in die Kirche gehen will. Wollte er aber nicht. Er hätte was gegen Kirche und Geistliche und überhaupt, McGarry dürfte sein Haus nie wieder betreten. Es war immer ›sein Haus‹, nie ›unser Haus‹.«

Charles und Meg McGarry saßen zwei Reihen hinter dem Tisch der Verteidigung und warteten, dass Josie sich zu ihnen setzte.

»Warum haben Sie den Notruf gewählt?«, fragte Jake.

Sie tupfte sich mit dem Taschentuch die Stirn. »Es fing an mit dem Streit über die Kirche und dass er mir verbot, wieder hinzugehen. Ich meinte, ich würde hingehen, wenn es mir passt. Er brüllte, ich wich zurück, und plötzlich warf er eine Dose Bier nach mir. Sie traf mich am Auge, und meine Augenbraue platzte auf. Ich war voller Bier und rannte ins Bad, da sah ich das Blut. Er trommelte gegen die Tür, fluchte wie ein Irrer und beschimpfte mich, so wie immer. Ich traute mich nicht rauszukommen, wusste aber, dass er schlimmstenfalls die Tür eintreten würde. Irgendwann ging er weg, und ich hörte ihn in der Küche rumoren, da rannte ich ins Schlafzimmer, schloss die Tür ab und wählte den Notruf. Es war ein Fehler, weil ich wusste, dass ihm die Polizei nichts tun würde, aber ich hatte Todesangst und wollte die Kinder beschützen. Als er mich telefonieren hörte, fing er an, gegen die Schlafzimmertür zu trommeln, und drohte, er würde mich umbringen, wenn die Cops kämen. Nach ein paar Minuten regte er sich wieder ab und meinte, er wolle reden. Ich wollte nicht reden, weil ich wusste, dass er mir oder den Kindern was antun würde, falls er wieder ausrastete. Trotzdem kam ich raus und ging zu ihm ins Wohnzimmer. Das war dann das erste und einzige Mal, dass er sich entschuldigt hat. Er flehte mich an, ihm zu vergeben, und versprach, sich wegen der Trinkerei Hilfe zu holen. Es wirkte aufrichtig, aber in Wahrheit hatte er nur Angst wegen des Notrufs.«

»Hatten Sie getrunken, Josie?«

»Nein. Ich trinke ab und zu ein Bier, aber nie, wenn die Kinder dabei sind. Ich kann es mir wirklich nicht leisten zu trinken.«

»Wann kam die Polizei?«

»Gegen zweiundzwanzig Uhr. Als ich die Autoscheinwerfer sah, ging ich ihnen draußen entgegen. Ich sagte, es wäre alles okay, die Lage hätte sich beruhigt, es wäre nur ein Missverständnis gewesen. Sie fragten mich, was passiert ist, weil ich mir ein blutiges Tuch aufs Auge hielt. Ich sagte, ich wäre in der Küche gestürzt. Das haben sie mir nur allzu gern geglaubt.«

»Haben die Polizisten mit Stuart gesprochen?«

»Ja. Er kam raus, ich ging hinein. Sie rauchten zusammen eine Zigarette, und ich hörte sie lachen.«

»Haben Sie Anzeige erstattet?«

»Nein.«

Jake ging zum Tisch der Verteidigung und streifte sein Jackett ab. Seine Achseln waren schweißgetränkt, und der Rücken des hellblauen Baumwollhemds klebte an seiner Haut. Er kehrte zum Pult zurück. »Was hat Stuart unternommen, um sein Trinkverhalten zu ändern?«

»Nichts. Es wurde nur noch schlimmer.«

»Am Abend des 25. März waren Sie mit Ihren Kindern zu Hause?«

»Ja.«

»Wo war Stuart?«

»Ausgegangen. Ich weiß nicht, wo er war. Er war schon den ganzen Nachmittag über weg gewesen.«

»Wann ist er nach Hause gekommen?«

»Kurz nach zwei Uhr morgens. Ich hatte auf ihn gewartet. Die Kinder waren oben, aber statt zu schlafen, rumorten sie leise herum. Ich denke, wir haben alle gewartet.«

»Was passierte, als er nach Hause kam?«

»Ich hatte ein knappes Negligé angezogen, eins, das er mochte, weil ich dachte, vielleicht kann ich ihn ein bisschen in romantische Stimmung versetzen, wissen Sie, damit er nicht wieder gewalttätig wird.«

»Klappte das?«

»Nein. Er war sternhagelvoll, konnte kaum stehen oder gehen. Seine Augen waren glasig, sein Atem ging schwer. Ich hatte ihn schon oft betrunken erlebt, aber noch nie so.«

»Was geschah dann?«

»Es gefiel ihm nicht, was ich anhatte, und er fing an, mir Vorwürfe zu machen. Ich wollte nicht schon wieder streiten, wegen der Kinder. Gott, die haben so viel mitbekommen.« Ihre Stimme brach, und sie fing an zu weinen. Ihr Schluchzen stand nicht im Drehbuch, war aber aufrichtig und kam genau zum richtigen Zeitpunkt. Sie schloss die Augen und hielt sich das Taschentuch vor den Mund, während sie mit den Tränen kämpfte.

Libby bemerkte, dass Nummer sieben, Mrs. Fife, den Kopf

senkte und die Kiefer zusammenpresste, als würde sie gleich eine Träne des Mitleids verdrücken.

Nach einem Moment quälenden Schweigens beugte sich Richter Noose über seine Bank und sagte leise: »Möchten Sie eine Pause machen, Ms. Gamble?«

Sie schüttelte entschlossen den Kopf, biss die Zähne aufeinander und blickte Jake an.

»Josie«, sagte er, »ich weiß, es ist nicht leicht für Sie, aber Sie müssen den Geschworenen erzählen, was sich zugetragen hat.«

Sie nickte rasch. »Er schlug mir brutal ins Gesicht, sodass ich fast gestürzt wäre. Dann packte er mich von hinten, legte seinen dicken Unterarm um meinen Hals und würgte mich. Ich wusste, das war das Ende. Ich konnte nur noch an meine Kinder denken. Wer würde sie großziehen? Wohin würden sie gehen? Würde er ihnen auch etwas antun? Es ging alles so schnell. Er stöhnte und fluchte, und ich roch seinen stinkenden Atem. Dann gelang es mir, ihm den Ellbogen in die Rippen zu rammen und mich loszureißen. Doch bevor ich wegrennen konnte, schoss seine Faust in mein Gesicht. Das ist das Letzte, an was ich mich erinnere. Er hat mich bewusstlos geschlagen.«

»An mehr erinnern Sie sich nicht?«

»Nein. Als ich zu mir kam, lag ich im Krankenhaus.«

Jake trat zum Tisch der Verteidigung, wo Libby ihm ein vergrößertes Farbfoto entgegenhielt. »Euer Ehren, ich würde mich gern der Zeugin nähern.«

»Bitte.«

Jake reichte Josie das Foto und fragte: »Können Sie dieses Bild identifizieren?«

»Ja. Das wurde am nächsten Tag im Krankenhaus von mir gemacht.«

»Euer Ehren, ich beantrage, dieses Foto als Beweisstück Nummer eins der Verteidigung ins Protokoll aufzunehmen.«

Lowell Dyer, der acht Fotos von Josie erhalten hatte, stand auf. »Die Anklage erhebt Einspruch wegen Irrelevanz.«

»Abgewiesen. Das Foto wird als Beweismittel zugelassen.«

»Euer Ehren«, sagte Jake, »ich möchte das Foto der Jury zeigen.«

»Bitte.«

Jake nahm die Fernbedienung, drückte einen Knopf, und auf der Leinwand an der Wand gegenüber der Jury erschien das verstörende Bild einer verprügelten Frau. Alle im Saal konnten es sehen. Josie im Krankenhausbett, die linke Seite ihres Gesichts so grotesk verschwollen, dass das Auge nur noch ein Schlitz war, mit dickem Verband über dem Kinn und um den Kopf herum. Ein Schlauch führte in ihren Mund. Weitere hingen von oben herab. Ihr Gesicht war nicht zu erkennen.

Die Geschworenen reagierten ohne Ausnahme. Manche wanden sich unbehaglich. Manche beugten sich vor, als könnten sie dann besser sehen, was ohnehin klar und deutlich zu erkennen war. Nummer fünf, Mr. Carpenter, schüttelte den Kopf. Nummer acht, Mrs. Satterfield, starrte mit offenem Mund auf das Bild, fassungslos.

Harry Rex würde später erzählen, dass Janet Kofer den Kopf senkte.

»Wissen Sie, um welche Uhrzeit Sie aufgewacht sind?«, fragte Jake.

»Gegen acht Uhr morgens, hat man mir gesagt. Ich war ziemlich benebelt, wegen der Schmerzmittel.«

»Wie lange waren Sie im Krankenhaus?«

»Passiert ist es am Sonntag; am Mittwoch haben sie mich ins Krankenhaus nach Tupelo verlegt, wo mein gebrochener Kiefer operiert wurde. Entlassen wurde ich dort am Freitag.«

»Haben Sie sich von Ihren Verletzungen inzwischen vollständig erholt?«

Sie nickte. »Ja. Mir geht's gut.«

Jake hatte weitere Fotos von Josie im Krankenhaus, doch die waren im Moment nicht nötig. Er hatte auch weitere Fragen in petto, doch Lucien hatte ihm schon vor Jahren beigebracht aufzuhören, wenn er vorn lag. Wenn man seine Punkte eingefahren hatte, sollte man es der Fantasie der Geschworenen überlassen, sich den Rest auszumalen.

»Keine weiteren Fragen«, schloss er.

»Wir machen eine Pause von fünfzehn Minuten«, verkündete Noose.

Lowell Dyer und sein Assistent, D. R. Musgrove, verzogen sich in eine Toilette im Erdgeschoss und beratschlagten, wie sie vorgehen sollten. Normalerweise sollte es nicht schwer sein, eine Zeugin mit Vorstrafen zu vernehmen, weil ihre Glaubwürdigkeit ohnehin angekratzt war. Doch Josie hatte ihre Haftstrafen und persönlichen Probleme bereits selbst angesprochen. Sie wirkte offen, glaubhaft und sympathisch, und die Jury würde niemals ihr Foto aus dem Krankenhaus vergessen.

Sie waren sich einig, dass sie ihr Heil im Angriff suchen mussten.

Als Josie den Zeugenstand wieder eingenommen hatte, eröffnete Dyer: »Ms. Gamble, wie oft wurde Ihnen das Sorgerecht für Ihre Kinder entzogen?«

»Zweimal.«

»Wann war das erste Mal?«

»Vor ungefähr zehn Jahren. Drew war etwa fünf, Kiera drei.«

»Warum wurde Ihnen das Sorgerecht entzogen?«

»Der Staat Louisiana hat mir die Kinder weggenommen.«

»Wie kam es dazu?«

»Tja, Mr. Dyer, ich war damals keine besonders gute Mutter. Ich war mit einem Drogenhändler verheiratet, der von unserer Wohnung aus gedealt hat. Irgendjemand hat uns angezeigt, das Sozialamt kam, nahm meine Kinder mit und brachte mich vor Gericht.«

»Haben Sie auch Drogen verkauft?«

»Ja. Ich bin nicht stolz darauf. Ich wünschte, ich könnte noch einmal von vorn anfangen, Mr. Dyer.«

»Was geschah mit Ihren Kindern?«

»Sie wurden bei guten Pflegefamilien untergebracht. Ich durfte sie hin und wieder sehen. Nachdem ich von dem Typ geschieden war, habe ich mich erfolgreich darum bemüht, meine Kinder wiederzubekommen.«

»Was geschah beim zweiten Mal?«

»Ich lebte mit einem Anstreicher zusammen, der mit Drogen dealte. Als er erwischt wurde, hat er sich damit herausgeredet, dass die Drogen mir gehört hätten. Ein unfähiger Rechtsanwalt riet mir, mich schuldig zu bekennen, um Strafminderung zu erhalten. Ich kam in ein Frauengefängnis in Texas, wo ich zwei Jahre absaß. Drew und Kiera waren in der Zeit in einem von Baptisten geführten Waisenhaus in Arkansas, wo sie sehr gut behandelt wurden.«

Geben Sie nicht zu viel preis, hatte Jake ihr eingebläut. Im Moment hatte sie das Gefühl, auf jede Frage, die Dyer ihr stellen konnte, vorbereitet zu sein.

»Nehmen Sie immer noch Drogen?«

»Nein, Sir. Ich habe vor Jahren aufgehört, wegen meiner Kinder.«

»Haben Sie je mit Drogen gehandelt?«

»Ja.«

»Sie geben also zu, dass Sie Drogen konsumiert und verkauft haben, dass Sie mit Drogendealern zusammengelebt haben und verhaftet wurden – wie oft insgesamt?«

»Viermal.«

»Viermal verhaftet, zweimal verurteilt, zwei Haftstrafen.«

»Ich bin nicht stolz darauf, Mr. Dyer.«

»Wie auch? Erwarten Sie im Ernst, dass diese Jury Sie für glaubwürdig hält und Ihnen Ihre Zeugenaussage abnimmt?«

»Wollen Sie damit sagen, dass ich lüge, Mr. Dyer?«

»Ich stelle hier die Fragen, Ms. Gamble. Sie haben nur zu antworten.«

»Ja. Ich erwarte, dass die Jury jedes Wort von dem glaubt, was ich sage, denn alles, was ich sage, ist wahr. Ich habe vielleicht schon mal gelogen in meinem Leben, aber Sie können mir glauben, das war die geringste meiner Sünden.«

Dyer war klar, dass er die Vernehmung an dieser Stelle am besten beendete, denn er konnte gegen Josie nur verlieren. Brigance hatte seine Zeugin optimal vorbereitet. Sie ließ sich nicht aus der Ruhe bringen.

Der Staatsanwalt war ein kluger Mann. Er blätterte ein wenig in seinen Unterlagen und sagte dann: »Keine weiteren Fragen, Euer Ehren.«


# 46

Gefolgt von einem Gerichtsdiener, betrat Kiera den Saal und ging langsam nach vorn, mit gesenkten Augen, um die Blicke der Menschenmenge nicht sehen zu müssen. Sie trug ein schlichtes Baumwollkleid mit enger Taille. Spätestens als sie vor der Stenografin stehen blieb, starrte der gesamte Saal auf ihren Bauch. Auf der Galerie wurde geflüstert, einige der Geschworenen sahen verlegen um sich, als genierten sie sich für das arme Kind. Kiera schob sich in den Zeugenstand und setzte sich behutsam. Es war offensichtlich, dass sie sich nicht wohl in ihrer Haut fühlte. Verschämt blickte sie die Jury an, ein verängstigtes Kind inmitten einer verkorksten Erwachsenenwelt.

»Du bist Kiera Gamble, die Schwester des Angeklagten, korrekt?«, fragte Jake.

»Ja, Sir.«

»Wie alt bist du, Kiera?«

»Vierzehn.«

»Du bist ganz offensichtlich schwanger.«

»Ja, Sir.«

Jake hatte diese Szene tausendmal im Geiste durchgespielt, in vielen schlaflosen Nachtstunden, er hatte sie mit seiner Frau und dem Team diskutiert und nach allen Regeln der Kunst seziert. Er durfte sie nicht vermasseln. Ruhig fragte er: »Wann hast du Termin, Kiera?«

»Ende nächsten Monat.«

»Kiera, wer ist der Vater deines Kindes?«

So wie sie es einstudiert hatten, beugte sie sich ein wenig näher zum Mikrofon und sagte: »Stuart Kofer.«

Man hörte Menschen nach Luft schnappen und andere laute Reaktionen aus dem Publikum, fast zeitgleich brüllte Earl Kofer los: »Das ist eine verdammte Lüge!« Er sprang auf und zeigte mit dem Finger auf Kiera. »Das ist eine verdammte Lüge, Richter!« Janet Kofer schrie auf und barg ihr Gesicht in den Händen. Barry Kofer sagte laut: »Was für ein Schwachsinn!«

»Ruhe! Ruhe!«, rief Noose erbost. Er schlug mit dem Hammer auf, doch Earl legte erneut los.

»Was müssen wir uns noch alles anhören, Richter! Das ist verdammt noch mal gelogen!«

»Ruhe im Gerichtssaal! Benehmen Sie sich!« Zwei Gerichtsdiener in Uniform eilten zur dritten Reihe hinter der Anklage, wo Earl mit dem Finger in der Luft gestikulierte und herumtrompetete. »Das ist nicht fair, Richter! Mein Junge ist tot, und die verbreiten Lügen über ihn! Nichts als Lügen!«

»Entfernen Sie den Mann aus dem Saal!«, blaffte Noose in sein Mikrofon. Cecil Kofer hatte sich neben seinem Vater aufgebaut, als wollte er gleich um sich schlagen. Die ersten beiden Gerichtsdiener waren siebzig und kurzatmig, doch der dritte, knapp zwei Meter groß, über hundert Kilo austrainierte Muskelmasse, schwarzer Gürtel, hob Cecil mit einem Griff in seine verschwitzte Achsel in die Luft und packte dann Earl am Ellbogen. Die beiden wehrten sich fluchend, während sie auf den Mittelgang hinausgezerrt wurden, wo weitere Gerichtsdiener und Deputys sie erwarteten. Spätestens jetzt ging ihnen auf, dass Widerstand zwecklos war. Sie wurden zum Ausgang geschoben, wo Earl stehen blieb und sich umwandte. »Das zahl ich Ihnen heim, Brigance!«, brüllte er.

Jake verfolgte die Szene wie alle anderen im Saal in stummem Schock. Von Janet Kofers Schluchzen und den Klimageräten abgesehen, herrschte jetzt Totenstille. Kiera saß im Zeugenstand und wischte sich die Augen. Dyer funkelte Jake an, als wollte er ihm am liebsten eine Ohrfeige verpassen. Die Geschworenen wirkten völlig überfordert.

Noose erholte sich ziemlich schnell und raunzte einen Gerichtsdiener an: »Bringen Sie die Jury hinaus.«

Die Geschworenen drängten nach draußen, als hätte der Richter sie gerade nach Hause entlassen. Sobald sich die Tür hinter ihnen schloss, sagte Dyer: »Euer Ehren, ich habe hier einen Antrag, den Sie sich bitte in Ihrem Büro anhören möchten.«

Noose starrte Jake an, als wollte er ihm auf der Stelle die Anwaltszulassung entziehen, dann nahm er seinen Hammer und sagte: »Machen wir fünfzehn Minuten Pause. Ms. Gamble, Sie dürfen sich kurz zu Ihrer Mutter setzen.«

Das Klimagerät in Noose' Büro funktionierte bestens, sodass es dort wesentlich kühler war als draußen im Gerichtssaal. Der Richter warf seine Robe auf einen Stuhl, steckte seine Pfeife an und stellte sich mit verschränkten Armen hinter seinen Schreibtisch. Aufgebracht blickte er Jake an. »Haben Sie gewusst, dass sie schwanger ist?«

»Ja. Genauso wie der Bezirksstaatsanwalt.«

»Lowell?«

Dyer war vor Zorn hochrot im Gesicht, Schweiß triefte ihm vom Kinn. »Die Anklage beantragt, das Verfahren für gescheitert zu erklären, Euer Ehren.«

»Mit welcher Begründung?«, fragte Jake kühl.

»Mit der Begründung, dass wir hintergangen wurden.«

»Damit kommen Sie nicht durch, Lowell«, sagte Jake. »Sie haben das Mädchen gestern im Gericht gesehen und mich auf ihre Schwangerschaft angesprochen. Sie wussten, dass es den Vorwurf sexuellen Missbrauchs gab. Jetzt haben wir den Beweis.«

»Jake«, fragte Noose, »wussten Sie, dass Kofer der Vater ist?«

»Ja.«

»Wann haben Sie es erfahren?«

»Wir haben im April erfahren, dass sie schwanger ist, und sie ist konsequent bei ihrer Aussage geblieben, dass es Kofer war. Sie ist bereit auszusagen, dass er sie wiederholt vergewaltigt hat.«

»Und das haben Sie für sich behalten?«

»Wem hätte ich es erzählen sollen? Zeigen Sie mir den Paragrafen oder die Verfahrensregel, wo es heißt, dass ich es mitteilen muss, wenn die Schwester meines Mandanten vom Toten vergewaltigt wurde. Werden Sie nicht finden. Ich hatte keinerlei Verpflichtung, es irgendjemandem zu sagen.«

»Aber Sie haben sie versteckt«, sagte Dyer. »Vor allen.«

»Sie haben mich zweimal gebeten, sie für ein Gespräch zu holen. Das habe ich getan, in meiner Kanzlei. Am 2. April und am 8. Juni.«

Noose hielt einen Flammenwerfer an seine Pfeife und blies eine blaue Rauchwolke aus. Die Fenster waren geschlossen. Der Tabak entspannte ihn. »Ich mag Überraschungen nicht, Jake. Das wissen Sie.«

»Dann müssen Sie die Regeln ändern. Im Zivilprozess müssen

Beweismittel immer offengelegt werden, im Strafprozess praktisch gar nicht. Überraschungscoups sind ein probates Mittel und werden insbesondere von der Anklage gern eingesetzt.«

»Ich will, dass der Prozess für gescheitert erklärt wird«, beharrte Dyer.

»Warum?«, fragte Jake. »Wollen Sie in drei Monaten wieder von vorn anfangen? Von mir aus gern. Dann bringen wir das Baby mit und zeigen es der Jury als Beweismittel Nummer eins. Nummer zwei ist der Vaterschaftstest.«

Dyer ließ den Unterkiefer sinken, erneut sprachlos. »Sie sind ganz schön gut darin, Zeugen zu verstecken, was, Jake?«, brachte er heraus.

»Das haben Sie mir jetzt schon mehrfach vorgeworfen. Denken Sie sich was Neues aus.«

»Meine Herren. Lassen Sie uns besprechen, wie es weitergehen soll. Wir stehen jetzt leider alle ein wenig unter Schock. Erst die schwangere Zeugin, dann der Tumult im Saal. Ich mache mir Sorgen um die Geschworenen.«

»Schicken Sie sie heim, Euer Ehren«, sagte Dyer. »Wir rollen das Ganze später noch mal auf.«

»Ich werde das Verfahren nicht für gescheitert erklären, Mr. Dyer. Ihr Antrag ist abgelehnt. Mr. Brigance, ich nehme an, Sie werden gleich mit der Zeugin über den sexuellen Missbrauch reden.«

»Sie ist vierzehn Jahre alt, Richter Noose, und somit viel zu jung für einvernehmliche sexuelle Handlungen. Stuart Kofer war zwanzig Jahre älter als sie. Der sexuelle Kontakt zwischen ihnen war nicht nur nicht einvernehmlich, sondern strafbar und kriminell. Kiera ist bereit auszusagen, dass er sie wiederholt vergewaltigt und dann gedroht hat, sie und ihren Bruder, den Angeklagten, umzubringen, sollte sie es jemandem erzählen. Sie hatte zu viel Angst, um zu reden.«

»Können wir die Vernehmung ein wenig eingrenzen, Euer Ehren?«, bat Dyer.

»Wie deutlich wollen Sie werden, Mr. Brigance?«

»Ich habe nicht vor, sie körperliche Vorgänge beschreiben zu lassen. Kieras Zustand spricht für sich. Die Geschworenen sind klug genug, um zu begreifen, was passiert ist.«

Noose stieß erneut eine blaue Rauchwolke aus und sah zu, wie sie sich zur Decke emporkringelte. »Das könnte schlimm werden.«

»Es ist jetzt schon schlimm, Richter. Ein vierzehnjähriges Mädchen wurde mehrfach vergewaltigt und schließlich geschwängert, von einem Unhold, der ihre Abhängigkeit ausnutzte. Wir können die Fakten nicht ändern. So ist es passiert, und jeder Versuch Ihrerseits, die Aussage des Mädchens zu limitieren, gibt uns Zündstoff für die Revision. Das Gesetz ist da eindeutig, Richter Noose.«

»Ich habe nicht um eine Lektion gebeten, Mr. Brigance.«

Vielleicht war die aber mal nötig, dachte Jake.

Ein Augenblick verstrich, in dem Noose an seiner Pfeife schmatzte und die Rauchwolke über dem Tisch weiter verdichtete. Schließlich sagte er: »Ich bin nicht sicher, wie ich den Ausbruch von Kofer vorhin im Saal einschätzen soll. So was habe ich noch nie erlebt. Ich frage mich, wie die Jury reagieren wird.«

»Hilfreich für uns war das jedenfalls nicht«, sagte Dyer.

»Für keine Seite«, fügte Jake hinzu.

»Unter meinem Vorsitz ist noch nie ein Anwalt derart bedroht worden, Jake«, sagte der Richter. »Ich werde mich mit Mr. Kofer nach dem Prozess befassen. Aber jetzt machen wir erst einmal weiter.«

Keiner der drei wollte in den Saal zurückkehren, um den Rest von Kieras Einlassung zu hören.

Richter Omar Noose hatte sich fest vorgenommen, den Prozess in seinem Revier – und Wahlbezirk – straff durchzuziehen, und das unter strengsten Sicherheitsvorkehrungen. Er hatte dem Sheriff so lange zugesetzt, bis der sämtliche verfügbaren Deputys – Vollzeit-, Teilzeit-, Reserve- und ehrenamtliche Kräfte – antreten ließ, um das Gerichtsgebäude von innen und außen zu sichern. Aufgrund von Earl Kofers Drohung waren nach der Pause, als Anwälte und Geschworene wieder ihre Plätze einnahmen, noch mehr Einsatzkräfte vor Ort.

Ein Taschentuch in der Hand, kehrte Kiera in den Zeugenstand zurück und machte sich gefasst auf die nächste Runde Fragen.

Vom Pult aus begann Jake: »Kiera, du hast gesagt, Stuart Kofer ist der Vater deines Kindes. Ich muss dir jetzt ein paar Fragen über deine sexuellen Kontakte mit ihm stellen, okay?«

Sie biss sich auf die Lippe und nickte.

»Wie oft wurdest du von Stuart Kofer vergewaltigt?«

Schon war Dyer auf den Füßen und erhob erbost Einspruch. Das hätte er besser gelassen. »Euer Ehren, ich wehre mich gegen das Wort ›Vergewaltigung‹, denn es impliziert, dass …«

Das war Jakes Moment. Mit Zornesröte im Gesicht machte er einen Schritt auf Dyer zu und donnerte: »Um Gottes willen, Lowell! Wie wollen Sie das denn sonst nennen? Sie ist vierzehn, er war dreiunddreißig!«

»Mr. Brigance«, beschwichtigte Noose.

Jake ignorierte den Richter und ging noch näher auf Dyer zu. »Möchten Sie gern etwas Unverfänglicheres hören als ›Vergewaltigung‹? So etwas wie ›sexueller Übergriff‹, ›Belästigung‹ oder ›sexueller Missbrauch‹?«

»Mr. Brigance«, wiederholte Noose.

Jake atmete tief durch und funkelte den Richter an, als wollte er sich auf ihn stürzen, sobald er mit dem Bezirksstaatsanwalt fertig wäre.

»Sie missachten das Gericht, Mr. Brigance.«

Jake starrte ihn schweigend an. Sein Hemd war durch und

durch verschwitzt, mit seinen hochgekrempelten Ärmeln wirkte er, als wäre er drauf und dran, ein Handgemenge anzuzetteln.

»Mr. Dyer?«

Der Staatsanwalt war unwillkürlich zurückgewichen und räusperte sich verunsichert. »Euer Ehren, ich habe nur etwas gegen den Ausdruck ›Vergewaltigung‹.«

»Einspruch abgelehnt«, beschied Noose laut und unmissverständlich. Mr. Dyer sollte jetzt gefälligst auf seinem Hosenboden sitzen bleiben. »Fahren Sie fort, Mr. Brigance.«

Auf dem Weg zurück zum Pult sah Jake Joey Kepner an, Nummer zwölf, der einen Anflug von Schadenfreude im Gesicht trug.

»Kiera, wie viele Male wurdest du von Stuart Kofer vergewaltigt?«

»Fünfmal.«

»Lass uns über das erste Mal sprechen. Erinnerst du dich an das Datum?«

Sie zog ein kleines, gefaltetes Stück Papier aus einer Tasche und blickte darauf. Es wäre nicht nötig gewesen, da sie mit Jake, Josie, Portia und Libby die Daten so oft durchgekaut hatte, dass sie jede Einzelheit auswendig wusste.

»Es war am Samstag, den 23. Dezember.«

Jake machte eine langsam wedelnde Geste in Richtung der Jury. »Bitte schildere den Geschworenen, was sich an dem Tag zugetragen hat.«

»Meine Mutter war arbeiten und mein Bruder bei einem Freund. Ich war oben allein, als Stuart nach Hause kam. Ich schloss daraufhin meine Tür ab. Mir war aufgefallen, dass er mir ständig auf die Beine schaute, und ich traute ihm nicht. Ich mochte ihn nicht, und er mochte uns nicht, und, na ja, es war alles ziemlich ätzend. Ich hörte ihn die Treppe hochkommen, dann klopfte er an meine Tür. Rüttelte am Knauf. Ich fragte, was er will, er meinte, wir sollten reden. Ich sagte, ich will nicht reden, vielleicht später. Er rüttelte wieder am Türknauf und sagte, ich soll die Tür aufmachen, es wäre seine Tür, sein Haus, und ich hätte gefälligst zu tun, was er sagt. Immerhin war er zur Abwechslung mal halbwegs nett, jedenfalls brüllte oder fluchte er nicht, sondern meinte, er will über meine Mutter sprechen, weil er sich Sorgen um sie macht. Also habe ich die Tür geöffnet, und er kam rein. Da war er schon ausgezogen und hatte nur noch seine Boxershorts an.«

Ihre Stimme brach, und ihre Augen füllten sich mit Tränen.

Jake wartete geduldig. Niemand im Saal hatte es eilig mit dieser Zeugenaussage. Tränen waren immer hilfreich. Carla, Libby und Portia behielten die weiblichen Geschworenen fest im Blick und merkten sich jede Reaktion.

»Ich weiß, es ist schwer für dich, aber es ist sehr wichtig«, sagte Jake. »Was geschah dann?«

»Er fragte, ob ich schon mal Sex gehabt habe, und ich sagte Nein.«

Dyer erhob sich zögerlich. »Einspruch. Hörensagen.«

»Abgewiesen«, grollte Noose.

»Er meinte, er will Sex mit mir, und er will, dass es mir Spaß macht. Ich sagte Nein. Ich war total panisch und versuchte, von ihm wegzukommen, doch er war sehr stark. Er packte mich, warf mich aufs Bett, zerriss mein T-Shirt und meine Shorts, und dann, dann vergewaltigte er mich.« Sie brach in Tränen aus, am ganzen Körper bebend. Dann schob sie das Mikrofon weg und schluchzte, beide Hände auf den Mund gepresst.

Die Hälfte der Jury sah ihr zu, die andere Hälfte wandte sich ab. Nummer sieben, Mrs. Fife, und Nummer acht, Mrs. Satterfield, wischten sich die Augen. Nummer drei, Mr. Kingman, den die Verteidigung für einen der strammsten Verfechter von Recht und Ordnung gehalten hatte, warf Libby einen seltsamen Blick zu, und sie entdeckte überrascht einen verräterischen Schimmer in seinen Augen.

Nach einer Weile erkundigte sich Jake: »Möchtest du gern eine Pause machen?«

Die Frage war auch einstudiert, ebenso wie die Antwort, ein rasches »Nein«. Sie war ein taffes Mädchen, das schon viel durchgemacht hatte und auch das hier überstehen würde.

»Was geschah, als er fertig war?«

»Er stand auf, zog seine Boxershorts wieder an und sagte zu mir, ich soll aufhören zu heulen. Er meinte, ich sollte mich besser daran gewöhnen, weil wir das jetzt dauernd machen würden, solange ich in seinem Haus lebe.«

Dyer sagte im Aufstehen: »Einspruch. Hörensagen?«

»Abgewiesen«, sagte Noose, ohne den Staatsanwalt eines Blickes zu würdigen.

Beim Platznehmen schleuderte Dyer seinen Schreibblock auf den Tisch, der allerdings danebenfiel und auf dem Boden landete. Noose ignorierte auch das.

Jake nickte Kiera aufmunternd zu, damit sie fortfuhr. »Er fragte mich, ob es mir gefallen hat, und ich sagte Nein. Ich weinte und zitterte und dachte, du Blödmann, wie kannst du nur denken, das könnte mir gefallen haben? Als er ging, lag ich immer noch im Bett, unter einer Decke. Er ging an mir vorbei und schlug mir ins Gesicht, nicht fest, immerhin. Und er sagte, wenn ich es jemandem erzähle, würde er mich und Drew umbringen.«

»Was passierte dann?«

»Als er weg war, ging ich ins Bad und legte mich in die Badewanne. Ich fühlte mich schmutzig und wollte seinen Geruch nicht mehr an mir haben. Ich saß ewig im Wasser und versuchte, mit dem Weinen aufzuhören. Ich wollte sterben, Mr. Brigance. Es war das erste Mal in meinem Leben, dass ich an Selbstmord dachte.«

»Hast du es deiner Mutter erzählt?«

»Nein.«

»Warum nicht?«

»Ich hatte Angst vor ihm, wir hatten alle Angst vor ihm, ich wusste, er würde mir was antun, wenn ich es jemandem erzähle. Es passierte dann immer wieder, und irgendwann merkte ich, dass ich schwanger war. Morgens war mir übel, in der Schule wurde mir schlecht. Da wusste ich, dass ich Mom einweihen musste. Ich hatte es fest vor, als Stu getötet wurde.«

»Hast du es Drew erzählt?«

»Nein.«

»Warum nicht?«

Sie zuckte mit den Schultern. »Ich hatte viel zu viel Angst. Was hätte er auch tun sollen? Ich hatte Panik, Mr. Brigance, und ich wusste nicht, was ich tun sollte.«

»Also hast du niemandem davon erzählt?«

»Niemandem.«

»Wann war die nächste Vergewaltigung?«

Sie blickte auf das Blatt Papier. »Eine Woche später, am 30. Dezember. Es war wie beim ersten Mal, zu Hause, samstags, niemand da außer uns. Ich versuchte, ihn abzuwehren, aber er war viel zu stark. Er hat mich nicht geschlagen, aber danach wieder bedroht.«

Janet Kofer schnappte laut nach Luft, es klang fast wie ein Aufschrei, und brach erneut in Tränen aus. Noose deutete auf sie und wies einen Gerichtsdiener an: »Bitte entfernen Sie diese Dame aus dem Saal.«

Zwei Deputys eskortierten sie zur Tür. Jake beobachtete die Szene, und als sie vorbei war, widmete er sich wieder seiner Zeugin. »Kiera, bitte berichte den Geschworenen von der dritten Vergewaltigung.«

Kiera hatte sich durch den kleinen Tumult noch mehr verunsichern lassen und wischte sich über die Wangen. Lass dir Zeit, hatte ihr Jake eingebläut. Wir haben alle Zeit der Welt. Der Prozess wird ohnehin nicht lange dauern, es hat also alles keine Eile. Sie beugte sich näher ans Mikro. »Für den Samstag bat ich zur Sicherheit

Drew, zu Hause zu bleiben. Am Abend ging Stuart aus. Zwei Wochen lang konnte ich ihm aus dem Weg gehen. Dann hat er mich von der Schule abgeholt.« Sie prüfte ihre Notizen. »Es war Dienstag, der 16. Januar, ich musste länger bleiben, weil ich bei einem Theaterprojekt mitmachte. Er hatte angeboten, mich mit dem Streifenwagen abzuholen. Auf dem Heimweg hielten wir, um ein Eis zu essen. Es wurde immer später, und im Rückblick denke ich, er wollte einfach Zeit schinden, bis es dunkel war. Wir fuhren heim, doch er bog in eine Seitenstraße ein, nicht weit von der Good-Shepherd-Kirche entfernt, und hielt hinter einem alten Ladengeschäft, das schon seit Langem geschlossen ist. Es war stockfinster draußen, nirgendwo ein Licht. Er sagte, ich soll hinten einsteigen. Ich hatte keine Wahl. Ich flehte ihn an, und ich überlegte, ob ich schreien soll, aber es hätte mich niemand gehört. Er ließ eine der hinteren Türen offen, ich erinnere mich noch, wie kalt es war.«

»Trug er Uniform?«

»Ja. Er hat die Waffe abgelegt und einfach seine Hose runtergezogen. Ich hatte einen Rock an, den hat er mir hochgeschoben. Auf dem Heimweg hab ich die ganze Zeit geweint, bis er seine Waffe genommen und mir in die Rippen gestoßen und gesagt hat, ich soll damit aufhören, und er wird mich umbringen, wenn ich auch nur ein Wort sage. Dann hat er gelacht und gemeint, ich soll ins Haus gehen, als wäre nichts gewesen, er will sehen, wie gut ich schauspielern kann. Ich bin auf mein Zimmer und hab die Tür abgeschlossen. Drew ist vorbeigekommen, um nach mir zu sehen.«

So schauerlich und spannend ihre Aussage auch war, es wäre ein Fehler, Zeugin und Jury weiter zu quälen und auch die übrigen Vergewaltigungen schildern zu lassen. Sie hatten genug mitgemacht, außerdem hatte Jake längst ausreichend Munition für den Rest des Prozesses. Er trat zum Tisch der Verteidigung, um sein

Requisit zu holen, den Schreibblock mit seinen Notizen, und blickte kurz zu Carla, die in der dritten Reihe saß. Genau in dem Moment zog sie ihren Zeigefinger mit dem rot lackierten Nagel quer über ihren Hals. Schnitt. Weiter geht's.

Jake kehrte zum Pult zurück. »Kiera, an dem Abend, als Stuart starb, warst du mit Drew und deiner Mutter zu Hause, richtig?«

»Ja, Sir.«

Dyer stand auf. »Einspruch, Euer Ehren. Suggestivfrage.«

Noose erwiderte verärgert: »Natürlich ist das eine Suggestivfrage, Mr. Dyer, aber sie kommt sowieso ins Protokoll. Einspruch abgewiesen. Bitte fahren Sie fort, Ms. Gamble.«

»Also, wir waren zu Hause und warteten auf ihn, wie üblich. Er war aus, es war spät, und alles war noch viel schlimmer geworden. Drew und ich flehten Mom an, mit uns abzuhauen, bevor jemandem was passiert. Ich hatte beschlossen, ihr zu sagen, dass irgendwas mit mir nicht stimmt, dass ich vielleicht schwanger bin, aber ich hatte immer noch Angst wegen ihm, und weil wir nicht wussten, wohin. Wir saßen in der Falle. Wenn sie von den Vergewaltigungen gewusst hätte, dann hätte sie, ach, ich weiß nicht, was sie getan hätte. Ich hatte so viel Angst vor ihm. Jedenfalls, weit nach Mitternacht sahen wir dann die Scheinwerfer. Drew und ich hatten meine Tür verrammelt und kuschelten uns im Bett aneinander. Wir hörten ihn reinkommen, Mom wartete in der Küche, sie fingen an zu streiten. Wir hörten, wie sie geschlagen wurde, sie schrie, er beschimpfte sie, es war einfach furchtbar.« Wieder Tränen und eine kurze Unterbrechung, in der die Zeugin um Fassung rang.

Sie wischte sich die Augen und beugte sich näher ans Mikro.

»Kam Stuart nach oben?«, fragte Jake.

»Ja. Plötzlich war unten alles still, und wir hörten ihn auf der Treppe, wie er stolperte und hinfiel. Ganz klar betrunken. Er trampelte die Stufen hoch, rief meinen Namen, in so komischem Singsang. Dann rüttelte er an der Tür und brüllte, wir sollten aufmachen.

Wir hatten solche Angst.« Ihre Stimme brach, und sie weinte wieder ein wenig.

Die Panik, die sie und Drew in diesem Moment empfunden hatten, war jetzt förmlich greifbar. Zu sehen, wie das arme Mädchen weinte und sich das Gesicht abwischte, wie sie versuchte, stark zu sein, nach allem, was sie durchgemacht hatte, war herzzerreißend.

»Kiera, möchtest du eine Pause machen?«, fragte Jake.

Sie schüttelte den Kopf. Nein. Bringen wir's hinter uns.

Als Stuart Ruhe gegeben und sich wieder nach unten verzogen habe, hätten sie und Drew gewusst, dass ihrer Mutter etwas Schreckliches zugestoßen sein musste. Sonst hätte sie sich ihm auf der Treppe entgegengestellt. Sie hätten in der Dunkelheit gewartet, aneinandergedrängt, weinend, während die Minuten verstrichen. Drew sei zuerst nach unten gegangen, dann sie. Sie habe sich in der Küche auf den Boden neben ihre Mutter gehockt und versucht, sie wiederzubeleben. Drew habe den Notruf gewählt. Er habe im Haus herumgemort, aber sie wisse nicht, was er da getrieben habe. Dann habe er die Schlafzimmertür zugemacht, und sie habe den Schuss gehört. Als er herausgekommen sei, habe sie ihn gefragt, was er getan habe, obwohl sie es längst wusste. Drew habe geantwortet: »Ich habe ihn erschossen.«

Jake hörte aufmerksam zu und blickte gelegentlich auf seine Notizen, dennoch gelang ihm der ein oder andere verstohlene Blick auf die Geschworenen. Sie hatten nur Augen für die Zeugin. »Kiera, nachdem du die Treppe hinuntergegangen bist und deine Mutter gefunden hast, hast du dir da noch Sorgen wegen Stuart gemacht?«

Sie biss sich auf die Unterlippe. »Ja, Sir. Wir wussten ja nicht, wo er war oder was er tat. Als wir Mom auf dem Boden liegen sahen, dachten wir, er würde uns auch umbringen.«

Jake atmete tief durch und lächelte sie an. »Danke, Kiera. Euer

Ehren, die Verteidigung hat keine weiteren Fragen.« Er setzte sich und lockerte seinen Kragen, der, ebenso wie das ganze übrige Hemd, schweißgetränkt war.

Lowell Dyer war nervös und ratlos, als er ans Pult trat. Ein schutzloses, geschundenes Kind konnte er unmöglich attackieren. Kiera hatte das Mitleid der gesamten Jury auf ihrer Seite, jedes unfreundliche Wort des Staatsanwalts würde nur zu ihren Gunsten ausgelegt werden. Schon die erste Frage war ein schwerer Fehler. »Ms. Gamble, Sie schauen immer auf Ihre Notizen. Darf ich sie sehen?«

»Sicher.« Sie zog das gefaltete Blatt Papier unter ihrem Bein hervor. »Das sind nur meine Notizen über die fünf Vergewaltigungen.«

Jake konnte sich ein Grinsen nicht verkneifen. Er hatte die Falle ausgelegt, und Dyer war blind hineingetappt.

»Wann haben Sie diese Notizen gemacht?«

»Ich habe länger daran gearbeitet. Ich bin alte Kalender durchgegangen, um sicherzugehen, dass die Daten stimmen.«

»Wer hat Sie aufgefordert, das zu tun?«

»Mr. Brigance.«

»Hat Mr. Brigance Ihnen gesagt, was Sie im Zeugenstand aussagen sollen?«

Sie wusste Bescheid. »Wir sind meine Aussage zusammen durchgegangen, Sir.«

»Hat er Sie gezielt gecoacht für diese Aussage?«

Jake stand auf. »Einspruch, Euer Ehren. Jeder gute Anwalt bereitet seine Zeugen auf ihre Aussage vor. Was bezwecken Sie damit, Mr. Dyer?«

»Mr. Dyer?«, echote der Richter.

»Ich hake nur nach, Euer Ehren. Das ist ein Kreuzverhör, ich habe einen gewissen Ermessensspielraum.«

»Solange die Fragen relevant sind, Euer Ehren«, sagte Jake.

»Abgewiesen. Fahren Sie fort.«

»Darf ich Ihre Notizen sehen, Miss Gamble?«, fragte Dyer.

Schriftliche Unterlagen der Zeugen waren nicht geschützt. Sobald Dyer gesehen hatte, wie sie das Blatt studierte, wusste er, dass er darauf zugreifen konnte. Gleich würde er sich allerdings wünschen, nie danach gefragt zu haben.

Sie hielt dem Staatsanwalt das Blatt entgegen. »Euer Ehren, darf ich mich der Zeugin nähern?«, fragte Dyer.

»Gewiss.«

Er nahm die Seite und faltete sie auf.

Jake ließ ein paar Sekunden der Ungewissheit verstreichen, dann sprang er auf die Füße. »Mit Erlaubnis des Gerichts würden wir gern beantragen, dass Kieras Notizen als Beweismittel zugelassen werden. Wir haben hier Kopien für die Geschworenen.« Er wedelte mit einem Stapel Blätter.

Die Notizen, von Kiera selbst in ihren eigenen Worten verfasst, waren Libbys Idee gewesen. Sie hatte den Trick bei einem Vergewaltigungsfall in Missouri gesehen. Auf Anweisung des Verteidigers hatte das Opfer sich Stichpunkte aufgeschrieben, die ihr durch die Tortur der Aussage helfen sollten. Ein aggressiver Bezirksstaatsanwalt hatte ihre Notizen sehen wollen, ein fataler Fehler.

Kieras Aufzeichnungen von den Vergewaltigungen waren wesentlich detaillierter und deutlicher als ihre Zeugenaussage. Sie schrieb über ihre Schmerzen, ihre Angst, ihren Körper, seinen Körper, ihre Panik, das Blut und ihre zunehmenden Gedanken an Selbstmord. Die Blätter waren durchnummeriert: Vergewaltigungen eins bis fünf.

Ein Blick auf das Blatt genügte, und Dyer wurde sein Patzer bewusst. Er reichte es rasch zurück. »Danke, Ms. Gamble.«

Jake, der immer noch stand, sagte: »Moment, Euer Ehren. Jetzt haben die Geschworenen ein Recht darauf, die Notizen zu sehen. Die Anklage hat sie in Zweifel gezogen.«

»Die Anklage hat ein Recht, neugierig zu sein«, gab Dyer zurück. »Das ist ein Kreuzverhör.«

»Selbstverständlich«, sagte Jake. »Euer Ehren, Mr. Dyer wollte die Notizen sehen, weil er auf gut Glück versucht hat zu beweisen, dass die Zeugin von mir für ihre Einlassung gecoacht wurde. Als er die Notizen sah, dachte er, er hätte uns ertappt. Jetzt macht er einen Rückzieher. Die Aufzeichnungen sind nun im Spiel, Euer Ehren. Die Geschworenen haben ein Recht darauf, sie zu sehen.«

»Ich neige dazu, dem zuzustimmen, Mr. Dyer«, sagte der Richter. »Sie wollten sie sehen. Es erscheint nicht fair, sie der Jury vorzuenthalten.«

»Das sehe ich anders, Euer Ehren«, widersprach Dyer mit Nachdruck, konnte aber keine Erklärung liefern.

Jake, der immer noch mit den Kopien wedelte, sagte: »Ich beantrage, dass diese Notizen als Beweismittel zugelassen werden, Euer Ehren. Lassen wir nicht zu, dass sie den Geschworenen vorenthalten werden.«

»Das reicht jetzt, Mr. Brigance«, wies ihn der Richter in die Schranken. »Warten Sie, bis Sie dran sind.«

Nach der vierten Vergewaltigung hatte Kiera geschrieben: »Ich gewöhne mich an die Schmerzen. Nach zwei, drei Tagen gehen sie weg. Aber ich hatte seit zwei Monaten keine Periode mehr, und mir ist morgens oft schwindlig. Wenn ich schwanger bin, wird er mich umbringen. Und Mom und Drew wahrscheinlich auch. Am besten wäre ich tot. Ich habe eine Geschichte über ein Mädchen gelesen, das sich die Pulsadern mit Rasierklingen aufgeschnitten hat. Das werde ich auch tun. Wo bekomme ich welche her?«

Völlig aus dem Konzept gebracht, bat Dyer darum, sich kurz mit Musgrove abstimmen zu dürfen. Sie besprachen sich im Flüsterton und schüttelten die Köpfe, als hätten sie nicht die leiseste Ahnung, wie es weitergehen sollte. Dyer musste jedoch dringend etwas unternehmen, um der bemitleidenswerten Zeugin doch noch etwas anzuhängen und den desaströsen Verlauf seines Kreuzverhörs zu drehen, um wenigstens einigermaßen seine Argumentation zu retten. Er brachte ein Kopfnicken in Richtung von Musgrove zustande, als hätte einer von ihnen beiden die Lösung gefunden. Dann trat er ans Pult zurück und warf Kiera ein schleimiges Lächeln zu.

»Nun, Ms. Gamble, Sie sagten, Sie seien von Mr. Kofer mehrfach sexuell belästigt worden.«

»Nein, Sir. Ich sagte, ich bin von Stuart Kofer vergewaltigt worden«, korrigierte sie eiskalt. Auch diese Antwort war von Libby und Portia vorbereitet worden.

»Aber gesagt haben Sie das niemandem?«

»Nein, Sir. Es gab niemanden, dem ich es hätte sagen können.«

»Sie haben diese schrecklichen Übergriffe mitgemacht und nie jemanden um Hilfe gebeten?«

»Wen hätte ich denn bitten sollen?«

»Was ist mit der Polizei?«

Jake erstarrte, als die Frage kam, obwohl er damit genauso gerechnet hatte wie seine Zeugin. Kiera sah Dyer an und sagte in perfektem Timing, mit perfekt gewählten Worten: »Sir, ich wurde von der Polizei vergewaltigt.«

Dyer ließ die Schultern hängen und suchte mit offenem Mund nach einer eleganten Replik, doch über seine ausgetrocknete Zunge strich nur heiße Luft. Schlagartig bekam er panische Angst, der Gegenseite wieder nur eine Steilvorlage für ein Eigentor zu liefern. Er bedankte sich lächelnd, als hätte sie ihm weitergeholfen, und zog sich geschlagen an seinen Tisch zurück.

»Es ist kurz vor zwölf«, sagte Noose. »Machen wir eine verlängerte Mittagspause, damit die Klimaanlage aufholen kann. Es ist jetzt schon ein bisschen kühler hier drin, finde ich. Die Geschworenen mögen bitte alle zum Mittagessen nach Hause gehen, wir sehen uns hier wieder um Punkt vierzehn Uhr. Es gelten nach wie vor die gewohnten Vorsichtsmaßnahmen – sprechen Sie mit niemandem über den Fall. Wir vertagen uns bis heute Nachmittag.«

# 47

Josie parkte hinter dem Gerichtsgebäude auf einem kleinen schattigen Schotterparkplatz, den sie am Montag entdeckt hatte. Kiera und sie hatten den Wagen fast erreicht, als ein bewaffneter Mann auf sie zukam. Breite Brust, Kurzarmhemd, Schnürsenkelkrawatte, Cowboystiefel, schwarze Pistole an der Hüfte. Er sprach sie an. »Sind Sie Josie Gamble?« Josie kannte Typen wie ihn. Er war entweder Kleinstadt-Detektiv oder Privatermittler.

»Ja. Und wer sind Sie?«

»Koosman mein Name. Das hier ist für Sie.« Er hielt ihr einen großen gefüllten Briefumschlag entgegen.

»Was ist das?« Zögernd nahm sie den Umschlag an.

»Anklagen. Tut mir leid.« Er wandte sich zum Gehen. Ein Gerichtszusteller, weiter nichts.

Sie hatten sie also schließlich doch gefunden – die Krankenhäuser und Ärzte und deren Geldeintreiber und Anwälte. Der Umschlag enthielt vier Anklagen wegen unbezahlter Rechnungen: 6.340 Dollar für das Krankenhaus in Clanton; 9.120 Dollar für das Krankenhaus in Tupelo; 1.315 Dollar für die Ärzte in Clanton; 2.100 Dollar für den Chirurgen in Tupelo, der ihren Unterkiefer operiert hatte. Insgesamt 18.875 Dollar, plus Zinsen und Anwaltsgebühren in unbestimmter Höhe. Alle vier kamen von derselben Kanzlei für Inkassorecht in Holly Springs.

Im Auto war es heiß wie in einer Sauna, weil die Klimaanlage nicht funktionierte. Sie kurbelten die Fenster herunter und brausten los. Josie fühlte sich versucht, den Umschlag einfach in einen Graben zu werfen. Sie hatte jetzt wichtigere Dinge im Kopf. Es war beileibe nicht das erste Mal, dass ihr irgendein cleveres Inkassobüro an den Fersen klebte.

»Wie habe ich mich angestellt, Mom?«, fragte Kiera.

»Du warst umwerfend, meine Süße, einfach umwerfend.«

Umwerfend fiel auch das Feedback des Verteidigungsteams aus, als man sich zur Mittagspause in Morris Finleys Besprechungsraum um den Tisch versammelte. Die Sekretärin hatte den Thermostat ganz heruntergedreht, sodass geradezu frostige Kühle herrschte. Beim Essen schwelgten sie in Kieras Starauftritt und der Bruchlandung des Staatsanwalts. Ein Sieg lag in weiter Ferne, aber immerhin hatte das Mädchen bei der Jury tiefes Mitgefühl geweckt. Leider, und das war das Problem, war Kiera nicht diejenige, die vor Gericht stand.

Portia reichte ein Blatt herum, mit einer Liste von elf Zeugen und jeweils einer Zusammenfassung ihrer potenziellen Einlassungen. Die erste war Samantha Pace, Ex-Frau von Stuart Kofer. Sie lebte jetzt in Tupelo und hatte sich zähneknirschend bereit erklärt, gegen ihren Ex-Mann auszusagen.

»Warum willst du sie aufrufen?«, fragte Harry Rex, den Mund voller Chips.

»Um zu beweisen, dass er sie geschlagen hat«, sagte Jake. »Ich bin nicht unbedingt dafür, Harry Rex. Wir machen das nur, um sicherzustellen, dass wir alle Optionen abdecken. Das ist die Zeugenliste, die wir im Vorfeld des Prozesses eingereicht haben. Um ehrlich zu sein, bin ich nicht sicher, wen ich als Nächstes aufrufen soll.«

»Ich würde die Ex vergessen.«

»Das sehe ich auch so«, stimmte Libby zu. »Sie könnte unberechenbar sein, außerdem haben Sie die häusliche Gewalt schon bewiesen.«

Lucien schüttelte den Kopf.

»Die Nächsten auf der Liste sind Ozzie und die drei Deputys«, fuhr Jake fort. »Pirtle, McCarver und Swayze könnten zu den Notrufen aussagen. Sie haben eine verprügelte Frau gesehen, die sich weigerte, Anzeige zu erstatten. Sie haben Berichte geschrieben, die Ozzie angeblich nicht mehr findet. Irgendjemand, höchstwahrscheinlich Kofer selbst, hat die Einsatzberichte verschwinden lassen, um seine Taten zu vertuschen. Portia?«

»Ich weiß nicht, Jake. Das ist alles bereits protokolliert. Ich würde den Cops nicht trauen. Sie könnten etwas sagen, womit wir nicht gerechnet haben.«

»Portia, Sie haben großartige Instinkte«, lobte Lucien. Zu Jake sagte er: »Lassen Sie sie lieber draußen, Sie können ihnen im Zeugenstand nicht trauen.«

»Carla?«

»Ich? Ich bin nur eine Lehrerin.«

»Dann stell dir vor, du wärst eine Geschworene. Du hast jedes Wort aus dem Zeugenstand gehört.«

»Die häusliche Gewalt hast du bereits bewiesen, Jake. Warum also weiter darauf herumreiten? Die Jury hat das Foto von Josies zertrümmertem Gesicht gesehen. Das reicht. Ein Bild sagt mehr als tausend Worte.«

Jake schenkte ihr ein Lächeln und wandte sich an Harry Rex. »Was meinst du?«

»In diesem Augenblick hocken sie alle mit Dyer zusammen, der sich dringend etwas einfallen lassen muss. Ich würde ihnen nicht über den Weg trauen. Wenn du sie nicht brauchst, solltest du sie nicht aufrufen.«

»Lucien?«

»Momentan könnte es für Sie nicht besser aussehen. Keiner der Zeugen auf dieser Liste wird noch etwas Produktives beitragen, im Gegenteil, sie stellen alle eine potenzielle Bedrohung für uns dar.«

»Dann beenden wir die Beweisführung?«

Lucien nickte langsam, alle ließen die Worte auf sich wirken. Die Strategie, insgesamt nur zwei Zeugen aufzurufen, hatten sie nie besprochen, ja nicht einmal im Entferntesten in Betracht gezogen. Es war eine beängstigende Vorstellung. Die Verteidigung hatte einige Asse auf den Tisch gelegt, aber sie hatten noch viel mehr im Ärmel. Jetzt keine Zeugen mehr zu hören fühlte sich an wie ein Rückzug.

Jake blickte auf die Liste. »Die nächsten vier, angefangen mit Dog Hickman, sind Kofers Trinkkumpane. Von ihnen würden wir die schonungslosen Einzelheiten seines letzten Vollsuffs hören. Sie sind alle brav erschienen, konnten aber aufgrund der Vorladung nicht arbeiten gehen und sind stinksauer deswegen. Libby?«

»Ich denke, sie würden für ein paar humoristische Momente sorgen, aber brauchen wir sie wirklich? Dr. Majeskis Aussage war extrem stark. Die 3,6 Promille Blutalkohol haben sich in die Gehirne der Geschworenen eingebrannt. Die werden sie so schnell nicht vergessen.«

»Harry Rex?«

»Das stimmt. Man kann sich nicht darauf verlassen, was diese Witzbolde von sich geben. Ich habe deine Zusammenfassungen gelesen. Die Jungs sind ziemlich dumm, außerdem glauben sie, dass sie mit hineingezogen werden könnten. Nicht zuletzt werden sie immer auf der Seite ihres Kumpels stehen. Ich würde sie nicht aufrufen.«

Jake atmete tief durch und sah auf die Liste. »Uns geht die Munition aus«, sagte er leise.

»Sie brauchen auch keine mehr«, erwiderte Lucien.

»Dr. Christina Rooker. Sie hat Drew vier Tage nach dem Schuss untersucht. Ihr habt ihren Bericht gelesen. Sie ist bereit, über seine Traumatisierung auszusagen und was für ein emotionales und geistiges Wrack er war. Ich habe lange mit ihr gesprochen, sie würde eine eindrucksvolle Zeugin abgeben. Libby?«

»Weiß nicht. Bei ihr bin ich mir nicht sicher.«

»Lucien?«

»Bei ihr gibt es ein Riesenproblem …«

Jake fiel ihm ins Wort. »Nämlich dass, wenn ich Drews Geisteszustand infrage stelle, Dyer eine Armada von Psychiatern aus Whitfield herankarrt, die den Jungen für geistig vollkommen gesund erklären, sowohl jetzt als auch am 25. März. Dyer hat drei psychiatrische Sachverständige auf seiner Zeugenliste, wir haben ihre Auftritte vor Gericht recherchiert. Sie stehen grundsätzlich zur Staatsanwaltschaft. Sie arbeiten praktisch für die Staatsanwaltschaft.«

Lucien lächelte. »Genau. Die Schlacht können Sie nicht gewinnen, also fangen Sie sie besser gar nicht erst an.«

»Noch jemand?« Jake sah ein Teammitglied nach dem anderen an. »Carla, du bist unsere Geschworene.«

»Ich bin wohl kaum unvoreingenommen.«

»Was denkst du, wie viele von den zwölf würden Drew in diesem Moment für schuldig erklären?«

»Einige. Aber nicht alle.«

»Portia?«

»Das denke ich auch.«

»Libby?«

»Meine Trefferquote beim Vorhersagen von Juryentscheidungen ist nicht gerade rekordverdächtig, aber ich sehe im Moment keine Verurteilung. Allerdings auch keinen Freispruch.«

»Lucien?«

Lucien trank einen Schluck Wasser und stand auf, um seinen Rücken zu dehnen. Unter den Augen der anderen ging er zum entfernten Ende des Raumes, drehte sich um und sagte: »Die Aussage dieses Mädchens war der dramatischste Moment, den ich je in einem Gerichtssaal erlebt habe, einschließlich Ihr Schlussplädoyer im Hailey-Prozess, Jake. Wenn Sie jetzt weitere Zeugen aufrufen, wird Dyer dagegenhalten und dasselbe tun. Je mehr Zeit aber vergeht, umso mehr wird die Erinnerung an diesen intensiven Moment verblassen. Sie wollen doch, dass die Geschworenen heute Abend nach Hause gehen und das Bild von Kiera, dem schwangeren Teenager, vor Augen haben und nicht irgendwelche Fusel saufenden Blödmänner oder eine schicke Psychiaterin, die mit hochtrabenden Fachwörtern um sich wirft, oder einen County-Deputy, der versucht, einen gefallenen Kameraden zu decken. Sie haben Dyer im Schwitzkasten, Jake; geben Sie ihm nicht die Chance, sich daraus zu befreien.«

Schweigend wägten alle am Tisch seine Worte ab. Nach einer Weile sagte Jake: »Ist jemand nicht einverstanden?«

Es wurden Blicke getauscht, doch niemand sagte etwas.

Schließlich nahm Jake Luciens Faden auf: »Wenn wir die Beweisführung abschließen, ist die Anklage zwangsläufig auch fertig, weil es nichts mehr zu widerlegen gibt. Damit hat Dyer nicht gerechnet. Wir könnten sofort mit den Juryanweisungen anfangen, worauf wir vorbereitet sind, er aber nicht. Im Anschluss folgen die Schlussplädoyers, und ich kann mir nicht vorstellen, dass er seines schon fertig hat. Zu diesem frühen Zeitpunkt die Beweisführung abzuschließen wäre ein weiterer Überraschungscoup.«

»Jawohl!«, freute sich Harry Rex.

»Ist das fair?«, fragte Carla.

»Zum jetzigen Zeitpunkt ist alles fair«, sagte Harry Rex lachend.

»Ja, meine Liebe, es ist absolut fair. Beide Parteien haben das Recht, die Beweisführung ohne Vorwarnung abzuschließen.«

Lucien setzte sich, und Jake sah ihn lange Zeit nur schweigend an. Die anderen widmeten sich den Resten von Chips und Tee. Wie würde es weitergehen?

Irgendwann fragte Jake: »Was ist mit Drew? Würdet ihr ihn aussagen lassen?«

»Niemals«, sagte Harry Rex.

»Ich habe viel Zeit mit ihm verbracht, Harry Rex. Er schafft das.«

»Dyer wird ihn zerfleischen, weil er schuldig ist, Jake. Er hat den verdammten Schuss abgegeben.«

»Das wird er auch nicht abstreiten. Aber er hat ein paar explosive Überraschungen für Dyer in petto, genau wie seine Schwester. Ich meine, ›Ich wurde von der Polizei vergewaltigt‹ könnte in die Justizgeschichte eingehen. Lucien?«

»Ich lasse selten einen Angeklagten aussagen, aber dieses Knäblein sieht so jung und so harmlos aus. Ihre Entscheidung, Jake. Ich habe nicht mit ihm allein gesprochen.«

»Aber ich«, sagte Carla, »und das ausgiebig. Ich glaube, Drew ist bereit. Er kann eine starke Geschichte erzählen. Er ist nur ein Junge, dem das Leben böse mitgespielt hat. Ich glaube, die meisten Geschworenen werden sich ein wenig gnädig zeigen.«

»Ich denke auch«, stimmte Libby leise zu.

Jake blickte auf seine Uhr. »Ein bisschen Zeit haben wir noch. Jetzt machen wir erst einmal Kampfpause. Carla und ich haben eine lange Fahrt vor uns. Das Meeting ist hiermit vertagt.«

Richter Noose ließ seinen Gerichtsdiener die Einladung an Ozzie weiterleiten, der sie den Kofers überbrachte, als sie nach der Mittagspause zum Gericht zurückkehrten. Um 13.45 Uhr betraten Earl, Janet, Barry und Cecil den menschenleeren Sitzungssaal, der tatsächlich etwas abgekühlt war. Der Richter saß, ohne Robe, nicht an seinem Platz, sondern im Geschworenenbereich, wo er auf einem der bequemen Stühle wippte. Sein Gerichtsdiener hielt sich in der Nähe. Ozzie führte die Kofers durch die Schranke, sie blieben vor dem Richter stehen.

Earl wirkte aufgebracht, fast aggressiv. Janet sah resigniert aus, als hätte sie den Kampf aufgegeben.

»Sie haben meine Verhandlung gestört«, sagte Noose streng. »Das ist nicht akzeptabel.«

»Wir sind halt die verdammten Lügen leid, Euer Ehren«, erwiderte Earl angriffslustig.

Noose hielt einen verkrümmten Finger hoch. »Hüten Sie Ihre Zunge, Sir. Momentan sind mir Anwälte und Zeugen völlig egal. Mir geht es hier ausschließlich um Ihr Benehmen. Sie haben eine Störung verursacht, mussten hinauseskortiert werden und haben einen meiner Anwälte bedroht. Ich könnte Sie wegen Missachtung des Gerichts einbuchten lassen. Ist Ihnen das klar?«

Das war Earl keineswegs klar gewesen. Er ließ die Schultern sinken und war plötzlich ganz kleinlaut. Er hatte die Einladung zu dieser Unterredung angenommen, weil er mit dem Richter das ein oder andere Hühnchen zu rupfen gedachte. Dass er selbst belangt werden konnte, war ihm überhaupt nicht in den Sinn gekommen.

Der Richter fuhr fort: »Die Frage ist jetzt die: Wollen Sie dem Rest des Prozesses beiwohnen?«

Alle vier nickten. Janet wischte sich wieder über die Wangen.

»Gut. Die dritte Reihe hinter dem Staatsanwalt wird für Sie reserviert. Mr. Kofer, Sie setzen sich bitte direkt an den Mittelgang. Beim geringsten Laut Ihrerseits, wenn Sie noch einmal meine Verhandlung stören, werde ich Sie wieder hinausbringen lassen, und das hat dann Konsequenzen für Sie. Verstanden?«

»Klar«, sagte Earl.

»Ja, Sir«, knurrte Barry.

Janet tupfte sich die Augen.

»Gut. Dann haben wir eine Abmachung.« Noose richtete sich auf und entspannte sich. Der heikle Teil war erledigt. »Bitte lassen Sie mich noch etwas hinzufügen. Ich möchte Ihnen mein aufrichtiges Beileid für Ihren Verlust aussprechen. Als ich davon erfuhr, habe ich Sie in meine Gebete eingeschlossen. Wir sind nicht dafür geschaffen, unsere Kinder zu beerdigen. Ich habe Ihren Sohn nur einmal kurz am Gericht in Clanton gesprochen, kannte ihn also kaum, aber damals hat er auf mich wie ein anständiger junger Polizeibeamter gewirkt. Mein Mitgefühl ist bei Ihnen, dass Sie hier sitzen und sich schreckliche Dinge über Ihren Sohn anhören müssen. Das ist bestimmt furchtbar. Andererseits können wir weder die Fakten noch die Anschuldigungen ändern. Gerichtsverfahren sind oft hässlich. Dafür möchte ich mich entschuldigen.«

Die Kofers wussten nicht, was sie darauf erwidern sollten. Sie gehörten nicht zu den Leuten, die einfach »Danke« sagen können.

Als Jake und Carla durch eine Hintertür in den Haupttrakt des Gerichtsgebäudes schlüpfen wollten, tauchte wie aus dem Nichts Dumas Lee auf. »Hallo, Jake, haben Sie kurz Zeit für eine Frage?«

»Hallo, Dumas«, sagte Jake höflich. Sie kannten einander seit zehn Jahren. Der Mann tat nur seine Arbeit. »Tut mir leid, aber ich darf nichts sagen. Richter Noose hat den Anwälten verboten zu reden.«

»Eine Nachrichtensperre?«

»Nein, ein Redeverbot, beschlossen unter Ausschluss der Öffentlichkeit.«

»Wird Ihr Mandant aussagen?«

»Ach, kommen Sie, Dumas. Kein Kommentar.«

Die wöchentliche Ausgabe der *Times*, die an diesem Morgen erschienen war, hatte praktisch über nichts anderes als den Prozess berichtet. Die gesamte Titelseite war mit Fotos davon übersät – Jake, der das Gericht betrat, Dyer, der ebenfalls das Gericht betrat, der Angeklagte, der aus einem Polizeifahrzeug ausstieg, in Anzug und Krawatte, vorschriftsmäßig gefesselt. Dumas hatte zwei lange Artikel geschrieben, einen über das mutmaßliche Verbrechen und sämtliche Beteiligten, einen über die Auswahl der Geschworenen. Um dem Nachbar-County eins auszuwischen, war auch noch ein

Foto des alten Gerichtsgebäudes hinzugefügt worden, mit der Bildunterschrift: »Aus dem letzten Jahrhundert und sanierungsbedürftig.«

»Später, Dumas.« Jake ließ ihn stehen und führte Carla durch einen Flur.

Die Übertragungswagen waren verschwunden. Die Zeitung von Tupelo brachte am Dienstag einen kurzen Artikel auf der ersten Seite. Jackson druckte die gleiche Geschichte auf die dritte Seite. Memphis hatte kein Interesse.

## 48

Als die Verhandlung um 14.05 Uhr fortgesetzt wurde, war es im Saal mindestens fünf Grad kühler und wesentlich weniger feucht. Richter Noose stellte es den Anwälten erneut frei, ihre Jacketts abzulegen, doch sie behielten sie an. An Jake gewandt, sagte er: »Rufen Sie Ihren nächsten Zeugen auf.«

Jake erhob sich. »Euer Ehren, die Verteidigung ruft Mr. Drew Gamble auf, sich zur Sache zu äußern.« Diese unerwartete Wendung löste leichte Unruhe im Zuschauerraum aus. Lowell Dyer warf Jake einen argwöhnischen Blick zu.

Drew stand auf und ging zur Stenografin, legte seinen Eid ab und nahm auf dem Stuhl für die Zeugen Platz. Die ungewohnte Perspektive erschreckte ihn. Jake hatte ihn vorgewarnt, dass das passieren konnte. Es könne ein Schock sein, wenn er zum ersten Mal sehe, wie ihn all die Erwachsenen anstarren. Für alle Fälle hatte er ihm seine Instruktionen sogar aufgeschrieben: »Schau mich an, Drew. Schau mir immer in die Augen. Schau nicht die Geschworenen an. Schau nicht deine Mutter oder Schwester an. Schau nicht die anderen Anwälte an oder die Leute, die draußen im

Zuschauerraum sitzen. Sie werden alle auf dich schauen, aber du musst sie ignorieren. Schau mir in die Augen. Lächle nicht, aber mach auch kein allzu ernstes Gesicht. Sprich nicht zu laut und nicht zu leise. Wir werden mit ein paar einfachen Fragen anfangen, damit du dich auf die Situation einstellen kannst. Du bist nicht daran gewöhnt, ständig ›Ja, Sir‹ und ›Nein, Sir‹ zu sagen, aber im Zeugenstand musst du das JEDES MAL tun, wenn du auf eine Frage antwortest. Fang jetzt schon mal an zu üben, mit mir und den Wärtern.«

Spätabends in der Zelle hatte Jake ihm gezeigt, wie er sitzen und seine Hände stillhalten sollte, wie er am besten den Abstand von fünfzehn Zentimetern zum Mikrofon einhielt, wie er seine Miene verziehen durfte, wenn ihn eine Frage verwirrte, was er tun musste, wenn der Richter ihn ansprach, wie er reglos abwarten sollte, wenn sich die Anwälte in die Haare bekamen, und wie man sagte: »Sir, es tut mir leid, aber ich verstehe die Frage nicht.« Stundenlang hatten sie das geübt.

Die einfachen Fragen und Antworten halfen ihm jetzt tatsächlich gegen die Nervosität, andererseits hatte sich Drew in diesem Saal von Beginn an seltsam wohlgefühlt. Seit anderthalb Tagen saß er zwischen seinen Anwälten und verfolgte die Vernehmungen. Wie von Jake angewiesen, beobachtete er die Leute im Zeugenstand aufmerksam. Manche machten ihre Sache gut, andere nicht. Kiera war sichtbar ängstlich gewesen, doch die Geschworenen hatten ihre Angst gut nachvollziehen können.

Allein durch seine Anwesenheit im Saal hatte er viel über Zeugenaussagen gelernt.

»Nein, Sir«, beantwortete er pflichtgemäß die nächste Frage. Er habe seinen Vater nicht gekannt, auch nicht seine Großväter. Auch seine Onkel oder Cousins und Cousinen kenne er nicht.

»Drew, wie oft bist du festgenommen worden?«, wollte Jake wissen.

Die Frage kam für alle überraschend, denn Jugendstrafen waren tabu – zumindest der Staatsanwalt hätte sie nicht stellen dürfen. Doch genau wie bei Josie wollte Jake volle Transparenz demonstrieren, zumal die Verteidigung davon profitierte.

»Zweimal.«

»Wie alt warst du beim ersten Mal?«

»Zwölf.«

»Wie kam es dazu?«

»Na ja, ich und ein Freund, er hieß Danny Ross, wir hatten zwei Fahrräder gestohlen und wurden erwischt.«

»Warum habt ihr die Fahrräder gestohlen?«

»Weil wir keine hatten.«

»Was passierte, nachdem ihr erwischt wurdet?«

»Wir kamen vor Gericht. Der Richter meinte, wir wären schuldig, und das waren wir ja auch. Also kam ich für ungefähr zwei Monate in eine Jugendstrafanstalt.«

»Wo war das?«

»Drüben in Arkansas.«

»Wo habt ihr damals gelebt?«

»Also, Sir, ähm, in einem Auto.«

»Du, deine Mutter und deine Schwester?«

»Ja, Sir.« Mit einem kurzen Kopfnicken ermunterte Jake ihn zum Weiterreden. »Meine Mutter«, fuhr Drew fort, »hatte nichts dagegen, dass ich hinter Gitter musste, weil ich da zumindest was zu essen bekam.«

Dyer stand auf. »Einspruch, Euer Ehren. Irrelevant. Es geht in diesem Verfahren um Mord, nicht um Fahrraddiebstahl.«

»Stattgegeben. Fahren Sie fort, Mr. Brigance.«

»Ja, Euer Ehren.« Allerdings forderte Dyer nicht, Drews Antwort aus dem Protokoll streichen zu lassen. Die Geschworenen wussten jetzt, dass die Kinder obdachlos gewesen waren und Hunger gelitten hatten.

»Wann war die zweite Festnahme?«, fragte Jake.

»Da war ich dreizehn und wurde mit ein bisschen Dope erwischt.«

»Hast du versucht, es zu verkaufen?«

»Nein, Sir. Es war nicht so viel.«

»Was passierte?«

»Ich kam für drei Monate wieder in dieselbe Jugendstrafanstalt.«

»Nimmst du zurzeit Drogen?«

»Nein, Sir.«

»Konsumierst du Alkohol?«

»Nein, Sir.«

»Bist du in den letzten drei Jahren noch mal mit dem Gesetz in Konflikt geraten?«

»Nein, Sir, wenn man von dem hier absieht.«

»Okay, dann reden wir über das hier.« Jake trat vom Pult weg und sah die Jury an. Jetzt durfte auch Drew einen kurzen Blick dorthin werfen, denn alle Geschworenen waren mit ihrer Aufmerksamkeit bei seinem Verteidiger.

»Wann hast du Stuart Kofer zum ersten Mal getroffen?«

»An dem Tag, als wir bei ihm eingezogen sind. Ich weiß nicht mehr, wann genau das war.«

»Wie hat Stuart euch anfangs behandelt?«

»Na ja, wir haben uns nicht gerade gut aufgenommen gefühlt. Es war sein Haus, und er hatte jede Menge Regeln, manche hat er einfach so erfunden. Wir mussten alle möglichen Hausarbeiten erledigen. Er war nie nett zu uns, wir wussten sofort, dass er uns nicht bei sich haben wollte. Also versuchten Kiera und ich, ihm aus dem Weg zu gehen. Er wollte uns nicht am Tisch haben, wenn er aß, also gingen wir zum Essen nach oben oder ins Freie.«

»Wo hat deine Mutter gegessen?«

»Mit ihm. Sie haben aber von Anfang an viel gestritten. Mom

wollte, dass wir eine richtige Familie werden, wissen Sie, was zusammen unternehmen. Zusammen zu Abend essen, zur Kirche gehen, solche Sachen. Doch Stu konnte uns nicht abhaben. Er wollte uns nicht. Niemand hat uns je gewollt.«

Treffer, versenkt, dachte Jake. Dyer erhob keinen Einspruch, obwohl es ihn juckte, sich auf diese Suggestivfragen zu stürzen. Doch die Geschworenen waren völlig in Bann geschlagen und würden die Unterbrechung nicht gut aufnehmen.

»Wurdest du von Stuart Kofer körperlich misshandelt?«

Drew schwieg und wirkte verwirrt. »Was meinen Sie mit ›körperlich misshandelt‹?«

»Hat er dich geschlagen?«

»O ja, er hat mich ein paarmal verprügelt.«

»Erinnerst du dich noch an das erste Mal?«

»Ja, Sir.«

»Kannst du uns das schildern?«

»Na ja, Stu fragte mich, ob ich Lust hätte, mit ihm angeln zu gehen. Ehrlich gesagt, hatte ich keine Lust, weil ich ihn nicht mochte und er mich auch nicht. Aber Mom hatte ihn bekniet, mal was mit mir zu unternehmen, wissen Sie, wie ein richtiger Dad, Baseball spielen, angeln gehen, irgendwas Nettes. Also hat er sein Boot rausgeholt und ist mit mir zum See gefahren. Dann fing er an, Bier zu trinken. Das war immer ein schlechtes Zeichen. Wir waren mitten auf dem See, als bei mir ein dicker Fisch anbiss und mitsamt dem Haken davonschoss. Weil ich nicht damit gerechnet hatte, hielt ich die Angel nicht fest genug, und Rute und Rolle verschwanden im Wasser. Stu rastete aus. Er fluchte und schlug mich zweimal fest ins Gesicht. Er war völlig außer sich, schimpfte und brüllte mich an, die Ausrüstung hätte ihn über hundert Dollar gekostet und das müsste ich ihm ersetzen. Ich dachte, gleich schmeißt er mich über Bord. Stinkwütend warf er den Motor an, raste zur Rampe zurück, zog das Boot raus und fuhr nach Hause. Die ganze

Zeit über fluchte er. Er war furchtbar jähzornig, vor allem wenn er trank.«

Nun erhob sich Dyer doch. »Euer Ehren, Einspruch. Suggestivfragen, die nicht relevant sind. Ich verstehe nicht, was hier gerade passiert. Euer Ehren, die Verteidigung lässt ihren eigenen Mandanten einfach ohne Punkt und Komma reden.«

Noose nahm seine Lesebrille ab und nagte kurz an einem der Bügel. »Ich stimme Ihnen zu, Mr. Dyer, aber die Aussage wird so oder so ins Protokoll kommen, also lassen wir den Angeklagten fortfahren.«

Jake sagte: »Danke, Euer Ehren. Drew, was passierte auf dem Heimweg vom See?«

»Er schaute mich immer wieder an, vor allem auf mein linkes Auge, das von seinem Schlag zugeschwollen war. Kurz bevor wir zu Hause ankamen, sagte er, ich soll meiner Mom nichts davon erzählen. Ich soll ihr sagen, ich wäre beim Beladen des Bootes ausgerutscht und hingefallen.«

Dyer stand erneut auf. »Einspruch. Hörensagen.«

»Abgewiesen. Fahren Sie fort.«

Jake hatte Drew instruiert, sofort weiterzureden, sobald der Richter das sagte, und seine Geschichte zu beenden, statt abzuwarten, bis ihn der vernehmende Anwalt dazu aufforderte.

»Und dann hat er gedroht, mich zu töten.«

»War es das erste Mal, dass er dich bedroht hat?«

»Ja, Sir. Er sagte, er würde mich und Kiera umbringen, wenn wir damit zu Mom gehen.«

»Hat er Kiera missbraucht?«

»Na ja, inzwischen wissen wir das ja.«

»Wusstest du bereits vor Stuart Kofers Tod, dass er deine Schwester sexuell genötigt hat?«

»Nein, Sir. Sie hatte mir nicht davon erzählt.«

Jake hielt inne und überflog einige Notizen auf seinem Block.

Vom Summen der Klimageräte abgesehen, war es still im Saal. Die Außentemperaturen hatten weiter nachgelassen, nachdem sich Wolken vor die Sonne geschoben hatten.

Er stellte sich neben das Pult und fragte: »Drew, hattet ihr Angst vor Stuart, Kiera und du?«

»Ja, Sir.«

»Warum?«

»Er war knallhart und aufbrausend und, wenn er betrunken war, richtig brutal. Er hatte einen Haufen Waffen, außerdem war er Deputy und hat immer damit geprotzt, dass er mit allem durchkommt, sogar mit Mord. Dann fing er an, Mom zu verprügeln, und ab da wurde es richtig schlimm …« Seine Stimme erstarb, und er ließ den Kopf hängen. Plötzlich begann er zu schluchzen und bebte am ganzen Körper, während er um Fassung rang. Für einen quälend langen Moment lagen alle Blicke auf ihm.

Jake fuhr fort. »Reden wir über die Nacht, in der Stuart starb.«

Drew atmete tief durch, sah seinen Anwalt an und fuhr sich mit dem Ärmel über die Wangen. Kiera und er waren so gut präpariert, dass sich ihre Einlassungen hundertprozentig deckten, jedenfalls bis zu jenem kritischen Punkt, als sie ihre Mutter bewusstlos und scheinbar tot auf dem Küchenboden vorfanden. Von da an hatten sie nicht mehr klar denken können und erinnerten sich nicht mehr daran, was sie genau gesagt und getan hatten. Beide hatten geweint und waren zum Teil richtig hysterisch gewesen.

Er wisse noch, berichtete Drew, wie er durch das Haus geirrt sei und Stuart im Schlafzimmer auf dem Bett entdeckt habe. Wie er Kiera gesehen habe, die bei ihrer Mutter auf dem Küchenboden gekauert und sie im Arm gehalten habe. Wie er gehört habe, dass sie sie anflehte, zu sich zu kommen. Wie er am Fenster gesessen und auf Hilfe gewartet habe. »Dann hab ich Geräusche gehört, so was wie ein Prusten oder Schnauben und das Quietschen von

Bettfedern und einer Matratze. Das ist Stu, dachte ich. Wenn der jetzt aufsteht, so wie im letzten Monat schon mal, dann bekommt er wieder einen Wutanfall und bringt uns alle um. Als ich ins Schlafzimmer kam, lag er immer noch auf dem Bett.«

»Hatte er sich bewegt?«, fragte Jake.

»Ja. Sein rechter Arm lag jetzt auf seiner Brust. Er schnarchte nicht mehr. Ich war ganz sicher, dass er gleich aufwachen und aufstehen würde. Also holte ich seine Waffe vom Nachttisch, wo er sie immer abgelegt hat, und nahm sie mit.«

»Warum hast du die Waffe mitgenommen?«

»Ich weiß nicht. Ich denke, ich hatte Angst, dass er sie benutzen könnte.«

»Was hast du mit der Waffe gemacht?«

»Ich weiß nicht. Ich ging zurück ans Fenster und wartete weiter auf blaue und rote Blinklichter oder jemand, der uns zu Hilfe kommt.«

»Konntest du die Waffe bedienen?«

»Ja, Sir. Stu hat mich mal mit in den Wald genommen, zu Schieß-übungen. Da haben wir seine Dienstwaffe benutzt, seine Glock.«

»Wie oft hast du sie abgefeuert?«

»Drei- oder viermal. Er hatte an ein paar Heuballen eine Ziel-scheibe befestigt. Ich habe nicht getroffen, und er nannte mich einen Schisser, unter anderem.«

Jake deutete auf das Beweisstück Nummer eins, das auf dem Tisch lag. »Ist das die Waffe, Drew?«

»Ich glaube schon. Sieht zumindest genauso aus.«

»Also, Drew, du hast mit der Waffe in der Hand am Fenster ge-standen und gewartet. Was passierte dann?«

Die Augen auf Jake gerichtet, sagte Drew: »Ich erinnere mich an Kieras Stimme und dass ich furchtbare Angst hatte. Ich wusste, er würde aufstehen und uns windelweich prügeln, deshalb bin ich ins Schlafzimmer zurückgegangen. Meine Hände zitterten so, dass ich die Waffe kaum halten konnte. Dann hab ich sie ihm an den Kopf gehalten.«

Seine Stimme brach wieder, und er wischte sich die Augen.

Jake fragte: »Erinnerst du dich daran, wie du abgedrückt hast?«

Drew schüttelte den Kopf. »Nein. Ich will damit nicht sagen, ich hätte es nicht getan, ich kann mich nur nicht erinnern. Ich weiß noch, dass ich die Augen zugemacht habe, und wie heftig die Waffe gezittert hat, und ich erinnere mich an den Knall.«

»Erinnerst du dich daran, dass du die Waffe abgelegt hast?«

»Nein.«

»Erinnerst du dich, dass du zu Kiera gesagt hast, du hättest Stuart erschossen?«

»Nein.«

»Woran erinnerst du dich, Drew?«

»Das Nächste, woran ich mich erinnere, ist, dass ich in Handschellen in einem Polizeiwagen über die Landstraße rase und mich frage, was ich hier mache und wohin wir fahren.«

»War Kiera mit dir in dem Polizeiwagen?«

»Daran kann ich mich nicht erinnern.«

»Keine weiteren Fragen, Euer Ehren.«

Lowell Dyer hatte nicht eine Sekunde lang damit gerechnet, den Angeklagten ins Kreuzverhör nehmen zu können. Im Vorfeld des Prozesses hatte Jake immer wieder angedeutet, dass Drew sich nicht selbst äußern würde. Die meisten erfahrenen Strafverteidiger ließen ihre Mandanten nicht aussagen.

Er war also nicht vorbereitet, und es trug auch nicht zu seiner Beruhigung bei, dass Josie und Kiera so gut präpariert gewesen waren, dass sie ihm im Kreuzverhör die Show gestohlen hatten.

Den Zeugen wegen seiner Vorstrafen anzugehen würde nicht funktionieren. Drew hatte bereits gestanden. Außerdem, wen interessierten schon ein gestohlenes Fahrrad und ein paar Gramm Haschisch?

Die Vergangenheit des Jungen noch weiter zu durchleuchten würde nach hinten losgehen, denn es war unwahrscheinlich, dass auch nur einer der Geschworenen eine ähnlich schwere Kindheit erlebt hatte.

Dyer funkelte den Angeklagten an. »Mr. Gamble, als Sie bei Stuart Kofer einzogen, haben Sie Ihr eigenes Zimmer bekommen, korrekt?«

»Ja, Sir.«

»Mr. Gamble« passte zu diesem verstrubbelten Halbwüchsigen wie die Faust aufs Auge, aber Dyer musste mit harten Bandagen herangehen. Nettigkeit würde ihm als Schwäche ausgelegt werden. Vielleicht ließ die förmliche Anrede den Jungen älter erscheinen.

»Ihre Schwester wohnte auf dem Flur gleich gegenüber, korrekt?«

»Ja, Sir.«

»Hatten Sie genug zu essen?«

»Ja, Sir.«

»Hatten Sie warmes Wasser zum Duschen, saubere Handtücher und so weiter?«

»Ja, Sir. Wir haben unsere Wäsche selber gewaschen.«

»Sind Sie jeden Tag zur Schule gegangen?«

»Ja, Sir, fast jeden Tag.«

»Auch gelegentlich zur Kirche?«

»Ja, Sir.«

»Ehe Sie bei Stuart Kofer einzogen, lebten Sie mit der Familie in einem geliehenen Wohnmobil, korrekt?«

»Ja, Sir.«

»Durch die Aussagen Ihrer Mutter und Schwester wissen wir, dass Sie davor in einem Auto, einem Waisenhaus, verschiedenen

Pflegefamilien und einer Jugendstrafanstalt gelebt haben. Sonst noch irgendwo?«

Ein böser Fehler. Mach ihn fertig, Drew, wollte Jake ihm am liebsten zurufen.

»Ja, Sir. Für zwei, drei Monate schliefen wir mal unter einer Brücke, manchmal sind wir auch in Obdachlosenheimen untergekommen.«

»Okay. Worauf ich hinauswill, ist, dass Sie noch nie ein so nettes Zuhause hatten wie bei Stuart Kofer, korrekt?«

Nächster Fehler. Gib's ihm, Drew. »Nein, Sir. Bei den Pflegefamilien war es zum Teil netter, außerdem musste man nicht ständig Angst haben, verprügelt zu werden.«

Dyer blickte zur Richterbank und sagte fast flehentlich: »Euer Ehren, würden Sie den Angeklagten bitte anweisen, kurz und bündig auf die Frage zu antworten, ohne weitschweifige Erklärungen?«

Als Noose für Jakes Geschmack einen Moment zu lang überlegte, stand er auf. »Euer Ehren, mit Verlaub. Der Staatsanwalt hat Stuart Kofers Zuhause als ›nett‹ bezeichnet, ohne zu definieren, was er damit meinte. Ich möchte behaupten, dass man ein Zuhause nicht als ›nett‹ bezeichnen kann, in dem ein Kind Misshandlungen und Todesdrohungen ausgesetzt ist.«

Noose pflichtete ihm bei und sagte, an Dyer gewandt: »Bitte fahren Sie fort.«

Völlig aus dem Konzept gebracht, steckte Dyer mit Musgrove die Köpfe zusammen, um abermals eine neue Strategie zu finden. Mit einem blasierten Nicken, als wüsste er genau, was er als Nächstes fragen wollte, kehrte er ans Pult zurück.

»Mr. Gamble, ich glaube, Sie sagten, Sie mochten Stuart Kofer nicht und er Sie auch nicht. Ist das korrekt?«

»Ja, Sir.«

»Würden Sie sagen, Sie haben Stuart Kofer gehasst?«

601

»Ja, Sir, das könnte man so sagen.«

»Wollten Sie ihn tot sehen?«

»Nein, Sir. Ich wollte bloß weg von ihm. Ich war es leid, dass er meine Mutter geschlagen hat und uns. Ich hatte seine Drohungen satt.«

»Sie haben ihn also erschossen, um Ihre Mutter, Ihre Schwester und sich selbst zu schützen?«

»Nein, Sir. Zu dem Zeitpunkt war ich sicher, dass meine Mutter tot war. Es war zu spät, um sie noch zu beschützen.«

»Dann haben Sie ihn aus Rache umgebracht. Weil er Ihre Mutter getötet hat. Korrekt?«

»Nein, Sir. An Rache habe ich nicht gedacht. Der Anblick meiner Mutter auf dem Küchenboden hat mich total fertiggemacht. Ich hatte einfach nur Panik, dass Stuart aufsteht und uns wieder zusammenschlägt.«

Na los, Lowell, beiß schon an. Jake kaute auf der Spitze eines Plastikstifts.

»Wieder?«, fragte Dyer und schob gleich hinterher: »Streichen Sie das.« Stell nie eine Frage, deren Antwort du nicht kennst. »Ist es nicht richtig, Mr. Gamble, dass Sie Stuart Kofer vorsätzlich und in voller Absicht erschossen, weil er Ihre Mutter schlug, und das mit seiner eigenen Waffe, mit deren Umgang Sie vertraut waren?«

»Nein, Sir.«

»Ist es nicht richtig, Mr. Gamble, dass Sie Stuart Kofer vorsätzlich und in voller Absicht erschossen, weil er Ihre Schwester sexuell belästigte?«

»Nein, Sir.«

»Ist es nicht richtig, Mr. Gamble, dass Sie Stuart Kofer willentlich erschossen, weil Sie den Mann hassten und hofften, dass Ihre Mutter im Falle seines Todes das Haus übernehmen dürfte?«

»Nein, Sir.«

»Ist es nicht richtig, Mr. Gamble, dass Stuart Kofer in dem alles entscheidenden Moment, als Sie ihm die Waffe an die Schläfe hielten, tief und fest schlief?«

»Ich weiß nicht, ob er tief und fest schlief. Ich weiß nur, dass er sich bewegt hat, weil ich ihn gehört hatte. Ich hatte Angst, dass er aufwacht und wieder total ausrastet. Deshalb habe ich getan, was ich getan habe. Um uns zu schützen.«

»Sie sahen, wie er in seinem eigenen Bett schlief, Sie nahmen seine Waffe, hielten sie ihm zwei Zentimeter dicht an die Schläfe und drückten ab, nicht wahr, Mr. Gamble?«

»So wird es wohl gewesen sein. Ich sage nicht, dass ich es nicht getan habe. Ich bin nicht sicher, was in diesem Moment in meinem Kopf vorgegangen ist. Ich hatte solche Angst, und ich wusste, dass er meine Mutter umgebracht hatte.«

»Aber da irrten Sie sich, nicht wahr? Er hat Ihre Mutter nicht getötet. Sie sitzt dort drüben.« Dyer wandte sich um und richtete erbost einen Finger auf Josie in der ersten Reihe.

Drew ließ seine Wut ein wenig durchschimmern. »Na ja, er hat sich alle Mühe gegeben, sie umzubringen. Sie lag bewusstlos auf dem Boden, und für uns sah es so aus, als würde sie nicht atmen. Für uns sah sie tot aus, Mr. Dyer.«

»Aber Sie lagen falsch.«

»Er hat viele Male gedroht, sie umzubringen, und uns auch. Ich dachte, jetzt ist es so weit.«

»Hatten Sie vorher je daran gedacht, Stuart zu töten?«

»Nein, Sir. Ich habe nie daran gedacht, jemanden zu töten. Ich besitze keine Waffen. Ich lasse mich nicht auf Schlägereien ein. Ich wollte einfach nur weg aus diesem Haus, bevor er uns was antat. Ich fand es immer noch besser, in einem Auto zu wohnen als bei Stuart.«

Wieder eine von Jakes Formulierungen, perfekt dargeboten.

»Sie sind also auch in Ihrer Zeit im Gefängnis nicht in Schlägereien geraten?«

»Ich war nicht in einem Gefängnis, ich war in einer Jugendstrafanstalt. Gefängnisse sind für Erwachsene. Das sollten Sie wissen.«

Richter Noose beugte sich vor. »Bitte, Mr. Gamble, behalten Sie Ihre Kommentare für sich.«

»Ja, Sir. Bitte entschuldigen Sie, Mr. Dyer.«

»Sie sind dort nie in Schlägereien geraten?«

»Alle sind da mal in Schlägereien geraten. Das kam dauernd vor.«

Dyer schwammen zusehends die Felle davon. Sich mit einem Sechzehnjährigen anzulegen war selten produktiv, und Drew gewann zunehmend die Oberhand. Nachdem der Staatsanwalt sowohl bei Josie als auch bei Kiera mit Pauken und Trompeten untergegangen war, wollte er sich beim Angeklagten nicht noch eine Schlappe einholen. Er blickte zum Richter. »Keine weiteren Fragen, Euer Ehren.«

»Mr. Brigance«, sagte Noose.

»Ich passe, Euer Ehren.«

»Mr. Gamble, Sie dürfen zum Tisch der Verteidigung zurückkehren. Mr. Brigance, bitte rufen Sie Ihren nächsten Zeugen auf.«

Mit erhobener Stimme verkündete Jake: »Euer Ehren, wir schließen hiermit unsere Beweisführung ab.«

Noose zuckte überrascht zusammen. Harry Rex würde später sagen, dass Lowell Dyer Musgrove einen fassungslosen Blick zuwarf.

Die Anwälte traten vor der Richterbank zusammen. Noose schob sein Mikrofon beiseite und sagte im Flüsterton: »Was soll das, Jake?«

Jake zuckte mit den Schultern. »Wir sind fertig. Keine Zeugen mehr.«

»Es stehen noch mindestens ein Dutzend auf Ihrer Liste.«

»Ich brauche sie nicht mehr, Richter Noose.«

»Mir erscheint das nur ein wenig abrupt. Mr. Dyer? Haben Sie noch Zeugen?«

»Ich denke nicht. Wenn die Verteidigung fertig ist, sind wir es auch.«

Noose blickte auf seine Armbanduhr. »Da dies ein Mordprozess ist, werden die Anweisungen für die Geschworenen einige Zeit in Anspruch nehmen, und wir sollten dafür ausreichend Zeit einplanen. Ich werde bis morgen früh um neun Uhr vertagen. Sie kommen in fünfzehn Minuten in mein Büro, und wir arbeiten das Ganze zusammen aus.«

# 49

Lucien lud das Team zu sich nach Hause zum Abendessen ein und ließ keine Ausreden gelten. Da Sallie nicht da war und seine kulinarischen Fähigkeiten gegen null gingen, hatte er bei Claude Baguettes mit Catfish und dazu gebackene Bohnen, süßen Krautsalat und Tomatensalat bestellt. Claude betrieb das einzige schwarz geführte Restaurant im Zentrum von Clanton. Jake aß dort regelmäßig freitags zu Mittag, zusammen mit ein paar anderen weißen Liberalen. Als das Lokal dreißig Jahre zuvor eröffnet hatte, war Lucien Wilbanks fast jeden Tag dort gewesen und hatte stets auf einem Fensterplatz bestanden, damit ihn die weißen Passanten von draußen sehen konnten. Claude und ihn verband eine lange, schillernde Freundschaft.

Lucien konnte zwar nicht kochen, dafür kannte er sich mit Getränken aus. Während sich der Tag dem Ende zuneigte, lud er seine Gäste ein, auf der vorderen Veranda in den Korbschaukelstühlen Platz zu nehmen, und servierte ihnen Drinks. Carla hatte in letzter Minute einen Babysitter aufgetrieben; es kam selten genug vor, dass Lucien zum Essen einlud, die Chance wollte sie sich nicht entgehen lassen. Portia war ebenso neugierig, obwohl sie in Wahrheit lieber nach Hause gegangen wäre, um zu schlafen. Nur Harry Rex entschuldigte sich mit der Begründung, seine Sekretärinnen schlügen sich zwar wacker, drohten aber jetzt doch mit Meuterei.

Dr. Thane Sedgwick von der Baylor University war gerade erst angereist, für den Fall, dass seine Aussage bei der Bestimmung des Strafmaßes vonnöten wäre. Libby hatte ihn tags zuvor angerufen, um ihm mitzuteilen, dass der Prozess viel schneller voranging als gedacht. Nach ein paar Schlucken Whiskey hatte er Betriebstemperatur erreicht. »Ich habe sie am Telefon gefragt, ob ich gebraucht würde«, sagte er in breitestem Texanisch. »Sie meinte, nein, denn sie rechne nicht mit einem Schuldspruch. Steht sie mit der Ansicht allein da?«

»Ich sehe keinen Schuldspruch«, meinte Lucien. »Aber auch keinen Freispruch.«

»Mindestens vier von den fünf Frauen sind auf unserer Seite«, bestätigte Libby. »Ms. Satterfield hat den ganzen Tag geweint, vor allem als Kiera ausgesagt hat.«

»Kiera war gut?«, fragte Sedgwick.

»Und wie«, erwiderte Libby, woraufhin alle wie aufs Stichwort loslegten, ausführlich den erfolgreichen Tag der Gambles zu rekapitulieren und wie Josie und ihre Kinder sich in Teamarbeit elegant durch das traurige Chaos ihrer Vergangenheit gearbeitet hatten. Portia schilderte den dramatischen Höhepunkt, als Kiera den Vater ihres Kindes nannte. Lucien musste lachen, als er Drews Äußerung über die »netten« Pflegefamilien zitierte, wo man nicht ständig befürchten müsse, verprügelt zu werden. Libby brachte ihre Bewunderung darüber zum Ausdruck, wie Jake erst nach und nach die Details zu den armseligen Lebensumständen der Familie enthüllt habe. Statt die Jury gleich im Eröffnungsplädoyer mit dem ganzen Elend zu konfrontieren, habe er es in kleinen Dosen aufgedeckt und damit umso größere Wirkung erzielt.

Jake saß neben Carla auf einem alten Sofa, den Arm um ihre Schultern gelegt, trank Wein und hörte sich an, wie die anderen schilderten, was er selbst im Gericht miterlebt hatte. Er sprach wenig, denn seine Gedanken wanderten bereits zu der nächsten Herausforderung, die ihm bevorstand: seinem Schlussplädoyer. Dass er so unvermittelt die Beweisführung abgeschlossen hatte, bereitete ihm Kopfzerbrechen, doch die Kollegen, Libby, Lucien und Harry Rex, waren einhellig der Meinung, dass es der richtige Schritt gewesen war. Die Frage, ob er Drew aussagen lassen sollte oder nicht, hatte ihm nächtelang den Schlaf geraubt, doch der Junge hätte seine Sache nicht besser machen können. Insgesamt war Jake mit dem bisherigen Verlauf des Prozesses zufrieden, rief sich aber immer wieder in Erinnerung, dass sein Mandant trotz allem schuld an Stuart Kofers Tod war.

Als es dunkel war, gingen sie nach drinnen und versammelten sich um Luciens schönen Teak-Esstisch. Das Haus war alt, aber die Innenausstattung modern, mit viel Glas, Metall und schrägen Accessoires. Die Wände zierte eine Sammlung kryptischer moderner Kunst. Es war, als verweigerte sich der Herr des Hauses allem, was alt und traditionell war.

Im Augenblick sprach der Herr des Hauses seinem Whiskey ebenso zu wie Thane, und alsbald ergingen sie sich in Heldengeschichten und epischen Gerichtsdramen, die sich über die Jahre abgespielt hatten und deren Star selbstverständlich immer der Erzähler selbst war. Als Thane vollends überzeugt war, dass er am nächsten Tag nicht gebraucht würde, füllte er sein Glas auf und schien bereit, die Nacht zum Tag zu machen.

Auch Portia, die junge Schwarze, die in einem wenig privilegierten Teil der Stadt aufgewachsen war, hatte etwas beizutragen. Sie erzählte die spektakuläre Geschichte eines Mordfalles bei der Army, bei dem sie während ihrer Zeit als Soldatin in Deutschland mitgearbeitet hatte. Thane fühlte sich dadurch an einen Doppelmord irgendwo in Texas erinnert, bei dem der mutmaßliche Mörder erst dreizehn Jahre alt gewesen sei.

Um 22.30 Uhr war Jake reif fürs Bett. Carla und er verabschiedeten sich und fuhren nach Hause. Um zwei Uhr lag er immer noch wach.

Der Gerichtssaal erhob sich fast synchron bei Richter Omar Noose' Eintreten, doch der winkte ungeduldig ab und bat alle, wieder Platz zu nehmen. Er hieß die Zuschauer willkommen, machte eine Bemerkung über die abgekühlte Raumtemperatur, wünschte seinen Geschworenen einen guten Morgen und fragte mit Grabesmiene, ob in der Verhandlungspause jemand versucht habe, mit ihnen Kontakt aufzunehmen. Alle zwölf schüttelten verneinend den Kopf.

Noose hatte über tausend Prozesse geleitet, es war noch nie vorgekommen, dass sich ein Geschworener bei dieser Frage gemeldet hatte. Im Zweifelsfalle war dabei Geld geflossen, niemand würde das freiwillig zugeben. Doch der Richter pflegte seine Traditionen.

Er erklärte, dass die nächste Stunde vermutlich der langweiligste Teil des Verfahrens werden würde, denn nun folgten die gesetzlich vorgeschriebenen Anweisungen für die Jury. Dazu würde er fürs Protokoll und zur Kenntnis der Geschworenen die gültigen Rechtsprinzipien, also diejenigen bundesstaatlichen Gesetze verlesen, auf die sie ihre Beratungen zu stützen hätten. Als Geschworene seien sie dazu verpflichtet, die Beweislage unter Berücksichtigung der Gesetze zu betrachten beziehungsweise diese Gesetze auf die Fakten anzuwenden. Sie sollten aufmerksam zuhören, denn es sei sehr wichtig. Die Anweisungen würden später auch schriftlich in ihrem Beratungsraum für sie bereitliegen.

Als die Verwirrung schließlich vollkommen war, begann Richter Noose, in sein Mikrofon zu lesen. Seitenlang trockene, langatmige, komplizierte und sperrig formulierte Gesetzestexte, die Begriffe wie Tötungsdelikt, Mord, Absicht und Vorsatz, Schuld, Tötung eines Vollstreckungsbeamten und Tötung bei Vorliegen eines Rechtfertigungsgrundes zu definieren versuchten. Etwa zehn Minuten lang hörten die Geschworenen aufmerksam zu, dann begannen sie nach und nach, im Saal herumzublicken. Manche bemühten sich tapfer, jedes Wort aufzunehmen. Andere traf irgendwann die Erkenntnis, dass sie ohnehin alles später nachlesen konnten.

Nach vierzig Minuten verstummte Richter Noose unvermittelt und zur Erleichterung aller Anwesenden. Er klatschte seine Blätter aufeinander und klopfte sie zu einem ordentlichen Stapel, dann lächelte er die Jury an, als wäre er stolz auf seine Leistung. »Nun, meine Damen und Herren, haben beide Parteien die Gelegenheit, ihre Schlussplädoyers zu halten. Wie üblich, beginnt die Anklage. Mr. Dyer.«

Dyer erhob sich würdevoll, schloss den obersten Knopf seines hellblauen Seersucker-Jacketts und schritt auf die Jury zu. Das Pult war an dieser Stelle optional. »Meine Damen und Herren Geschworenen«, begann er, »dieser Prozess ist nun fast vorüber. Er verlief zügiger als erwartet. Richter Noose hat beiden Parteien jeweils dreißig Minuten zugebilligt, um die Sachlage für Sie noch einmal zusammenzufassen, doch dreißig Minuten sind in diesem Fall viel zu viel. Man braucht keine halbe Stunde, um Sie von etwas zu überzeugen, was Sie längst wissen. Sie brauchen nicht so lange, um zu beurteilen, dass der Angeklagte Drew Allen Gamble tatsächlich Stuart Kofer, einen Hüter des Gesetzes, ermordet hat.«

Spitzeneröffnung, dachte Jake. Jedes Publikum, gleich ob es zwölf Geschworene in einem Gerichtssaal waren oder zweitausend Juristen bei einer Konferenz, freute sich über einen Redner, der versprach, sich kurzzufassen.

»Reden wir über den Mord. Als wir hier am Dienstagmorgen

begannen, habe ich Sie gebeten, sich, während Sie den Zeugenaussagen lauschen, immer wieder die Frage zu stellen, ob Drew Gamble in diesem schrecklichen Moment wirklich die Waffe abfeuern musste. Warum hat er abgedrückt? War es Notwehr? Wollte er sich selbst, seine Schwester, seine Mutter beschützen? Nein, meine Damen und Herren, es war keine Notwehr. Es gab keinen Rechtfertigungsgrund für seine Tat. Es war einfach nur ein eiskalter, berechnender Mord. Die Verteidigung hatte zwar ein paar glorreiche Momente bei dem Versuch, Stuart Kofer zu verleumden, aber …«

Jake sprang mit erhobenen Händen auf. »Einspruch, Euer Ehren. Einspruch! Ich unterbreche ungern ein Schlussplädoyer, Euer Ehren, aber der Begriff ›Verleumdung‹ ist definiert als Verbreitung von Unwahrheiten. Es gibt im Protokoll keinerlei Hinweise darauf, dass Zeugen gelogen hätten, weder aufseiten der Verteidigung noch aufseiten der Anklage.«

Noose schien auf die Unterbrechung vorbereitet. »Mr. Dyer, ich ersuche Sie, die Verwendung des Begriffs ›Verleumdung‹ in Zukunft zu unterlassen. Die Jury hat den Begriff nicht zur Kenntnis zu nehmen.«

Dyer nickte mit gerunzelter Stirn, als beugte er sich nur zähneknirschend. »Gut, gut, Euer Ehren«, erwiderte er und nahm sein Plädoyer wieder auf. »Sie haben von den drei Gambles viel darüber gehört, was für eine garstige Person Stuart Kofer gewesen sein muss. Das müssen wir nicht noch einmal aufwärmen. Bedenken Sie aber bitte, dass die Gambles jeden Grund haben, nur eine Seite der Geschichte zu erzählen und diese vielleicht auch auszuschmücken und zu übertreiben. Tragischerweise kann Stuart nicht hier sein, um sich zu rechtfertigen.

Reden wir also nicht über sein Leben. Sie sind nicht hier, um über ihn und seinen Lebenswandel, seine Gewohnheiten, seine Probleme und seine Ängste zu urteilen. Ihre Aufgabe ist es, sich die objektiven Umstände seines Todes anzusehen.«

Dyer trat zum Tisch mit den Asservaten, nahm die Waffe, hielt sie hoch und drehte sich zur Jury um. »Irgendwann in jener grauenvollen Nacht griff Drew Gamble zu dieser Waffe, einer Glock 22 im Kaliber 40, fünfzehn Schuss im Magazin. Es ist das Modell, mit dem Sheriff Ozzie Walls alle seine Deputys ausstattet. Mr. Gamble nahm sie an sich und streifte damit durchs Haus. Zur gleichen Zeit lag Stuart tief schlafend in seinem Bett. Wie wir wissen, war er betrunken, der Alkohol hatte ihn hilflos gemacht. Ein Mensch im Alkoholrausch, der friedlich vor sich hin schnarcht – was soll der für eine Bedrohung darstellen? Drew Gamble hatte die Waffe, und er konnte sie auch bedienen, denn Stuart hatte ihm beigebracht, wie man sie lädt, hält und abfeuert. Es ist ebenso tragisch wie grotesk, dass der Mörder vom Opfer gelernt hat, die Mordwaffe zu benutzen.

Die Situation war bestimmt ganz schrecklich. Die zwei Kinder total verängstigt, die Mutter ohnmächtig auf dem Fußboden. Die Minuten verstreichen, Drew Gamble hält immer noch die Waffe in der Hand. Stuart schläft den Schlaf des Gerechten. Ein Notruf ist abgesetzt worden, Polizei und Rettungskräfte sind unterwegs.

Irgendwann beschließt Drew Gamble, Stuart Kofer zu töten. Er geht ins Schlafzimmer, schließt aus unerfindlichem Grund die Tür und hält den Lauf wenige Zentimeter vor Stuarts Schläfe. Warum drückt er in diesem Moment ab? Er behauptet, dass er sich bedroht fühlte und fürchtete, dass Stuart aufstehen und ihnen etwas antun könnte, dass er sich und seine Schwester beschützen wollte. Er will Ihnen weismachen, dass er gar nicht anders konnte, als abzudrücken.«

Dyer drehte sich langsam wieder dem Tisch zu und legte die Waffe zurück.

»Warum hat er genau in diesem Moment abgedrückt? Warum nicht später? Warum hat er nicht abgewartet, ob Stuart überhaupt aufsteht? Er hatte die Waffe. Er hätte sich und seine Schwester verteidigen können, falls Stuart es irgendwie geschafft hätte, wieder auf die Beine zu kommen, und auf sie beide losgegangen wäre. Warum hat er nicht auf die Polizei gewartet?«

Dyer baute sich vor der Jury auf und sah jedem einzelnen Mitglied nacheinander in die Augen. »Er hätte in diesem Moment nicht abdrücken müssen, meine Damen und Herren. Aber er tat es. Er tat es, weil er Stuart Kofer umbringen wollte. Er wollte Rache üben für das, was seiner Mutter geschehen war. Er wollte Rache üben für all die schlimmen Dinge, die Stuart ihnen angetan hatte. Rache aber bedeutet Absicht, das heißt, die Tötungshandlung war wohlüberlegt. Mit anderen Worten: Es war Mord.

Meine Damen und Herren Geschworenen, es war Mord, und auf Mord steht die Todesstrafe. Basta. Ich kann jetzt nur noch an Sie appellieren, dass Sie sich eingehend beraten und ein wahrhaft gerechtes Urteil fällen – das einzige Urteil, das diesem Verbrechen gerecht wird: einen Schuldspruch für den Mord an Stuart Kofer. Ich danke Ihnen.«

Es war ein gutes Schlussplädoyer. Strukturiert, überzeugend, kurz und knapp, eine Seltenheit bei einem Staatsanwalt in einem großen Fall. Keiner der Geschworenen war gelangweilt, im Gegenteil, alle schienen voll bei der Sache zu sein.

»Mr. Brigance«, sagte Richter Noose.

Jake stand auf und warf seinen Block auf das Pult. Er lächelte die Geschworenen an und sah ihnen nacheinander in die Augen. Etwa die Hälfte von ihnen erwiderte seinen Blick, die anderen starrten geradeaus. »Ich kann es dem Staatsanwalt nicht verdenken«, begann er, »dass er Sie bittet, vieles von dem, was Sie von den Zeugen gehört haben, zu relativieren. Es ist nicht schön, über Missbrauch, Vergewaltigung und häusliche Gewalt zu sprechen. Es sind schlimme Themen und schreckliche Dinge, über die man nirgends gern redet, schon gar nicht in einem Gerichtssaal voller Menschen. Aber ich habe die Fakten nicht geschaffen, auch Sie nicht, liebe Geschworene. Das war niemand anders als Stuart Kofer.

Die Anklage hat unterstellt, dass die drei Gambles zu Übertreibung und zum Ausschmücken von Tatsachen neigen.« Jake erhob empört seine Stimme. »Ernsthaft?« Er deutete auf Kiera, die in der ersten Reihe hinter dem Tisch der Verteidigung saß. »Sehen Sie das junge Mädchen da drüben? Kiera Gamble, vierzehn Jahre alt, im siebten Monat schwanger von Stuart Kofer. Glauben Sie im Ernst, sie hat übertrieben?«

Er atmete tief durch und ließ die Wut abklingen. »Schauen Sie sich nachher bei Ihren Beratungen das Foto von Josie Gamble im Krankenhaus an, mit ihrem zertrümmerten Kiefer, den Prellungen im Gesicht, den zugeschwollenen Augen, und fragen Sie sich dann noch einmal, ob sie etwas ausgeschmückt hat. Die Gambles haben Sie nicht angelogen. Ganz im Gegenteil. Sie könnten noch viel mehr erzählen über das grauenhafte Leben mit Stuart Kofer.

Was war los mit Stuart Kofer? Was war aus dem jungen Mann geworden, der hier aufgewachsen war, der zur Army ging und dort eine Laufbahn verfolgen wollte, bis er entlassen wurde? Was war aus dem anständigen jungen Deputy geworden, der für seinen Mut und sein Engagement in der Mitbürgerschaft bekannt war? Woher kam seine dunkle Seite? Vielleicht ist ihm in der Army etwas zugestoßen. Vielleicht wurde der Druck im Polizeidienst zu viel. Wir werden es nie erfahren, aber ich denke, wir sind uns alle einig, dass sein Verlust tragisch ist.

Ja, seine dunkle Seite … Wir begreifen einfach nicht, wie ein großer, starker Cop und ehemaliger Soldat eine Frau von fünfundfünfzig Kilo prügelt und tritt, ihr die Knochen bricht, die Zähne ausschlägt, sie so ohrfeigt, dass ihr die Lippen aufplatzen und sie das Bewusstsein verliert, und ihr am Ende damit droht, sie umzubringen, falls sie sich jemandem anvertraut. Wir begreifen nicht, warum er ein mageres Kerlchen wie Drew misshandelt und bedroht.

Wir verstehen nicht, wie er zum Sexualtäter werden und ein vierzehnjähriges Mädchen missbrauchen kann, nur weil es in seinem Haus lebt und verfügbar ist. Und wir begreifen nicht, warum er sich immer und immer wieder so volllaufen lässt, dass er erst hemmungslos gewalttätig wird und schließlich bewusstlos umfällt. Wir verstehen nicht, wie ein Polizist, der bekannt dafür ist, mit äußerster Strenge gegen Alkohol am Steuer vorzugehen, den ganzen Tag saufen kann bis zur Bewusstlosigkeit, um sich gleich nach dem Erwachen ans Steuer zu setzen. Mit 3,6 Promille Alkohol im Blut.«

Jake hielt inne und schüttelte den Kopf, als würden ihn seine eigenen Worte anwidern. Die zwölf Geschworenen blickten ihn an, peinlich berührt von all den Abscheulichkeiten.

»Sein Haus wurde für Josie und ihre Kinder zur Hölle auf Erden. Sie wollten unbedingt fort, doch wohin hätten sie gehen sollen? Jedes Wochenende wurde es schlimmer. Das Haus war wie ein Pulverfass. Tag für Tag stiegen Anspannung und Druck, bis es irgendwann unvermeidlich schien, dass jemand zu Schaden kommen würde. Die Situation in diesem Haus war so schlimm, dass die Kinder ihre Mutter anflehten, mit ihnen wegzugehen.

Der Staatsanwalt möchte, dass Sie all das ignorieren und sich ausschließlich auf die letzten zehn Sekunden in Stuarts Leben konzentrieren. Mr. Dyer ist der Meinung, Drew hätte warten sollen. Aber worauf? Mit Hilfe war nicht zu rechnen. Die Gambles hatten schon öfter auf die Polizei gewartet. Die war zwar gekommen, aber geholfen hatte sie nicht. Wochen und Monate hatten sie gewartet in der verzweifelten Hoffnung, dass Stuart Kofer sich Hilfe suchen würde, um seine Trinksucht und Gewaltausbrüche in den Griff zu bekommen. Stundenlang hatten sie gewartet, in langen, grauenvollen Nächten, sie hatten gewartet auf das Licht der Scheinwerfer in der Einfahrt, sich gefragt, ob Stuart sich noch selbst ins Haus schleppen konnte, ob es wieder zum unvermeidlichen Streit kommen würde. Sie hatten weiß Gott lange genug gewartet. Gerade das Warten hatte sie dem Verderben nähergebracht.

Deshalb lassen Sie uns jetzt doch noch über die letzten zehn Sekunden sprechen. Drews Mutter liegt also scheinbar tot auf dem Fußboden, seine Schwester kauert neben ihr und fleht sie an aufzuwachen, da hört er Kofer im Schlafzimmer prusten. In diesem Moment wird er von äußerster Panik erfasst. Er fürchtet nicht nur um seine Unversehrtheit, er fürchtet um sein Leben, und nicht nur um seines, sondern auch um das seiner Schwester. Er muss etwas unternehmen.

Es ist nicht richtig, isoliert auf diese letzten zehn Sekunden zu schauen, hier in diesem Gerichtssaal, fünf Monate nach der Tat, weit weg vom Horror der Situation, und zu sagen, na ja, er hätte doch dies oder jenes tun können. Niemand von uns kann wissen oder vorhersagen, wie wir in einer solchen Situation handeln würden. Es ist unmöglich.

Was wir aber sagen können, ist, dass wir zum Äußersten fähig sind, wenn es darum geht, uns selbst und unsere Lieben zu beschützen. Genau das hat mein Mandant getan.«

Er schwieg und ließ den Blick über den reglosen Saal wandern, dessen ungeteilte Aufmerksamkeit er genoss. Dann trat er näher an die Jury heran und fuhr mit gesenkter Stimme fort. »Josie und ihre Kinder haben ein chaotisches Leben geführt. Sie hat ihre Fehler offen zugegeben und würde alles tun, um noch einmal von vorn anfangen zu können. Die Familie hatte bislang nicht viel Glück im Leben. Und jetzt? Drew ist wegen Mord angeklagt und muss die Todesstrafe fürchten. Kiera ist schwanger, nachdem sie mehrfach vergewaltigt worden ist. Was für eine Zukunft haben sie? Ich bitte Sie, meine Damen und Herren Geschworenen, zeigen Sie ein wenig Gnade und Mitgefühl. Wenn Sie und ich nach diesem Prozess nach Hause gehen, setzen wir unser Leben fort, und mit der Zeit wird dieser Fall nur noch eine blasse Erinnerung für uns sein. Für die Gambles wird es nicht so leicht sein. Ich bitte Sie um Verständnis, Mitgefühl und Gnade, damit diese traurige kleine Familie – Drew, Kiera und Josie – die Chance bekommt, ihr Leben neu zu gestalten. Ich bitte Sie, Drew Allen Gamble nicht schuldig zu sprechen. Ich danke Ihnen.«

Als die Geschworenen draußen waren, sagte Richter Noose: »Wir unterbrechen bis vierzehn Uhr, dann kommen wir wieder zusammen und sehen, wie weit die Beratungen gediehen sind.« Er ließ seinen Hammer aufschlagen und verschwand.

Jake ging auf Lowell Dyer und D. R. Musgrove zu, schüttelte ihnen die Hand und gratulierte ihnen zu einem gelungenen Job. Die meisten Zuschauer verließen den Saal, manche blieben aber auch, als rechneten sie mit einem schnellen Urteil. Die Kofers hatten sich nicht wegbewegt und unterhielten sich im Flüsterton. Drew wurde von drei Deputys wieder in den Konferenzraum des County-Verwaltungsrats gebracht, wo er sämtliche Sitzungspausen verbracht hatte.

Morris Finleys Mutter bewohnte die Farm der Familie, weit draußen auf dem Land, sechzehn Kilometer vom Gericht entfernt. Morris lud das Verteidigungsteam zu einem netten Mittagessen auf der schattigen Veranda ein, die einen herrlichen Blick auf die umliegenden Weiden bot sowie den Teich, in dem er als Kind schwimmen gelernt hatte. Mrs. Finley war erst seit Kurzem verwitwet und lebte allein. Sie genoss die Gelegenheit, Morris und seine Freunde zu bewirten.

Bei Salat mit gegrilltem Hühnchen und Eistee rekapitulierten sie die Schlussplädoyers und verglichen ihre Notizen zu Mimik und Körpersprache der Geschworenen. Harry Rex aß hastig und empfahl sich dann, um nach Clanton in seine Kanzlei zu fahren, doch Lucien blieb. Er hatte sonst nicht viel zu tun und wollte unbedingt den Urteilsspruch hören. »Die sind sich nicht einig«, sagte er mehr als ein Mal.

Jake konnte nichts essen. Er war fix und fertig. Ein Prozess war Stress von Anfang bis Ende, aber das Schlimmste von allem war das Warten auf die Entscheidung der Jury.

# 50

Der erste Konflikt wurde noch verbal ausgetragen, wobei ein oder zwei scharfe Worte mehr genügt hätten, um ein Handgemenge auszulösen. Es ging beim Mittagessen los, als John Carpenter, Geschworener Nummer fünf und zweifellos derjenige, den die Verteidigung am meisten fürchtete, erneut aggressiv darauf drängte, ihn zum Sprecher zu wählen. Die Beratungen waren erst seit knapp einer Stunde im Gang, und die meiste Zeit über hatte Carpenter geredet. Die anderen elf hatten längst genug von ihm. Sie saßen um den langen Tisch herum, würgten ihre Sandwiches hinunter und wussten nicht recht, was sie tun sollten. Die Anspannung im Raum war spürbar.

»Also«, sagte Carpenter, »will sonst jemand Sprecher sein? Ich meine, ehrlich, wenn sonst niemand will, dann mache ich es.«

Joey Kepner erwiderte: »Ich finde nicht, dass Sie der Sprecher sein sollten. Sie sind parteiisch.«

»Bin ich nicht!«, fauchte er über den Tisch.

»Sie sind parteiisch.«

»Wer sind Sie überhaupt?«, fragte Carpenter laut.

»Es ist ziemlich offensichtlich, dass Sie Ihre Entscheidung schon getroffen haben.«

»Habe ich nicht.«

»Sie hatten sich am Montag schon entschieden«, meldete sich Lois Satterfield.

»Das stimmt nicht!«

»Wir haben gehört, was Sie über das Mädchen gesagt haben«, sagte Joey.

»Na und? Wenn Sie's machen wollen, dann machen Sie's, aber ich wähle Sie nicht.«

»Und ich wähle *Sie* nicht!«, schrie Joey. »Sie sollten überhaupt nicht in der Jury sein.«

Die beiden Gerichtsdiener, die für die Jury abgestellt waren und vor dem Raum warteten, wechselten einen Blick. Man konnte alles hören, und die Stimmen wurden zunehmend lauter. Sie öffneten die Tür und traten rasch ein, woraufhin alle schlagartig verstummten.

»Können wir Ihnen etwas bringen?«, fragte einer der Gerichtsdiener.

»Nein danke«, erwiderte Carpenter.

»Sie sprechen für uns alle?«, fragte Joey. »Einfach so? Haben Sie sich selbst zum Sprecher ernannt?« Zum Gerichtsdiener sagte er: »Sir, ich hätte gern einen Kaffee.«

»Kein Problem«, antwortete der Mann. »Sonst noch etwas?«

Carpenter funkelte Joey hasserfüllt an. Sie aßen schweigend zu Ende, während der Kaffee serviert wurde. Als die Gerichtsdiener draußen waren, ergriff Regina Elmore, Geschworene Nummer sechs, Hausfrau aus Chester, achtunddreißig Jahre alt, das Wort. »Das ist doch mal wieder typisch Macho. Wenn's dem lieben Frieden dient, übernehme ich das Amt der Sprecherin.«

»Gut«, sagte Joey. »Meine Stimme haben Sie. Sind wir uns einig?«

Carpenter zuckte mit den Schultern und sagte: »Von mir aus.«

Einer der Gerichtsdiener blieb an der Tür, der andere ging zu Richter Noose, um ihm die Entscheidung zu melden.

Eine Stunde später wurde erneut geschrien. Eine erboste männliche Stimme sagte: »Wenn das hier vorbei ist, können Sie was erleben!« Die Antwort, ebenfalls männlich: »Wozu warten? Das können wir auch gleich erledigen!«

Die Gerichtsdiener klopften laut und traten ein. John Carpenter stand am einen Ende des Tisches und wurde von zwei Männern zurückgehalten. Am anderen Ende stand Joey Kepner, hochrot im Gesicht, zum Kampf bereit. Als sich die Tür öffnete, entspannten sich beide ein wenig und gaben ihre Angriffsposition auf.

Die Atmosphäre im Raum war so aufgeladen, dass sich die Gerichtsdiener rasch zurückzogen. Erneut wurde Richter Noose Meldung erstattet.

Um vierzehn Uhr versammelten sich Anwälte und Zuschauer wieder im Saal. Auch der Angeklagte wurde hereingebracht. Ein Gerichtsdiener flüsterte Jake und Lowell zu, dass der Richter sie in seinem Büro sehen wolle, nur sie beide.

Noose saß an seinem Besprechungstisch, ohne Robe, und rauchte seine Pfeife. Er sah besorgt aus, als er sie hereinwinkte und mit einer Handbewegung zum Platznehmen aufforderte. Seine ersten Worte waren Musik in Jakes Ohren.

»Meine Herren, es sieht so aus, als wäre die Jury heillos zerstritten. Die Gerichtsdiener mussten in den ersten drei Stunden bereits zweimal dazwischengehen. Das verheißt für den Prozessausgang leider nichts Gutes.«

Dyer ließ die Schultern hängen, Jake musste ein Lächeln unterdrücken. Keiner sagte etwas, denn sie waren noch nicht zum Sprechen aufgefordert worden.

Noose fuhr fort. »Ich werde etwas tun, was ich in meiner gesamten Karriere hinter der Richterbank erst ein Mal getan habe. Unser Oberstes Gericht ist zwar nicht glücklich mit diesem Schritt, hat ihn aber auch nicht verboten.«

Es klopfte, und die Stenografin trat ein, gefolgt von einem Gerichtsdiener und Regina Elmore. »Ms. Elmore«, begrüßte sie der Richter, »wenn ich richtig informiert bin, wurden Sie zur Sprecherin gewählt.«

»Ja, Sir.«

»Gut. Dies ist ein informelles Gespräch, aber ich möchte trotzdem, dass die Stenografin mitschreibt, für alle Fälle. Die Anwälte, Mr. Dyer und Mr. Brigance, werden sich nicht dazu äußern dürfen, was ihnen schwerfallen wird.«

Alle schmunzelten. Ha ha, wie geistreich. Regina Elmore wirkte verunsichert und angespannt.

»Nun denn, ich möchte keine Namen von Ihnen hören, oder was Sie zum Fall denken oder ob die Jury bereits eine Tendenz hat. Aber ich weiß, dass es Konflikte gibt, und halte es für unabdingbar einzugreifen. Kommt die Jury voran?«

»Nein, Sir.«

»Warum nicht?«

Mit einem tiefen Atemzug sah sie nacheinander Noose, Jake und Dyer an und schluckte einmal. »Okay«, sagte sie dann. »Ich darf also keine Namen nennen, richtig?«

»Das ist korrekt.«

»Also gut. Es ist ein Kerl dabei, der in der Jury nichts verloren hat. Ich möchte von etwas berichten, was er gestern gesagt hat. Geht das?«

»Ja. Fahren Sie fort.«

»Nach Kiera Gambles Aussage gestern Vormittag saßen wir beim Mittagessen, da machte dieser Kerl eine unflätige Bemerkung zu einem anderen Geschworenen. Die zwei verstehen sich bestens. Ich versichere Ihnen, wir haben uns an Ihre Anweisungen gehalten und nicht über den Fall geredet. Jedenfalls bis gestern.«

»Was war das für eine unflätige Bemerkung?«

»Er meinte, Kofer sei wahrscheinlich nicht der Vater, weil das Mädchen, also Kiera, schon herumgefickt habe, verzeihen Sie meine Ausdrucksweise, seit sie zwölf ist, genau wie ihre Mutter. Der andere Typ lachte. Die meisten anderen von uns nicht. Ich war geschockt, als ich das hörte. Im nächsten Moment war Joey … O nein, tut mir leid, jetzt habe ich doch einen Namen genannt. Entschuldigen Sie bitte, Euer Ehren.«

»Kein Problem. Fahren Sie fort.«

»Joey fand die Bemerkung nicht gut und sagte ihm das. Er meinte, wir hätten Anweisung, nicht über den Fall zu sprechen. Dann ging es zwischen den beiden ein paar Minuten lang hin und her. Es war ziemlich angespannt. Keiner wollte zurückstecken. Als wir uns heute zur Beratung zurückzogen, riss der Kerl alles an sich, wollte Sprecher werden und sofort zur Abstimmung kommen. Es ist ganz offensichtlich, dass er einen Schuldspruch und die Todesstrafe will. Er will den Jungen morgen hängen sehen.«

Jake und Lowell waren fasziniert. Sie hatten noch nie ein Jurymitglied von den Beratungen berichten gehört. Man durfte Geschworene nach dem Prozess ansprechen und fragen, wie sie zu ihrem Votum gelangt waren, wobei sich normalerweise niemand auf so ein Gespräch einließ. Einen Livebericht aus dem Beratungsraum der Geschworenen zu hören war absolut einzigartig.

Naturgemäß war Jake wesentlich mehr angetan von ihrer Schilderung als Lowell Dyer.

»Ich persönlich finde«, fuhr sie fort, »dass er nicht in die Jury gehört. Er ist ein Rüpel und versucht, uns einzuschüchtern, vor allem die Frauen. Das ist der Grund, warum er und Joey aneinandergeraten. Er ist ein vulgärer Grobian, der nichts gelten lässt, was nicht seiner Meinung entspricht. Ich glaube nicht, dass er seine Aufgabe als Geschworener offen und unparteiisch angeht.«

Noose konnte nur Geschworene ausschließen, die sich tatsächlich etwas hatten zuschulden kommen lassen. Zu behaupten, man sei unparteiisch, obwohl man insgeheim eine Tendenz hatte, war nicht ungewöhnlich.

»Danke, Ms. Elmore«, sagte er. »Wird es Ihrer Ansicht nach möglich sein, zu einem einstimmigen Votum zu gelangen?«

Sie lachte auf, nicht aus mangelndem Respekt gegenüber dem Richter, sondern weil ihr die Frage absurd vorkam. »Tut mir leid, Euer Ehren, nein. Zuerst haben wir uns alle Beweismittel angesehen, dann haben wir die Anweisungen noch einmal durchgelesen, genau wie Sie gesagt haben. Dann wollte dieser Kerl, dass wir sofort abstimmen. Nach der Mittagspause, nachdem Joey und er schon einmal aneinandergeraten waren, haben wir tatsächlich abgestimmt.«

»Und?«

»Sechs zu sechs, Euer Ehren, zwei starre Blöcke. Wir sitzen uns sogar so am Tisch gegenüber. Sie können uns bis zum Sankt-Nimmerleins-Tag sitzen lassen, es wird bei sechs zu sechs Stimmen bleiben. Ich jedenfalls werde diesen Jungen zu gar nichts verurteilen, nach allem was Kofer ihm und seiner Familie angetan hat.«

Der Richter hob die Hände. »Das genügt. Danke nochmals, Ms. Elmore. Sie dürfen gehen.«

»Zurück in den Beratungsraum?«

»Ja, Ma'am.«

»Euer Ehren, bitte, ich mag wirklich nicht mehr dorthin zurück. Ich kann diesen schrecklichen Mann nicht mehr ertragen, ich habe die Nase voll von ihm. Genau wie alle anderen, selbst die, die seiner Meinung sind. Die Stimmung ist ganz schön geladen da drin.«

»Nun ja, wir müssen es weiter versuchen, oder?«

»Es wird Zoff geben, das kann ich Ihnen versichern.«

»Danke, Ms. Elmore.«

Nachdem sie gegangen war, nickte Noose der Stenografin zu, die sich daraufhin ebenfalls eilends entfernte. Allein mit den

Anwälten, zündete Noose seine Pfeife wieder an und blies etwas Rauch aus. Er wirkte auf ganzer Linie geschlagen.

»Ich könnte jetzt einen guten Rat gebrauchen, meine Herren.« Dyer witterte Morgenluft. »Wir könnten Kepner und den Rüpel durch die zwei Ersatzgeschworenen ersetzen.«

Noose nickte. Eine vernünftige Idee. »Jake?«

»Kepner ist ganz offensichtlich auf unserer Seite, er hat nichts falsch gemacht. In der nächsten Instanz könnte sein Ausschluss schwer zu rechtfertigen sein.«

»Stimmt«, sagte Noose. »Das Auswahlverfahren ist korrekt abgelaufen. Ich kann nicht einfach zwei Geschworene entlassen, nur weil sie sich leidenschaftlich streiten. Wir können nicht nach drei Stunden Beratung bereits aufgeben, meine Herren. Treffen wir uns in fünf Minuten im Saal.«

Jake konnte nur mit größter Mühe ein Lächeln unterdrücken, als er den Sitzungssaal betrat und neben seinem Mandanten Platz nahm. Er lehnte sich zurück und flüsterte Portia zu: »Sechs zu sechs.« Sie ließ kurz den Kiefer sinken, ehe sie sich wieder fing.

Die Geschworenen lächelten nicht, als sie nacheinander eintraten und ihre Plätze einnahmen. Noose beobachtete sie aufmerksam. Als sie sich eingerichtet hatten, sagte er: »Meine Damen und Herren, dem Gericht ist zu Ohren gekommen, dass die Beratungen ins Stocken geraten sind.«

Im Zuschauerraum kam Unruhe auf, erschrockenes Luftholen, Gemurmel, Geraschel.

Der Schritt, den Richter Noose angekündigt hatte, war ein Appell im Sinne der sogenannten Dynamite-Regel, die dann zur Anwendung kam, wenn eine Jury sich nicht einigen konnte. »Sie alle haben unter Eid versichert«, begann er, »die vorgelegten Beweise offen und unparteiisch abzuwägen, Vorurteile und persönliche Tendenzen auszublenden und dem Gesetz Folge zu leisten, so wie das Gericht es Ihnen aufgetragen hat. Ich weise Sie nun an, Ihre

Beratungen wieder aufzunehmen und Ihre Pflicht zu tun. Ich ersuche jeden und jede von Ihnen, gleich wie Sie über den Fall denken, noch einmal von vorn zu beginnen und sich diesmal auf die andere Seite zu schlagen. Versetzen Sie sich für einen Moment in die gegnerische Position. Wenn Sie jetzt glauben, dass Drew Gamble schuldig ist, dann stellen Sie sich vor, dass er es nicht ist, und verteidigen Sie Ihre Meinung. Ebenso im umgekehrten Fall, wenn Sie ihn für unschuldig halten. Schauen Sie sich die Gegenseite an. Akzeptieren Sie deren Argumente. Beginnen Sie eine neue Runde Beratungen, mit dem festen Ziel, ein endgültiges, einstimmiges Votum zu erreichen. Wir haben es nicht eilig. Wenn es mehrere Tage dauert, dann ist es eben so. Ich habe kein Verständnis für eine Jury, die sich nicht einigen kann. Wenn Sie es nicht schaffen, wird dieser Fall erneut verhandelt werden, und ich versichere Ihnen, dass die nächste Jury weder schlauer noch besser informiert noch unparteiischer sein wird als Sie. Im Augenblick sind Sie das Beste, was wir haben, und Sie sind der Aufgabe ebenso gewachsen wie jede andere Jury. Ich erwarte nicht weniger als Ihre volle Kooperationsbereitschaft und einen einstimmigen Urteilsspruch. Sie dürfen sich nun in den Beratungsraum zurückziehen.«

Ernüchtert, wenn auch äußerlich unbeeindruckt von dieser richterlichen Standpauke, zogen die Geschworenen ab wie Erstklässler auf dem Weg zum Stillen Stuhl.

»Wir unterbrechen bis sechzehn Uhr.«


Das Verteidigungsteam fand sich am Ende eines überfüllten Flurs im Erdgeschoss zusammen. Man war in Hochstimmung, übte sich aber in Zurückhaltung.

»Noose hat Regina Elmore, die Sprecherin der Jury, holen lassen«, berichtete Jake. »Sie sagte, es habe bereits zwei offene Konflikte gegeben, und sie rechne damit, dass es noch mehr geben werde. Niemand will auch nur ein Jota von seiner Meinung abrücken.

624

Sie beschrieb die Aufteilung als zwei starre Blöcke von sechs zu sechs und meinte, alle wollten am liebsten nach Hause gehen.«

»Was wird um vier Uhr passieren?«, erkundigte sich Carla.

»Wer weiß? Wenn sie sich bis dahin nicht gegenseitig umgebracht haben, wird Noose ihnen wahrscheinlich noch einmal die Leviten lesen und sie über Nacht nach Hause schicken.«

»Werden Sie beantragen, den Prozess für gescheitert zu erklären?«, fragte Lucien.

»Ja.«

»Ich für meinen Teil werde jetzt unsere Tochter abholen«, verkündete Carla. »Wir sehen uns zu Hause.« Sie küsste Jake auf die Wange und ging. Jake sah Portia, Libby und Thane Sedgwick an. »Sie können sich ein bisschen die Zeit vertreiben«, sagte er. »Ich werde nach Drew sehen.«

Er ging durch einen Flur und traf auf Moss Junior Tatum und einen Deputy aus Chester, die vor dem Konferenzraum des County-Verwaltungsrats saßen. »Ich möchte meinen Mandanten sehen«, bat er, und Moss Junior öffnete ihm mit einem Schulterzucken die Tür.

Drew saß allein am Ende eines langen Tisches. Er hatte sein Jackett ausgezogen und las einen Hardy-Boys-Jugendkrimi. Jake setzte sich ihm gegenüber. »Wie geht's dir, Kumpel?«

»Ganz okay. Hab keinen Bock mehr auf den ganzen Mist.«

»Geht mir genauso.«

»Was ist da draußen los?«

»Sieht aus, als könnte sich die Jury nicht entscheiden.«

»Was bedeutet das?«

»Es bedeutet, dass du nicht für schuldig befunden wirst, das ist ein Riesenplus für uns. Es bedeutet auch, dass sie dich ins Gefängnis nach Clanton zurückbringen und du dort auf einen neuen Prozess warten wirst.«

»Wir müssen das alles noch mal machen?«

»Aller Wahrscheinlichkeit nach, ja. In ein paar Monaten. Ich werde alles tun, um dich rauszuboxen. Leider stehen die Chancen nicht so gut.«

»Super. Soll ich mich jetzt freuen?«

»Ja. Es hätte viel schlimmer kommen können.« Jake holte ein Kartenspiel heraus. »Wie wär's mit einer Runde Blackjack?«

Drew lächelte. »Klar.«

»Wie steht's?«

»Sie haben siebenhundertachtzehn Spiele gewonnen, ich neunhundertachtzig. Sie schulden mir zurzeit zwei Dollar und zweiundsechzig Cent.«

»Ich zahle, wenn du freikommst«, versprach Jake und mischte die Karten.


Um sechzehn Uhr liefen die Geschworenen wieder auf, abgekämpft und gereizt, und bemühten sich beim Einnehmen der Plätze tunlichst, einander auf keinen Fall zu berühren. Drei der Männer verschränkten die Arme vor der Brust und blickten finster auf Jake und seinen Mandanten. Zwei der Frauen hatten gerötete Augen und sahen aus, als wollten sie einfach nur nach Hause. Joey Kepner warf Libby ein siegessicheres Grinsen zu.

»Ms. Elmore«, begann der Richter, »ich frage Sie als die Sprecherin der Jury: Sind die Geschworenen seit vierzehn Uhr in ihren Beratungen vorangekommen? Behalten Sie bitte Platz.«

»Nein, Sir, keinen Schritt. Es ist alles nur noch schlimmer geworden.«

»Wie lautet aktuell Ihr Votum?«

»Sechs für schuldig wegen Mord, sechs für unschuldig in allen Anklagepunkten.«

Noose machte ein Gesicht, als wären sie unartig gewesen. »Nun gut. Ich werde jetzt jedem von Ihnen eine einzige Frage stellen. Ein schlichtes Ja oder Nein genügt als Antwort. Geschworener

Nummer eins, Mr. Bill Scribner, kann diese Jury Ihrer Meinung nach zu einem einstimmigen Urteilsspruch gelangen?«

Die Antwort kam prompt. »Nein, Sir.«

»Nummer zwei, Mr. Lenny Poole?«

»Nein, Sir.«

»Nummer drei, Mr. Slade Kingman?«

»Nein.«

»Nummer vier, Ms. Harriet Rydell?«

»Nein, Sir.«

Zumindest in dieser Einschätzung waren sich die zwölf einig, wobei ihre Körpersprache beredter war als ihre knappe Entgegnung.

Noose schwieg eine ganze Weile lang und kritzelte sinnlose Notizen auf seinen Block. Dann sah er den Staatsanwalt an. »Mr. Dyer?«

Dyer stand auf. »Euer Ehren, es war ein langer Tag. Ich schlage vor, wir unterbrechen jetzt, die Geschworenen gehen heim, und wir lassen die Sache für ein paar Stunden ruhen. Morgen kommen wir dann wieder zusammen und versuchen es aufs Neue.«

Die meisten Geschworenen schüttelten den Kopf.

»Mr. Brigance.«

»Euer Ehren, die Verteidigung beantragt, dass das Verfahren gegen den Angeklagten für gescheitert erklärt und vollumfänglich eingestellt wird.«

Noose beschied: »Es sieht so aus, als wäre die Fortsetzung der Beratungen reine Zeitverschwendung. Dem Antrag der Verteidigung wird stattgegeben. Ich erkläre das Verfahren hiermit für gescheitert. Der Angeklagte wird im Gewahrsam des Sheriffs von Ford County verbleiben.« Damit ließ er seinen Hammer aufschlagen und erhob sich.

Eine Stunde später verließen Libby Provine und Thane Sedgwick das Gericht und machten sich auf den Weg nach Memphis zum Flughafen. Lucien war bereits gegangen. Jake und Portia luden ihre Kartons mit den Akten wieder in den Kofferraum des neuen Impala und fuhren ins fünfundvierzig Minuten entfernte Oxford. Dort parkten sie auf dem Courthouse Square und steuerten ein Hamburger-Restaurant an, eines von Jakes Lieblingslokalen aus Studientagen. Es war der 9. August, und die Stadt füllte sich allmählich wieder mit Studenten. In zwei Wochen würde Portia hier ihr Jurastudium aufnehmen, und sie zählte die Tage. Zwei Jahre lang war sie Jakes Sekretärin und Assistentin gewesen. Er hatte keine Ahnung, wie er ohne sie zurechtkommen sollte.

Beim Bier sprachen sie über die Uni, nicht über das Verfahren. Das war tabu.

Um Punkt neunzehn Uhr erschienen Josie und Kiera. Beide lächelten. Man umarmte sich reihum, versammelte sich um einen Tisch und bestellte Sandwiches und Pommes frites. Josie hatte tausend Fragen, die Jake so gut wie möglich beantwortete. Die Wahrheit war, dass er nicht wusste, was mit Drew geschehen würde. Sicherlich würde er erneut in denselben Punkten angeklagt werden, es würde einen neuen Prozess geben. Wann oder wo, das konnte Jake jedoch nicht sagen.

Darüber würden sie sich morgen Gedanken machen.


# 51


Am späten Freitagvormittag hatte Jake genug vom ständigen Klingeln des Telefons und beschloss, sein einsames Büro zu verlassen. Auf sein Drängen hin hatte Portia sich den Tag freigenommen, sonst war niemand da. Die Anrufe kamen von Reportern, befreundeten Kollegen, die quatschen wollten, und Unbekannten, die sich in Schimpftiraden ergingen, ohne ihren Namen zu nennen. Neue Mandanten riefen nicht an. Er hörte die Nachrichten auf seinem Anrufbeantworter ab, wie sie hereinkamen. An Arbeiten war nicht zu denken. Es war wichtig, nicht zu vergessen, dass es für einen Strafverteidiger gleichbedeutend mit einem Sieg war, wenn das Verfahren für gescheitert erklärt wurde. Trotz all seiner Möglichkeiten war der Staat nicht in der Lage gewesen, seiner Beweislast gerecht zu werden. Jakes Mandant galt immer noch als unschuldig, und er war sehr zufrieden mit seiner Verteidigungsstrategie. Doch die Staatsanwaltschaft würde es erneut versuchen, Drew würde erneut vor Gericht kommen, auch mehrfach, wenn es sein musste. Solange sich die Jurys nicht einig wurden, würde es immer so weitergehen, vielleicht jahrelang, zumal es sich um die Tötung eines Polizisten handelte. Im Grunde war diese Vorstellung gar nicht so deprimierend. Jake hatte sich in dem alten Gerichtssaal wohlgefühlt. Er war unter Druck über sich hinausgewachsen. Seine Zeugen waren optimal vorbereitet gewesen und hatten großartige Leistungen erbracht. Seine Strategien und Überrumpelungstaktiken waren perfekt aufgegangen. Seine sorgfältig einstudierten Appelle an die Jury waren genau so angekommen wie geplant. Vor allem aber hatte Jake endlich den Punkt erreicht, wo ihn nicht mehr kümmerte, was die anderen dachten, die Polizei, die gegnerischen Anwälte, die Zuschauer, die Stadt, das County. Es war ihm egal. Seine Aufgabe war es, für seinen Mandanten zu kämpfen, ganz gleich wie undankbar der Fall war.

Er ging die Straße entlang und betrat den Coffee-Shop, wo Dell hinter der Theke stand und Gläser polierte. Er umarmte sie kurz, und sie setzten sich zusammen in eine Nische im hinteren Teil des Lokals.

»Möchten Sie was essen?«, fragte sie.

»Nein. Nur einen Kaffee.«

Sie ging zur Theke, kam mit einer Kanne Kaffee zurück, füllte zwei Tassen und setzte sich wieder. »Wie geht's Ihnen?«

»Gut. Es ist ein Sieg, wenn auch nur ein Etappensieg.«

»Ich habe gehört, es soll alles noch mal von vorn anfangen.«

»Sie haben diese Woche bestimmt viel gehört.«

Sie lachte. »Allerdings. Prather und Looney waren heute Morgen hier, da wurde viel geredet.«

»Lassen Sie mich raten. Brigance hat wieder mal alle Register gezogen und den Jungen rausgehauen.«

»So in der Art. Die Männer waren stinksauer, weil sie die ganze Woche im Gericht sitzen mussten und Sie sie nicht einmal in den Zeugenstand gerufen haben.«

Jake zuckte mit den Schultern. »Das gehört zu ihrem Job. Sie werden drüber wegkommen.«

»Sicher. Prather meinte, Sie hätten sie mit der Schwangerschaft des Mädchens überrumpelt; Sie hätten sie bewusst versteckt.«

»Es war ein faires Match, Dell. Lowell Dyer ist nach Punkten unterlegen, die Fakten sprachen für uns. Aber der Junge ist immer noch in Haft.«

»Kann er freikommen?«

»Das bezweifle ich. Er sollte freikommen. Er ist so lange unschuldig, bis seine Schuld bewiesen ist. Ist das hier mal zur Sprache gekommen?«

»Nein, natürlich nicht. Sie meinten, seine Aussage sei ziemlich heftig gewesen. Sie hätten Kofer wie ein Monster dastehen lassen.«

»Ich habe nur die Fakten sprechen lassen, Dell. Stuart Kofer hat bekommen, was er verdient hat.«

»Der alte Hitchcock hat sich für Sie eingesetzt. Er meinte, wenn er jemals in Schwierigkeiten kommt, wären Sie der erste Anwalt, den er anruft.«

»Genau das brauche ich – noch einen Mandanten, der kein Geld hat.«

»So schlimm ist es doch gar nicht, Jake. Sie haben immer noch ein paar Freunde hier, und in gewisser Weise wird Ihnen für Ihr kompetentes Auftreten vor Gericht auch Bewunderung entgegen-gebracht.«

»Das freut mich zu hören, Dell, aber im Grunde ist mir das völlig egal. Ich habe zwölf Jahre lang am Hungertuch genagt, weil ich mir das Gerede der Leute zu Herzen genommen habe. Diese Zeiten sind vorbei. Schluss mit dem Darben.«

Sie drückte seine Hand. »Ich bin stolz auf Sie, Jake.«

Die Türklingel läutete, und ein Paar trat ein. Dell lächelte Jake an und stand auf, um nach der Kundschaft zu sehen. Er ging zur Theke und nahm sich ein Exemplar der Zeitung aus Tupelo. Wieder am Tisch, setzte er sich mit dem Rücken zur Tür. Auf der Titelseite prangte ein Foto von Drew, die Schlagzeile lautete: Jury uneins – Richter erklärt Prozess für gescheitert. Jake hatte den Artikel vor Stunden schon gelesen, und einmal genügte ihm auch, deshalb blätterte er weiter zum Sportteil und informierte sich über die kommende College-Football-Saison in der Region.

Als Jake die Kanzlei betrat, saß Portia an ihrem Schreibtisch und schnippelte Zeitungsartikel aus. »Was tun Sie da?«

»Mir wurde es zu Hause langweilig. Außerdem hatte Momma heute Morgen wieder eine Laune. Ich freu mich wirklich wahnsinnig aufs Studium.«

Jake lachte und setzte sich ihr gegenüber. »Was wird das denn?«

»Ich bastele ein Fotoalbum für Sie. Werden Sie denn irgendwann noch mit den Reportern sprechen? In sämtlichen Artikeln steht immer nur: ›Mr. Brigance wollte keinen Kommentar abgeben.‹«

»Mr. Brigance hat nichts zu sagen, weil der Fall noch nicht abgeschlossen ist.«

»Damals beim Hailey-Prozess hatten Sie ganz schön viel zu erzählen. Ich habe Ihre Akte mit den Zeitungsausschnitten gelesen. Da hatte Mr. Brigance richtig Spaß daran, sich mit den Reportern zu unterhalten.«

»Ich habe dazugelernt. Anwälte sollten grundsätzlich keine Kommentare abgeben, wobei sich niemand daran hält. Stellen Sie sich nie zwischen einen Topanwalt und eine Fernsehkamera. Könnte gefährlich werden.«

Sie schob die Zeitungsausschnitte von sich weg. »Hören Sie, Jake. Ich weiß, ich habe das schon öfter gesagt, aber ich möchte es noch mal sagen, bevor ich hier weggehe. Was Sie und Richter Atlee mit dem Hubbard-Vermögen gemacht haben, war einfach fantastisch. Dank dem Bildungsfonds können ich und meine Cousinen studieren gehen. Mein Jurastudium ist bezahlt, dafür werde ich ewig dankbar sein.«

»Gern geschehen. Es ist ja nicht mein Geld, ich darf nur die Schecks unterschreiben.«

»Jedenfalls sind Sie ein großartiger Treuhandverwalter, und wir sind dafür wirklich sehr dankbar.«

»Danke. Es ist eine Ehre, das Geld in vielversprechenden akademischen Nachwuchs zu investieren.«

»Ich werde dieses Studium mit Bravour abschließen, Jake, das verspreche ich. Und wenn ich fertig bin, komme ich zurück, um für Sie zu arbeiten.«

»Dabei sieht es jetzt schon so aus, als wären Sie eine vollwertige Kraft. Sie sitzen seit zwei Jahren in diesem Büro, und die meiste Zeit über vermitteln Sie den Eindruck, als wäre es Ihre Kanzlei.«

»Ich habe sogar gelernt, Lucien zu mögen, was, wie wir wissen, nicht ganz einfach ist.«

»Er mag Sie auch, Portia, und er will Sie hier haben. Aber Sie werden Angebote von Großkanzleien bekommen. Die Dinge ändern sich, heute wird mehr und mehr auf Diversität geachtet. Wenn Sie allzu gute Noten haben, werden die Sie mit Geld überschütten, um Sie zu bekommen.«

»Das interessiert mich nicht. Ich will im Gerichtssaal stehen, so wie Sie, Jake, und Menschen helfen. Meinen Leuten helfen. Sie haben mir die Chance gegeben, diesen Prozess mitzuerleben, als wäre ich eine richtige Anwältin. Das war eine Riesenmotivation für mich.«

»Danke, aber wir sollten auf dem Boden der Tatsachen bleiben. Ich habe vielleicht den Fall gewonnen, dafür bin ich noch mehr pleite als vorher. Außerdem bin ich ihn noch lange nicht los.«

»Ja, aber Sie werden es überleben, Jake. Oder?«

»Schon, irgendwie.«

»Sie müssen zumindest so lange dranbleiben, bis ich mit dem Studium fertig bin.«

»Ich werde hier sein. Ich brauche Sie auch in den kommenden drei Jahren. Es gibt immer jede Menge zu recherchieren.« Jake blickte auf seine Armbanduhr und lächelte. »Hey, es ist Freitag, da geht man als Weißer zu Claude's. Gönnen wir uns ein Mittagessen auf Kosten der Kanzlei.«

»Kann sich die Kanzlei das leisten?«

»Nein«, erwiderte er lachend. »Aber bei Claude können wir anschreiben lassen.«

»Dann nichts wie hin.«

Sie spazierten um den Clanton Square herum zum Restaurant und kamen kurz vor der Mittagskundschaft dort an. Claude umarmte beide und deutete auf einen Tisch in der Nähe des Fensters. Er hatte nie die Notwendigkeit gesehen, Speisekarten drucken zu lassen; es wurde etwas gekocht, die Gäste wählten aus. Normalerweise gab es zur Auswahl Spareribs, Catfish, Grillhühnchen, gebackene Bohnen und jede Menge Gemüse.

Jake sprach mit einem älteren Ehepaar, das er seit der Highschool kannte. Niemand schien sich auch nur im Geringsten für den Gamble-Prozess zu interessieren. Portia bestellte Spareribs, Jake hatte Lust auf Fisch. Sie tranken süßen Tee und sahen zu, wie sich das Lokal mit Gästen füllte.

»Eine Frage«, sagte sie, »die mich schon länger beschäftigt.«

»Lassen Sie hören.«

»Ich habe alle Berichte über den Hailey-Prozess vor fünf Jahren gelesen. Sie haben damals einem Mr. McKittrick von der *New York Times* ein Interview gegeben, in dem Sie sich vehement für die Todesstrafe ausgesprochen haben. Sie sagten unter anderem, das Problem mit der Gaskammer sei, dass sie nicht oft genug zum Einsatz komme. Ich weiß, dass Sie heute nicht mehr so denken. Wie kam es zu diesem Sinneswandel?«

Jake lächelte und betrachtete die Passanten auf dem Gehsteig. »Durch Carl Lee. Als ich ihn und seine Familie kennenlernte, wurde mir mit brutaler Härte bewusst, dass er, wenn er verurteilt würde, für zehn oder fünfzehn Jahre nach Parchman geschickt würde, während ich mich für ihn durch die Instanzen kämpfe, und dass der Staat ihn eines Tages auf eine Bahre schnallen und das Gas aufdrehen würde. Damit konnte ich nicht leben. Als sein Anwalt würde ich die letzten Momente mit ihm verbringen müssen, in der Zelle gleich neben der Gaskammer, wahrscheinlich zusammen mit einem Priester oder einem Kaplan, bis sie ihn holen. Anschließend würde ich um eine Ecke gehen und mich im Zeugenraum zu seiner Frau Gwen, seinem Bruder Lester und vermutlich ein paar weiteren Verwandten setzen, und wir würden ihm beim Sterben zusehen. Die Vorstellung hat mir Albträume bereitet. Daraufhin habe ich mich zum ersten Mal in meinem Leben ernsthaft mit der Todesstrafe und ihrer Geschichte beschäftigt. Die Probleme sind offensichtlich. Die Ungerechtigkeit, die Ungleichheit, die Vergeudung von Zeit, Geld und Leben. Das moralische Dilemma. Wir sind uns alle einig, dass das Leben kostbar ist und dass es falsch ist zu töten. Wie können wir zugleich erlauben, dass wir durch die Hand des Staates qua Gesetz töten? Also habe ich meine Meinung geändert. Ich denke, es gehört dazu, wenn man erwachsen wird und Lebenserfahrung sammelt, wenn man reifer wird, dass man seine Überzeugungen hinterfragt.«

Claude erschien und schleuderte ihre Bestellungen förmlich vor sie auf den Tisch. »Dreißig Minuten.«

»Fünfundvierzig«, rief ihm Jake hinterher, doch er war schon weg.

»Warum sind so viele Weiße versessen auf die Todesstrafe?«, fragte Portia.

»Wir wachsen damit auf. Wir hören überall davon, zu Hause, in der Schule, von Freunden. Wir sind hier im Bibelgürtel, Portia, da gilt Auge um Auge, Zahn um Zahn.«

»Was ist mit dem Neuen Testament und Jesus' Botschaft vom Vergeben?«

»Das passt hier nicht in den Kram. Jesus hat Liebe, Toleranz, Akzeptanz und Gleichheit gepredigt. Doch die meisten Christen, die ich kenne, sind ziemlich gut darin, sich nur das aus der Bibel herauszupicken, was ihr Weltbild bestätigt.«

»Das tun nicht nur die weißen Christen«, sagte sie und lachte.

Ein paar Minuten lang aßen sie und verfolgten amüsiert, wie Claude sich mit drei schwarzen Herren in schicken Anzügen anlegte. Einer hatte den Fehler gemacht, nach der Speisekarte zu fragen. Die Szene endete in allgemeinem Gelächter.

Um 12.15 Uhr waren alle Tische besetzt. Jake zählte sieben andere Weiße, auch wenn es keine Rolle spielte. Für einen kurzen Moment war gutes Essen wichtiger als die Hautfarbe. Portia aß kleine Häppchen. Sie war sechsundzwanzig, und dank der Army hatte sie schon mehr von der Welt gesehen als Jake oder sonst irgendjemand, den er kannte. Es war nicht leicht für sie, einen adäquaten Mann zu finden.

»Haben Sie einen Freund?«, erkundigte er sich provozierend.

»Nein. Fragen Sie bloß nicht.« Sie aß einen Bissen und sah sich um. »Wie sind die Aussichten im Jurastudium?«

»Schwarz oder weiß?«

»Kommen Sie, Jake. Wenn ich einen Weißen nach Hause bringe,

flippt meine Familie aus. Es muss doch an der Uni eine gewisse Auswahl an schwarzem Talent geben.«

»Das bezweifle ich. Ich bin vor zwölf Jahren fertig geworden, da hatten wir drei Schwarze im Jahrgang.«

»Sprechen wir über etwas anderes«, sagte sie. »Sie klingen wie Momma. Die hackt auch ständig auf mir herum, weil ich nicht heirate. Ich musste sie an ihre eigene Ehe erinnern und wie die ausgegangen ist.« Portias Vater Simeon Lang hatte eine bewegte Vergangenheit und saß zurzeit eine Haftstrafe für fahrlässige Tötung im Straßenverkehr ab. Ihre Mutter Lettie hatte sich zwei Jahre zuvor von ihm scheiden lassen.

Claude warf im Vorbeigehen einen strengen Blick auf ihre Teller und sah dann prüfend auf seine Uhr, als würde ihre Zeit ablaufen.

»Wie sollen wir in dieser Hektik bitte unser Mittagessen genießen?«, fragte Jake.

»Ihr seid ganz gut in der Zeit, aber beeilt euch trotzdem bitte, draußen warten neue Gäste.«

Sie beendeten ihr Essen, und Jake legte einen Zwanzigdollarschein auf den Tisch, denn Claude akzeptierte weder Kreditkarte noch Schecks. In der Stadt wurde gern darüber spekuliert, wie viel er verdiente. Er besaß ein hübsches Haus auf dem Land, fuhr einen prachtvollen Cadillac und hatte drei Kinder auf dem College. Es wurde gemeinhin angenommen, dass sich seine Verachtung gegenüber schriftlichen Aufzeichnungen wie Speisekarten, Belegen und Kreditkarten auch auf die Steuererklärung erstreckte.

Auf dem Gehsteig sagte Jake: »Ich denke, ich gehe zum Gefängnis hinüber und schaue für ein Stündchen bei Drew vorbei. Der Junge zieht mich regelmäßig beim Blackjack ab, ich muss dringend mein Geld zurückgewinnen.«

»Ist er nicht ein Goldstück? Können wir ihn nicht irgendwie freibekommen, Jake?«

»Unwahrscheinlich. Mögen Sie ihn nicht morgen besuchen? Er kann Sie wirklich gut leiden, Portia.«

»Gern. Ich werde was backen und mitnehmen. Die Wärter lieben meine extracremigen Brownies. Nicht dass sie sie nötig hätten.«

»Ich bin in zwei Stunden zurück.«

»Nur zu, Jake. Sie sind der Chef. Zumindest noch.«

## 52

Am Montagvormittag zählte Jake seine Stunden und Ausgaben im Zusammenhang mit der Verteidigung von Drew Gamble zusammen und faxte seine Rechnung an Richter Omar Noose.

Seit dem ersten Anruf des Richters am Sonntag, den 25. März, Stuart Kofers Todestag, waren dreihundertzwanzig Stunden zusammengekommen, das entsprach rund einem Drittel seiner Gesamtarbeitszeit. Für Portia hatte er hundert Stunden angesetzt. Jede Minute, die er auf den Fall verwendet hatte, war in die Abrechnung eingegangen, einschließlich Fahrtzeiten und Telefon. Er war großzügig verfahren und hatte kein schlechtes Gewissen dabei. Der Stundensatz für einen vom Gericht eingesetzten Anwalt betrug lächerliche fünfzig Dollar. Als der teuerste Anwalt der Stadt galt Walter Sullivan, der sich rühmte, zweihundert Dollar die Stunde zu nehmen. Die großen Kanzleien in Jackson und Memphis berechneten ebenso viel. Zwei Jahre zuvor in dem Prozess um Seth Hubbards Testament hatte Richter Atlee Jake einhundertfünfzig Dollar zugestanden, und er fand, dass er jeden Cent davon wert gewesen war.

Fünfzig Dollar die Stunde deckten nicht einmal seine Unkosten.

Seine Rechnung für Drew belief sich auf insgesamt einundzwanzigtausend Dollar, zwanzigtausend mehr, als die Gebührenordnung des County für eine Verteidigung in einem Mordprozess vorsah. Er bezweifelte, dass er das Geld je sehen würde. Schon allein deshalb war die Aussicht auf ein Wiederaufnahmeverfahren deprimierend.

Aber was war überhaupt ein angemessenes Honorar? Das war schwer zu sagen. Wohlhabende Menschen kamen selten wegen Mord vor Gericht. Drei Jahre zuvor war einem reichen Farmer drüben im Delta vorgeworfen worden, seine Frau mit einer Schrotflinte Kaliber zwölf erschossen zu haben. Der Mann hatte einen bekannten Rechtsanwalt engagiert und war freigesprochen worden. Man munkelte über ein Honorar in Höhe von zweihundertfünfzigtausend Dollar.

Auf solche Fälle war Jake scharf.

Dreißig Minuten später rief Richter Noose an. Jake schluckte und hob ab. »Ist absolut im Rahmen«, sagte Noose. »Sie haben gute Arbeit geleistet, Jake.«

Erleichtert bedankte sich Jake. »Wie geht es jetzt weiter?«

»Ich werde Ihre Rechnung an Todd Tannehill faxen, zusammen mit der Anweisung, dem County-Rat zu sagen, dass sie einen Scheck ausstellen sollen.«

Gib's ihnen, Omar. Jake bedankte sich noch einmal und legte auf. Es war zu erwarten, dass der Rat ablehnte, dann würde Jake am Circuit Court einen Prozess gegen das County anstrengen, mit Omar Noose als vorsitzendem Richter.

Eine Stunde später rief Todd Tannehill an. Todd war ein guter Anwalt und hatte den Rat viele Jahre lang in rechtlichen Angelegenheiten beraten. Jake hatte ihn immer gemocht, sie waren sogar einmal zusammen auf der Entenjagd gewesen. »Herzlichen Glückwunsch zum Sieg, Jake.«

»Danke, leider ist der nur temporär.«

»Ja, ich weiß. Hören Sie, Ihre Rechnung ist absolut in Ordnung, und ich würde Ihnen mit dem größten Vergnügen einen Scheck ausstellen. Leider sind uns durch die Gebührenordnung die Hände gebunden.«

»Nicht nur Ihnen.«

»Der Rat tritt heute Nachmittag zusammen, ich werde den Punkt ganz oben auf die Tagesordnung setzen. Aber wir wissen beide, dass der Rat ablehnen wird. Noose meinte, Sie würden dann wahrscheinlich das County verklagen.«

»Das ist auf jeden Fall eine Option.«

»Viel Glück. Ich sehe zu, was ich tun kann.«

Am Dienstagmorgen erhielt Jake ein Fax von Tannehill.

*Sehr geehrter Mr. Brigance,*
*am Montag, den 13. August, wurde dem Verwaltungsrat von Ford County die von Ihnen gestellte Rechnung über Dienste als vom Gericht bestellter Strafverteidiger für Mr. Drew Gamble vorgelegt. Die Rechnungssumme übersteigt den Betrag, der vom Staat Mississippi für diese Dienste festgelegt wurde. Wir bedauern daher, Ihnen mitteilen zu müssen, dass der Rat die Begleichung Ihrer Rechnung ablehnen muss. Sofern Sie eine korrigierte Rechnung einreichen, wird der Rat den gesetzlich vorgeschriebenen Höchstsatz von tausend Dollar ausbezahlen.*
*Mit freundlichen Grüßen*
*Todd Tannehill*

Jake setzte eine lapidare, einseitige Klageschrift gegen das County auf und zeigte sie Lucien, der unten in seinem Arbeitszimmer saß. Er fand den Text großartig. »Wenn diese gottesfürchtigen Kreaturen hier die Todesstrafe so lieben, dann müssen sie sich das eben was kosten lassen.«

Da Dumas Lee jeden Dienstagnachmittag die Gerichtsakten auf der Suche nach Neuigkeiten durchstöberte, beschloss Jake, ein oder zwei Tage mit der Einreichung zu warten. Die Zeitung ging gegen zweiundzwanzig Uhr in Druck, die aktuelle Ausgabe stand mit Sicherheit ganz im Zeichen des Kofer-Mordes und des Prozessausgangs. Eine Geschichte über Jake, der das County wegen seines Honorars verklagte, würde nur Öl ins Feuer gießen.

Lowell Dyer zeigte weniger Zurückhaltung. Am Dienstagnachmittag rief er die Anklagejury zu einer Sondersitzung zusammen und präsentierte ihnen erneut den Mord an Stuart Kofer. Ozzie sagte aus und zeigte noch einmal dieselben Fotos vom Tatort. Ohne eine Gegenstimme wurde Drew Gamble zum zweiten Mal wegen Mord angeklagt und bekam die Anklage in seine Zelle gebracht. Im Anschluss daran rief Dyer Jake an. Es wurde ein angespanntes Gespräch.

Nicht dass der Zeitpunkt eine Rolle spielte. Eine neue Anklage war zu erwarten gewesen. Da in Kürze Wahlen anstanden, musste Dyer ordentlich auf den Putz hauen, um seine Schlappe im ersten Prozess wettzumachen.

Am Mittwochmorgen beim Kaffee las Jake zusammen mit Carla die *Times*. Der Platz auf der Titelseite reichte kaum für die fetten Schlagzeilen über das Scheitern der Jury, die Fotostrecke dazu und Dumas' sensationslüsterne Berichterstattung. Von der neuen Anklage erfuhr man auf der zweiten Seite. Von Mr. Brigance gab es noch immer keinen Kommentar.

Am Donnerstagmorgen reichte Jake seine Zivilklage gegen das County ein. Außerdem verklagte er die Erben von Stuart Kofer auf eine Summe von fünfzigtausend Dollar für Josies Arzt- und Krankenhausrechnungen, plus ein paar Dollar extra Schmerzensgeld. In der Kanzlei wurden unterdessen zwei weitere Klagen diskutiert: eine persönliche von Jake gegen Cecil Kofer auf Erstattung von Arztkosten infolge der Prügelattacke gegen ihn, die andere gegen Stuart Kofers Erben auf Übernahme von Kieras medizinischer Betreuung sowie Unterhalt für ihr Kind.

Die Schriftsätze zu verfassen hatte therapeutische Wirkung. Unabhängig von den anderen arbeitete Portia an einer eigenen Klage. Wie die meisten Kleinstadt-Anwälte kam Jake praktisch nie mit Haftprüfungsfällen in Berührung. Wenn jemand die Rechtmäßigkeit seiner Inhaftierung infrage stellte, wurde das nahezu ausschließlich an Bundesgerichten verhandelt. Es stand jedoch nirgends geschrieben, dass man die Rechtsprüfung einer Inhaftierung nicht an einem einzelstaatlichen Gericht einklagen durfte. Am Donnerstagabend legte Portia Jake eine Klage samt ausführlichem Schriftsatz vor. Beim Blick auf die Überschrift – *Drew Allen Gamble gegen Ozzie Walls, Sheriff von Ford County* – musste er lächeln.

»Wir verklagen Ozzie?«

»So ist es. Haftprüfungsklagen gehen gegen die Person, die den Kläger festhält, normalerweise ist das der Leiter einer Haftanstalt.«

»Da wird er sich freuen.«

»Er muss aber keinen Schadenersatz leisten. Es ist mehr eine Formalität.«

»Und das soll hier in Mississippi verhandelt werden?«

»Genau. Wir müssen auf einzelstaatlicher Ebene zuerst alle Rechtsmittel ausschöpfen, ehe wir ans Bundesgericht gehen können.«

Lächelnd las Jake weiter. Die Klage führte aus, dass Drews Freiheitsentzug unrechtmäßig sei, weil das Gericht (in Gestalt von Richter Omar Noose) das Kapitaldelikt, das ihm vorgeworfen werde, als nicht kautionswürdig eingestuft habe. Drew sei über vier Monate im County-Gefängnis festgehalten worden, obwohl er nach wie vor als unschuldig zu gelten habe. Die Staatsanwaltschaft sei mit ihrem Versuch, ihn für schuldig zu erklären, gescheitert. Aufgrund seines Alters werde er zudem in Einzelhaft gehalten und habe keinerlei Zugang zu Schulbildung.

»Brillant«, murmelte Jake beim Lesen. Portia strahlte voller Stolz. Angesichts der Frequenz, mit der Jake zurzeit Klagen lostrat, würde er sicherlich auch diese postwendend einreichen.

Ford County und der 22. Gerichtsbezirk, hieß es im Weiteren, verletzten den Achten Zusatzartikel der amerikanischen Verfassung, der gegen »grausame und ungewöhnliche Bestrafungen« schütze, indem ein Minderjähriger in einem Erwachsenengefängnis festgehalten würde, ohne Möglichkeit, gegen Kaution freizukommen.

Jake legte die Klage beiseite und griff nach dem erläuternden Schriftsatz. Als er zu lesen anfing, sagte Portia: »Das ist nur ein grober Entwurf. Ich muss noch ein wenig daran feilen.«

»Es ist brillant. Sie brauchen gar nicht mehr Jura zu studieren.«

»Super. Besorgen Sie mir einfach eine Zulassung.«

Er las langsam weiter, blätterte um, lächelte. Als er fertig war, reichte sie ihm noch mehr Blätter.

»Was ist das?«

»Die Klage für das Bundesgericht. Sobald Noose unsere erste Klage abgewiesen hat, werden wir zum Bundesgericht flitzen, wo sich die Richter wesentlich besser mit Haftprüfungsfällen auskennen.«

»Und schon allein deshalb gar keine Lust darauf haben.«

»Mag sein, aber sie haben keine Lust darauf, weil sie überschüttet werden mit Anträgen von Gefängnisanwälten, die sonst überwiegend Däumchen drehen. Jeder Häftling hat Grund, sich zu beschweren. Manche beteuern ihre Unschuld, manche beklagen sich über undichte Toiletten und schlechtes Essen, aber alle reichen dazu Haftprüfungsklagen ein. Unser Fall ist etwas ganz anderes und wird vielleicht gerade deshalb ernst genommen.«

»Die gleichen Anschuldigungen?«

»Ja, es ist im Grunde der gleiche Text.«

Jake legte die Blätter hin und dehnte sich. Portia sah ihm zu und sagte: »Ich finde auch, Sie sollten Noose auffordern, sich für befangen zu erklären. Schließlich ist er Teil des Problems, weil er die Kaution abgelehnt hat. Wir sollten um einen anderen Richter bitten, einen von außerhalb des Bezirks.«

»Das wird ihn freuen. Ich habe eine Idee. Morgen früh treffe ich Noose und Dyer, um letzte Prozessangelegenheiten zu regeln. Der Richter hat außerdem ein paar Sitzungstermine. Ich könnte den beiden die Klage samt Schriftsatz zeigen und damit drohen, sie hier einzureichen und, falls notwendig, auch beim Bundesgericht.«

»Ob Richter Noose jemals eine Haftprüfungsklage gesehen hat?«

»Kann ich mir kaum vorstellen. Ich werde vorschlagen, dass er sich für befangen erklärt, und ein Eilverfahren beantragen. Er weiß, dass sich die Presse darauf stürzen würde, und das dürfte er vermeiden wollen. Dyer könnte öffentlichkeitswirksam Zeter und Mordio schreien. Unser Ziel ist es, Noose dazu zu bringen, eine angemessene Kaution festzulegen, damit unser Mandant freikommt.«

»Wie soll Dew denn eine Kaution bezahlen?«

»Eine berechtigte Frage. Darüber machen wir uns Gedanken, wenn es so weit ist.«

# 53

Am Freitagmorgen um neun Uhr ging es hoch her im Gerichtssaal. Anwälte schlenderten umher, verbreiteten den neuesten Tratsch und erzählten abgedroschene Witze. In den Bänken des Zuschauerraums saßen die Familien frisch angeklagter junger Männer und machten sich Sorgen. Justizangestellte huschten mit Akten herum und flirteten mit den Anwälten. Mann der Stunde war Jake, und einige seiner Konkurrenten ließen sich sogar herab, ihm zu seinem Sieg drüben in Chester zu gratulieren, zumindest bis Lowell Dyer als Vertreter der Staatsanwaltschaft auf der Bildfläche erschien.

Ein Gerichtsdiener sprach Jake und Todd Tannehill an und teilte ihnen mit, dass der Richter sie in seinem Zimmer erwarte. Als sie eintraten, stand Noose da und dehnte sich. Ganz offensichtlich litt er unter Schmerzen. Er begrüßte beide mit herzlichem Handschlag und deutete auf die Stühle am Tisch. Nachdem sie Platz genommen hatten, sagte er: »Wir haben heute einen Termin nach dem anderen, also kommen wir gleich zur Sache, meine Herren. Jake, Sie haben die Klage wegen Ihres Honorars eingereicht. Todd, wie schnell können Sie Ihre Erwiderung bringen?«

»In Kürze, Euer Ehren.«

»Das ist leider nicht schnell genug. Mr. Brigances Beschwerde besteht aus einer Seite, eine echte Seltenheit in unserem Geschäft, die Rechnung ist angehängt. Bestimmt wird Ihre Erwiderung noch kürzer sein. Ein kategorisches Nein. Stimmt's?«

»Leider ja, Euer Ehren.«

»Sie haben sich mit Ihren Mandanten beraten, und ich nehme an, alle fünf Ratsmitglieder sind sich einig.«

»Ja, Sir.«

»Gut. Dann sausen Sie mal zurück in Ihr Büro, schreiben Sie eine einseitige Erwiderung, bringen Sie sie her, und reichen Sie sie ein, während ich meine Termine abarbeite.«

»Ich soll sie heute noch einreichen?«

»Nicht heute, Sir. Heute vor der Mittagpause. Der Prozess wird auf nächsten Donnerstag angesetzt, in diesem Saal, ohne Jury, mit mir als Vorsitzendem. Jake, haben Sie vor, Zeugen aufzurufen?«

»Nein, Sir. Ich brauche keine.«

»Und Sie auch nicht, Todd. Es wird ein kurzer Prozess werden.

Ich will alle fünf Ratsmitglieder hier haben. Jake, wenn es sein muss, lassen Sie sie vorladen.«

»Das wird nicht nötig sein, Euer Ehren«, sagte Tannehill. »Ich werde dafür sorgen, dass sie kommen.«

»Gut. Sollte dennoch einer nicht erscheinen, werde ich Haftbefehl erlassen.«

Tannehill zuckte zusammen, genau wie Jake. Die Vorstellung, ein gewähltes Mitglied des County-Rats festnehmen und vor Gericht zerren zu lassen, war schockierend.

»Ach, und Todd.« Noose war noch nicht fertig. »Sie sollten die fünf daran erinnern, dass hier noch zwei andere Klagen anhängig sind, in denen das County Hauptbeschuldigter ist. Bei der einen geht es um eine County-eigene Mülldeponie, die wohl verseucht ist und Trinkwasser kontaminiert. Die Kläger wollen viel Geld haben. Die zweite betrifft einen Unfall, bei dem ein Müllwagen des County beteiligt war. Beide Klagen scheinen ihre Berechtigung zu haben. Also: Ich will, dass Jake entlohnt wird. Das County hat das Geld. Ich habe die Bücher selbst gesehen. Sie sind, wie Sie wissen, öffentlich einsehbar.«

Noch schockierender als die Androhung eines Polizeieinsatzes war die alles andere als subtile Andeutung des Richters, Fälle, die nichts mit dem vorliegenden zu tun hatten, in seinem Sinne zu entscheiden. Tannehill war wie erstarrt. »Euer Ehren, mit Verlaub, das klingt wie eine Drohung.«

»Es ist keine Drohung. Es ist ein Versprechen. Ich habe Jake in den Gamble-Fall hineingezogen mit der Versicherung, dass er dafür bezahlt werden würde. Seine Rechnung ist im Rahmen, finden Sie nicht?«

»Ich habe kein Problem mit seiner Rechnung. Es ist nur, dass …«

»Ich weiß, ich weiß. Doch die County-Räte haben jede Menge Spielraum, was ihr Budget angeht. Sie können das Honorar aus nicht zweckgebundenen Finanzmitteln bezahlen. Kümmern Sie sich darum.«

»Okay, okay.«

»Sie können gehen, Todd. Ihre Klageerwiderung bringen Sie bitte noch vor der Mittagspause.«

Tannehill warf Jake einen irritierten Blick zu und eilte aus dem Raum. Als er weg war, stand Noose auf und dehnte sich erneut. »Wie viele Fälle haben Sie heute Vormittag?«

»Zwei erste Termine und Gamble. Ich nehme nicht an, dass Sie ihn heute vor Gericht sehen wollen.«

»Nein. Das erledigen wir ein andermal. Jetzt arbeiten wir zuerst die Vormittagstermine ab und treffen uns dann hier zum Mittagessen, zusammen mit Lowell.«

»Selbstverständlich, Richter Noose.«

»Und, Jake, besorgen Sie uns doch Baguettes mit Catfish von Claude, ja?«

»Mit Vergnügen, Richter Noose.«


Auf den Vorschlag des Richters hin legten die Anwälte ihre Jacketts ab und lockerten die Krawatten. Seine Robe hing an der Tür. Die Baguettes waren noch warm und schmeckten köstlich. Nach ein paar Bissen und etwas Small Talk fragte Noose: »Haben Sie Ihre Kalender da?«

Beide nickten und griffen nach ihren Aktenkoffern.

Noose blickte auf seine Notizen. »Wie wär's mit dem 10. Dezember für das Wiederaufnahmeverfahren?«

In Jakes Kalender herrschte ab November gähnende Leere. Dyers Gerichtskalender hing von dem des Richters ab. Beide erklärten, der 10. Dezember sei in Ordnung.

»Irgendeine Idee, wo?«, fragte Jake in der innigen Hoffnung, dass sie nicht wieder in Van Buren County endeten.

»Darüber habe ich auch schon nachgedacht.« Noose aß einen

Bissen und wischte sich den Mund mit einer Papierserviette ab. »Wir sollten jetzt dranbleiben. Chester hat nicht besonders gut funktioniert. Hier machen wir es nicht. Tyler County ist Lowells Revier, das geht also auch nicht. Damit bleiben Polk County und Milburn County. Ich werde das zu gegebener Zeit entscheiden, dann bereiten wir dort alles vor. Einwände?«

»Ja natürlich, Euer Ehren«, sagte Lowell. »Wir legen Einspruch gegen einen Wechsel des Verhandlungsorts ein.«

Keine Seite war scharf auf eine Neuauflage. Dyer fürchtete eine weitere Niederlage, Jake den Bankrott seiner Kanzlei.

»Kein Problem«, erwiderte Noose. »Aber geben Sie sich nicht allzu viel Mühe damit.«

Damit hatte das Gericht entschieden.

Der Richter aß und sprach weiter. »Spielt sowieso keine Rolle. Wir könnten in jedem der fünf Countys zwölf beliebige Passanten von der Straße holen und würden wieder das gleiche Resultat erzielen. Meine Herren, ich habe seit dem gescheiterten Prozess an kaum etwas anderes gedacht. Ich denke, es gibt keine Jury, die diesen Jungen einstimmig verurteilen oder einstimmig freisprechen würde. Dazu würde ich gern Ihre Meinung hören.«

Jake nickte, zögerte aber mit einer Äußerung. Dyer sagte: »Wir sollten es auf jeden Fall noch einmal versuchen, oder? Ich sehe die gleichen Herausforderungen, aber ich bin zuversichtlich, dass es am Ende zu einer Verurteilung kommen wird.«

Was sollte er als Staatsanwalt auch sonst sagen.

»Jake?«

»Ich stimme Ihnen zu, Richter Noose. Vielleicht wird es bei der Verteilung der Stimmen etwas hin und her gehen, aber mit einem einstimmigen Urteil ist nicht zu rechnen. Das Einzige, was anders sein wird, ist, dass Kiera nächsten Monat ihr Baby zur Welt bringen wird. Selbstverständlich liegt dann auch der Vaterschaftstest vor, der Kofer als Erzeuger bestätigt.«

»Es steht also niemand anders zur Debatte?«, fragte Dyer höflich.

»Ich glaube dem Mädchen«, sagte Jake.

»Der Überraschungscoup zieht dann nicht mehr.«

»Kann sein. Vielleicht ziehe ich aber einen anderen Trumpf aus dem Ärmel.«

»Meine Herren. Wir werden das Verfahren am 10. Dezember wiederaufnehmen, und das bitte ohne weitere Überraschungen. Wenn sich die Jury wieder nicht einigen kann, sehen wir weiter. Irgendeine Chance auf einen Deal?«

Dyer schüttelte den Kopf. »Momentan nicht, Euer Ehren. Bei Tötung eines Vollstreckungsbeamten bin ich nicht bereit, Kompromisse einzugehen.«

»Jake?«

»Ich kann unmöglich einen Sechzehnjährigen zu einem Deal überreden, der ihm dreißig Jahre im Knast verheißt.«

»Das dachte ich mir. Meine Herren, ich sehe keinen Ausweg aus diesem Dilemma. Die Fakten sind, wie sie sind, wir können sie nicht ändern. Es bleibt uns nichts anderes übrig, als es weiter zu versuchen.«

Jake schob sein Baguette von sich weg und griff nach ein paar Blättern. »Damit wären wir beim Thema Kaution. Mein Mandant hat jetzt fünf Monate für nichts abgesessen. Es gilt nach wie vor die Unschuldsvermutung. Der Staat hat einmal versucht, seine Schuld nachzuweisen, und ist damit gescheitert. Es ist nicht fair, ihn eingesperrt zu lassen. Er ist so unschuldig wie Sie und ich, ganz abgesehen davon, dass er minderjährig ist. Er verdient, auf freien Fuß zu kommen.«

Mit einem Kopfschütteln biss Dyer in sein Baguette.

Überraschenderweise sagte Noose: »Darüber habe ich mir auch schon Gedanken gemacht. Eine fragwürdige Situation.«

»Mehr als fragwürdig, Richter Noose. Der Junge war schon

damals im März schulisch zwei Jahre im Hintertreffen. Wie wir erfahren haben, war seine Schullaufbahn immer wieder unterbrochen. Jetzt ist er hinter Gittern und wieder weit entfernt von einem Klassenzimmer.«

»Ich dachte, Ihre Frau lernt mit ihm.«

»Ein paar Stunden die Woche, Richter Noose, aber das kann nur eine vorübergehende Lösung sein. Es reicht einfach nicht aus. Der Junge zeigt ein gewisses Interesse am Lernen, aber er braucht eine richtige Schule mit Lehrern und Mitschülern und umfangreiche Nachhilfe.« Jake reichte den beiden einige Unterlagen. »Das ist ein Antrag auf Haftprüfung, den ich am Montag beim Circuit Court einreichen will. Außerdem bitte ich Sie, Richter Noose, bei allem gebotenen Respekt, sich für befangen zu erklären. Wenn wir am Circuit Court scheitern, werde ich damit ans Bundesgericht gehen. Der Junge wird unrechtmäßig festgehalten, davon kann ich einen Bundesrichter überzeugen. Der Antrag mahnt eine Verletzung des Achten Verfassungszusatzes an, das Verbot ›grausamer und unüblicher Bestrafung‹, mit der Begründung, dass er als Minderjähriger in einer Anstalt für Erwachsene sitzt, in Einzelhaft gehalten wird und keinen Zugang zu Bildungsressourcen hat. Wir haben zwei vergleichbare Fälle aus anderen Gerichtsbarkeiten gefunden und in unseren Schriftsatz mit aufgenommen. Wenn wir Erfolg haben und ihn freibekommen, können Sie beide die Schuld auf jemand anders schieben und müssen sich keine Sorgen über mögliche politische Konsequenzen machen.«

Noose warf Jake einen erbosten Blick zu. »Ich denke nicht an Politik, Jake.«

»Damit wären Sie der erste Politiker, der nicht an Politik denkt.«

»Jetzt bin ich beleidigt. Betrachten Sie mich etwa als Politiker, Jake?«

»Eigentlich nicht, aber Sie stehen nächstes Jahr zur Wahl. Sie auch, Lowell.«

»Ich lasse meine Entscheidungen nicht von der Politik beeinflussen, Jake«, behauptete Dyer salbungsvoll.

»Warum wollen Sie ihn dann nicht freilassen?«, gab Jake zurück.

Alle atmeten tief durch, und Noose und Dyer überflogen den Antrag. Sie waren ganz offensichtlich überrumpelt und begriffen nicht recht, was sie da lasen. Nach einer Weile sagte Jake zum Richter: »Es tut mir leid, wenn ich Sie beleidigt habe, Euer Ehren. Das war nicht meine Absicht.«

»Entschuldigung angenommen. Aber man darf sich nichts vormachen; den Angeklagten in einem Mordprozess auf freien Fuß zu setzen würde vielen Leuten hier ganz schön gegen den Strich gehen. Haben Sie einen Plan?«

»Ja. Eine Kautionsbürgschaft kann gewährleisten, dass eine Person, die eines Verbrechens angeklagt ist, vor Gericht erscheint. Ich verbürge mich persönlich dafür, dass Drew, seine Mutter und seine Schwester da sein werden, wenn, wo und wann immer Sie beide das wollen. Darauf gebe ich Ihnen mein Wort. Mein Plan ist es, Drew nach Oxford zu bringen, wo Josie und Kiera jetzt wohnen, und ihn dort in vierzehn Tagen in die Schule zu schicken. Kiera wird wieder zur Schule gehen, sobald sie das Baby bekommen hat. Niemand kennt sie dort drüben, wobei ich annehme, dass ihre Anschrift jetzt aktenkundig ist. Sowohl Drew als auch Kiera brauchen außerdem Nachhilfe und psychologische Betreuung, darum werde ich mich ebenfalls kümmern.«

»Ist die Mutter erwerbstätig?«, erkundigte sich Noose.

»Sie hat zwei Teilzeitjobs und sucht zurzeit einen dritten. Ich habe eine kleine Wohnung für sie gefunden und unterstütze sie bei der Miete. Solange ich noch nicht pleite bin, kann ich das stemmen.«

»Ohne gesicherte Kaution können wir das nicht machen, Jake. Wie wollen die Gambles das finanzieren?«

Jake reichte ihm ein Dokument. »Hier ist die Eigentumsurkunde für mein Haus. Ich werde sie als Sicherheit hinterlegen. Bedenken habe ich dabei keine, denn ich weiß, dass Drew vor Gericht erscheinen wird.«

»Das ist nicht Ihr Ernst, Jake«, sagte Dyer kopfschüttelnd.

»Das geht doch nicht, Jake«, sagte Noose.

»Hier ist die Urkunde, Richter Noose. Das Haus ist hoch mit Hypotheken belastet, so wie alles, was ich besitze. Aber ich mache mir keine Sorgen.«

»Was, wenn sich die Gambles wieder verdünnisieren?«, gab Dyer zu bedenken. »Sie sind zeit ihres Lebens auf der Flucht gewesen.«

»Dann werde ich das kleine Arschloch finden und höchstpersönlich in den Knast zurückverfrachten.« Der Scherz zündete planmäßig und entspannte die Situation ein wenig.

»Was ist das Haus wert?«, fragte Noose.

»Ich habe eines von diesen wohlwollenden Schnellgutachten, über dreihunderttausend Dollar. Genauso hoch ist auch die Hypothek.«

»Wir werden Ihr Haus nicht nehmen, Jake. Wie wär's, wenn ich die Kaution auf fünfzigtausend Dollar festlege?«

»Nein, Sir, das würde bedeuten, dass wir, besser gesagt ich, auf die Schnelle fünftausend Dollar Gebühr für den Kautionsvermittler zusammenkratzen müssten. Wir wissen alle, dass das reine Abzocke ist. Außerdem habe ich im Moment keine fünftausend Dollar übrig. Nehmen Sie die Urkunde, Richter Noose. Der Junge wird da sein, wenn er vorgeladen wird.«

Noose warf seine Kopie der Urkunde auf den Tisch. »Lowell?«

»Der Staat lehnt die Freilassung gegen Kaution ab. Es handelt sich um Mord.«

»Danke für nichts«, sagte Jake.

Noose schlug sich mit der Hand aufs Kinn und begann sich zu kratzen. »In Ordnung. Die Urkunde soll genügen.«

Jake nahm ein paar weitere Blätter aus seinem Aktenkoffer und verteilte sie. »Ich habe hier bereits eine Anordnung formuliert, die

Sie nur noch unterschreiben müssen. Ich werde gleich im Anschluss mit der Geschäftsstelle reden und mit Ozzie, sofern er meinen Anruf annimmt, um den Transfer zu arrangieren. Morgen hole ich den Jungen in aller Frühe ab und chauffiere ihn nach Oxford. Sehen Sie, wir waren befreundet, bevor das alles anfing, und wir werden es wieder sein, wenn es vorbei ist. Ich brauche jetzt Ihre Unterstützung, damit wir diese Aktion in Ruhe durchziehen können. Josie ist verschuldet und hat auch die entsprechenden Klagen schon erhalten. Kiera bekommt ein uneheliches Kind. In Oxford weiß das niemand. Ich hätte gern, dass sie wieder zur Schule gehen kann, als ganz normale Vierzehnjährige, nicht als Teenagermutter. Außerdem gibt es hier bestimmt ein paar Leute, die Drew gern mal auf der Straße begegnen würden. Geheimhaltung ist oberstes Gebot.«

»Verstanden«, sagte Dyer.

Noose winkte ab, als bräuchte er diese Warnung nicht.


Lucien wollte an diesem Freitag einen Feierabenddrink auf seiner Veranda nehmen, und seine Einladung ließ keine Ablehnung zu. Jake hatte ohnehin keine Lust mehr, noch länger in der Kanzlei zu sitzen. Nachdem er Ozzie telefonisch endlich erreicht und die Details zu Drews Freilassung mit ihm besprochen hatte, fuhr er hinüber und parkte hinter dem alten Porsche. Lucien saß natürlich bereits in seinem Schaukelstuhl, ein Glas in der Hand. Jake fragte sich, wie viele er wohl schon intus hatte.

Er setzte sich ebenfalls in einen Schaukelstuhl, und sie plauderten über die feuchte Hitze. Normalerweise würde jetzt Sallie auftauchen und fragen, ob er etwas trinken wolle, und dann mit einem Getränk wiederkommen, als würde sie ihm einen Gefallen tun.

»Ich habe Sie auf einen Drink eingeladen«, sagte Lucien. »Die Bar ist, wo sie immer war. Im Kühlschrank ist Bier.«

Jake stand auf und kehrte mit einer Flasche Bier zurück. Eine

Zeit lang tranken sie schweigend und lauschten den Grillen. Irgendwann sprach Jake. »Sie wollten über etwas reden.«

»Ja. Reuben ist gestern vorbeigekommen.«

»Richter Atlee?«

»Wie viele Reubens kennen Sie in der Gegend?«

»Warum sind Sie immer so ein Besserwisser?«

»Übung.«

»Tatsächlich kenne ich noch einen anderen Reuben. Winslow. Er gehört zu unserer Kirchengemeinde, Sie dürften ihn also nicht kennen.«

»Wer ist jetzt der Besserwisser?«

»Reine Selbstverteidigung.«

»Reuben und ich kennen uns schon sehr lange. Wir hatten unsere Differenzen, aber wir reden immer noch miteinander.«

Es war wahrscheinlich unmöglich, einen Anwalt, Richter oder sonstigen gewählten Volksvertreter in Clanton zu finden, der noch nie Differenzen mit Lucien gehabt hatte.

»Was hat er auf dem Herzen?«

»Er macht sich Sorgen um Sie. Sie kennen Reuben. Er betrachtet sich als Schutzpatron aller Rechtsangelegenheiten in dieser Stadt und hält sich heimlich auf dem Laufenden. Es passiert kaum etwas an diesem Gericht, von dem er nichts weiß. Er wusste über den Gamble-Prozess fast so viel wie ich, und ich war im Sitzungssaal dabei.«

»Typisch Reuben.«

»Er war auch nicht überrascht, dass die Jury sich nicht einigen konnte, genauso wie ich. Sie können den Jungen zehnmal vor Gericht stellen, es wird nie zu einer Verurteilung kommen, auch nicht zu einem Freispruch. Ihre Verteidigung war meisterhaft, Jake. Ich war im Gericht sehr stolz auf Sie.«

»Danke.« Jake war gerührt. Lob von Lucien hatte Seltenheitswert. Normalerweise gab es von seiner Seite nur Kritik.

»Wirklich ein seltsamer Fall. Weder ein Schuldspruch noch ein Freispruch in Aussicht. Aber bestimmt wird noch mal ein Anlauf genommen.«

»Am 10. Dezember, entweder in Smithfield oder in Temple.«

Nachdenklich trank Lucien einen Schluck. »In der Zwischenzeit sitzt der Junge unschuldig im Gefängnis.«

»Nein. Er kommt morgen raus.«

»Wie haben Sie das hinbekommen?«

»Nicht ich – Portia. Sie hat einen Haftprüfungsantrag geschrieben, dazu einen überzeugenden Schriftsatz, und ich habe Noose beides heute Morgen gezeigt. Ich habe ihm gedroht, den Antrag hier einzureichen und, falls nötig, damit ans Bundesgericht zu gehen.«

Lucien schüttelte sich vor Lachen, und seine Eiswürfel klirrten dazu. Als er sich beruhigt hatte, sagte er: »Zurück zu Reuben. Es gibt ein paar Dinge, die ihm nicht in den Kram passen. *Smallwood* zum Beispiel. Er mag die Bahn nicht und ist der Meinung, dass der Betrieb hier in der Gegend seit Jahrzehnten eine Gefahr darstellt. Er hat mir erzählt, dass ein Freund von ihm vor dreißig Jahren an derselben Kreuzung um Haaresbreite einen Unfall gebaut hätte. Es sei gerade noch gut gegangen. Reuben hatte mit Central & Southern schon mehrfach vor Gericht zu tun, Enteignungsklagen und solche Dinge. Er findet die Leute dumm und arrogant. Der Laden kann ihm komplett gestohlen bleiben.«

»Ich habe die Dokumente«, sagte Jake beiläufig, obwohl seine Laune sich gerade schlagartig besserte.

»Außerdem macht er sich Gedanken über den mysteriösen Zeugen, wie heißt er noch?«

»Neal Nickel.«

»Typisch für Reuben – er hat die gesamte Gerichtsakte von A bis Z durchgelesen. Er findet es sonderbar, dass der Typ drei Stunden lang am Unfallort war und kein Wort gesagt hat, obwohl überall

Polizei herumstand, um anschließend nach Hause zu gehen, als wäre nichts gewesen. Am Freitag vor Prozessbeginn taucht er dann auf einmal auf und will aussagen. Reuben findet das unfair.«

»Es kommt auf jeden Fall völlig unerwartet. Aber warum hat Reuben die Gerichtsakte gelesen? Bestimmt hat er genug andere Arbeit auf seinem Schreibtisch liegen.«

»Er behauptet, es entspanne ihn. Außerdem macht er sich Sorgen um das Mädchen, die einzige Überlebende der Familie, und ihre Zukunft. Nachdem Sie die Vormundschaft in seinem Gericht haben regeln lassen, ist es verständlich, wenn er sich Gedanken macht. Er will, dass das Kind gut versorgt ist.«

»Das Kind wird jetzt von Sarah Smallwoods Schwester aufgezogen. Das ist ein ordentliches Zuhause. Nicht die ideale Lösung, aber okay.«

Lucien leerte sein Glas und stand langsam auf. Jake sah ihm nach, wie er sich entfernte, scheinbar stocknüchtern, und wusste, dass die Geschichte noch lange nicht zu Ende war. Wenn sie die richtige Wendung nahm, konnten sich Jakes Zukunftsaussichten drastisch verbessern. Plötzlich nervös, trank er sein Bier aus und überlegte, ob er sich ein neues holen sollte.

Lucien kehrte mit einem frischen Whiskey zurück, setzte sich und begann wieder zu schaukeln. »Jedenfalls, Reuben passt es nicht, wie sich die Sache entwickelt.«

»Mir auch nicht. Ich habe Schulden deswegen.«

»Eine gute Strategie wäre, die Klage am Circuit Court zurückzunehmen und dann am Chancery Court erneut einzureichen.«

»Der gute alte Trick«, sagte Jake. »Wir hatten das im Studium.«

Es war rechtlich möglich, Klage einzureichen und dann vor der Sachentscheidung zurückzuziehen, um sie später erneut einzureichen. Klagen, und wenn es im Prozess nicht lief wie gewünscht, zurücknehmen und bleiben lassen. Oder: Klagen, vor Gericht gehen, und wenn die Jury zu riskant aussah, alles zurücknehmen und es irgendwann noch mal versuchen. Es gab einen berühmten Fall im Süden, wo ein Klägeranwalt kalte Füße bekam, als sich die Jury-beratungen zu lange hinzogen. Er nahm die Klage zurück, alle gingen nach Hause. Am nächsten Tag stellte sich heraus, dass die Geschworenen zugunsten seines Mandanten entschieden hätten. Ein Jahr später reichte er die Klage erneut ein, die Sache wurde wieder verhandelt, und er verlor. Sein Mandant verklagte ihn daraufhin wegen Pflichtverletzung und bekam recht. Verteidiger hassten diese Verordnung. Klägervertreter wussten, dass sie unfair war, kämpften aber für ihre Beibehaltung. Die meisten Bundesstaaten waren zu einer moderneren Verfahrensordnung übergegangen.

»Eine archaische Regelung«, sagte Jake.

»Das stimmt. Trotzdem gilt sie noch. Nutzen Sie sie zu Ihrem Vorteil.«

Jake trank sein Bier aus. Ganz offensichtlich hatte Lucien keine Eile und genoss den Moment. »Was könnte am Chancery Court passieren?«, fragte Jake.

»Viel Gutes. Reuben wird den Vorsitz übernehmen, wegen der Vormundsache und seiner Verantwortung für den Schutz des Kindes. Er wird einen Termin ansetzen, und los geht's.«

»Ein Verfahren ohne Geschworene.«

»Genau. Die Verteidigung wird unter Umständen eine Jury beantragen, doch Reuben wird das ablehnen.«

Jake atmete tief durch. »Ich brauche einen Schluck von diesem braunen Zeug.«

»Sie wissen, wo die Bar ist. Aber halten Sie sich zurück, sonst bekommen Sie Schimpfe von Ihrer Frau.«

»Wenn meine Frau das hört, trinkt sie mit.«

Er ging nach drinnen und kam mit einem Jack Daniel's auf Eis zurück. »Wie Sie sich erinnern, Lucien, haben Harry Rex und ich über dieses Thema gesprochen, bevor wir Klage eingereicht haben. Ich glaube, ein- oder zweimal waren Sie sogar bei den Gesprächen dabei. Wir haben damals entschieden, den Chancery Court zu meiden, weil der Ehrenwerte Richter Atlee Reuben ein verdammter Knauser und Geizkragen ist. Ein Hunderttausend-Dollar-Urteil hat für ihn etwas Obszönes, er empfindet es als Verstoß gegen die Regeln einer anständigen Gesellschaft. In Vormundschaftsfällen müssen ihm die Anwälte jeden einzelnen Dollar aus den Rippen leiern.«

»Beim Hubbard-Nachlass war er großzügig zu Ihnen.«

»Das stimmt, auch darüber haben wir gesprochen. Aber damals war so viel Geld im Spiel, dass es nicht schwer war, großzügig zu sein. Wir haben *Smallwood* am Circuit Court eingereicht, weil wir uns mit einer Jury bessere Chancen ausgerechnet haben.«

»Richtig, Jake, außerdem wollten Sie einen großen Sieg vor Gericht, ein spektakuläres Urteil, das Sie als Prozessanwalt ins Gespräch bringt.«

»Ja. Das will ich auch jetzt.«

»Das wird Ihnen aber mit *Smallwood* nicht gelingen, jedenfalls nicht am Circuit Court.«

»Richter Atlee möchte also den Prozessvorsitz übernehmen?«

»Es wird keinen Prozess geben, Jake. Reuben wird die Eisenbahngesellschaft zum Vergleich zwingen. Das kann er richtig gut. Bei Hubbard hat er es genauso gemacht.«

»Das stimmt, aber erst nachdem ich das Verfahren gewonnen hatte.«

»Der Vergleich war fair, alle haben etwas abbekommen, eine Revision wurde vermieden. Stimmt's?«

»Stimmt.«

»Hier wird es genauso sein. Reichen Sie die Klage am Chancery Court neu ein, Reuben wird übernehmen. Er wird das Kind schützen und die Anwälte auch.«

Jake nahm einen ausgiebigen Schluck, schloss die Augen und schaukelte behutsam vor und zurück. Er spürte, wie ihm die Last von den Schultern fiel und der Stress aus seinen Poren verdampfte. Der Alkohol begann zu wirken, seine Atmung entspannte sich. Zum ersten Mal seit Monaten sah er einen Silberstreif am Horizont.

Schwer vorstellbar, dass Richter Atlee vierundzwanzig Stunden zuvor in demselben Schaukelstuhl gesessen und mit Lucien besprochen hatte, was er dem jungen Jake Brigance unterbreiten wollte.

Andererseits klang es sehr wohl nach Reuben Atlee.


# 54

Als Jake am frühen Samstagmorgen vor dem Gefängnis eintraf, wartete Ozzie auf ihn, mit freundlicher Miene, aber ohne einen Handschlag anzubieten. Mr. Zack holte den Häftling, der mit einem Army-Seesack erschien, in dem sich alles befand, was er besaß. Jake unterschrieb mehrere Formulare, Drew eine Aufstellung seiner Habseligkeiten. Sie folgen Ozzie durch eine Hintertür, wo Jakes Wagen parkte. Draußen blieb Drew kurz stehen und sah sich um. Es war sein erster Moment in Freiheit seit fast fünf Monaten. Als Jake seine Fahrertür öffnete, sagte Ozzie: »Wie wär's mit Mittagessen nächste Woche?«

»Sehr gern, Ozzie. Jederzeit.«

Sie fuhren los, ohne gesehen zu werden, und hielten fünf Minuten später in Jakes Einfahrt. Carla trat ihnen auf der Terrasse entgegen und nahm Drew erst einmal fest und lange in die Arme. Jake führte ihn in das Bad im Keller und drückte ihm ein Handtuch in die Hand. »Dusch erst mal heiß, so lange, wie du willst. Anschließend gibt's Frühstück.«

Eine halbe Stunde später erschien Drew mit feuchten Haaren,

bekleidet mit einem coolen Bruce-Springsteen-T-Shirt, Jeans-shorts und einem Paar nagelneuen Nike-Turnschuhen, die, wie er sagte, wie angegossen passten. Jake reichte ihm drei Eindollar-scheine. »Vom Blackjack. Den Rest darfst du behalten.«

Drew blickte auf das Geld. »Auf keinen Fall, Jake. Sie schulden mir nichts.«

»Nimm das Geld. Du hast es ehrlich gewonnen, und ich be-zahle Spielschulden grundsätzlich.«

Drew nahm die Scheine widerstrebend an und setzte sich an den Tisch, wo Hanna bereits wartete. »Wie war's im Gefängnis?«, lautete ihre erste Frage.

Jake wehrte ab. »Nein, nein, wir sprechen nicht über das Ge-fängnis. Such dir ein anderes Thema aus.«

»Es war furchtbar«, sagte Drew.

Im Laufe des Sommers hatten Drew und Carla viele Stunden zusammen verbracht, in denen sie sich mit Geschichte, Naturwis-senschaften und dem Lesen von Kriminalromanen beschäftigt und sich dabei angefreundet hatten. Carla stellte einen Teller mit Pfannkuchen und Speck vor ihn hin und zauste ihm die Haare. »Sobald du nach Hause kommst, wird deine Mom dafür sorgen, dass du einen Haarschnitt bekommst.«

Er lächelte. »Ja, endlich. Es ist eine richtige Wohnung, oder?«

»Ja«, bestätigte Jake. »Sie ist nicht sehr groß, aber sie wird tau-gen. Es wird dir dort gefallen, Drew.«

»Ich freu mich riesig drauf.« Er stopfte sich ein großes Stück Speck in den Mund.

Hanna sah ihn an. »Wie war das Essen im Gefängnis?«

»Hanna, iss jetzt, und kein Wort mehr über das Gefängnis.«

Drew verschlang seinen Stapel Pfannkuchen und bat um mehr. Zuerst sprach er kaum, doch bald wurde er richtig redselig. Seine Stimme überschlug sich und quiekte hin und wieder. Seit April war er mindestens fünf Zentimeter gewachsen. Obwohl er immer noch spindeldürr war, sah er mehr und mehr aus wie ein normaler Teenager. Endlich hatte die Pubertät eingesetzt.

Als er satt war, bedankte er sich bei Carla, drückte sie noch einmal fest und bat darum, dass sie jetzt zu seiner Mutter fuhren. Auf dem Weg nach Oxford wurde er still und genoss mit einem wohligen Lächeln die Aussicht. Auf halbem Weg nickte er ein und schlief alsbald tief und fest.

Jake betrachtete ihn und machte sich unwillkürlich Gedanken über seine Zukunft. Er wusste, dass Drews Freiheit am seidenen Faden hing. Richter Noose und Lucien hielten eine Verurteilung für unwahrscheinlich, doch er teilte diese Zuversicht nicht. Der nächste Prozess würde ganz anders verlaufen – das war immer so. Ein neues Gericht, eine neue Jury, eine neue Anklagestrategie.

Ganz gleich ob ein Sieg, eine Niederlage oder wieder ein Patt bevorstand, Drew Gamble würde auf Jahre hinaus ein Teil von Jakes Leben sein. So viel stand fest.

Am Montag reichte Jake am Circuit Court seine Klagerücknahme in der *Smallwood*-Sache ein und schickte dem gegnerischen Anwalt eine Abschrift. Am Nachmittag rief Walter Sullivan dreimal in seiner Kanzlei an, aber Jake hatte keine Lust, mit ihm zu reden. Er schuldete ihm keine Erklärung.

Am Dienstag reichte er am Chancery Court eine Klage wegen widerrechtlicher Tötung ein, die er anschließend an Richter Atlee faxte.

Am Mittwoch brachte die *Times* erwartungsgemäß eine Titelstory mit der Schlagzeile: Mutmaßlicher Kofer-Mörder auf freiem Fuß. Dumas Lee kannte kein Pardon. Sein Bericht war einseitig und vermittelte den Eindruck, dass der Angeklagte mit ungewöhnlicher Milde behandelt würde. Besonders ärgerlich war, dass er sich auf Äußerungen des ehemaligen Bezirksstaatsanwalts Rufus Buckley berief, der unter anderem erklärt hatte, er sei schockiert, dass Richter Noose die Freilassung eines wegen Mordes verurteilten Mannes zugelassen habe. »So etwas hat es in diesem Staat noch nicht gegeben«, hatte Buckley gesagt, als würde er die Rechtsgeschichte aller achtundzwanzig Countys kennen. Nicht ein einziges Mal erwähnte Dumas, dass der Angeklagte nach wie vor als unschuldig zu gelten hatte. Jake hatte er auch nicht nach seiner Meinung gefragt. Vermutlich hatte Jake so oft »kein Kommentar« gesagt, dass Dumas irgendwann aufgegeben hatte.

Erwartungsgemäß hatte Buckley viel Zeit zum Reden gehabt. Es war noch nie vorgekommen, dass er einen Reporter nicht leiden konnte.

Am Donnerstag eröffnete Richter Noose den Prozess in der Sache *Jake Brigance gegen Ford County*. Der große Gerichtssaal war praktisch menschenleer. Die fünf Räte saßen nebeneinander in der ersten Reihe, die Arme vor der Brust verschränkt, und maßen Jake, den Feind, mit unverhohlenem Groll. Sie waren altgediente Politiker, die das County seit vielen Jahren in überwiegend derselben Besetzung regierten. Jeder von ihnen stammte aus einem anderen Bezirk, in dem sie nach eigenem Gutdünken Straßenbauaufträge, Materialeinkauf und Jobs verteilten. Die Herren waren es nicht gewohnt, sich etwas sagen zu lassen, nicht einmal von einem Richter.

Dumas Lee war gekommen, um zu schnüffeln und die Show zu genießen. Jake vermied es, ihn anzusehen, obwohl er ihm am liebsten unflätige Schimpfwörter an den Kopf geworfen hätte.

»Mr. Brigance«, begann der Richter, »Sie sind der Kläger. Haben Sie Zeugen?«

Jake erhob sich. »Nein, Euer Ehren. Aber der guten Ordnung halber möchte ich erwähnen, dass ich vom Gericht bestellt wurde, um Mr. Drew Gamble in dem gegen ihn angestrengten Mordprozess zu vertreten. Mein Mandant ist nach wie vor mittellos. Ich würde gern meine Rechnung über die Gebühren, die im Zusammenhang mit seiner Verteidigung entstanden sind, als Beweismittel einreichen.« Er ging zur Stenografin und gab ihr die Unterlagen.

»Stattgegeben«, sagte Noose.

Als Jake sich setzte, stand Todd Tannehill auf. »Euer Ehren, ich vertrete das County in dieser Sache und bestätige den Empfang von Mr. Brigances Rechnung, die ich dem Verwaltungsrat habe zukommen lassen. Gemäß der Strafprozessordnung des Bundesstaats Mississippi beläuft sich die maximale für solche Angelegenheiten auszuzahlende Gebühr in allen Countys auf eintausend Dollar. Das County hat zugesagt, einen Scheck in dieser Höhe auszustellen.«

»Sehr schön«, sagte Noose. »Ich rufe Mr. Patrick East in den Zeugenstand.«

East war momentan der Ratsvorsitzende und hatte offensichtlich nicht damit gerechnet, aussagen zu müssen. Er ging nach vorn, legte seinen Eid ab, nahm auf dem Zeugenstuhl Platz und lächelte Omar Noose an. Man kannte sich seit zwanzig Jahren.

Der Richter stellte ein paar einleitende Fragen zu Namen, Adresse und Beruf und nahm dann einige Blätter Papier in die Hand. »Mr. East, wenn ich auf das Budget des County für das laufende Steuerjahr blicke, sehe ich einen Überschuss von rund zweihunderttausend Dollar. Können Sie dazu etwas sagen?«

»Sicher, Euer Ehren. Das würde ich als gutes Finanzmanagement bezeichnen.« East lächelte seine Kollegen an. Seine humorige Jovialität machte ihn bei seinen Wählern äußerst beliebt.

»Okay. Hier ist eine Spalte mit der Bezeichnung ›Diskretionskonto‹, die ein Guthaben von achttausend Dollar aufweist. Können Sie dazu etwas sagen?«

»Natürlich, Euer Ehren. Das ist unser Topf für schlechte Zeiten. Das Geld nutzen wir für unerwartete Ausgaben.«

»Zum Beispiel?«

»Na ja, letzten Monat brauchten wir eine neue Beleuchtung für das Softball-Stadion drüben in Karaway. Der Posten war nicht Teil des Etatantrags gewesen, und so beschlossen wir, elftausend Dollar aus dieser Quelle dafür zu nehmen. Solche Sachen.«

»Gibt es irgendwelche Einschränkungen, wie und wofür das Geld ausgegeben wird?«

»Eigentlich nicht. Solange die Forderung angemessen und von unserem Rechtsbeistand abgesegnet ist.«

»Danke. Nun, als der Rat Mr. Brigances Gebührenrechnung vorgelegt bekam, wie haben Sie und Ihre vier Kollegen abgestimmt?«

»Fünf zu null dagegen. Wir halten uns hier nur an das Gesetz, Euer Ehren.«

»Danke.« Noose blickte die beiden Anwälte an. »Noch Fragen?«

Ohne sich zu erheben, schüttelten beide nur verneinend den Kopf.

»Sehr schön. Mr. East, Sie sind entlassen.«

East kehrte zu seinen Kollegen in der ersten Reihe zurück.

»Noch etwas?«, fragte Noose.

Jake und Todd hatten nichts hinzuzufügen.

»Sehr schön. Das Gericht entscheidet zugunsten des Klägers, Jake Brigance, und ordnet hiermit an, dass der Beschuldigte, Ford County, einen Scheck über einundzwanzigtausend Dollar ausstellt. Die Verhandlung ist geschlossen.«

Am Freitag rief Todd Tannehill Jake an, um ihm mitzuteilen, dass ihn der Rat beauftragt habe, gegen den Beschluss in Berufung zu gehen. Er entschuldigte sich und sagte, er habe keine Wahl und müsse tun, was sein Mandant wolle.

Ein Berufungsverfahren am Obersten Gerichtshof des Bundesstaats würde achtzehn Monate dauern.

Der Freitag war Portias letzter Arbeitstag. Am Montag würde die Uni anfangen, und sie freute sich darauf. Lucien, Harry Rex, Bev, Jake und Carla trafen sich mit ihr im Hauptkonferenzraum und öffneten eine Flasche Champagner. Man ließ sie hochleben – nicht ohne sie mit ein paar gutmütigen Sticheleien zu necken –, dann war jeder reihum mit einer kleinen Rede dran. Jake sprach als Letzter und hatte einen Kloß im Hals.

Das Abschiedsgeschenk war ein hübsches Türschild aus Kastanienholz und Bronze mit der Aufschrift: Portia Carol Lang, Rechtsanwältin. Es sollte an dem Raum angebracht werden, in dem sie zwei Jahre lang gesessen hatte. Sie nahm es voller Stolz entgegen und wischte sich die Augen. »Ich bin überwältigt«, sagte sie und blickte auf die Gruppe. »Wie schon so viele Male hier. Ich danke Ihnen für Ihre Freundschaft. Sie waren so gut zu mir. Aber ich danke Ihnen auch für etwas viel Wichtigeres: Ihre Akzeptanz. Sie haben mich, eine junge Schwarze, als gleichberechtigt akzeptiert. Sie haben mir eine unglaubliche Chance gegeben, aber Sie haben von mir auch volle Leistung erwartet. Dank Ihrer Förderung und Ihrer Akzeptanz habe ich eine Zukunft, die ich manchmal immer noch nicht für möglich halte. Sie haben keine Ahnung, was das für mich bedeutet. Danke. Ich liebe Sie alle – sogar Sie, Lucien.«

Als sie endete, hatten alle feuchte Augen.


# 55


Am dritten Sonntag im September, als die Sommerhitze endlich nachließ und ein Hauch von Herbst in der Luft lag, wollten die Brigances zum Gottesdienst in der Good Shepherd Bible Church aufbrechen. Man war wie immer spät dran. Carla und Hanna saßen schon im Auto, Jake schaltete gerade die Alarmanlage ein, als das Telefon klingelte. Es war Josie, die aufgeregt berichtete, dass Kieras Wehen eingesetzt hätten. Sie war in Eile und versprach, sich wieder zu melden, sobald sie konnte. Jake programmierte in aller Ruhe den Alarm zu Ende, schloss die Tür ab und stieg ins Auto.

»Jetzt sind wir wirklich zu spät«, schmollte Carla.

»Das Telefon hat geklingelt«, sagte Jake und stieß rückwärts aus der Einfahrt.

»Wer war es?«

»Josie. Es geht los.«

Carla atmete tief durch und murmelte: »Sie ist früh dran.« Sie hatten Hanna noch nichts erzählt.

Dem Kind entging nie etwas. »Ist was mit Josie?«, fragte sie vom Rücksitz.

»Nein, alles in Ordnung«, sagte Jake.

»Warum hat sie dann angerufen?«

»Nur so.«

Nach einer endlos scheinenden Predigt sprachen sie kurz mit Pastor McGarry und Meg und verabschiedeten sich dann rasch. Sie eilten nach Hause und aßen hastig zu Mittag, ohne das Telefon aus den Augen zu lassen. Stunden vergingen. Hannas Geburt war ein Albtraum gewesen. Was konnte nicht alles schiefgehen … Jake versuchte, Football zu schauen, während Carla in der Küche rumorte, immer in der Nähe des Telefonapparats.

Um 16.30 Uhr rief Josie endlich mit der Nachricht an, dass das Baby da sei. Kiera habe es fantastisch gemacht. Mutter und Kind seien wohlauf, es habe keine Komplikationen gegeben. Der Junge wiege dreitausenddreihundert Gramm, und natürlich sei er wunderschön und sehe aus wie seine Mutter. Hanna spürte, dass etwas Außergewöhnliches im Gange war, und verfolgte jede Regung ihrer Eltern mit Argusaugen.

Am Montag fuhr sie wie immer mit ihrer Mutter zur Schule.

Jake war in der Kanzlei und ging Unterlagen durch. Er rief seinen Anwalt in Oxford an, einen alten Freund aus der Highschool, und sie besprachen noch einmal ihre Vorgehensweise. Dann teilte er seinen Eltern die Neuigkeit mit. Carla hatte mit den ihren am Sonntagabend telefoniert.

Nach der Schule setzten sie Hanna bei einer Freundin ab und fuhren nach Oxford ins Krankenhaus. In Kieras Zimmer herrschte ein heilloses Durcheinander, weil Josie und Drew dort auf Klappbetten die Nacht verbracht hatten. Die Familie freute sich darauf, nach Hause zu gehen. Drew wirkte zu Tode gelangweilt.

Jake hatte darauf bestanden, dass Kiera das Baby nicht zu sehen bekam. Er ging mit ihnen das Prozedere durch und erklärte die rechtlichen Grundlagen. Kiera war sehr mitgenommen und weinte praktisch ununterbrochen. Carla stand an ihrem Bett und tätschelte ihren Arm. Das Mädchen wirkte jetzt noch jünger, als es war.

»Das arme Kind«, sagte Carla und wischte sich die Wangen, als sie das Zimmer verließen. »Das arme Kind.«

Um ein Haar wäre Jake eine Plattitüde herausgerutscht – das Schlimmste ist vorbei, jetzt können wir nach vorn schauen. Doch solange Drew und sein Schicksal wie ein Damoklesschwert über ihnen hingen, war es schwer, optimistisch in die Zukunft zu blicken. Doch als sie die Entbindungsstation erreichten, war die Traurigkeit verflogen. Ein kurzer Blick auf den Kleinen genügte. Er war perfekt.

Am Abend setzten sie sich schließlich mit Hanna zusammen, um ihr zu verkünden, dass sie ein Brüderchen bekommen werde und ihre Tage als Einzelkind gezählt seien. Sie war hellauf begeistert und hatte tausend Fragen. Stundenlang besprachen sie seine Ankunft, seinen Namen, sein Zimmer und vieles mehr. Jake und Carla hatten entschieden, jegliche Gespräche über die leibliche Mutter erst einmal aufzuschieben. Sie beschrieben sie nur kurz als schöne junge Frau, die ihr Baby nicht behalten konnte. Aber für Hanna spielte das keine Rolle, sie war einfach nur selig, bald einen kleinen Bruder zu haben.

Bis spät in die Nacht schraubte Jake ein Bettchen zusammen, das sie in einem Vorratsschrank versteckt hatten, während Carla und Hanna Schlafsäckchen, Decken und Babyklamotten auspackten. Hanna bestand darauf, in dieser Nacht bei den Eltern zu schlafen, was durchaus öfter vorkam. Sie mussten ihr förmlich einen Maulkorb anlegen, um sie zum Einschlafen zu bringen.

Am nächsten Morgen wurden alle früh wach und kleideten sich für den großen Tag wie für den Kirchgang. Hanna half beim Packen einer Wickeltasche, die so viele Dinge enthielt, wie sie ein Neugeborenes unmöglich brauchen konnte. Sie plapperte den ganzen Weg nach Oxford, und ihre Eltern bemühten sich tapfer, aber vergeblich, alle ihre Fragen zu beantworten. Im Krankenhaus setzten sie Hanna unter strengsten Anweisungen in ein Wartezimmer und suchten dann die Verwaltung auf, um die notwendigen Papiere prüfen und unterschreiben zu lassen.

Anschließend begaben sie sich zu Kiera, die zusammen mit Josie auf gepackten Koffern saß. Drew war bereits zur Schule gegangen. Die Entlassungspapiere waren unterschrieben, die Gambles hatten genug vom Krankenhaus. Unter Tränen umarmten sie einander zum Abschied und versprachen, sich bald wiederzusehen. Dann machten sich Jake und Carla auf den Weg zur Entbindungsstation, um den Kleinen abzuholen. Die Hebamme reichte ihn Carla, der es die Sprache verschlug, und sie flitzten zurück in das Wartezimmer, um ihn seiner großen Schwester vorzustellen. Auch Hanna konnte jetzt für einen Moment nichts sagen. Sie wiegte ihn wie eine Puppe und bestand darauf, dass er sofort ein hellblaues Outfit angezogen bekam, das sie ausgesucht hatte und das dem Anlass angemessen war.

Sie würden ihn Luke nennen, mit Hannas Einverständnis. Auf

seiner Geburtsurkunde würde allerdings Lucien eingetragen werden, ein Name, gegen den Carla sich zunächst gewehrt hatte. Ihr Kind nach dem größten Filou in Clanton zu nennen konnte alle möglichen Verwicklungen nach sich ziehen. Doch Jake war stur geblieben. Wenn der Junge zehn war, wäre Lucien Wilbanks nicht mehr da und die Stadt hätte ihn zum großen Teil längst vergessen. Jake hingegen würde das Andenken an ihn sein Leben lang in Ehren halten.

Sie fuhren zum Courthouse Square und parkten vor der Kanzlei von Arnie Pierce, einem von Jakes engen Freunden aus dem Jurastudium. Ehe sie Jake kennengelernt hatte, war Carla mit Arnie zusammen gewesen, sie alle verband eine lange, vertrauensvolle Freundschaft. Zusammen gingen sie über die Straße zum Gericht von Lafayette County, wo Pierce einen Sondertermin mit Chancellor Purvis Wesson organisiert hatte, einem jungen Richter, den Jake ebenfalls gut kannte. Sie setzten sich privat in seinem Büro zusammen, nur in Anwesenheit einer Stenografin. Wie ein Priester bei einer Taufe hielt Chancellor Wesson das Baby, musterte es eingehend und erklärte es schließlich für adoptionsfähig.

Gerade noch rechtzeitig stieß Portia hinzu. Seit drei Wochen büffelte sie jetzt an der Uni und hatte nichts dagegen, ein oder zwei Kurse ausfallen zu lassen, um der Adoptionszeremonie beizuwohnen.

Von Arnie mit den notwendigen Unterlagen versorgt, strich Richter Wesson die dreitägige Wartefrist und die sechs Monate Probezeit. Er prüfte den Adoptionsantrag sowie die Einverständniserklärungen von Josie und Kiera und sah sich der guten Ordnung halber auch den Totenschein des Vaters an. Mit seiner Unterschrift wurde der kleine Luke schließlich offiziell Adoptivsohn von Jake und Carla Brigance. Letzte richterliche Amtshandlung war die Anordnung, die Akte als vertraulich einzustufen, sodass sie nicht öffentlich einsehbar war.

Dreißig Minuten später posierten sie für Fotos und verabschiedeten sich voneinander.

Für den Heimweg bestand Hanna darauf, dass sich Carla mit dem Kleinen zu ihr auf die Rückbank setzte. Sie hatte ihren Bruder längst in Beschlag genommen. Zuerst wollte sie ihm die Flasche geben. Dann wollte sie ihm die Windeln wechseln, was Jake nur unterstützen konnte. Das durfte sie von jetzt an tun, wann immer sie wollte.

Die Fahrt nach Clanton war ein Moment der Freude, an den sich Carla und Jake noch jahrelang gern erinnern würden. Zu Hause wartete das Mittagessen mit Jakes Eltern und Schwiegereltern, die in aller Frühe in Memphis gelandet waren. Harry Rex und Lucien gesellten sich ebenfalls dazu. Als Jake den Namen des Kindes verkündete, tat Harry Rex beleidigt und fragte entrüstet, warum sie ausgerechnet »Lucien« ausgesucht hatten. Jake erklärte, ein Harry Rex auf dieser Welt sei mehr als genug.

Die Großmütter drückten das Baby abwechselnd, immer unter den wachsamen Augen seiner großen Schwester.

Freunde und Verwandte würden sich alle Mühe geben, um die genauen Umstände dieser Adoption möglichst unter der Decke zu halten. Dennoch würde sich am Ende alles in der Stadt herumsprechen.

Jake war das egal.

# Anmerkung des Autors

Ich habe *Die Jury* 1984 begonnen und 1989 veröffentlicht. Es verging eine ganze Zeit, bis Jake seinen nächsten Auftritt hatte, im Jahr 2013 in *Die Erbin*. In der Zwischenzeit erschienen weitere Romane, die sich um denselben fiktionalen Ort ranken: *Die Kammer*, *Die Liste*, *Der Richter* und *Ford County*, meine einzige Kurzgeschichtensammlung. Ich habe viel erzählt von Clanton und seinen Figuren – Jake und Carla, Harry Rex, Lucien, Richter Noose, Richter Atlee, Sheriff Ozzie Walls, Carl Lee und vielen anderen –, so viel, dass ich mich gar nicht an alles erinnern kann. Ich erwähne das, um mich für eventuelle Unstimmigkeiten zu entschuldigen. Ich war einfach zu faul, um alle alten Geschichten noch mal zu lesen.

Mein Dank geht an einige frühere Anwaltskollegen in Hernando, die mich an Details aus den Anfängen meiner Berufszeit erinnert haben: James Franks, William Ballard, Chancellor Percy Lynchard. Sie haben mir die Gesetze korrekt erklärt. Wenn ich sie angepasst habe, damit sie besser zu meiner Geschichte passen, dann ist es eben so. Das ist mein Fehler, nicht ihrer. Das Gleiche gilt für Gesetze und Verfahrensregeln in meinem Heimatstaat Mississippi. Als junger Anwalt musste ich sie buchstabengetreu befolgen. Als Schriftsteller fühle ich mich heute nicht mehr daran gebunden. Auch hier habe ich Gesetzestexte verändert, verdreht, ja sogar frei erfunden, um meine Erzählung voranzubringen.

Außerdem danke ich Judy Jacoby herzlich für die Idee zum Originaltitel, *A Time for Mercy*.

671

# John Grisham

## »Der beste Thrillerautor unserer Zeit«
### *Ken Follett*

In Seabrook, Florida, wird ein junger Anwalt erschossen. Obwohl
es keinerlei Beweise gibt, wird Quincy Miller verhaftet, ein junger
Afroamerikaner, der früher zu den Klienten des Anwalts zählte. Miller
wird zum Tode verurteilt und sitzt 22 Jahre im Gefängnis. Dann schreibt
er einen Brief an die Guardian Ministries, einen Zusammenschluss
von Anwälten, die es sich zur Aufgabe gemacht haben, unschuldig
Verurteilte zu rehabilitieren. Cullen Post übernimmt seinen Fall. Er ahnt
nicht, dass er sich damit in Lebensgefahr begibt.

978-3-453-44132-3